ENQUÊTE
SUR L'EXISTENCE
DES
ANGES GARDIENS

Pierre Jovanovic

ENQUÊTE SUR L'EXISTENCE DES ANGES GARDIENS

filipacchi

Ce livre est tout particulièrement dédié à quatre femmes merveilleuses Marie, Gemma, Gabrielle, Georgette ; à Francis White et au Créateur du sujet.

En hommage à deux angéologues émérites, Gustav Davidson et Vincent Klee

Si tu savais combien ton visage
s'altère, lorsque dans le regard
calme et pur qui te lie à moi,
tu te perds soudain
et te détournes de moi !
Comme un paysage lumineux qui s'obscurcit,
cela m'exclut de toi.
Alors, j'attends. En silence, j'attends
parfois longuement.
Serais-je humain, comme toi,
mon amour méprisé deviendrait peine mortelle.
Mais une patience infinie m'est donnée
par le Père et inébranlablement
je t'attends, quand tu voudras venir.
Et ce léger reproche, comprends
qu'il n'est pas un reproche
mais un message discret.

Christian Morgenstern

REMERCIEMENTS

Je tiens à remercier du fond du cœur pour l'aide (et surtout pour les encouragements) qu'ils m'ont apportés :

Gérard Adamis
S. de Beketch
Michael Auriel
Le lieutenant Claude Boucherville
Joachim Boufflet
Le Père François Brune
Martin Caidin
Gérard Coste
Le Père Jean Derobert
Muriel Dzu
George Gallup Jr
Le Père Guy Girard
Jacinta Gonzales
Michael Grosso
Jean-Yves Guizouarn
Carole Hennebault
Francis Jeffrey
Le Dr Elisabeth Kübler-Ross
Le Pr John Lilly
Robert Monroe
Le Dr Melvin Morse
Le Père Alessio Parente
Le Dr Maurice Rawlings
Le Pr Kenneth Ring
Le Dr Georges Ritchie
Evelyne Sarah-Mercier
Le Père Stephen Schneir
Kimberley Sharp
Monseigneur Sheridan
Father Paul-Francis Spencer
Terry Taylor
Philippe Tesson
Dave Wallis

Les bibliothèques dominicaines de Paris
Le Los Angeles County Library
Le Paul Getty Museum de Malibu
La librairie La Procure, ainsi que tous les éditeurs français, suisses, italiens, américains et canadiens qui, avec beaucoup de bienveillance, m'ont toujours expédié en Californie les livres dont j'avais besoin.

Chapitre 1

De l'influence des Anges
sur la vie quotidienne

In this age of grand illusions
You walked into my life out of my dreams
I don't need another chance
Still you forced your way into my scheme of things
You say, we're growing, growing, heart and soul
In this age of grand illusion
You walked into my life out of my dreams
Sweet Angel
Born once again for me
Sweet Angel
Born once again for me.

David Bowie – *Word on a Wing* – in
« Station to Station », RYKO Records.

Un après-midi de janvier 1988 à Fremont en plein cœur de la Silicon Valley, je venais de terminer la visite de l'usine d'assemblage des ordinateurs portables Grid. Avec mon amie, nous reprîmes notre voiture de location et après avoir cherché pendant dix minutes, finîmes par trouver le chemin de la highway 101 qui nous ramenait à San Francisco. Sur l'autoroute, tout paraissait normal, calme. La journée était ensoleillée et, ne conduisant pas, je regardais les gros camions bien américains, étincelants de tous leurs chromes, que nous doublions, lorsque soudain, sans même réfléchir, je me jetai sur ma gauche. Dans la seconde qui suivait, une balle traversait le pare-brise, exactement en face de la place passager. Ma place. Une heure plus tard après le constat (obligatoire pour l'assurance) de la Highway Patrol qui nous a rassurés en précisant qu'il s'agissait d'un incident (sniper) relativement courant (*sic*), je me demandais pourquoi je m'étais jeté sur la gauche *AVANT* l'impact de la balle sur le pare-brise. Plus tard, en discutant avec d'autres journalistes, je découvris que je n'étais pas le seul à qui ce genre de phénomène était arrivé. D'autres confrères — journalistes ou photographes de presse — me racontèrent comment au moment même de la mort impossible à éviter, quelque chose d'inexplicable leur avait sauvé la vie, quelque chose qui n'avait pas une chance sur un million d'arriver. Et la plupart d'entre eux m'expliquèrent que le temps s'était soudain suspendu et qu'ils avaient commencé à revoir leur vie, mais comme « *hors du temps* ». Phénomène inexplicable, donc on le range dans un coin de la mémoire. Mais l'anecdote resurgit au hasard d'un dîner lorsqu'une autre personne en parle « *tiens, justement un truc comme ça m'est arrivé au Liban, en Irak, etc.* ».

Moi aussi j'avais oublié. Puis après une enquête sur le phénomène de la vie après la mort, je n'ai pu m'empêcher d'établir un rapprochement entre les expériences aux frontières de la mort et ces anecdotes de journalistes, de photographes et de pilotes sauvés *in extremis* par une voix ou une action inexpliquée. Tous avaient en commun soit le « *temps suspendu* », soit le « *défilement de leur vie en trois dimensions* », parfois les deux. Alors je me plongeai dans les expériences aux frontières de la mort, ou de la vie, au choix. Un entretien avec le Dr Devawrin allait définitivement me convaincre : ce médecin avait passé sa thèse de médecine sur le sujet dans un lieu d'observation particulièrement propice, le service de réanimation de l'hôpital de Garches[1] qui hérite des accidentés graves du périphérique parisien. Pour aller plus loin, je proposai même le sujet lors d'une conférence de rédaction du « Quotidien de Paris » et il fut accepté. Cette fois-ci, l'enquête sur les expériences aux frontières de la mort, NDE[2], était devenue un leitmotiv. Je voulais vraiment savoir ce qui se passait au moment de la mort. Après quelques semaines d'investigation, j'étais plus que troublé : en acceptant le principe d'une vie après la mort à la

1. Banlieue de Paris.
2. De l'anglais Near Death Experience, signifiant expérience aux frontières de la mort.

suite de cette enquête, je me trouvai confronté à un dilemme : si la vie ne cesse pas après la mort, alors les textes religieux que je considérais comme des histoires de vieux barbus n'étaient pas si idiots que cela. J'étais bien ennuyé. Avant cet article, la résurrection du Christ ne signifiait rien de plus pour moi qu'un week-end prolongé grâce au pont de Pâques. Or que représentaient finalement toutes ces expériences aux frontières de la mort, sinon des histoires de résurrections modernes ? Cela m'agaçait tant que je fis comme tout le monde, je préférai oublier. Cela m'obligeait à trop réfléchir et le dolorisme des catholiques m'avait toujours horrifié.

Cependant, tout finit par me retomber dessus un soir, en écoutant une chanson de Jean-Louis Murat à propos de son Ange gardien. Je me suis bêtement demandé si j'avais moi aussi un Ange gardien et cette idée me sembla aussi idiote que romantique. Mais moins d'une heure plus tard, dans une librairie, je trouvais, par hasard, un livre sur les Anges. Le sujet éveilla mon intérêt, un intérêt purement intellectuel cependant. Mais plus je me passionnais pour le sujet et plus les signes, dans un enchaînement de coïncidences invraisemblables, fusaient. Cette première question avait allumé la mèche d'une bombe qui me coûtait une fortune en livres. Petit à petit, j'eus le sentiment étrange qu'un dialogue invisible s'était instauré entre ce supposé Ange et moi. Un dialogue que Jung a nommé synchronicité. Il ne s'agissait pas de dialogues au sens propre du terme, mais plus exactement de signes qui n'ont de sens que pour vous et personne d'autre. Par exemple, vous marchez dans la rue et vous vous demandez très sérieusement si l'Ange gardien n'est pas simplement un produit de votre imagination et de celle des autres, et juste à ce moment-là, une fille passe devant vous, portant un T-shirt avec des ailes dans le dos !
La première fois, vous vous dites qu'il s'agit d'un pur hasard. La deuxième fois, lorsque quelqu'un vous offre un livre d'art sur les Anges, vous pensez que c'est une véritable coïncidence. La troisième fois, vous recevez une lettre commençant par « tu as été mon Ange gardien » d'une personne que vous avez connue bien avant votre soudaine passion et vous vous dites que c'est une simultanéité incroyable. A la quatrième fois, vous ne trouvez plus de mots. Au bout de la dixième fois, vous déclarez forfait et à la vingtième, vous

parlez très sérieusement à votre Ange. A ce moment-là, ses réponses vous surprennent au détour d'une rue, d'un livre, d'une personne, d'une lettre ou d'un coup de téléphone. Je me souviens qu'un jour je décrochai le téléphone et au bout du fil, une personne que je devinais âgée me demanda si elle était bien à l'église Sainte-Marie des Anges. J'en restai quasiment sans voix.

Ensuite l'Ange prend l'habitude de vous « parler » en permanence, toujours par signes interposés. Parfois la raison cartésienne vous rappelle à l'ordre et, à nouveau, vous vous demandez très sincèrement si vous n'êtes pas devenu fou et si vous ne voyez pas des signes là où il n'y en a aucun. Vous commencez même à douter de votre santé psychologique. A ce moment-là, un signe encore plus impressionnant vous assomme littéralement. Je me trouvais dans ce cas précis, en 1990 à Las Vegas où « Le Quotidien » m'avait envoyé couvrir le Comdex, une exposition informatique. Plus que jamais je « doutais », persuadé d'être bon pour l'asile. Un matin, je marchais donc sur le « Strip » lorsque la croix d'un clocher attira mon attention. Bien qu'en en étant à mon cinquième séjour consécutif à Las Vegas, je n'avais jamais remarqué une église. Et c'est vraiment par curiosité que je me dirigeai vers elle, voulant savoir à quoi ressemblait une église dans la capitale du jeu et de la prostitution. A la lecture de son nom, « Guardian Angel Cathedral, Bishop of Nevada », je demeurai paralysé pendant une bonne minute. C'était incroyable. C'est même la seule église aux Etats-Unis qui porte ce nom.

Cependant, plus j'obtenais de signes et moins j'y croyais, m'entêtant à penser qu'il ne s'agissait que de pures coïncidences. Un jour pourtant, je crus sincèrement être devenu fou. J'avais trouvé dans une librairie d'occasions un magnifique missel en latin de la fin du XIXe, appelé « Missel des Anges ». Voulant dater et surtout obtenir plus de précisions sur le ou les auteurs de cet ouvrage enluminé, je demandai à l'archevêché de Paris le nom d'un bibliothécaire qui pourrait m'éclairer On m'indiqua le nom d'un moine dont je tairai ici l'appartenance. Au téléphone, il me fixa rendez-vous pour le dimanche suivant, après l'office. Le jour dit, après une messe célébrée par un prêtre qui ne cessa de parler d'Anges, je demandai à un religieux de me présenter le frère X. Lorsqu'il me le désigna, je

16

découvris avec une agréable surprise qu'il s'agissait justement du prêtre, un homme d'une trentaine d'années au visage souriant, avec un je ne sais quoi de féminin. Il m'emmena dans son bureau, prit le missel, l'examina avec une loupe et me donna des renseignements intéressants, précisant toutefois qu'il ne connaissait pas cet ouvrage. Je n'étais pas vraiment avancé. Quand je voulus l'orienter sur les Anges, le frère X m'arrêta. Il se leva, signifiant la fin de l'entretien et me dit : « *Les Anges, les apparitions de la Vierge et toutes ces stupidités, je n'y crois pas.* » Ce fut le coup de grâce que j'attendais inconsciemment. Je m'installai au volant de ma voiture en me demandant pourquoi je devais croire aux Anges si même un prêtre ordonné n'y croyait pas lui-même...

Pourtant, quelque part, (curieuse cette expression « quelque part », où ?) cela m'avait attristé. Je m'étais attaché sinon à mon Ange, du moins à l'idée d'en posséder un. Et après ce rendez-vous, c'était comme s'il s'était évanoui en fumée. C'était la fin d'une belle amitié invisible.

Mais on ne se débarrasse pas comme ça d'un Ange gardien. Cet incident fut une sorte de boomerang, un révélateur. L'Ange se comporte comme une jeune fille éconduite qui vous guette à la sortie de votre appartement. Trois jours plus tard, en sortant d'un restaurant où j'avais déjeuné avec mon ami Gérard Adamis auquel j'avais relaté l'incident avec le moine, l'Ange m'attendait, foudroyant.

Je m'assis dans la voiture de Gérard et au démarrage, une cassette sortit de l'auto-radio (pourquoi cette cassette ne glissa pas à l'aller ? mystère...). J'y jetai un coup d'œil machinal et, stupéfait, je lus le titre « Saint Michel Archange ». A ma question sur l'origine de la cassette, Gérard Adamis me répondit que dimanche (donc le même jour que mon expertise) après la messe, il avait vu cette cassette qui réunissait des sermons sur l'Archange et me l'avait prise, connaissant mon intérêt pour le sujet. Mais, après avoir écouté la face A, assez ennuyeuse, il avait totalement oublié de m'en parler. Par curiosité, j'engageai alors la face B dans le lecteur et appuyai sur « play ». Après un bruit de souffle, une voix masculine pleine d'énergie emplit l'habitacle et les premiers mots me firent l'effet d'un coup de poignard. C'était une réponse directe à ce que m'avait dit ce prêtre et ce, en utilisant SES propres mots !

« Je ne vais pas perdre mon temps à vous prouver qu'il y a des Anges » déclamait la voix.

« Ouvrez n'importe quelle page des Saintes Ecritures, il y en est question abondamment ; il a fallu toute la stupidité des progressistes pour les réduire à de simples pensées et je n'ai pas de temps à perdre avec ce genre de stupidités. » [1]

Jamais je n'avais imaginé qu'un prêtre pouvait s'exprimer d'une façon aussi directe, traitant ses homologues progressistes de « stupides ». C'était vraiment très drôle et tout de même assez surprenant. Pire, le sermon venait de l'église Saint-Nicolas du Chardonnet, fief parisien des traditionalistes, mouvement sur lequel je nourrissais plus que des doutes. Mais cette voix parlait des Anges avec une poésie, une foi et une certitude telles que j'en restai abasourdi. La situation était vraiment étrange. Gérard Adamis, aussi étonné et fasciné que moi, avait garé la voiture à l'ombre d'un acacia afin que nous puissions écouter tranquillement ce sermon à mi-chemin entre le cours de philosophie et le cours de théologie. Pas de doute, la réponse du frère avait visiblement énervé les occupants de « là-haut » ; cela avait fait des vagues.

La synchronicité de cet événement nous plongea dans des abîmes de réflexion. Le prêtre spécialiste ès missel, un progressiste, avait utilisé le terme « stupidité » [2]. Le prêtre de la cassette utilisait le même mot et reprochait aux progressistes leur stupidité... Je n'en revenais pas. Du coup, la foi en mon Ange gardien, tombée à zéro, remonta en flèche. Je venais de découvrir que les Anges n'aimaient pas du tout qu'on les prenne pour des chimères.

---

1. Sermon du 29 septembre 1991, Abbé Laguérie.
2. Quelques mois plus tard, je découvrais que l'écrivain italien Giovanni Sienna se heurta à cette même « *stupidité* » : « *Un religieux de nos amis* », raconte-t-il dans son livre " Padre Pio, voici l'heure des Anges ", « *avait traduit mon livre dans sa langue. Et, avant de le mettre sous presse, il le soumit à une révision ecclésiastique. Ce livre possédait déjà les imprimatur de Milan et de Paris. Il a été refusé avec ce commentaire précis : " Finissons-en avec ces stupidités* ". »

Or, les histoires folles de ce genre, dont la synchronicité extraordinaire semble être réglée à la seconde près, ne s'expliquent que par la puissance des Anges, ravis sans doute que l'on s'intéresse à eux. Alors, je recommençai à dévorer tous les livres sur les Anges. Cependant je fus déçu de ne pas trouver un ouvrage qui donnât des « preuves » de leur existence. Dans ces livres, il s'agissait toujours de commentaires basés sur les textes de la Bible (où et quand les Anges apparaissent dans les textes), ou bien de témoignages rapportés (« j'ai été sauvé par un Ange ») ou encore d'écrits spéculatifs (sur le sexe des Anges, bien sûr) suffisants pour ceux qui ont la foi, mais totalement insuffisants pour ceux qui ne croient en rien, et insignifiants pour ceux qui aimeraient bien y croire mais désirent une sorte de « démonstration » matérielle, palpable. En général les Anges sont traités soit par des prêtres tout ce qu'il y a de plus *nihil obstat*, soit par des auteurs « new age » du channeling (« l'Ange Saaparvada m'a dit que... »), soit par des kabbalistes (invocation des Esprits du Bien), soit par des inconnus qui eurent une expérience « angélique », soit par des universitaires théologiens, dans la majorité abscons. Pour comprendre leur livre, il faut s'armer d'un dictionnaire théologique. Tous apportent des détails intéressants mais peu me donnaient le sentiment qu'ils pouvaient convaincre un homme d'affaires pressé ou quelqu'un qui tâtonne, qui cherche, mais qui n'a nulle envie de se confier à un prêtre. La position de ces derniers est simple : « *L'Eglise dit que les Anges existent, donc il faut croire aux Anges* » selon les progressistes qui ne les ont pas classés au rayon des dogmes dépassés. Or, s'il y a bien une démarche intellectuelle qui me gênait, c'était bien celle-là : l'Eglise dit que... L'Eglise a proféré tellement d'âneries que justement on est porté à surtout ne pas la croire. Et d'ailleurs, n'avait-elle pas mis le Grand Larousse Universel à l'Index ?

En tant que journaliste, je cherchais donc un livre reposant sur des bases un peu plus solides, un peu plus musclées. Mais après de vaines recherches, je dus me rendre à l'évidence : ce livre n'existait pas. Pourtant, mon côté rationnel s'obstinait à trouver des preuves matérielles de l'existence de l'Ange et/ou des témoignages de personnes au-dessus de tout soupçon. Finalement, après quatre ans de lecture de sujets extrêmement variés, je me rendis compte que je pouvais rédiger ce livre. Mais un problème se posa : comment aborder ce sujet sous l'angle journalistique, donc effectuer une enquête pluridisciplinaire sans trop me ridiculiser en tant que rédacteur d'un quotidien national (j'imaginais les commentaires des attachées de presse « *ah, c'est lui l'idiot qui croit aux Anges* », etc.).

Un autre problème surgit aussitôt : ce livre, pour être crédible, impliquait de nombreux interviews aux Etats-Unis, signifiant des voyages dans l'ensemble du pays. A ce moment-là, Paris m'envoya en Californie, ce qui régla mes problèmes d'intendance. Je pus donc rencontrer les meilleurs spécialistes des expériences aux frontières de la mort comme le Dr Elisabeth Kübler-Ross, le Pr Kenneth Ring, le Dr Melvin Morse, ceux des différents niveaux de conscience comme le Dr John Lilly, des sorties hors du corps comme Robert Monroe ou encore des Anges comme Terry Taylor et compléter mon enquête commencée en France.

Les recoupements effectués dans ces divers domaines m'ont apporté un éclairage original sur les Anges auxquels je ne m'attendais absolument pas et ont fourni des témoignages assez extraordinaires, parfois des preuves accablantes comme nous le verrons dans le chapitre « Des mystiques et des Anges ». Je n'ai plus qu'un seul espoir, que ce fruit de plusieurs années de recherche passionnée puisse réconcilier le lecteur avec son Ange gardien qui n'attend que cela. En effet, nombreux (peu importe la confession) sont ceux qui jugent Dieu trop lointain, trop inaccessible et le rendent responsable d'horreurs et d'injustices. En revanche, l'idée de posséder son propre Ange gardien nous séduit plus, parce que c'est le nôtre et qu'on ne le partage avec personne (égoïstes que nous sommes...) contrairement à Dieu, qui, Lui, appartient à tout le monde, et que tout le monde invoque et brandit pour n'importe quoi.

C'est la raison pour laquelle une relation avec l'Ange gardien est la plus simple à développer, la plus intime et surtout la plus efficace car elle transforme, métamorphose immédiatement une vie, aussi bien spirituelle que matérielle : un Ange gardien recèle une puissance immense, puissance dont nous n'avons qu'une très vague idée.

C'est Philippe Faure, parlant de l'écrivain Rainer-Maria Rilke, qui a résumé en quelques lignes la puissance d'un Ange et de ce qui se passe lorsque les deux se rencontrent : « *La nostalgie de l'Ange qui saisit le poète autrichien se traduit par une prise de conscience de la distance considérable qui sépare désormais l'homme de l'Ange, dont il entend restituer toute la dimension : l'être céleste est terrible, éclatant, sa rencontre avec l'homme ne peut-être que violente.* »[1] Il ne reste qu'à organiser la rencontre avec son Ange gardien. Au début, cela risque de passer par des larmes. Mais ensuite, tout s'enclenche, comme par miracle. Constatation de ceux qui entretiennent une relation privilégiée avec leur Ange gardien : leur humour. Les Anges aiment faire des farces, sortes de blagues célestes constituées de paradoxes et de synchronicités uniques. Par exemple, un jour de mars 1992 à Paris, j'avais téléphoné à René Laurentin, auteur de nombreux ouvrages et journaliste au « Figaro », pour lui demander quelques conseils et adresses. Il me reçut entre deux rendez-vous et m'expliqua qu'il avait rencontré un peintre, une femme, qui ne dessinait que des Anges. Il ne se souvenait absolument pas de son nom parce que cela remontait à trois ou quatre ans, mais seulement de celui de son agent, un certain Malerbe-Navare, habitant dans une rue voisine du jardin du Luxembourg à Paris. Même l'orthographe du nom n'était pas sûre. Muni d'un plan de Paris et du Minitel, j'entamai mes recherches sur les Malherbe, Malsherbes, Navare, Navarre, etc. Mes coups de fil tombèrent tous à l'eau. On me prenait pour un fou : « *Bonsoir monsieur, je vous prie de m'excuser, je suis journaliste au « Quotidien de Paris » et je cherche un monsieur Malerbe-Navare qui connaît un peintre qui ne dessine que des Anges. Est-ce vous par hasard ?* » Au bout d'une demi-journée de recherche, j'abandonnai définitivement l'idée de retrouver cet artiste mystérieux.

Le soir, je recevais un coup de téléphone de Los Angeles de mon confrère — et surtout voisin — Emmanuel Joffet qui avait la lourde tâche de garder en mon absence mon Bobtail de 40 kilos et me demandait de rendre une visite à ses grands-parents.

En arrivant le surlendemain dans un appartement du XVIᵉ arrondissement de Paris, je fus accueilli par une dame charmante, Marguerite Bordet qui était justement peintre. En parcourant l'un de ses catalogues, je découvris, halluciné, que c'était elle que j'avais

1. In « Les Anges », Cerf, pages 68-69.

cherchée désespérément à travers le nom de son agent, Malherbe-Navarre Roger, deux jours plus tôt !

La grand-mère de mon voisin à 12 000 kilomètres de Paris ! ! C'était incroyable. Nous eûmes vraiment le sentiment tous deux que les Anges nous avaient monté une immense blague intercontinentale.

Bref, après quelques mois de discussion avec l'Ange, on remarque qu'en fait il ne désire qu'une seule chose, une communion parfaite avec son protégé puisqu'il connaît mieux que quiconque ses désirs et ses problèmes. L'Ange s'efforce de répondre aux désirs et jamais je n'ai ressenti dans cette relation « invisible » autre chose qu'une immense complicité. Pourtant, on lit partout que les Anges ne sont que des messagers de Dieu, en quelque sorte des instruments parfaits, inhumains, sans sentiments et encore moins de liberté d'action. Rien de plus inexact, car une relation entre un Ange gardien et son protégé peut être exempte de Dieu, ce qui ne pose aucun problème puisque le rôle de l'Ange consiste justement à emmener son protégé progressivement vers Dieu, en respectant son libre arbitre. Croire en l'Ange, c'est déjà un immense pas vers Dieu. L'écrivain et poète français Charles Péguy expliqua un jour sous le sceau de la confidence à son ami Joseph Lotte qu'il possédait un Ange gardien incroyable : « *Il est encore plus malin que moi, mon vieux !* » disait Péguy, « *Je suis gardé. Je ne puis échapper à sa garde. Trois fois, je l'ai senti m'empoigner, m'arracher à des volontés, à des actes médités, préparés, voulus. Il a des trucs incroyables.* »

En effet, qui n'a jamais entendu dans la bouche d'un ami « *tu sais, parfois j'ai l'impression d'être protégé* » ou, « *à croire que je suis gardé par le Ciel* » ou, « *par miracle, je ne suis pas monté dans cet avion* », etc. La personne en prend conscience mais ne cherche pas cependant à approfondir, à expliquer ce sentiment mystérieux, de peur de se rendre ridicule, ou, plus rarement, de perdre cette « protection » en essayant d'en percer le mystère.

Autre phénomène curieux, celui de l'incrédulité de l'entourage. Si vous dites à quelqu'un « *je crois en Dieu* », même s'il est athée, il ne jugera pas cela anormal. En revanche, si vous lui expliquez que vous croyez en votre Ange gardien, il vous regardera avec des yeux ronds comme si vous lui aviez dit très sincèrement « *je crois au Père Noël* ». Cela m'est arrivé de nombreuses fois, principalement dans des librairies catholiques où, demandant à une vendeuse ou au propriétaire du magasin « *qu'avez-vous sur les Anges ?* », je n'eus pour toute réponse qu'un sourire gêné du genre « *pauvre fou* » alors que dans les librairies « new age » ou ésotériques, on me répondait « *bien sûr, tenez, c'est juste derrière vous sur le rayon à gauche* ».

Plus curieuse encore est la réaction des catholiques pratiquants, surtout traditionalistes, qui, dès qu'on leur parle d'Anges, répondent en brandissant le diable : « *Etes-vous sûr que vous n'êtes pas induit en erreur par le Malin ?* », comme si le fait de m'intéresser aux Anges à la place de Dieu représentait la preuve formelle de ma possession diabolique. Les Anges ne sont-ils pas le dénominateur commun des plus grandes religions ? On les trouve aussi bien dans l'Ancien Testament que dans le Nouveau, dans le Coran, La Torah et chez les Hindous qui les appellent « les brillants », les Devas. Ne sont-ils pas aussi « *les outils, avec lesquels Dieu s'amuse et se meut, par lesquels et avec lesquels il révèle les forces et les merveilleuses éternelles, les mène en un jeu d'amour... ?* »[1].

Du coup, mon intérêt pour les Anges, ces « *êtres immatériels, purs esprits, intermédiaires entre l'homme et Dieu* » nous dit le dictionnaire, « *qui seraient sans cesse à nos côtés, chargés de nous garder et de nous guider* » se transforma en acharnement. Lorsque le Dr John Lilly, dont les travaux sur les dauphins ont fait le tour du monde, raconte le plus simplement du monde dans son autobiographie qu'il a rencontré son Ange gardien et parlé avec lui lorsqu'il était enfant, il y a de quoi se poser des questions. De même pour Françoise Dolto ; la célèbre psychanalyste d'enfants n'a jamais caché qu'elle demandait toujours à son Ange gardien de la protéger. Si ces affirmations provenaient d'un inconnu, personne n'y prêterait attention. Mais venant de John Lilly ou de Françoise Dolto, qui n'avaient strictement aucune raison de raconter des balivernes, celles-ci ne s'expliquent que par une expérience inoubliable. Au cours d'un entretien dans sa maison de Malibu en Californie, Lilly, qui eut plus d'une fois affaire à ces « êtres »,

1. Page 139 in « L'Ange et l'homme », ouvrage collectif, Albin Michel, 1978.

toujours dans des circonstances dramatiques, m'a déclaré : « *Je les ai appelés Anges, mais c'est une réminiscence de mon éducation catholique. Aujourd'hui, le mot le plus exact à utiliser est « Etre d'une dimension supérieure à la nôtre. »*

Et le vieux scientifique se moque bien du fait que l'on puisse douter de ses facultés mentales ; par ses travaux pour l'US Air Force, l'US Departement of Health et surtout par ses observations sur le système de communication cérébral des dauphins, il n'a plus rien à se prouver et encore moins à prouver aux autres car ce qui ressort globalement de son expérience, c'est ce sentiment d'être protégé, parfaitement traduit par l'expression française « *être né sous une bonne étoile* ». Or, est-ce un hasard ? Les gravures du XIXe représentent toujours l'Ange gardien avec une étoile rayonnante au-dessus du front.

Mais que signifie être né sous une bonne étoile ? Avoir de la chance, gagner au jeu ou échapper régulièrement à des accidents, sortir indemne d'une collision épouvantable, voire de tentatives d'assassinat ? Comment expliquer ces actes totalement irréfléchis qui sauvent la vie, ces voix intérieures qui mettent soudain en garde, ce rêve prémonitoire, cette série insensée de coïncidences qui fait qu'un ami ou un inconnu, qui n'aurait jamais dû se trouver là au moment du drame, a pu intervenir et vous éviter une catastrophe ? Pressentiment, chance, hasard, coïncidence ? En français, on utilise souvent l'expression « *quelque chose me dit que..* ». Mais qu'est-ce que ce quelque chose ? Est-ce quelqu'un ?

Personne n'est en mesure de donner une explication naturelle et objective à ces phénomènes. Et si l'on admet ne serait-ce que la prémonition, cela ouvre aussitôt la porte à d'autres réalités. Pourtant, il nous est impossible de nier l'expérience vécue par des millions de personnes sous prétexte que nous ne pouvons l'expliquer matériellement et scientifiquement. Ceux qui ont vécu une telle expérience sont marqués à jamais par cette « aide » surgie de nulle part dont l'explication la plus élégante, puisque nous n'en avons pas d'autre plus logique, se résumerait alors par l'intervention bien réelle de ce que l'on appelle l'Ange gardien.

Mais d'abord, est-ce que les Anges existent vraiment ?

La réponse est négative puisque nous ne les voyons pas. En revanche, dès que l'on effectue un sondage auprès de malades ou accidentés dont le cœur s'est arrêté de battre, la réponse devient positive. Comme nous allons le découvrir, le domaine extrêmement vaste et surtout parfaitement documenté de la Near Death Experience, les expériences aux frontières de la mort, ne permet aucun doute, parce qu'il n'a pas été développé par des religieux ou des ésotériques, mais bien par des médecins et des universitaires on ne peut plus sérieux de notre époque.

Chapitre 2

Des Anges dans les tunnels

Hey you caught me in a coma
And I don't think I wanna
Ever come back to this.. world again
Kinda like it in a coma
'Cause no one's ever gonna
Oh, make me come back to this world again
Now I feel as if I'm floating away
I can't feel the pressure
And I like it this way
But my body is callin'
My body's callin'
Won't ya come back to this world again
Suspended deep in a black sea
I've got the light at the end.

Guns n'Roses – *Coma* –
in « Use Your Illusion », Geffen Records

Depuis la parution du livre du Dr Raymond Moody « Life after Life »[1] on peut dire que la mort, naguère drapée dans un costume squelettique et armée d'une faux, s'habille désormais chez Paco Rabanne. Elle ne présente plus ce visage horrible parce que dans une courte période, deux faits majeurs se sont conjugués pour produire la découverte la plus importante de cette fin de siècle, la topographie de la mort et de son passage. En effet, c'est en 1975 que les microprocesseurs effectuèrent leur entrée dans les systèmes de mesure cardiaque et que Raymond Moody publia presque à compte d'auteur son « Life

1. En français « La Vie après la vie », Robert Laffont, 1975.

27

after Life ». Quel rapport entre les deux ? Les microprocesseurs dans les appareils médicaux de mesure ont permis aux médecins de suivre en temps réel l'activité du cœur. Auparavant, lorsque le cœur d'un opéré s'arrêtait après l'intervention, le personnel découvrait le cadavre au matin, au mieux dix minutes après le décès. Aujourd'hui le moindre affolement est signalé par des sons synthétiques de jeu vidéo, déclenchant aussitôt la ruée des médecins de garde et des infirmières dans la chambre du moribond pour le réanimer, qu'il soit quatre heures de matin ou cinq heures de l'après-midi. Par la suite, la miniaturisation progressive des « chips » a multiplié par deux, et ce chaque année, la puissance de calcul de ces microprocesseurs. Désormais, les malades instables sont couvert d'électrodes, reliés à un ordinateur central qui décèle au centième de seconde le moindre problème. On ne meurt plus aussi facilement que naguère d'un arrêt brutal du cœur. Les conséquences sont simples : le nombre des réanimés est exponentiel. Cette évolution technologique nous sera très utile pour comprendre les travaux des cardiologues Michael Sabom et Maurice Rawlings et pourquoi ils ont trouvé autant de NDE.

Revenons à Raymond Moody. Bien avant l'aube de la révolution informatique, en 1965, il est encore étudiant, même pas en médecine, mais en philosophie. Un jour, il rencontre Georges Ritchie, médecin psychiatre de Charlotsville et enseignant, qui lui raconte comment il « est mort » en 1943, alors qu'il était simple soldat, mobilisé dans une caserne du Texas. Moody écoute, intéressé mais sans plus. A la suite d'un entraînement poussé, le soldat Ritchie a contracté une pneumonie. Sa température augmente tant que le 20 décembre 1943 à 3 h 10, il s'effondre inconscient dans les bras d'une infirmière, le premier lieutenant Retta Irvine. Quelques heures plus tard, le jeune homme se réveille, saute de son lit et tente de trouver quelqu'un pour lui donner l'heure, parce qu'il ne veut pas rater le train de sa permission de Noël. Il s'élance dans les couloirs de l'hôpital et découvre soudain que personne ne semble le voir, que personne ne l'entend et, pire, que les gens le franchissent sans ciller (exactement comme dans le film « Ghost »). Ne comprenant pas, le soldat retourne dans sa chambre totalement étourdi et aperçoit un corps gisant dans un lit qu'il identifie comme le sien à cause de sa bague. Au même moment, il remarque une minuscule lumière étrange dont l'intensité commence à croître et attire son attention : « *Toutes les lampes de la section n'auraient pu fournir une telle luminosité ; et pas davantage toutes les lampes de l'univers* »[1] raconte-t-il. Progressivement, le garçon commence à distinguer dans ce halo lumineux une forme humaine tout en se disant que logiquement cette intensité lumineuse aurait dû détruire sa rétine dès la première seconde. « *Je voyais alors que ce n'était pas de la lumière mais un homme qui était entré dans la pièce, ou plutôt un homme fait de lumière... Je me mis sur pied et, pendant que je me levais, me vint cette prodigieuse certitude : « Tu es en présence du Fils de Dieu.* » Alors il L'observe et se dit qu'il était « *en présence de l'Etre le plus totalement viril* » qu'il ait jamais vu. Seul problème, son visage ne ressemble pas à celui de ses livres de catéchisme : « *Ce n'était pas le Jésus de mes livres de catéchisme. Le Jésus de ces livres était gentil, aimable, compréhensif et peut-être un peu débile (sic). Ce personnage-ci était la Puissance même, plus âgé que le temps et cependant plus moderne que quiconque. Par-dessus tout, avec la même certitude intérieure mystérieuse, je sus que cet Homme m'aimait. Plus encore que la puissance, ce qui émanait de cette Présence était un amour inconditionnel. Un amour surprenant. Un amour situé au-delà des mes rêves les plus fous.* » En même temps qu'il se fait ces réflexions, il découvre de la même manière qu'Il sait tout de lui, qu'Il connaît sa vie dans les moindres détails. Au même moment Georges Ritchie revoit ses vingt ans de vie en l'espace d'une seconde, de l'accouchement de sa mère jusqu'à cette rencontre en passant par les explorations sexuelles de sa puberté. Ritchie précisa dans son second livre « My Life After Dying »[2] qu'il se trouva fort embarrassé lorsque ces « *explorations* » manuelles défilèrent devant Lui, mais que « *cela ne sembla pas Le choquer ou Le surprendre outre mesure* ». Puis le Christ lui demande : « *Qu'as-tu fait dans ta vie que tu puisses me montrer ?* » Le garçon tente bien de lui arborer quelques moments de son enfance, puis se révolte en pensant qu'il n'a rien à Lui montrer parce qu'il est trop jeune pour mourir. Le Christ écarte son objection : « *Personne*

1. « Return from Tomorrow », Chosen Books, 1978, New York.
2. Hampton Roads, 1991, Norfolk, Virginia.

n'est trop jeune pour mourir puisqu'il ne s'agit que du passage d'une réalité à une autre. » Aussitôt, Il l'emmène visiter cinq de ces autres réalités, que Ritchie estimera plus tard comme étant peut-être différentes zones de ce que nous appelons enfer, purgatoire et paradis. Après le périple, Ritchie ne veut plus Le quitter mais il sombre dans l'inconscience. Les médecins eux, sont bien loin d'imaginer que le moribond qu'ils tentent de réanimer se balade avec un Etre de Lumière quelque part dans le ciel. Le cœur s'est arrêté et il est annoncé mort une première fois. On le laisse. Huit ou neuf minutes passent et on le réexamine une seconde fois pour être certain. Cette fois-ci, Ritchie est déclaré officiellement et administrativement mort. On tire le drap et on le laisse à nouveau. Mais un jeune interne, du même âge que Ritchie, ennuyé, et *il ne sait pas pourquoi,* décide de vérifier une dernière fois et enfonce son aiguille hypodermique droit dans le cœur. Surprise, il se remet à battre. C'est le retour du soldat Ritchie. Et lorsque ce dernier ouvre les yeux, c'est pour entendre le lieutenant Irvine entrant dans sa chambre lui dire « *c'est agréable de vous avoir à nouveau avec nous, soldat Ritchie* ». « *Quel jour sommes-nous ?* » demande-t-il, pensant à son train de permission. « *Le 24 décembre, soir de Noël* » répond-elle, « *Vous êtes resté quatre jours inconscient.* »

Moody fut impressionné aussi bien par l'histoire que par le médecin assis devant lui. Ritchie n'a pas l'air d'un farfelu, plutôt de quelqu'un avec la tête bien sur les épaules, extrêmement sympathique, doté d'un solide sens de l'humour. Et puis il oublie, passe son doctorat de philosophie et devient professeur à l'Université de Caroline du Nord. Un jour de l'année 1970, il décide de traiter « Phédon », ouvrage dans lequel Platon aborde l'immortalité de l'âme. Après le débat en classe, l'un de ses élèves lui raconte en aparté l'expérience de sa grand-mère. Moody établit immédiatement la connexion entre cette histoire et celle de Ritchie. Quelques jours plus tard, il raconte les deux histoires en classe et demande des commentaires aux élèves. Surprise : un étudiant lève la main et raconte l'histoire de sa sœur qui a frôlé la mort, et comment elle a traversé le tunnel, vu sa vie entière défiler comme dans un film en Panavision et rencontré une Lumière à côté de laquelle le soleil ressemblait à une ampoule de 40 watts.

Là, Moody commence à se poser de sérieuses questions et décide de faire une petite enquête. Petit à petit, il recueille d'autres histoires, toujours les mêmes et les classe dans un dossier. Cependant, la carrière d'enseignant l'ennuie et il décide de devenir praticien. Il déménage en Georgie et s'inscrit à la faculté de médecine où il passera son doctorat. En troisième année de médecine, l'une de ses relations l'invite à parler de ses « tunnels » devant les membres du club local de jeunes médecins. Moody réalise un exposé clair et à son plus grand étonnement, à la fin de son discours, de jeunes médecins prennent la parole et lui expliquent qu'eux aussi ont eu des cas similaires. Le carnet d'adresses de Moody s'épaissit. Un journaliste lui fait même un papier dans le quotidien local, article qui tombe sous les yeux d'un éditeur du nom d'Iggel, lequel demande de le rencontrer pour envisager une éventuelle publication de ses histoires. Moody accepte et s'attelle à la tâche en interrogeant le plus grand nombre de personnes là où il travaille et étudie, à l'hôpital. Il trouve des cas impressionnants, cent cinquante au total, parfaitement documentés, avec la preuve que le sujet était bien mort pendant quelques minutes. Il découvre aussi que personne n'a jamais travaillé sur ce sujet hormis un autre médecin, le Dr Elisabeth Kübler-Ross à qui il envoie son manuscrit en lui demandant une préface.

Son livre « Life After Life » paraît en 1975 lorsqu'il entre en quatrième année de médecine. Et, alors que son éditeur ne s'attend pas à dépasser les deux mille exemplaires (les lecteurs locaux et les amis des amis) c'est le succès colossal : près de dix millions d'exemplaires à ce jour en quinze langues. Un succès tel que Moody en fit des cauchemars. Il vivait avec la hantise permanente que toutes ses histoires d'amour ineffables au bout du tunnel ne donnent envie aux lecteurs mal dans leur peau de se suicider. Aussitôt, il se lance à la recherche des suicidés (ratés, par définition) et publie un second livre « Lumières nouvelles sur la vie après la vie ».

Moody avait posé la première pierre. Dans son premier ouvrage, il identifiait quatorze caractéristiques communes aux patients qui « en » étaient revenus. En quelque sorte, il avait dressé le premier guide Michelin de la destination finale de tout être humain, la mort :

1) — Le sujet déclare toujours que ce qu'il a vécu n'est pas exprimable avec des mots humains.

2) — Le sujet s'entend déclaré mort ou bien tout lui semble étrange ; il se sent « mort ».

3) — Le sujet ne ressent plus aucune douleur et il se sent parfaitement détendu et calme.

4) — Il entend un bruit proche d'une sonnerie.

5) — Le sujet sort de son corps et voit ce qui se passe autour de lui. Il flotte.

6) — Le sujet est aspiré dans une sorte de tunnel.

7) — Des membres de la famille, décédés, apparaissent dans le tunnel et l'aident.

8) — Le sujet aperçoit une Lumière brillante.

9) — Il revit sa vie dans les moindres détails.

10) — Le sujet se heurte à une sorte de « frontière ».

11) — Il se retrouve soudain dans son corps.

12) — Le sujet veut raconter son histoire mais on le prend pour un fou. Il se referme comme une coquille et s'imagine qu'il est le seul au monde à avoir vécu une chose semblable.

13) — Il commence à lire pour essayer de comprendre.

14) — Il n'est plus effrayé par la mort.

Le sujet qui nous intéresse, les Anges, Moody le traita avec une certaine retenue, pour ne pas dire la plus grande prudence, dans le chapitre 7 « Contact avec d'autres » de son premier livre : « *Dans d'autres occurrences, les esprits rencontrés (dans le tunnel) ne sont pas des personnes que l'on a connues dans la vie passée* » écrit-il. « *(...) Dans quelques cas, plutôt rares, les sujets en venaient à supposer que les entités rencontrées étaient leurs " Anges gardiens ". Un de ces esprits dit à un mourant : « Je suis venu t'aider dans cette circonstance de ta vie, mais dorénavant je vais te confier à d'autres. » Une femme m'a rapporté que, lors de sa décorporation, elle distingua la présence de deux êtres qui se présentèrent à elle comme des " guides spirituels "* ». Moody était prudent. Il ne voulait pas se lancer dans des détails qui auraient pu discréditer son travail, déjà aux limites du surnaturel. Que son livre laisse supposer qu'il puisse exister une vie après la mort était déjà en soi une audace inconcevable. Moody allait même essuyer des attaques virulentes et n'attendait qu'une seule chose : qu'un universitaire effectue une investigation scientifique. Deux ans après la sortie de son premier livre, un cardiologue de poids publiait un ouvrage qui confirmait les conclusions de Moody. Le petit docteur de Charlotsville n'était plus seul. Le travail du Dr Maurice Rawlings, un cardiologue réputé, solide et sérieux allait le conforter dans sa thèse.

Le Dr Rawlings est un vrai cartésien, un vrai dur, ancien médecin du 97e General Hospital, l'unité sanitaire des forces américaines basées à Francfort. Sa spécialité, la chirurgie de guerre, autrement dit les poitrines déchiquetées par les balles ou l'explosion d'une grenade Il y reste quatre ans et quitte l'armée de terre pour l'US Navy dont il sera le cardiologue avec le rang de capitaine. Maurice Rawlings terminera sa carrière militaire brillamment, au Pentagone, à Washington, le saint des saints. De retour à la vie civile, il s'installe à Chattanooga, une ville tranquille du Tennesse. On l'a deviné, après dix ans d'armée, Maurice Rawlings n'avait rien d'un poète. Plutôt un homme parfaitement entraîné à fouiller froidement dans des corps sanguinolents pour tenter de « recoller » les morceaux sans l'ombre d'un battement de cils. Rien d'étonnant, avec un tel profil, que pour ce médecin militaire, la religion ne représente rien de plus qu'un « *hocus pocus* », autrement dit une pratique pour superstitieux siciliens. « *Je n'avais jamais mis les pieds dans une église* » me confirma-t-il « *car je n'y croyais absolument pas. La religion, ce n'était pas pour moi.* »

Hormis le milieu clos des cardiologues, personne n'aurait jamais entendu parler de ce médecin au visage de chanteur de charme, si un beau jour de ses 57 ans, un homme venu en consultation ne s'était pas effondré dans la salle d'attente de l'hôpital, victime d'une crise cardiaque. Cela ne pouvait pas mieux tomber : son cœur avait choisi le bon moment et le bon endroit pour s'arrêter. Le Dr Rawlings ne fit qu'un bond et se jeta sur le corps pour lui administrer un massage cardiaque des plus musclés. Maurice Rawlings est un costaud et sa façon de masser n'aurait certainement pas déplu à un catcheur. Il continua à masser la poitrine, tout en observant machinalement le visage du moribond : presque la cinquantaine, ouvrier de ferme, blanc, cheveux noirs, taille moyenne. Banal. Mais soudain, en pleine réanimation « manuelle », l'homme l'agrippe à lui arracher sa blouse et lui demande de ne pas arrêter. « *Son corps tourna au bleu* » raconte Maurice Rawlings dans son livre " Beyond Death's door "[1], « *alors que je poussais sur ses poumons, une infirmière commença le bouche-à-bouche (...) Une autre infirmière arriva avec l'équipement d'urgence qui contenait un pacemaker. Malheureusement, le cœur ne voulait pas maintenir le rythme. Le pacemaker était donc obligatoire pour passer de 35 battements par minute à 80 ou à 100. Je devais introduire le fil du pacemaker dans une large veine en-dessous de la clavicule qui conduit directement dans le cœur. Le bout de ce fil électrique est poussé à travers le système veineux et laissé ballant dans le cœur. L'autre bout est relié à une pile miniature qui régule le pouls et empêche ainsi un blocage du cœur. Le patient commença à « revenir ». Mais dès que je retirais mes mains de sa poitrine pour atteindre un instrument ou autre chose, il perdait connaissance, roulait des yeux, arquait son dos dans des convulsions, cessait de respirer et mourait à nouveau. Chaque fois que son pouls et sa respiration reprenaient, le patient criait « je suis en enfer ». Il était terrifié et me suppliait de l'aider. Moi, j'étais mort de peur. En fait, cet épisode m'a littéralement et suffisamment terrifié pour que j'écrive ce livre. Ensuite, il poussa une supplique étrange : « N'arrêtez pas ! » Vous savez, la première chose que les patients me disent dès qu'il reprennent connaissance, c'est : « Enlevez vos mains de ma poitrine, vous me faites mal ! » Je suis grand et ma méthode de massage externe du cœur brise quelquefois des côtes. Mais celui-ci disait : « N'arrêtez pas ! » Ensuite, je remarquai une véritable expression de frayeur sur son visage. Son aspect était pire que celui de sa mort ! Ce patient faisait une grimace grotesque et donnait l'impression d'horreur ! Ses pupilles étaient dilatées, il transpirait et tremblait. Alors un autre fait étrange se produisit. Il me dit : « Est-ce que vous comprenez ? Je suis en enfer. Chaque fois vous que vous arrêtez, je retourne en enfer. Ne me laissez pas y retourner. » Etant habitué à des patients sous ce genre d'émotions, je ne tins pas compte de sa demande et lui dis de garder son enfer pour lui-même. Je me souviens lui avoir répondu : « Je suis occupé, ne me cassez pas les pieds avec votre enfer tant que je n'ai pas fini de mettre ce pacemaker en place. »* Mais

1. Page 2, Bantam books, New York.

l'homme était sérieux et finalement je me suis rendu compte qu'il avait vraiment des problèmes. Jamais je n'avais vu quelqu'un d'aussi paniqué. Cela eut pour effet de me faire travailler plus vite, avec plus de ferveur. Ensuite il traversa trois ou quatre autres périodes de mort clinique sans pouls ni respiration. Après plusieurs épisodes de mort momentanés, il me demanda finalement « comment puis-je rester en dehors de l'enfer? ». Je lui répondis que je pensais à ce que l'on apprend au catéchisme, que Jésus Christ était sans doute celui à qui il devait demander de le sortir de là. Alors il répondit : « Je ne sais pas comment. Priez pour moi. » Prier pour lui! Quelle blague. Je lui rétorquai que je n'étais pas prêtre mais docteur. « Priez pour moi » répéta-t-il. Je savais que je n'avais plus de choix. C'était la dernière volonté d'un homme en train de mourir. Alors tout en travaillant, toujours sur le sol, je lui dis de répéter les mots après moi. C'était une prière toute simple parce que je ne savais pas grand-chose à ce sujet. Cela dut être quelque chose de ce genre : « Seigneur Jésus, je vous demande de me préserver de l'enfer; oubliez mes péchés, etc. »

Totalement retourné par ce qu'il venait de vivre, Maurice Rawlings rentra chez lui plus que pensif. Car s'il avait bien entendu parler des histoires de NDE lancées par le livre de Moody, il n'y avait jamais prêté la moindre attention. On ne passe pas dix ans dans l'armée pour croire à ce genre de « stupidités ». Mais là, dans son fauteuil, avec le visage de cet homme dansant encore devant ses yeux, il voulut savoir à quoi ressemblait l'enfer et partit à la recherche d'une Bible dans sa bibliothèque. Il réfléchit et se dit que cette histoire méritait d'être approfondie. Alors le cardiologue militaire ne fit pas dans le détail : il interrogea systématiquement tous ses patients à chaud, après leur opération, ce que seul un chirurgien peut faire. Et ce qu'il découvrit lui fit froid dans le dos : des sorties hors du corps, des tunnels, des membres de la famille décédés, des Anges, la Lumière ineffable, etc.

Comme Raymond Moody, le Dr Maurice Rawlings se retrouva devant l'obligation intime de reconnaître qu'il arrive parfois des choses étranges à ses opérés. On ne se ment pas à soi-même. Il arriva lui aussi à la conclusion que la vie ne s'arrêtait pas au moment de la mort du corps. Il regroupa les témoignages de ses patients et publia son livre en 1978. Mais curieusement le Dr Rawlings fut rejeté par la communauté scientifique de la NDE qui ne lui pardonna pas d'avoir parlé de sa conversion personnelle dans un livre regroupant les témoignages de ses malades. Pour cette raison, il sera ignoré et rarement cité par les chercheurs suivants. Son livre ajouta pourtant une pièce à conviction supplémentaire dans la pile de preuves de l'existence d'une vie après la mort, car ses cas étaient de « première main » : contrairement à Moody, il pouvait interroger ses malades immédiatement après leur réanimation ou leur opération. Et si ce privilège échappait également à Kenneth Ring, c'est pourtant ce professeur qui allait fournir aux NDE le contexte scientifique et universitaire dont elles avaient besoin pour se banaliser.

En 1977, Ken Ring traversait une période de déprime et lisait tout ce qui pouvait lui remonter le moral. Il tomba sur le livre de Moody et le dévora. Lui qui désirait un sujet de recherche vraiment original, il venait de le trouver. Professeur de psychologie à l'université du Connecticut, il partit aussitôt à la recherche de « survivants » afin de réaliser une véritable enquête scientifique. Il écrivit aux hôpitaux, aux églises, aux médecins et passa même des petites annonces dans les journaux locaux pour trouver des cas. Après plusieurs mois de recherches, il sélectionna de façon extrêmement sévère (du point de vue des critères) 102 personnes[1] ayant effectué un court voyage dans l'au-delà et décida de les interroger aussi longtemps qu'il le faudrait pour recueillir leurs impressions complètes. Pour ses interviews, Ken Ring établit une batterie de questions précises destinées à une analyse détaillée par ordinateur pour établir les implications psychologiques d'une NDE et en identifier les différents stades. Il y passa treize mois. Et si ses découvertes ne dévièrent en rien de celles de Moody ou de Rawlings, Ring ne retint cependant que cinq stades majeurs :

---

1. 52 « moururent » à la suite d'une maladie grave, 26 dans un accident et 24 à la suite d'une tentative de suicide ; 37 étaient catholiques, 34 protestants, 21 sans religion, 7 athées et 3 divers ; 97 étaient blancs, 5 noirs ; 45 hommes, 57 femmes ; fourchette d'âge 18-84 ; âge moyen au moment de l'interview : 43,01 ; âge moyen au moment de la NDE : 37,81 ; intervalle entre la NDE et l'interview : <1 an, 37 ; entre 1 et 2 ans, 23 ; 2-5 ans, 17 ; 5-10 ans, 11 ;> 10 ans, 16.

1) — sensation de paix et de sérénité (60 %)
2) — séparation du corps physique (37 %)
3) — entrée dans l'obscurité (du tunnel) (23 %)
4) — vision de la Lumière (16 %)
5) — fusion avec la Lumière (10 %)

Cependant, comme Moody, Ring ne remarqua pas d'Anges gardiens dans son échantillon, sauf dans un cas, imparfait en ce qui nous concerne. Le sujet appartient au groupe « cinquième stade » regroupant ceux qui eurent l'immense privilège de se fondre dans la Lumière, alors que les autres se contentaient de l'observer, un peu comme on fait du lèche-vitrines. L'homme frôla la mort chez le dentiste qui voulait lui arracher une molaire. Il ne s'en remit pas : « *J'ai pris un billet pour le paradis* » déclarera-t-il à Ken Ring, « *J'y ai vu les plus beaux lacs. Des Anges flottaient autour comme des mouettes. Les plus belles fleurs. Personne sur cette terre n'a vu des fleurs aussi belles que celles qui me furent données de voir. (...) Tout était brillant. Les lacs étaient bleus, bleu clair. Même les Anges étaient d'un blanc pur.* Ring : *Dites-moi à quoi ressemblaient les Anges.* Sujet : *Je ne peux pas les décrire.* »[1] Une fois terminée, l'étude de l'université du Connecticut allait provoquer une nouvelle explosion car elle validait la découverte de l'étudiant en médecine. Les adversaires de Moody avaient affirmé à juste titre que ses cas ne répondaient absolument pas à une étude scientifique et que, par conséquent, ils ne valaient rien. Lorsque le Pr Ring publia son étude en 1982 sous le titre « Life at Death », le nombre des adversaires des NDE diminua de moitié. Il diminua parce que deux autres livres traitant du même sujet furent publiés quasi simultanément, « Recollections of Death »[2], écrit par Michael Sabom, un cardiologue de Floride et « Adventures in Immortality », rédigé par Georges Gallup Jr, héritier du célèbre institut de sondage. Les deux professionnels totalement étrangers l'un à l'autre (quoi de plus mal assorti qu'un cardiologue et un « sondeur » ?) arrivaient aux mêmes conclusions à propos des expériences aux frontières de la mort. Comme si tout le monde s'était donné le mot...

1. Pages 61-62 in « Life at death », Quill, 1982, New York.
2. Harper & Row, 1982, New York.

En effet, Georges Gallup, fils de Georges H. Gallup, fut une sorte d'outsider, sortant de son imposant institut de sondage fondé par son père, comme un lapin d'un chapeau. Pourtant, il ne s'intéressait guère aux sondages. Issu d'une famille de protestants, il se destina à la prêtrise et sortit diplômé en religion de l'université de Princeton. Puis finalement, il se décida de prendre la suite. « *J'avais commencé à m'intéresser aux NDE* » m'expliqua-t-il au cours d'un entretien, « *après que plusieurs proches m'aient raconté leur expérience. Ensuite j'ai lu les livres de Raymond Moody et d'Elisabeth Kübler-Ross et j'avoue que cela m'a fasciné. J'avais 52 ans à ce moment. Alors je me suis dit " pourquoi ne pas en faire un sondage avec des questions simples puisque je préside un institut de sondage ? ". Et ce que nous avons obtenu m'a vraiment étonné : entre 5 et 15 % de la population américaine avaient connu une expérience inhabituelle (hors du corps, NDE, etc.). Les divers sondages ont été menés entre 1980 et septembre 1981. Le premier nous a permis de localiser les cas de NDE et le second a été affiné puisque nous sommes retournés uniquement chez les gens qui avaient déclaré des expériences inhabituelles. Je pense qu'on a dû trouver 500 cas précis sur le territoire américain, dont le quart était un voyage hors du corps. Vous savez, ce qui m'a le plus impressionné dans les NDE était le fait que les gens se savaient morts et qu'ils se sentaient enveloppés d'un amour inconditionnel.* »

— *Est-ce que vous avez été critiqué lorsque votre livre est paru ?* lui demandai-je.

— *Non, du tout. De toute façon, je n'essayais pas de prouver quoi que ce soit.*

— *Alors, vous, Georges Gallup Jr, protestant, vous croyez à la vie après la mort après votre sondage/enquête ?*

Il éclate de rire.

— *Oui, bien sûr et cela n'a fait que renforcer ma foi d'une façon scientifique. Maintenant je crois définitivement à la vie après la mort et je trouve cela très encourageant pour l'avenir.*

Le livre de Georges Gallup m'avait impressionné par le travail gigantesque qu'il représentait : des centaines d'enquêteurs allant interroger des gens partout aux Etats-Unis. Lorsqu'on sait que la France tient largement dans le seul Etat du Texas, on réalise mieux la difficulté d'un tel travail. Ensuite, les commentaires de Gallup étaient originaux et parfois même drôles, ce qui explique pourquoi son ouvrage est l'un des meilleurs du domaine. Cependant, en raison de sa profession, « sondeur », son travail ne reçut pas l'écho qu'on aurait imaginé dans la communauté scientifique qui n'accepte que les travaux de ses pairs. Pour cela, il a fallu l'enquête minutieuse de Sabom.

Michael Sabom allait enfoncer le clou d'une façon magistrale après cinq années de recherche méticuleuse. Sabom est un vrai scientifique, l'un des membres de la génération de cardiologues « haute technologie » maniant les systèmes informatiques et les fibres optiques. Par-dessus tout, il appartient à l'élite qui regroupe les meilleurs médecins des Etats-Unis. Mais contrairement au Dr Rawlings, le Dr Sabom accompagnait sa femme à l'église méthodiste, même s'il n'y prêtait habituellement aucune attention, sauf en ce dimanche de 1976 lorsqu'une assistante sociale demanda aux fidèles s'ils désiraient un exposé sur le livre de Moody. Les paroissiens acceptèrent et la jeune femme demanda au cardiologue s'il était intéressé et s'il avait une opinion sur le sujet. Sabom l'envoya gentiment promener en expliquant qu'il avait ranimé bien des gens et que jamais personne ne lui avait raconté de choses pareilles. La jeune femme lui demanda de l'aider pour un exposé documenté. Il accepta à contrecœur, connaissant à l'avance le résultat puisque le livre de Moody n'était que l'invention de la presse à sensation.

A l'hôpital, il farfouille dans ses dossiers à la recherche de patients dont les cœurs avaient lâché pendant l'opération. Sabom griffonne les noms sur son bloc-notes et se rend aussitôt auprès de ces malades. Il les interroge gentiment, sans aborder le sujet de front. Les deux premiers cas ne donnent rien. Mais après quelques minutes de discussion avec son troisième patient, la NDE lui tomba dessus. De son côté, Sarah Kreuziger, l'assistante sociale de l'exposé tombait également sur un cas dans son centre de dialyse. Le cardiologue ne comprenait pas, persuadé qu'il manquait un élément dans cette histoire. Il chercha mais ne trouva rien de plus. Alors Sabom décida de crever l'abcès et d'enquêter scientifiquement lui-même afin d'en avoir le cœur net. Son enquête recensera les témoignages de sujets ayant été déclarés morts en phase opératoire par l'équipe chirurgicale.

Pas d'Anges chez Sabom, mais une infinie variété de tunnels avec cette Lumière inexprimable au bout. Le médecin, à son esprit et corps défendants, arriva aux mêmes conclusions que le Dr Maurice Rawlings et Kenneth Ring. Anecdote amusante, après la parution de son livre en 1982, lors de l'une de ses conférences, un confrère cardiologue, fou de rage, se leva et l'invectiva en lui expliquant que de toute sa carrière il n'avait jamais entendu un seul de ses patients lui raconter de telles sornettes. Avant même que Sabom ait pu ouvrir la bouche pour se défendre, un homme de l'assistance se leva à son tour et dit bien fort à l'intention du perturbateur : « *Docteur, je suis l'un de vos patients à qui vous avez sauvé la vie et je vous en remercie. Mais je peux vous dire une chose : vous êtes le dernier à qui je raconterais mon expérience.* »

Ce qui persuada Sabom de l'authenticité des NDE furent les descriptions de ce qu'il appelle les rescapés dits « autoscopiques ». Au début, lorsque l'évidence et les dizaines de témoignages lui crevaient pourtant les yeux, il s'était drapé dans son intégrité scientifique, n'hésitant pas à affirmer que les états décrits par ces patients provenaient d'un magma chimique (endorphines, anesthésiants, etc.) provoqués par le cerveau au moment du trépas. Et s'il s'était lancé dans l'enquête, c'était pour prouver que Moody avait tort.

L'explication du magma chimique aurait parfaitement tenu et tout le monde l'aurait accepté sans discuter, s'il n'y avait eu ces témoignages de décorporation aussi hallucinants que réels et surtout vérifiés qui ont littéralement époustouflé certains chirurgiens. Comment un agriculteur ou un enfant de quatre ans qui n'avaient jamais vu une salle d'opération de près avant leur accident pouvaient-ils décrire, avec une précision digne d'un étudiant en médecine les différentes phases de l'intervention (les boutons sur lesquels les chirurgiens ont appuyé, les flacons — couleurs, formes — pris par les assistantes, la phase de réanimation dans ses moindres détails, le grain de beauté de l'infirmière à côté de son chignon, etc.) ?
Soyons honnêtes : est-il franchement possible d'imaginer qu'un malade, allongé sur une table d'opération, *les yeux fermés*, nu, le corps charcuté à coups de scalpel, la plupart du temps dans le coma ou

sous anesthésiants puissants, puisse expliquer comment il a été sauvé, transporté et opéré aussitôt après sa réanimation ? La toute première réaction de ces « *rescapés* » consiste d'ailleurs à incendier, voire à insulter le médecin et la phrase « *pourquoi m'avez-vous ramené, j'étais si bien là-bas* » a choqué plus d'un anesthésiste. Sabom ne dit rien sur la possibilité d'une vie après la mort, mais son livre acheva d'autant plus les sceptiques. Désormais, ceux qui affirmaient que les NDE ne constituaient qu'un tissu de mensonges en étaient pour leur frais.

Par la suite, divers médecins et chercheurs confirmèrent en même temps ou plus tard par les résultats de leurs travaux la réalité d'une NDE. On note parmi eux Russel Noyes, Stanislas Grof, Phyllis Atwater, la Britannique Margot Grey, le médecin français Devawrin, Craig Lundhal, Bruce Greyson, John Audette, George Gallup Jr, Arvin Gibson, Evelyne-Sarah Mercier, etc. Aujourd'hui les livres sur les NDE s'accumulent comme une longue série de preuves, de témoignages, qui, dans un cadre juridique, auraient largement suffi à inculper dix mille fois de suite pour imposture l'image traditionnelle de la mort.

Compte tenu de l'universalité des NDE, il est donc désormais strictement impossible de les ignorer parce que les résultats croisés de toutes les enquêtes internationales convergent dans la même direction : il existe « *quelque chose* » après la mort physique, et, « *oui, on peut sortir de son corps* ». Erlendur Haraldsson et Karl Osis avaient même réalisé une enquête rigoureuse auprès de plusieurs centaines de médecins et infirmières, d'abord en Inde et ensuite aux Etats-Unis, pour déterminer l'effet des croyances religieuses et du cadre culturel sur ces expériences. Résultat de leurs investigations, les témoignages sont strictement identiques et les deux enquêteurs concluaient, du bout de la plume pourtant, que leur découverte les avait remplis d'espoir, parce que les récits « *fondés sur les observations de plus d'un millier de médecins et d'infirmières venaient appuyer le concept de la survie (...) et donnaient fortement à penser qu'il existait bien une vie après la mort; d'ailleurs aucune autre hypothèse ne pourrait mieux expliquer les données recueillies*[1] ». Par ailleurs, il leur était difficile

1. In « Ce qu'ils ont vu au seuil de la mort », Ed. du Rocher, Paris, 1982.

d'imaginer que ces hommes et ces femmes, les yeux à peine ouverts, puissent tous mentir. Ce serait alors le seul mensonge universel, car les circonstances ne s'y prêtent guère. On ne raconte pas d'histoires gisant sur une table à demi-inconscient à celui qui vous a ramené à la vie.

Ensuite, on peut malaisément supposer que ces médecins ultra conservateurs aient engagé leur nom et surtout leur réputation dans des histoires de résurrection s'il n'y avait cette conviction intime, cette certitude absolue qui ne laisse planer aucun doute sur le témoignage du patient.

Ces médecins les ont opérés et ont vu l'électrocardiogramme se transformer en une ligne horizontale, constaté les lignes plates de l'électro-encéphalogramme et regardé le corps devenir bleu. Ce sont eux qui ont utilisé le défibrillateur et senti le cœur repartir après cinq, dix et parfois soixante secondes d'inaction. Et que dire de ceux, cliniquement morts pendant plus de dix minutes qui leur ont raconté leur résurrection dans les... détails.

Avec des appareils de réanimation transformés en ordinateurs, détectant le moindre affolement du cœur, du cerveau et de la pression sanguine, les nombre de réanimés augmente chaque jour. Dans les blocs opératoires « ramener un patient » est devenu un incident aussi fréquent que parfaitement identifié et suivi au millionième de seconde sur les écrans. Accouchements difficiles, interventions chirurgicales qui dérapent et crises cardiaques sont les principales occasions au cours desquelles un sujet « s'envole » facilement, atterrissant d'abord dans un coin du plafond avant de se lancer ensuite dans le célébre tunnel *« au-bout-duquel-une-lumière-dorée-les-attire-irré-si-sti-ble-ment »*. On connaît donc maintenant avec une relative certitude les différentes étapes d'un voyage aux frontières de la mort, avec ou sans retour puisque tous les témoignages concordent. Peu importent la nationalité, l'âge, la race, le sexe et la religion du patient :

— le sujet se retrouve soudainement hors de son corps, flotte au plafond et observe ce qui se passe autour de son enveloppe physique. Cet état lui semble tout à fait normal et il ne ressent plus aucune douleur. Si le sujet est atteint d'une infirmité physique quelconque (myopie par exemple), elle disparaît. En général le sujet ne comprend pas ce qui lui arrive, surtout lorsqu'il découvre qu'il peut passer à travers les murs ou lorsqu'il essaye d'expliquer aux médecins qu'il n'est pas mort.

— après cette période d'observation, il se sent aspiré à une vitesse extraordinaire dans un tunnel, (tuyau, pipe-line, puits, tube, canal, etc.) au bout duquel il aperçoit une lumière qui l'attire. Plus il s'en approche et plus il veut se fondre en elle. Cette luminosité est décrite comme supérieure à mille soleils à leur zénith.

— après avoir traversé le tunnel, le sujet peut rencontrer des proches décédés antérieurement.

— fusion dans la Lumière qui se révèle comme un Etre vivant, fait de lumière, débordant d'un amour inconditionnel pour le sujet. La vie de celui-ci passe intégralement en revue comme un film, en l'espace de dix secondes, mais en trois dimensions, avec les effets de ses actions et paroles ressenties par les autres.

— dialogue (sans paroles mais par pensées) avec l'être de Lumière qui termine la rencontre en disant : « Ton heure n'est pas arrivée, tu dois retourner et accomplir ta tâche. » Parfois il lui propose un choix : « Veux-tu rester ici ou bien retourner ? »

— retour dans le corps. Hasard ? Ces descriptions (tunnel, Anges, Lumière, etc.) correspondent parfaitement à « *l'ascension vers le paradis céleste* », tableau peint par Jérôme Bosch[1] au XVe siècle.

Le mouvement NDE lancé bien involontairement par Moody se propagea tant et si bien qu'il est devenu presque un « classique » de la production cinématographique. Plus que toute émission télévisée ou tout article de presse, deux films majeurs répandirent le concept de la vie après la mort aux quatre coins du globe. Les studios de Hollywood accouchèrent de deux succès mondiaux : « Ghost » avec Whoopi Goldberg et Patrick Swayze et « Flarliners »[2] de Joel Shumacher

1. Huile sur bois, Venise, Palazzo Ducale.
2. Titre français : « L'Expérience interdite ».

avec Julia Roberts et Kevin Sutherland. Le premier présentait le meurtre d'un homme qui, une fois sorti de son corps, ne se rendait pas compte qu'il était mort assassiné. Le second explorait précisément les NDE. « Flatliners » mettait en scène cinq étudiants en médecine qui décident de se rendre de « l'autre côté » après plusieurs témoignages de leurs patients en phase terminale. Pendant que l'un des internes s'injectait une dose mortelle d'anesthésiant, les trois autres devaient le laisser pendant une minute avec une ligne cardiaque plate avant de lancer la procédure de réanimation.

Cependant, le feu d'artifice final allait exploser sur la côte ouest des Etats-Unis, à Seattle. L'enquête du Dr Melvin Morse allait définitive- ment entériner les NDE, bien au-delà de tout ce que nous avons vu jusqu'à présent. Avec « Closer to the Light »[1], compte rendu de NDE infantiles, Melvin Morse donnera les lettres de noblesse qui manquaient aux expériences aux frontières de la mort. Grâce à ce jeune médecin, le magazine américain « Life » du mois de mars 1992 consacra sa couverture aux visions de vie après la mort !

Quel rapport entre l'Ange gardien et le défibrillateur ? L'enquête menée en 1984 au Children Hospital de Seattle par le pédiatre Melvin Morse, avec la collaboration du Dr Don Tyler, anesthésiste, du Dr Jerrold Milstein, directeur du département de neurologie infantile de l'université de Washington et du Dr Bruce Greyson, chef du service de psychiatrie hospitalière de l'université du Connecticut, démontra que même les enfants, quels que soient leur âge, leur condition sociale et la religion des parents, décrivent des sensations et émotions identiques à celles des adultes. Le Dr Morse reconnaît qu'il fut particulièrement intrigué par son premier cas de NDE infantile, celui de Krystel Merzlock âgée de sept ans, morte à la suite d'une noyade et qui ne donna aucun signe cardiaque et cérébral pendant plus de 19 minutes ! « *Lorsque je l'ai vue arriver aux urgences en 1982, je me suis dit « aucune chance. »* » se souvient-il. « *Finalement on a réussi à la ramener et je me demande encore comment. Après ses trois*

1. Melvin Morse & Paul Perry, Ivy books, 1990, New York.

jours de coma, elle s'est rétablie de sa mort momentanée sans aucune séquelle, bien que son cerveau n'ait pas été alimenté en oxygène pendant vingt minutes. » Totalement invraisemblable d'après les cours de médecine qui disent que trois conditions doivent être réunies pour déclarer une mort clinique : cœur arrêté, électro-encéphalogramme plat et arrêt respiratoire. Cette mort clinique qui demeure cependant récupérable déclenche la mort biologique, plus lente. Avec dix ou trente secondes d'arrêt, le sujet a ses chances. Et si le cœur repart, le reste suit, plus ou moins bien, mais ça suit. En revanche après une, puis deux, puis trois minutes de mort clinique, le processus est irréversible parce que les cellules du cerveau cessent de fonctionner les unes après les autres par manque d'oxygène. Même si le cœur repart, le cerveau subit des lésions plus ou moins importantes, entraînant des amnésies, paralysies, etc. Un peu comme si l'on effaçait de manière aléatoire les pistes d'un disque dur d'ordinateur. Même si vous retrouvez la zone qui initialise votre micro, des morceaux entiers du disque dur sont effacés, entraînant des « paralysies » des logiciels. Avec dix minutes de mort clinique, les zones du cerveau se transforment en passoire. Mais cette petite fille survécut à presque vingt minutes de mort clinique !!!

Quelques jours plus tard, au cours d'une visite de routine, Melvin Morse lui demanda si elle se souvenait de son accident. Personne ne savait en effet comment Krystel était tombée dans la piscine. Non, elle ne se souvenait pas des circonstances. Mais elle se rappelait très bien qu'après, elle s'était sentie bien parce que Elisabeth l'avait gentiment emmenée voir le Père Céleste et le Christ. Le Dr Morse s'inquiéta. Pas de doute, le manque d'oxygène avait bien détruit des zones de son cerveau. Mais c'était un pédiatre et il joua le jeu : « *Krystel dis-moi, qui est Elisabeth ?* » La gamine regarda autour d'elle et dit, tout doucement, « *c'est mon Ange gardien* ». Alors elle lui raconta son périple avec l'Ange. Melvin Morse se triturait la barbe. Elle raconta comment le Père Eternel lui avait demandé si elle voulait rester avec Lui ou bien retourner chez ses parents. Krystel avait regardé sa mère (toujours d'en haut) et décidé de rester avec Lui. Cependant Il lui donna une « vision » de ses frères et sœurs en train de jouer et à ce moment, elle changea d'avis et voulut retourner à la maison. Sans d'autres formalités, elle se retrouva dans son corps. A la surprise générale le cœur reprit son rythme. Les médecins n'eurent qu'un seul mot, « miracle », pour qualifier son rétablissement. Avec 19 minutes de mort clinique, la mort biologique avait largement eu le temps de commencer son processus de destruction. Mais non. Elle se remit comme une fleur, sans aucune séquelle.

Melvin Morse ne s'en laissa pas conter : lui, médecin pédiatre ne pouvait se laisser influencer par une gamine de sept ans et décida d'effectuer une enquête auprès des parents pour vérifier si ceux-là ne lui avaient pas parlé du tunnel, de lumière blanche, d'Anges gardiens, etc. « *Lorsque Krystel est arrivée aux urgences sur une civière, j'avais 27 ans et je n'exerçais que depuis deux ans* » m'expliqua Melvin Morse. « *Je n'avais jamais lu un seul livre sur le sujet comme celui de Moody et même, jamais je n'avais entendu parler de NDE. Lorsque Krystel me parla de sa rencontre avec le Père Céleste, je n'ai pas pensé qu'elle était devenue folle par manque d'oxygène très longtemps parce qu'elle m'avait donné des descriptions absolument étonnantes, avec des détails précis de ce qui s'était passé pendant l'intervention, comme par exemple sa réanimation. J'étais impressionné. D'habitude, les patients ne se souviennent pas de leur réanimation et le fait qu'elle s'en souvienne m'avait déjà intrigué. Mais elle était trop sincère, et son expérience trop vivante, trop détaillée. Un petit détail m'a donné la preuve qu'elle ne me mentait pas, celui du tuyau que je lui avais placé dans le nez. Je considère ce détail comme ma preuve irréfutable parce que la majorité des médecins n'intubent pas de cette façon. Cela ne provenait pas non plus de la télévision car à la télé, les malades ou les victimes sont intubés par la bouche, simplement parce que les acteurs n'ont aucune envie de sentir ce tuyau dans leur nez. Et Krystel m'a déclaré en toute innocence : « Je t'ai vu mettre un tube dans mon nez ». J'ai jugé cela stupéfiant parce qu'à ce moment-là, elle était totalement inconsciente, en fait morte. Elle aurait pu me dire « J'ai senti que tu me mettais quelque chose dans le nez ». Mais pas du tout. Elle m'a dit « Je t'ai vu mettre un tuyau ». Et, trois jours plus tard, lorsqu'elle reprit conscience, elle n'avait plus ces tuyaux dans le nez. Par ailleurs, elle ne disposait d'aucun moyen physique au moment de l'intervention pour savoir, percevoir ou sentir que je lui mettais un tube dans le nez.* »

Bien que sincèrement étonné par les descriptions de sa petite malade, Melvin Morse resta sceptique et ne donna aucun crédit aux histoires religieuses de résurrection : « *Ma mère était juive ; j'ai donc reçu une éducation juive. Mais il n'y avait pas de véritable engouement religieux chez mes parents. Je pense que même eux n'y croyaient pas. Les seules fêtes que nous célébrions étaient des fêtes « sociales » comme la pâque juive ou le grand pardon. Pour ma part, je n'ai jamais remis les pieds dans une synagogue. Alors imaginez ma tête lorsque les parents de Krystel se sont installés autour de son lit pour prier. Je me suis dit que c'est sans doute ce qui expliquait ce phénomène parce que cette gamine était très religieuse. Est-ce que vous vous rendez compte que sa famille priait autour du lit ? J'ai vraiment pensé que c'était des affabulations. Qu'elle répétait des petits bouts de ce qu'elle avait entendu, vous voyez... Ensuite je me suis dit " elle n'a pas été anesthésiée correctement, etc. " Jusque-là, mon raisonnement tenait. Mais lorsqu'elle m'a dit m'avoir vu mettre un tube dans son nez, ça, ça m'a assommé. Ensuite, la description des médecins, les appareils, de ce que nous nous disions dans le bloc opératoire. J'ai même demandé à sa mère comment elle lui avait expliqué la mort et elle m'a répondu que la mort, c'était comme lorsque vous arrivez sur une berge, que vous vous installez dans une barque et que vous franchissez cette rivière. Mais la mère ne croyait pas aux Anges gardiens. Plus je cherchais et plus je découvrais que ce n'était pas des affabulations.* »

Le jeune pédiatre barbu s'apprête à ranger ce cas bizarre dans un coin de sa mémoire lorsqu'un mois plus tard, il tombe sur un second cas de NDE infantile. « *J'étais vraiment fasciné.* » lance le Dr Morse avec encore des lueurs d'excitation dans les yeux. « *A cette époque, j'étais à la recherche d'un projet car je voulais mener ma propre étude. J'avais donc formé un groupe composé d'autres médecins et, après discussion, nous nous mîmes tous d'accord sur le fait que les NDE étaient provoquées par les mélanges pharmacologiques. Plus exactement, et après avoir lu le livre de Moody, nous avions deux hypothèses :*
1) il s'agissait d'une réaction associative aux divers médicaments.
2) le patient n'avait pas reçu les soins appropriés (on ne lui avait pas donné suffisamment de Valium et d'autres anesthésiants).

Nous pensions par exemple que le sujet était parfaitement conscient durant sa réanimation, ce qui pouvait expliquer pourquoi il avait tout entendu. Nous avions même pensé à étudier les effets de la Kétamine. Alors, on s'est dit qu'on allait prouver scientifiquement que Raymond Moody avait tort et qu'en réalité, tous ces gens n'avaient tout simplement pas été anesthésiés correctement. » Après avoir entièrement décortiqué le dossier médical de Krystel, Melvin Morse rédigea un article et le publia dans le « American Journal of Diseases of Children »[1]. Ensuite il observa patiemment ses petits malades. Il constitua même deux groupes indépendants, le premier composé d'enfants réanimés ou qui eurent un arrêt cardiaque et le second regroupant des enfants en cours de soins intensifs mais qui n'eurent pas d'arrêts cardiaques. Sur 200 entretiens avec des enfants âgés de 3 à 16 ans, le Dr Morse obtint très précisément 33 descriptions précises de type NDE. Et ils appartenaient tous au premier groupe. Parallèlement aux travaux du Dr Morse, en 1985, un autre pédiatre, le Dr David Herzog du Massachusetts General Hospital présenta à son tour deux cas de NDE infantiles dans le journal « Critical Care Medecine »[2]. Cela rassura le jeune pédiatre qui se demandait s'il n'était pas le seul médecin à s'intéresser aux NDE d'enfants.

L'équipe du Dr Morse finit par établir scientifiquement que :

1) pour connaître une NDE, le sujet devait obligatoirement frôler la mort.

2) cette expérience ne pouvait en aucun cas être liée à une overdose pharmacologique (antidépresseurs, calmants, anesthésiants, etc.).

Mais plus il travaillait sur le sujet et plus il se heurtait au rôle du cerveau qui, selon lui, procédait de façon sélective : « *Certains patients ne se souvenaient de rien.* » explique-t-il, « *Or, comment un sujet, dans le coma pendant parfois sept jours, peut-il se souvenir de sa NDE et ne se rappeler de rien d'autre ? Normalement, il ne devrait se souvenir de rien, puisque certains médicaments comme le Valium*

1. Octobre 1983, volume 137, pages 959-961.
2. Volume 13, N° 12, page 1074.

rendent les sujets amnésiques. Et certains ne se souviennent même pas de leur séjour à l'hôpital ! Comment la mémoire peut-elle se souvenir juste de cet aspect ? Nous savons qu'il existe une zone dans la tempe droite qui active la sortie hors du corps, le logiciel en quelque sorte de ces NDE. Mais même si nous identifions plus précisément cette zone, cela ne nous renseigne pas sur ce que vit le patient pendant sa sortie et comment il le vit. Certains ont vu leur vie entière défiler dans les moindres détails en ajoutant que cela avait duré bien plus longtemps que la vie qu'ils avaient vécue. Pourtant, l'arrêt cardiaque n'avait duré que deux ou trois secondes ! »

Les résultats de ses quatre ans d'enquête furent réunis dans un livre qui resta pendant trois mois en tête du hit-parade des ventes du « New York Times » et cet ouvrage avait comme origine directe un Ange gardien, Elisabeth. « *Lorsque mon livre est sorti* » raconte Melvin Morse, « *des gens sont venus me dire " merci, je croyais que j'étais folle ", des confrères " tu sais, j'ai d'autres cas comme ça mais je ne savais pas quoi en faire ", des infirmières, etc. Cela m'a ouvert à un monde nouveau. J'aurais pu effectuer toute ma carrière et passer à côté de ces NDE. Et je n'ai pas été agressé par d'autres pédiatres. Le Dr Moody a été attaqué, mais surtout parce que c'est un psychiatre. Ce n'est pas mon cas. Je vois des vrais malades parce que je suis un médecin de terrain, je soigne le corps des gens, pas ce qu'ils ont dans la tête. Ken Ring ou Phyllis Atwater n'ont pas la chance de pouvoir entendre ces histoires sur le lit du patient comme les Dr Sabom ou Rawlings. Ensuite, j'ai fait ce que l'éthique de la communauté médicale exige d'un médecin, publier la conclusion de mes recherches d'abord dans un journal médical, ce qui a été fait à trois reprises. Et c'est ce qui a définitivement validé mes travaux.* »

Mais Krystel ne représente pas le seul cas d'Ange gardien dans une NDE. Une fraction, mineure il est vrai, de ceux qui ont vécu cette expérience a ressenti une présence soit invisible mais perceptible, soit parfaitement manifestée, mais toujours distincte et indépendante de l'être de Lumière au bout du tunnel, personnage central de toutes les NDE. Dans les divers témoignages publiés et ceux obtenus au cours de mon enquête, et toujours sans tenir compte des rencontres avec les proches trépassés ainsi qu'avec l'être de Lumière central, on distingue deux cas types de rencontre avec un Ange, ou « être spirituel », ou « entité », ou « guide » :

Type 1 : — vision juste avant le dernier soupir.
Type 2 : — rencontre après le tunnel.

Quelle est la différence entre une NDE et une vision sur le lit de mort ? Selon le Dr Morse, c'est la même chose, bien qu'il existe une divergence fondamentale : « *La première arrive aux patients que l'on a ramenés de la mort, alors que la seconde survient à ceux qui sont en train de mourir. La distinction est importante. Disons par exemple que les NDE constituent la séquelle d'une réanimation, qu'il s'agit d'une hallucination, d'une intoxication, etc. Alors comment explique-t-on les visions pré-mort ? Ces visions deviennent alors inexplicables puisqu'elles proviennent de patients en bonne santé clinique. De plus, ces visions arrivent à des sujets qui furent gravement malades et ont enregistré une soudaine et inexplicable amélioration clinique juste avant de mourir. C'est très curieux, mais c'est à ce moment qu'ils ont ces visions, au moment où la famille est persuadée que le patient s'en est sorti parce qu'il semblait aller nettement mieux. Alors disons que les visions pré-mort proviennent du mélange de médicaments. A nouveau cela s'écroule. Cela ne tient pas car à ce moment-là, ces malades auraient passé tout leur temps à délirer, à avoir ces visions... Et ce n'est pas le cas. Ils ont comme par hasard ces visions quelques secondes ou minutes avant de mourir.* » Melvin Morse joue à nouveau avec sa barbe comme si ses réflexions à haute voix l'amenaient toujours à la même conclusion. « *Une vision est différente d'une NDE et nous ne savons pas ce qu'est vraiment une NDE. En revanche, lorsqu'ils meurent, ils décrivent globalement tous la même chose. Et toute cette confusion devient très claire et s'explique si vous dites : " Voilà ce qui se passe lorsque vous mourrez ". Nous venons d'avoir une étude similaire sur des enfants japonais et leurs résultats sont les mêmes que les nôtres. N'est-ce pas étonnant ?* »

Effectivement, les visions pré-mort sont bien connues. Mais le malade délire. D'ailleurs ce ne peut pas être autre chose puisqu'il dit qu'il y a un Ange à côté de son lit. On va lui donner un calmant avant que cela s'aggrave. Mais l'infirmière n'a pas le temps de lui faire avaler ses pilules. Le vieux retraité des chemins de fer est parti comme sur des rails, sans un cri, sans une plainte. Son visage est serein alors que depuis deux mois qu'il occupe ce lit, il n'a cessé de s'angoisser à l'idée de mourir. Curieux. Cas typique d'une vision pré-mort, immédiatement qualifiée par les médecins ou les proches comme délire. « *Elle a 92 ans vous savez, elle est retombée en enfance.* » Parfois les effets d'une vision pré-mort ne manquent pas d'émouvoir prodigieusement les proches, principalement les femmes, surtout lorsqu'elles se trouvent au chevet de leur frère ou sœur : « *Je vois maman, elle est là, elle est venue me chercher.* » Alors la personne qui se trouve au chevet du malade s'écroule en larmes, comme si les liens de sang permettaient de partager l'émotion de cette vision. Comme nous allons le voir, la proportion d'Anges dans les visions pré-mort est équivalente à celles des NDE : entre 4 et 8 cas sur 100. Chiffre qui prouve que les malades ne délirent pas tant que ça, sinon ils affirmeraient tous voir des Anges. En fait, l'Ange semble plutôt se manifester lorsque le sujet n'a pas de proches précédemment décédés pour venir le chercher ! ! !

TYPE 1

VISIONS AVANT LE DERNIER SOUPIR

1) Des Anges sur les escaliers

Patient souffrant d'une tuberculose pulmonaire à ses derniers moments. Témoignage de l'infirmière de l'hôpital recueilli par Osis et Haraldsson[1] au cours de leur enquête :

« Il (le patient) n'était sous l'effet d'aucun calmant, il était tout à fait lucide et n'avait pas de fièvre. Il faisait preuve d'une grande ferveur religieuse et croyait à la survie de l'âme. Nous savions qu'il allait mourir et il le savait sans doute aussi car il nous demandait de prier pour lui. Dans la chambre où il reposait se trouvait un escalier qui menait à l'étage. Soudain il s'écria :
— Regardez, les Anges descendent l'escalier.
Le verre est tombé et s'est brisé.
Toutes les personnes présentes se tournèrent vers l'escalier. On avait effectivement posé sur l'une des marches un verre que nous vîmes éclater en mille morceaux, sans aucune raison apparente. Il ne tomba pas, il éclata tout simplement. Naturellement, nous n'aperçûmes pas les Anges. Une expression de bonheur et de quiétude se peignit sur les traits du patient qui rendit alors son dernier soupir. Même après sa mort, l'expression de quiétude et de sérénité demeura sur son visage. »

Il est effectivement intéressant de noter que cette vision est corroborée par un phénomène matériel, un verre posé sur l'escalier,

1. Page 76 in « Ce qu'ils ont vu au seuil de la mort », Osis & Haraldsson, Ed. du Rocher, 1982.

descendu par les Anges d'après le sujet, et qui implose sans aucune raison apparente. Le verre ne tombe pas.

2) Un concert d'Anges

Dans le dossier de « Life », *La vie après la mort ?* [1], le journaliste raconte la mort d'une petite fille dans les bras de ses parents telle qu'elle a été observée par le Dr Komp :

> « *Au début de sa carrière médicale, le Dr Diane Komp était assise avec les parents aux côtés de leur fille de sept ans qui se trouvait au dernier stade d'une leucémie. « Elle a eu l'énergie finale », raconte Diane Komp, « de se relever, de s'asseoir et dire »* :
> — *Les Anges, ils sont magnifiques ! Maman, est-ce que tu les vois ? Est-ce que tu entends leurs chants ? Je n'ai jamais entendu de si beaux chants.*
> *Et puis la vie la quitta. " Cadeau " est le mot qui décrit le mieux ce que j'ai ressenti. Ce n'était pas seulement un cadeau de paix fait à l'enfant au moment de sa mort, c'était aussi un cadeau fait à ses parents.* »

L'enfant à bout de forces quitte cette terre en écoutant des chants d'Anges venus la chercher. Au moment où elle entend la mélodie céleste, la vie la quitte. Est-ce un hasard ? De plus, peut-on soupçonner des parents, crucifiés par la perte de leur enfant de sept ans de raconter de telles idioties. On ne ment pas lorsqu'il s'agit de la mort et lorsque les émotions les plus violentes vous étreignent.

3) Un Ange avec moi

Cas de Ralph Wilkerson : un homme, victime d'un grave accident en visitant un immeuble en construction, est hospitalisé de toute urgence. A l'hôpital, les médecins découvrent un bras brisé et le cou cassé. Ils avertissent sa femme que si elle veut le voir une dernière fois, elle a intérêt à se dépêcher parce que son mari ne passera pas les

1. Mars 1992, page 68.

53

trois jours. Aussitôt elle se rue à l'hôpital et se précipite dans la chambre de son mari. Après lui avoir marmonné deux phrases, il sombre dans l'inconscience. Les médecins n'osent même pas le déplacer. C'est la fin. Le lendemain matin, une infirmière rentre dans la chambre du moribond en tenant une piqûre et découvre qu'il est réveillé[1] :

> — *Mais que faites-vous éveillé ? s'étonna-t-elle.*
> — *Madame, j'ai eu une lumière brillante dans cette chambre et un Ange est resté avec moi toute la nuit.*
> — *Ah oui, je vois...*

Le patient rentre chez lui contre l'avis des médecins qui lui font signer toutes les décharges possibles et imaginables. Mais il sera véritablement et inexplicablement guéri sans l'ombre d'une paralysie ou d'une rechute quelconque. Mettons-nous un instant à sa place : nous avons le bras et le cou brisés. Le bras, ce n'est pas très grave. Le cou en revanche ne vous permet pas de bouger et les médecins déclarent votre cas « sans espoir ». Ce n'est vraiment qu'une vision surnaturelle, celle d'un Ange au pied de votre lit qui peut vous donner la certitude absolue que vous êtes guéri de cette vilaine fracture puisqu'Il vous l'a dit. Personne ne prendrait le risque de quitter l'hôpital sans cette absolue conviction. Et même si l'on se sent mieux, on reste en « observation ». Mais une fois de plus, ce n'est, bien sûr, qu'un hasard.

4) Quelqu'un avec moi

Cas des infirmières Maggie Callanan et Patricia Helley qui ont soigné une jeune femme de 25 ans, hospitalisée pour un mélanome qui s'était progressivement développé au point de ne lui laisser strictement aucune chance de survie. Angela se savait condamnée et ne voulait pas que l'on s'apitoie sur son sort. Elle avait même prévenu le

---

1. Page 99 in « Beyond and Back » Melodyland Publishers, 1977, Anaheim, Ca.

personnel hospitalier en leur disant « *je ne veux aucune aide spirituelle, aucune prière, aucun prêtre. C'est pas mon truc. Je suis une athée. Je ne crois pas en Dieu, ni au paradis* ». L'équipe d'infirmières se le tint pour dit. Pourtant, un matin sombre de février, lorsque la sonnerie d'appel retentit dans la permanence, l'infirmière se précipita dans la chambre d'Angela. Sa mère qui dormait dans un lit à côté replaçait les couvertures, les yeux encore pleins de sommeil[1] :

« — *Bonjour Angela, que puis-je faire pour vous ?*
— *Est-ce que quelqu'un est venu dans ma chambre ?*
— *Je ne le pense pas, je n'ai vu personne. Le jour ne s'est même pas encore levé. Pourquoi ?*
— *J'ai vu un Ange.*
— *Dites-moi ce qui s'est passé.*
— *Lorsque je me suis réveillée, il y avait un Ange assis dans la lumière provenant de la fenêtre, dit Angela avec un sourire sur ses lèvres.*
Elle décrivit son attirance vers cet Etre qui était la chaleur, l'amour et la bonté mêmes. Sa mère sauta du lit.
— *Angela, c'est un signe de Dieu, dit-elle.*
— *Maman, je ne crois pas en Dieu ! répondit Angela exaspérée.*
— *Aucune importance, répondit sa mère. Tu as vu Dieu ou l'un de ses messagers.*
— *Aucune importance de savoir qui c'est ? s'étonna brusquement Angela. Ce n'est pas suffisant de savoir qu'il y a quelqu'un de si attentionné et si aimant qui m'attend ?*
— *Angela, qu'en pensez-vous, qu'est-ce que cela veut dire ? lui demandais-je.*
— *Je ne crois pas aux Anges ou en Dieu, mais quelqu'un était là avec moi. Qui il soit, il m'aime et m'attend. Donc, cela veut dire que je ne mourrai pas seule* ».

Même les athées ne sont pas épargnés par les Anges. Dans ce cas, le sujet a expérimenté cette présence qu'elle qualifia d'Ange, aucun autre mot visiblement ne pouvant mieux définir ce qu'elle avait ressenti. Elle acquit aussi la certitude qu'elle ne mourrait pas « seule ».

1. « Final Gifts », Simon & Schuster, New York, 1992, pages 90-91.

5) Un Ange qui prend la main

Une petite fille de dix ans qui se rétablissait d'une pneumonie dans un hôpital de Pennsylvanie. Sa température était revenue à la normale et la crise de suffocation semblait se calmer. Elle allait mieux. Témoignage d'infirmière recueilli par Osis et Haraldsson[1] :

> « *La mère vit que son enfant était en train de « sombrer » et elle nous appela (les infirmières). Elle nous raconta que son enfant venait de lui dire qu'un Ange l'avait prise par la main : elle était morte sur-le-champ, ce qui nous étonna grandement car il n'y avait aucun signe de mort imminente. Elle était si calme, si sereine, et pourtant si près de la mort ! Ce décès subit nous chagrina.* »

La patiente semblait effectivement se rétablir lorsqu'elle rechuta, définitivement. Au moment où la fillette dit à sa mère qu'un Ange lui avait pris la main, la vie la quitta. Du point de vue matérialiste, il ne peut s'agir que d'une coïncidence.

1. Page 146, op c.

TYPE 2

RENCONTRE APRES LE TUNNEL
OU
DES ANGES DANS LES NDE

Là, nous entrons directement dans le célèbre tunnel au bout duquel brille une Lumière indescriptible en termes humains. La lumière ne nous intéresse pas étant donné le sujet de ce livre. En revanche, ce qui se passe pendant la traversée de ce tunnel et après représente notre champ d'investigation primaire car curieusement, on peut dire que c'est dans le tunnel, ou à la sortie, que l'on a le plus de chances de rencontrer un Ange. En effet, après sa sortie hors du corps, le sujet est parfois accompagné d'êtres identifiés comme Anges gardiens, ou guides, ou être spirituels. Ils sont parfaitement distincts de la Lumière centrale et jamais le sujet ne confond les deux. Toutefois, selon les statistiques, sur 100 morts cliniques, seuls 10 % eurent le « privilège » de fusionner avec cette Lumière. Si l'on pousse l'analyse plus loin, on se rend compte aussi que seuls 10 % découvrirent une présence à leurs côtés. Faut-il le souligner, trouver une NDE avec des Anges en filigrane n'est pas chose aisée. En général, le sujet est toujours accueilli par des proches décédés ou bien entend une voix qui lui ordonne de retourner. En interrogeant une centaine de rescapés NDE, j'ai recueilli plusieurs cas où le sujet a dialogué avec cette ou ces présence(s) et les ai regroupés avec d'autres expériences NDE « type Ange » que j'ai pu retrouver dans divers ouvrages rédigés par des chercheurs extrêmement sérieux (Morse, Moody, Ring, Rawlings, Gallup, Sorensen, Gibson, Ritchie). Kenneth Ring m'a communiqué trois cas magnifiques qu'il n'avait pas publiés dans ses livres. Kimberley Sharp m'a transmis un cadeau somptueux et le Dr Melvin Morse m'a également confié quelques cas et laissé chercher des

« Anges » dans ses dossiers. Qu'ils soient ici chaleureusement remerciés de leur collaboration et de leur aide. Sans eux, j'en serais encore aux mots croisés (« peut flotter » en quatre lettres).

1) Nous ne sommes pas des Anges

Fine, blonde, élancée, typiquement californienne avec son bronzage « Venice Beach », Nancy Meier donne facilement l'impression d'avoir 35 ans. Elle est très belle, très femme, genre ex-mannequin. Lorsqu'on l'approche, on a plus envie de l'inviter à dîner que de lui parler de tunnels et autres lumières. Pourtant elle a franchi ses 49 printemps. Et lorsque les gens lui demandent « *quel est votre secret ?* », elle se garde bien de répondre. Mais son secret, c'est son expérience aux frontières de la mort, survenue dans son jardin de Saint-Louis un jour de 1975 alors qu'elle tentait d'élaguer la branche la plus haute d'un arbre. Elle perdit soudain son équilibre. Aujourd'hui, Nancy explique très simplement que ce fut le moment le plus important de sa vie. La Californienne appartient à cette minorité de rescapés qui a rencontré au bout du tunnel des Etres spirituels parfaitement distincts de l'être de Lumière central. Voici le récit de son expérience :

« J'étais sur la dernière marche de l'échelle et je voulais couper une branche lorsque soudain je perdis l'équilibre et tombai. Pendant ma chute, je me suis dit : « Ce ne sera pas très grave. » A peine ai-je heurté violemment le sol que l'échelle me tomba dessus, précisément sur l'estomac. Ma vie entière défila comme dans un film. Ce fut tout. Je me suis relevée un peu sonnée et me suis dis qu'à tout hasard, je devrais faire un saut à l'hôpital pour voir si je n'avais rien de cassé. Dans le centre hospitalier de Saint-John, on me fit des radios sans rien trouver, mais comme je ne me sentais pas très bien, le médecin me garda en observation. Plus le temps passait et plus je me sentais mal, sans arriver à définir exactement ce que j'avais. Au bout de deux jours, mon état s'était aggravé, le médecin me refit des radios et finit par découvrir que mon foie avait éclaté et que la gangrène avait ravagé non seulement mon foie mais aussi mes intestins. Ce fut la ruée. On me transporta d'urgence en chirurgie où mon estomac fut immédiatement ouvert pour un grand nettoyage. Les

chirurgiens ne savaient pas si j'allais survivre. Pendant trois jours, je n'ai cessé d'effectuer des allers et retours dans le tunnel au bout duquel je voyais cette Lumière. La première fois, cela m'a paru vraiment étrange parce que je me suis vue soudainement… du plafond. Je voyais mon corps allongé dans le lit de ma chambre et ma mère assise à côté. Je me suis dit : « C'est bizarre parce que je suis dans le lit et en même temps je suis là. » Ensuite je me suis détournée et j'ai traversé ce tunnel à une vitesse incroyable avec un son très aigu. Arrivée au bout, j'ai rencontré trois Etres de Lumière. Je ne comprenais rien mais j'essayais, comment dire, de me stabiliser en face d'eux. Lorsque je réussis à me stabiliser, je me suis dit « OK, je suis morte, où sont les Anges ? » Ils me répondirent en pensée : « Pour toi, nous n'avons pas besoin de ressembler à des Anges puisque tu ne crois pas aux Anges. » Et j'ai ri parce qu'en même temps je savais au plus profond de moi-même que c'étaient des Anges, des vrais. C'était comme une pensée, une certitude qu'ils m'avaient transmises. En les « regardant », j'avais l'impression qu'ils constituaient le comité d'accueil. Ils ressemblaient à des flammes de bougie. Mais je ressentais aussi que chacun d'eux possédait sa propre personnalité, qu'ils étaient parfaitement distincts l'un de l'autre. Je ne voyais pas de visages mais je sentais leur personnalité, l'essence de leur être. On ne parlait pas, tout passait par télépathie. Et je savais que c'était des Anges ou plus précisément des Etres de Lumière avec une conscience propre, tout comme la nôtre. Ensuite je me suis vraiment retrouvée dans la Lumière Blanche, celle dont tout le monde parle, celle qui vous enveloppe d'un amour infini où chaque atome de votre âme vibre d'amour passionnel. Fondre dans cette lumière, c'est un peu comme rentrer à la maison, rentrer dans l'amour inconditionnel. C'est mon expérience de Dieu. Ma vie a commencé à défiler en trois dimensions. C'était aussi réel que de parler avec vous en ce moment. Ressentir les effets de vos actes sur les autres vous fait comprendre ce que vous êtes vraiment. Puis j'eus la question : « Nancy, que veux-tu ? Rester ici ou bien retourner ? » J'avais deux filles et un garçon en bas âge mais je ne voulais pas retourner. Je voulais rester. Pouvez-vous imaginer une chose pareille ? Abandonner mes enfants ? Mais c'était tellement merveilleux. Les mots ne peuvent traduire ce que je ressentais. J'ai demandé alors : « Si je reviens, est-ce que cela fera une différence pour ma famille ? » et Il m'a dit « Oui, pour ton fils ». Alors je suis revenue pour lui. »

Comme tous les rescapés, Nancy Meier a été transformée par son expérience. Et si l'existence des Anges ne l'avait jamais frappée avant sa NDE, désormais, c'est une certitude. Notons dans ce cas que les trois Anges constituent bien le comité d'accueil au bout du tunnel et qu'ils possèdent le sens de l'humour : « *Nous ne sommes pas des Anges puisque tu ne crois pas aux Anges* » et en même temps ils lui transmettent la certitude absolue qu'ils en sont bien. Notons aussi qu'ils ressemblent à des flammes.

2) Le ciel, c'est chouette

Ceci est le cas qui avait fasciné le Dr Melvin Morse et qui l'incita à s'intéresser aux histoires de tunnels chez les enfants avec le résultat que l'on connaît. Il publia l'expérience de Krystel sous forme d'article dans le « American Journal of Disabled Child », Vol 137, pages 959, 961[1] et précisa que l'enfant, 7 ans, avait refusé qu'il enregistre la conversation tant qu'il n'aurait pas vu les dessins qu'elle voulait lui montrer, illustrant son expérience :

> « *La patiente dit que la première chose dont elle se souvenait de sa noyade était « d'être dans l'eau ». Elle affirma : « J'étais morte. Et puis j'étais dans le tunnel. C'était tout noir et j'avais peur. Je ne pouvais pas marcher. » Une femme nommée Elisabeth apparut et le tunnel s'éclaira fortement. La femme était grande, avec des cheveux blonds qui brillaient. Elles marchèrent ensemble jusqu'au ciel. Elle dit que « le ciel, c'était chouette. C'était plein de lumière et il y avait plein de fleurs ». Il y avait une barrière autour du ciel et elle ne pouvait pas voir au-delà. Elle dit qu'elle a rencontré beaucoup de gens, y compris ses grands-parents décédés, sa tante maternelle décédée, ainsi que Haether et Melissa, deux adultes qui attendaient de renaître. Ensuite elle a rencontré le « Père Céleste et Jésus » qui lui ont demandé si elle voulait retourner sur terre. Elle répondit « non ». Ensuite Elisabeth lui demanda si elle voulait voir sa mère. Elle dit oui et se réveilla à l'hôpital. Pour finir, elle se souvenait de m'avoir vu dans la salle des urgences mais ne put fournir aucun détail sur la période de trois jours durant lesquels elle resta dans le coma.* »

Ce cas est fascinant : une gamine de sept ans (cliniquement morte pendant 19 minutes !) qui déclare le plus simplement du monde et sans

---

1. Repris par le Dr Moody en 1988 dans « La Lumière de l'au-delà », page 76.

aucune malice avoir rencontré le Père Eternel et Jésus alors qu'à travers le monde, des dizaines de milliers de moines et de religieuses, plus ou moins cloîtrés, passent leur vie entière dans cette expectative. N'est-ce pas curieux?[1]. Voici une gamine à qui l'Ange gardien apparaît tout de suite — dès sa noyade — et qui va jouer aussitôt dans le jardin de Dieu. « *Est-ce que tu veux retourner?* » lui demande l'Eternel. Réponse, imaginons, « *nooooon, je veuuux pas* ». La simplicité des enfants est parfois désarmante, même pour les Dieux.

Dans son livre « Des enfants dans la lumière de l'au-delà »[2], le Dr Morse donne plus de détails sur ses impressions lorsqu'il vit arriver le corps de l'enfant sur la civière :

> « *Je contemplais le corps inanimé de Krystel dans le service de réanimation, et je me demandais si cette petite fille pouvait être sauvée. (...) Les machines auxquelles elle était désormais branchée ne laissaient rien présager de bon : un scanner avait révélé un œdème massif du cerveau, tous les réflexes pharyngés avaient disparu et Krystel ne respirait plus qu'avec l'assistance d'un poumon artificiel. Dans le jargon cru du service des urgences, on aurait pu dire qu'elle était « bonne à envoyer à la casse ». Même après coup, j'estime qu'elle n'avait pas plus de 10 % de chances de survivre. (...) Aujourd'hui encore, un épisode associé à l'histoire de Krystel reste gravé dans ma mémoire : j'avais dû introduire un petit cathéter dans l'une de ses artères pour mesurer la teneur en oxygène de son sang... Cette intervention, dite « cathétérisme artériel » est aussi délicate que sanglante, puisqu'elle implique l'incision d'une artère. (...) Trois jours plus tard, Krystel était totalement rétablie. Son cas comptait parmi ces mystères médicaux qui démontrent les ressources insoupçonnées de l'organisme humain ». (...) L'intelligence de Krystel n'avait pas été amoindrie par la privation d'oxygène dont s'accompagnent toujours les noyades. Je ne notai rien d'anormal.* »

1. Cela recoupe parfaitement la parabole du « Plus Grand » dans l'Evangile de Matthieu (18.1) dans la réponse du Christ à celui qui lui demandait « Qui donc est plus grand dans le royaume des Cieux ? » Appelant à lui un enfant, il le plaça au milieu d'eux et dit : « En vérité je vous le dis : si vous ne changez pas et ne devenez comme les enfants, vous n'entrerez pas dans le royaume des Cieux. Celui-là donc, qui s'abaissera comme cet enfant, c'est lui qui est le plus grand dans le royaume des Cieux. »
2. Robert Laffont, 1992, traduction de « Closer to the Light ».

Rien d'anormal après 19 minutes de mort clinique ! C'est purement insensé, un vrai miracle qui n'a pas été expliqué et qui ne le sera jamais. Le cerveau, sans aucune oxygénation pendant ce laps de temps aurait dû être totalement détruit. Dans des cas similaires, lorsque les médecins réussissent à « ramener » un sujet, après ne serait-ce qu'une minute de mort clinique, ils commencent à spéculer sur le degré de paralysie du patient, totale, moitié ou seulement quelques membres ? Mais cette enfant de sept ans se rétablit comme une fleur. Encore une coïncidence. En ouvrant au hasard un livre sur les Anges, je tombais sur cette citation : « *Gardez-vous de mépriser un seul de ces petits car je vous dis que leurs Anges dans les cieux voient continuellement la face de mon Père qui est dans les cieux* » [1]

3) Des robes de lumière

Cas du Dr Raymond Moody : Jason, onze ans, venait de recevoir une bicyclette pour son anniversaire. Le lendemain, impatient de tester son vélo, il sauta dessus et dévala sa petite rue d'habitude très calme. Mais ce jour-là, trop heureux d'essayer son nouveau jouet, il n'aperçut pas la voiture qui fonçait droit sur lui. Ambulance, hôpital, un peu de rééducation et tout rentre dans l'ordre. Il avait pourtant essayé de parler de son expérience à sa mère mais elle ne voulut pas l'entendre. Du coup, il rangea son souvenir brûlant dans un coin de son jardin secret. Mais trois ans plus tard, un élève de son école mourut d'une leucémie. La maîtresse aborde le sujet en classe et dans le cerveau de Jason, cela fait « tilt ». A ce moment-là, il lève le doigt et explique à ses petits copains qu'en fait, lorsqu'on meurt, on ne meurt pas ! Silence de mort et des Anges passent en se dépêchant. Même la maîtresse est interloquée : « *Jason, qu'est-ce que tu veux dire par là ?* » Alors il raconte son expérience en précisant : « *Ben la mort, c'est pas grave.* » [2]

« *Je ne me souviens pas du choc, mais je me suis retrouvé d'un seul coup en train de me regarder d'en haut. J'ai vu mon corps coincé sous la*

1. Matthieu 18,10.
2. In « La Lumière de l'au-delà », page 70.

bicyclette, avec ma jambe cassée qui saignait. Je me souviens avoir regardé mes yeux : j'ai vu qu'ils étaient fermés. J'étais au-dessus. (...) L'ambulance est repartie et j'ai essayé de la suivre. J'étais au-dessus d'elle et je la suivais. Je me suis dit que j'étais mort. J'ai regardé autour de moi et j'ai vu un tunnel avec une lumière au bout. Le tunnel donnait l'impression de monter et de descendre. Je suis sorti à l'autre bout. (...) Dans le tunnel, il y avait deux personnes qui m'aidaient. Je les ai vues quand on a débouché dans la lumière. Elles étaient avec moi pendant le chemin. Ensuite, elles m'ont dit que je devais repartir. J'ai repris le tunnel en sens inverse et me suis retrouvé à l'hôpital où deux médecins essayaient de me réanimer. Ils disaient : « Jason, Jason ». J'ai vu mon corps tout bleu. Je savais que j'allais revenir parce que les gens de la lumière me l'avaient dit. Les médecins étaient préoccupés, mais j'essayais de leur dire que j'allais bien. L'un d'eux a mis des raquettes sur ma poitrine et mon corps a sursauté très fort. (...)

Dr Moody : Jason, as-tu remarqué quelque chose à propos des gens qui étaient avec toi dans le tunnel?

Jason : Les deux personnes m'ont aidé dès que j'y suis arrivé. Je ne savais pas exactement où je me trouvais mais je voulais aller à la lumière que je voyais au bout. Elles m'ont dit que tout irait très bien et qu'elles allaient m'emmener à la lumière. Je les sentais rayonner d'amour. Je n'ai pas pu voir leur visage, c'était juste des formes dans le tunnel. J'ai pu voir leur visage quand nous sommes sortis dans la lumière. C'est difficile à expliquer parce que c'est très différent de la vie sur terre. Je n'ai pas de mots pour en parler. C'est comme si elles avaient porté des robes très blanches. Tout était éclairé.

Dr Moody : Tu as dit qu'elles t'ont parlé. Que t'ont-elles dit?

Jason : Non. Je pouvais dire ce qu'elles pensaient et elles pouvaient dire ce que je pensais. »

Comme Krystel, le Dr Moody note que malgré la gravité de son accident, Jason se rétablit sans aucune lésion cérébrale, ni séquelle, ce qui relève du pur miracle. Ici, le sujet distingue deux formes rayonnant de l'amour et qui le rassurent pendant son passage du tunnel. Jason n'a pu les distinguer qu'une fois sorti du tunnel. La communication est télépathique.

4) La main dans la main de l'Ange

Cas qui m'a été aimablement transmis par Ken Ring. Cette expérience présente un intérêt considérable parce que nous retrouvons tous les points du tableau de Jérôme Bosch, l'ascension vers le Paradis Céleste. Beverly a été élevée dans une famille conservatrice juive mais non pratiquante de Philadelphie dans une « *atmosphère matérialiste et claustrophobe. Au lycée, les filles n'étaient jugées qu'en fonction des vêtements qu'elles portaient et de leur beauté.* » Malgré ses excellents résultats, Beverly était totalement effrayée par l'école, par l'avenir, et sa crise d'adolescence s'accentua lorsque elle perdit son père. Après le décès, sa mère fit une dépression et, totalement effrayée par la vie qui l'attendait, elle s'enfuit de la maison familiale : « *A l'âge de huit ans, lorsque je compris ce que fut l'Holocauste, je suis devenue totalement athée et toute croyance en Dieu me mettait en colère : comment Dieu pouvait-Il exister et permettre en même temps une chose pareille? Mon éducation laïque et l'absence de pratique religieuse n'avaient fait qu'ajouter de l'eau à mon moulin.* »

Elle quitte Philadelphie pour le soleil éternel de la Californie et débarque à Los Angeles, en plein mouvement hippie. Le lendemain, pour fêter son arrivée, un ami lui propose une balade en moto. Loin de l'atmosphère lourde de sa maison, elle se sent enfin heureuse et débarrassée de tout souci, elle monte sur la selle passager. La virée dans le désert californien se termine mal. Sur la petite route écrasée par la chaleur, la voiture d'un ivrogne percute la moto et Beverly, sans casque, effectue un vol plané avant de heurter l'asphalte la tête la première et de glisser quelques mètres en y laissant la peau de la moitié de son visage. Elle passe deux semaines à l'hôpital, gavée d'anesthésiants pour l'aider à supporter la douleur provoquée par ses fractures. Finalement, l'hôpital la relâche. Elle rentre dans son petit appartement temporaire, pose ses affaires et ouvre la porte de la salle de bains. Elle allume la lumière et se regarde pour la première fois dans le miroir. Elle est défigurée. Son visage est celui d'un mutant. Tout à coup à coup elle se rend compte qu'avec cette tête, plus jamais un homme ne lèvera ses yeux sur elle. Cette pensée se transforme en obsession, en cauchemar. Alors elle s'effondre en larmes. Elle pleure,

pleure comme elle n'a jamais pleuré. Après la perte de son père, cet accident est la goutte qui fait déborder le vase. Elle toucha le fond du désespoir. Et, pour la première fois de sa vie, comme beaucoup de gens, elle se tourna vers Dieu, le seul interlocuteur hypothétique qui lui restait et le pria, le supplia de l'emporter, définitivement :

« *Je ne voulais pas vivre une journée de plus. A 20 ans, je n'avais pas d'autre ambition que d'apprécier la vie et la partager avec quelqu'un. La douleur était insupportable; aucun homme ne voudrait plus jamais m'aimer; et désormais il n'y avait plus de raison de continuer à vivre. Soudain une paix inattendue m'envahit. Je me suis retrouvée en train de flotter au plafond, au-dessus de mon lit, regardant mon corps inconscient. J'ai eu du mal à réaliser la singularité de cette situation, merveilleuse, — que c'était moi, mais pas dans mon corps — lorsque je fus rejointe par un Etre radiant, baignant dans une lumière blanche chatoyante. Comme moi, cet Etre volait mais n'avait pas d'ailes. J'ai ressenti un respect mêlé à de la crainte lorsque je me suis tournée vers lui. Ce n'était pas un Ange (il n'avait pas d'ailes) ou un esprit ordinaire, mais il a été envoyé pour me délivrer. Un tel amour, une telle douceur émanaient de cet Etre que j'ai cru être en présence du Messie. Doucement, il prit ma main et nous nous envolâmes à travers la fenêtre. Je n'ai même pas été surprise par mon habileté à faire une chose pareille. Avec cette merveilleuse présence, tout était comme cela devait être. L'océan Pacifique s'étalait en-dessous de nous avec un coucher de soleil. Mon attention était maintenant attirée vers le haut où se trouvait une grande ouverture qui conduisait vers une autre ouverture circulaire. Bien que cela semblait profond et très très long, une lumière blanche brillait et se déversait dans l'obscurité, de l'autre côté où l'ouverture nous appelait. C'était la plus belle lumière que j'ai jamais vue, bien que de l'extérieur, je ne réalisais pas combien sa splendeur était voilée. Le chemin se trouvait à droite, partait vers le haut avec une trajectoire oblique. Maintenant, toujours main dans la main avec l'Ange, j'étais conduite dans l'ouverture de ce petit passage obscur. Je me souviens de moi franchissant une longue distance jusqu'à la lumière. Je crois que j'allais très vite mais tout semblait hors du temps. Finalement, j'arrivai à destination. C'est uniquement lorsque j'arrivai de l'autre côté que j'ai réalisé que je n'étais plus accompagnée par l'être qui m'avait emmenée là. Mais je n'étais pas seule. Là, devant moi, était la présence vivante de la Lumière. A l'intérieur, je ressentis l'intelligence, la sagesse, la compassion, l'amour et la vérité. Cet Etre n'avait aucune forme et pas de sexe défini. Il, je l'appellerai Il pour me conformer à la syntaxe commune, contenait tout, comme une lumière blanche contient toutes les couleurs de l'arc-en-ciel comme dans un prisme. Et, du plus profond de moi, vint une certitude et une reconnaissance merveilleuse : moi, MEME MOI, me trouvais en face de Dieu.*

Alors je L'ai immédiatement assailli de toutes les questions qui m'intriguaient, toutes les injustices que j'avais vues dans le monde physique. Je ne sais pas si j'ai fait ça délibérément, mais j'ai découvert que Dieu connaît immédiatement toutes vos pensées et y répond par télépathie. Mon esprit était nu. En fait, je devins un pur esprit. Le corps éthéré avec lequel j'avais traversé le tunnel semblait ne plus exister. C'était juste mon intelligence personnelle confronté à l'Esprit Universel qui se revêtait d'une glorieuse et vivante lumière que l'on ressentait plus que l'on ne voyait, car aucun œil n'aurait pu supporter cette splendeur.

Je ne me souviens pas exactement du contenu de notre discussion car dans le processus de retour, les aperçus qui m'étaient si parfaitement clairs au ciel ne me suivirent pas sur Terre. Je suis sûre de Lui avoir posé cette question qui me torturait depuis mon enfance à propos de la souffrance de mon peuple. Je me souviens de cela, de la réponse : il y a une raison pour TOUT ce qui arrive, même si cela paraît affreux dans le monde physique. En mon for intérieur j'avais les réponses, mon propre éveil réagissait de la même manière : « Mais bien sûr » j'avais pensé, « Je savais déjà tout cela. Comment ai-je pu oublier ? » En effet, il était évident que tout cela se passait dans un dessein précis et que ce dessein est déjà connu par votre moi éternel.

Progressivement les questions cessèrent parce que soudain je fus remplie de toute la sagesse de l'être. Il me fut donné bien plus que des réponses à mes questions : toute la connaissance se déploya en moi, comme l'éclosion instantanée d'un nombre infini de fleurs. Je fus remplie du savoir de Dieu et dans ce précieux aspect de son Existence, je ne faisais plus qu'un avec Lui. »

Il ne s'agit pas de ce que l'on appelle une NDE type, puisque il n'y a pas d'accident ou de mort physique au moment de l'expérience. Mais tous les ingrédients y figurent. Le dénominateur commun, émotion et désespoir intense mêlé à un appel soudain à Dieu, ont provoqué cette sortie hors du corps du sujet, la traversée du tunnel aidé par un Etre de Lumière radieux, présence merveilleuse, qui lui prend la main. Ici, le guide l'aide à entrer dans le tunnel et disparaît. Il ne s'est pas identifié.

5) Mon gardien

Cas cité par le chercheur mormon Arvin Gibson[1] qui a trouvé et interrogé une centaine de rescapés NDE. Le récit de Ann l'a tellement frappé qu'il en a fait la couverture de son livre. Ann a neuf ans. Comme d'habitude le soir, sa mère l'installe confortablement dans son lit et la borde, sans remarquer que l'enfant est pâle et affaiblie (les médecins avaient diagnostiqué un début de leucémie). Elle l'embrasse en lui souhaitant une bonne nuit, éteint la lampe et quitte la pièce en refermant doucement la porte. Ann se sent bizarre et n'arrive pas à s'endormir lorsque l'impression d'une lueur lui fait ouvrir les yeux. Elle aperçoit alors une lumière blanche et dorée qui semble provenir du mur gauche et qui se répand doucement dans sa chambre :

« *Je m'assis et observai la lumière grandir. Elle se développa rapidement aussi bien en intensité qu'en dimension. En fait, la lumière devint tellement brillante qu'il me semblait qu'elle pouvait éclairer le monde entier. Je distinguai quelqu'un dans la lumière. Il y avait cette femme magnifique, et elle faisait partie de cette lumière ; en fait, elle rayonnait la lumière. (...) On aurait dit qu'elle était pur cristal, elle inondait de la lumière. Même sa robe semblait rayonner sa propre lumière. La robe était blanche, longue, à grandes manches. Elle portait une ceinture dorée autour de la taille et ses pieds étaient nus. Non parce qu'elle avait besoin de porter quelque chose mais parce qu'elle se tenait à quelques centimètres au-dessus du sol. (...) Je n'ai jamais vu une telle gentillesse et un tel amour sur le visage de quelqu'un. Elle m'appela par mon prénom et tendit ses mains vers moi. Elle me dit de venir avec elle — sa voix était douce et gentille, mais.. résonnait dans ma tête —. La communication est plus facile que lorsque vous exprimez des pensées avec des mots. A ce moment j'ai supposé qu'il s'agissait d'un échange de pensées. Je lui ai demandé qui elle était et elle m'a répondu qu'elle était mon gardien, envoyée pour m'emmener dans une place où je pourrais rester en paix. L'amour qui émanait d'elle m'enveloppa et je n'ai pas hésité à poser mes mains dans les*

1. Pages 52-54 in « Glimpses of Eternity », 1991 Horizon Publishers, Bountiful, Utah.

siennes. Nous traversâmes une obscurité avant de nous retrouver dans une lumière qui devenait de plus en plus brillante (...) Je demandai à mon gardien pourquoi elle m'avait emmenée là et elle me répondit que j'en avais besoin parce que ma vie était devenue trop dure à vivre. »

Ann se retrouva sur la colline d'un parc radieux avec d'autres enfants qui s'amusaient avec des jouets et elle les rejoignit, totalement « *immergée dans ce nouveau monde qui respirait l'amour, la paix et la joie* ». L'Etre lumineux la laissa dans ce parc et revint plus tard. Elle lui prit la main à nouveau en lui expliquant qu'elles devaient repartir, ce qui mit la petite fille en colère. Elle ne voulait plus « retourner ». Alors l'Ange lui expliqua gentiment que désormais il lui serait plus facile de vivre sur terre. Dans l'instant, Ann réintégra son lit. Par la suite, les médecins ne trouvèrent plus aucune trace de la leucémie.

6) Je fus enveloppée

Cas d'une femme de 43 ans, de formation scientifique, dont l'accouchement en 1984 se compliqua à la suite d'une grave hémorragie. Il s'agit d'une NDE classique dans le sens où le sujet sort de son corps seulement pendant quelques secondes. Ce récit m'a été transmis par le Professeur Ring :

« A la suite d'un travail difficile et prolongé, des complications survinrent. Trente minutes après la naissance de ma fille Patty, j'eus une hémorragie, ma pression sanguine s'effondra et je sombrai dans l'inconscience. Aussitôt après, je quittai mon corps par le sommet de ma tête et me retrouvai dans le coin de la salle, près du plafond avec une vue aérienne de l'équipe médicale qui essayait de me réanimer. Je ressentis une grande compassion envers mon mari et ma fille, mais je n'éprouvais aucun attachement ou même regret à les quitter. J'ai flotté ainsi pendant un moment avant d'être tirée vers un couloir sombre au bout duquel il y avait une lumière blanche, claire et brillante. Aussitôt, je fus enveloppée et me sentis réunie avec plusieurs entités que je n'arrivais pas définir. J'ai ressenti une connaissance totale, une absence de conflit et une paix absolue. Ensuite je communiquai avec eux, très clairement mais pas exactement avec des mots. On m'a demandé : « Tu es prête ? » Bien sûr

que je l'étais ! Jamais je n'avais été aussi heureuse. J'ai réfléchi un moment puis répondis : « Oui, si vous pensez que mon mari peut prendre soin de Patty (le bébé). » A ce moment précis, je rentrai dans mon corps par la tête avec un douloureux bruit sourd. Ce fut terrible de revenir comme ça. J'ai essayé de raconter mon expérience aux gens autour de moi, mais ils riaient ou me regardaient tristement. J'ai alors cessé d'en parler et j'entrai dans une longue dépression ».

Rien d'extraordinaire dans cette NDE, sauf que le sujet se sent réuni avec d'autres entités, différents du célèbre Etre de Lumière central. Là, des entités lui demandent si « elle est prête », on imagine, à mourir.

7) Ce n'était pas le Christ, mais un Ange

Cas du Dr Melvin Morse [1] : Dean, un adolescent de 16 ans, atteint de troubles rénaux, est emmené de toute urgence dans son service où il s'écroule, cliniquement mort. Le garçon est transporté immédiatement en réanimation : les médecins lui compriment le thorax et lui injectent de l'adrénaline. Le cœur repart, mais Dean ne revient à lui que 24 heures plus tard. Lorsque le pédiatre discute avec lui, le garçon lui laisse entendre qu'il a vécu une expérience « *qu'aucun mot humain ne pouvait décrire* » :

« Tout à coup, après que j'eus atteint un certain point à l'intérieur du tunnel, des lumières s'allumèrent tout autour de moi. Je pus ainsi vérifier que je me trouvais bien dans une sorte de tunnel, et la vitesse à laquelle je dépassais ces points lumineux me fit comprendre que je me déplaçais à des centaines de kilomètres à l'heure. A ce même moment, je remarquai que quelqu'un se tenait à mes côtés : j'aperçus un Etre à la chevelure dorée, haut de plus de deux mètres et vêtu d'une longue robe blanche, attachée à la taille par une simple ceinture. Il ne me dit rien, mais je n'avais pourtant pas peur de lui, car je sentais la paix et l'amour qui émanaient de sa personne. Non, ce n'était pas le Christ, mais je savais qu'il était envoyé par le Christ. C'était sans doute l'un de ses Anges ou une autre créature dépêchée là pour m'emmener au ciel. »

1. Page 53 in « Closer to the light », op. c.

Ce récit est une vraie perle puisque de façon très brève, le sujet nous donne un nombre important de détails sur l'être qu'il découvre soudain à ses côtés qui correspondent parfaitement aux détails que nous avons découverts précédemment, à savoir : 1-la robe blanche, 2-la ceinture, 3-la chevelure et, 4-l'amour qui émane de lui.

8) Une belle dame

Signalé par le Dr Raymond Moody dans son livre « La Lumière de l'au-delà »[1], cas d'une petite fille de cinq ans dont le cœur lâcha en plein milieu d'une opération de l'appendicite. Dès que le son de l'électrocardiogramme signala l'arrêt du pouls, les médecins lancèrent la procédure de réanimation. Récit de Nina :

> *« Je les ai entendus dire que mon cœur s'était arrêté, mais j'étais au plafond, en train de tout regarder. De là-haut, je pouvais voir tout ce qui se passait. Je flottais tout près du plafond ; c'est pour ça que, quand j'ai vu mon corps, je ne me suis pas rendu compte que c'était le mien. Je suis sortie dans le couloir et j'ai vu ma mère en train de pleurer. Je lui ai demandé pourquoi elle pleurait mais elle ne pouvait pas m'entendre. Les docteurs pensaient que j'étais morte.*
>
> *Alors, une belle dame était arrivée pour m'aider parce qu'elle savait que j'avais peur. Elle m'a emmenée dans un tunnel et on est arrivées au ciel. Il y avait des fleurs merveilleuses. J'étais avec Dieu et Jésus. Ils ont dit que je devais repartir pour retrouver ma maman parce qu'elle était bouleversée. Ils ont dit que je devais finir ma vie. Alors je suis revenue et me suis réveillée. Quand nous avons vu la lumière, j'ai été très contente. Pendant longtemps, j'ai voulu y retourner. Je veux retourner à cette lumière quand je mourrai. »*

Voici notre troisième cas de NDE infantile féminine et là aussi, c'est une « très belle dame » qui vient chercher Nina parce qu'une fois sortie de son corps, elle se promène comme un fantôme. Ce récit ferait pâlir d'envie n'importe quel docteur en théologie. La gamine de cinq ans rencontre le Père Eternel et Jésus, ce qui est tout de même

1. Page 68, Robert Laffont, 1988.

surprenant parce que même pour un adulte, la distinction entre les deux n'est pas évidente. Une majorité de gens pensent que le Père et le Fils sont la même chose, sans compter le Saint Esprit qui achève la confusion et leur compréhension est loin de celle des théologiens, qui les différencient tout en expliquant qu'il s'agit de trois personnes en une seule... (vite un cachet d'aspirine!). Mais cette enfant ne sait même pas de quoi elle parle, sauf que pour elle le Père et le Fils étaient aussi réels que ses jouets. Comme l'a interprété le Dr Moody « *l'enfant n'est pas encore blasé par le monde environnant et n'a aucune idée de ce à quoi ressemble une NDE. C'est parce que les enfants sont culturellement moins conditionnés que les adultes que leurs témoignages renforcent la validité de la description de la NDE de base* »[1].

9) Angel Airlines

Récit d'un patient du cardiologue Maurice Rawlings[2]. L'homme remarque que son pacemaker ne fonctionne pas correctement. On s'en doute, ce n'est pas le genre d'électronique qu'on peut laisser tomber en panne en attendant le service après-vente. Il décide donc de retourner à l'hôpital au plus vite pour un changement standard, une opération extrêmement complexe qui nécessite une hospitalisation de plusieurs jours. Au moment des faits, le patient se trouve dans sa chambre et discute avec sa femme et son beau-frère. Soudain il sent que son cœur commence à s'emballer. Il a à peine le temps de demander à sa femme d'appeler une infirmière avant de sombrer :

« Je me souviens avoir entendu quelqu'un crier « code 99, code 99 ». Mais je n'étais plus dans la chambre après cela. Il me semblait qu'une infirmière m'avait agrippé par-derrière en encerclant ma taille avec ses bras et m'avait arraché de là. Nous avons commencé à nous envoler de la ville, allant vite, de plus en plus vite. Je me rendis compte que ce n'était pas une infirmière lorsque je regardai mes pieds et découvris les bouts d'une aile bougeant derrière moi. J'étais sûr que c'était un Ange. Après un vol dans les airs, elle (l'Ange) me posa dans la rue d'une ville fabuleuse

1. Page 65 in « La Lumière de l'au-delà », op.c.
2. Page 78 in « Beyond in the Death Door », op. c.

composée d'immeubles construits d'or et d'argent scintillants avec des arbres magnifiques. Une lumière merveilleuse baignait l'ensemble, rayonnante mais pas suffisamment brillante pour regarder de côté. Dans cette rue, je rencontrai ma mère, mon père et mon frère, tous morts auparavant. « Paul arrive ! » C'était la voix de ma mère. Comme je marchais vers eux pour les embrasser, le même Ange me saisit par la taille et m'emmena dans le ciel. Je ne sais pas pourquoi il ne voulait pas me laisser rester là. Avec la distance, on s'approchait de la ligne d'horizon et je pouvais reconnaître les immeubles. Je voyais l'hôpital où j'avais été envoyé comme patient. L'Ange descendit et me remit dans la même chambre et j'observai « d'en haut » les médecins travaillant sur mon corps. Je ne pense pas que quelqu'un puisse rester athée après avoir vécu une expérience comme la mienne. »

Cette fois nous sommes au cœur du sujet. Le patient est athée. Il meurt. Selon un prêtre catholique, en tant qu'athée il doit logiquement atterrir sur les pistes de l'enfer avec Satan lui-même dans la tour de contrôle. Ce qu'il y a de merveilleux avec les NDE, c'est que toutes les menaces de ce genre proférées par prêtres sans cervelle s'envolent en fumée [1]. Le patient se sent soulevé par une infirmière. Mais il découvre après que ce n'est pas une infirmière mais bien un Ange vêtu de blanc, avec des ailes ! Et que ce n'est pas son corps physique qu'elle a soulevé mais son corps éthéré. Bref, après un vol « *dans les airs* », elle le dépose dans une ville que l'on commence maintenant à bien connaître compte tenu du nombre de NDE enregistrées dans le monde entier qui donnent toutes les mêmes détails à son propos. Il rencontre ses parents décédés et au moment où il va les embrasser, l'Ange surgit des airs, fond sur lui tel un aigle, et le ramène dans l'hôpital. Son arrêt cardiaque a duré tout au plus quinze secondes.

---

1. Le Dr Raymond Moody rencontra un prêcheur qui, avant sa NDE, ne parlait que de l'enfer, du feu, du soufre, des âmes agonisantes, etc., terrorisant ses fidèles en leur disant que s'ils ne s'arrêtaient pas de pécher, ils cuiraient éternellement en enfer. Schéma classique. Qui n'a jamais entendu au moins une fois ce genre de sermons ? Bref, accident, NDE. Le prêtre rencontre l'être de Lumière qui lui montre comment il empoisonne littéralement la vie quotidienne de ses fidèles. Le religieux, profondément marqué par l'expérience parle désormais de l'amour et seulement de l'amour.

10) Deux filles sublimes

Le cas suivant est intéressant parce qu'il nous arrive de Yougoslavie, un pays totalement communiste à l'époque des faits. En 1956, le soldat Petar, âgé de 20 ans, effectue depuis dix mois son service militaire dans la JNA, l'armée populaire yougoslave :

« En 56, Tito vivait toujours dans la crainte d'être envahi par les Russes et cela se traduisait pour nous par des entraînements très durs dans les montagnes slovènes. J'effectuais mon service au Pivka Kaserna. Un après-midi, après une marche extrêmement longue, menée au pas de course avec tout le matériel sur le dos, j'eus des vertiges, ma poitrine se comprima et mes jambes devinrent lourdes. Je ne pouvais plus marcher. On a été obligé de me porter en civière jusqu'à la caserne où le docteur m'a ausculté et m'a envoyé de toute urgence à l'hôpital militaire Domzale de Ljubljana. Là, les médecins ont diagnostiqué une fibrillation du cœur. J'étais dans un état critique. Je me souviens d'une chambre sinistre des urgences que je partageais avec un vieux colonel qui n'était guère en meilleure santé que moi. Malgré les tonnes de médicaments qu'on me faisait avaler, je ne sentais pas d'amélioration, bien au contraire. Après plus d'un mois d'hospitalisation, je sentais même mes forces me quitter de plus en plus vite. Une nuit, j'ai soudain ouvert les yeux et, à ma plus grande surprise, deux filles absolument sublimes se tenaient devant moi, vêtues de robes blanches, presque scintillantes. Avant d'aller plus loin, je dois préciser qu'il ne s'agissait pas d'infirmières de l'hôpital. Les infirmières d'un hôpital yougoslave, militaire de surcroît, ne ressemblent pas à des mannequins, loin de là. Surtout en 1956. Et celles que je connaissais étaient des grosses matrones brunes avec des poils aux jambes[1] et souvent des « moustaches » qui possédaient autant de grâce qu'un thermomètre. Rien de comparable donc avec ces deux superbes blondes qui semblaient avoir 19 ou 20 ans et qui me souriaient. Elles se trouvaient dans une sorte de brouillard, je ne sais pas comment expliquer cela. Mais en même temps, je les distinguais clairement. Alors j'ai voulu les voir de plus près, vous imaginez... Et inexplicablement, j'ai eu la sensation de recevoir des forces, suffisamment pour me lever du lit et

---

1. En (ex)Yougoslavie, pour une raison mystérieuse, il est de bon ton chez les femmes de se laisser pousser les poils sur les jambes et de les montrer !!!

73

essayer de m'approcher d'elles. Je voulais les retrouver... Mais une fois debout, il n'y avait plus personne dans la chambre. Cela n'a pas duré plus de 10 ou 15 secondes. Je n'ai pas très bien compris et, 37 ans plus tard, j'y repense souvent. Toujours est-il que mon état de santé s'améliora légèrement et un mois et demi plus tard, je quittais l'hôpital. Dans mes derniers jours, un matin, je me souviens avoir surpris les chuchotements de deux médecins, disant : « Quel dommage pour ce garçon. Si jeune. Il n'en a plus pour très longtemps. » Certes, j'ai eu depuis quelques problèmes cardiaques en raison de cette faiblesse de constitution. Mais j'ai survécu et je me dis que si c'est elles que je retrouverai après ma mort, alors je n'ai rien à craindre ».

Voici une NDE qui ressemble étrangement à une vision de « lit de mort » et que nous pouvons comparer au cas d'Angela (page 54). Ici, deux « Anges » redonnent des forces au sujet, vraisemblablement pour qu'il puisse continuer sa vie. Et nous retombons inévitablement, bien que cette phrase n'ait pas été prononcée, sur le « *retourne, ce n'est pas ton heure* ». Par ailleurs, lorsque je lui ai parlé des Anges, il n'a manifesté aucun intérêt, sinon poli. Ce n'est qu'en abordant les visions de « lit de mort » et les NDE que le sujet a fait le rapprochement et m'a raconté son histoire. « *Dans mon esprit, les Anges avaient des ailes. Or, je n'ai vu que deux filles d'une beauté à couper le souffle, habillées de blanc. Dix secondes de plus et j'en tombais follement amoureux. Comment voulez-vous que je fasse le rapprochement?* », m'a-t-il expliqué en riant.

11) Un Ange à côté de moi

Ce témoignage absolument hallucinant m'a été confié par Kenneth Ring et je ne lui en serai jamais suffisamment reconnaissant. Il s'agit de Bob H., hospitalisé en 1979, pour une opération chirurgicale de la jambe, précédemment abîmée dans un accident automobile. Récit exceptionnel d'un rescapé qui n'aurait jamais imaginé découvrir des horizons semblables. Quant à l'Ange gardien, il est au centre du récit. Et on se rend compte que toutes les NDE ne se ressemblent pas. Il existe parfois tant de différences entre une NDE et une autre que l'on se demande sur quels critères se base le Grand Organisateur pour donner à Untel juste un aperçu du tunnel sombre et à d'autres un panorama complet, avec visite guidée, des mystères du Ciel. Revenons à Robert H. qui se sent partir en plein milieu de l'opération :

« *J'étais dans un tunnel, voyageant à une très grande vitesse vers une lumière qui n'avait pas grande importance à ce moment-là. Dans mon travail, je volais fréquemment en avion et j'avais participé à des courses automobiles, ce qui me permettait de me rendre compte que la vitesse à laquelle je voyageais dépassait de loin tout ce que j'avais connu ; et elle augmentait sans cesse. Les murs du tunnel étaient un brouillard, mais lorsque j'ai regardé avec plus d'attention j'ai réalisé que ce tunnel dans lequel je volais à cette vitesse invraisemblable était composé de planètes ; des masses solides, brouillées cependant par la vitesse et la distance. Il y avait aussi un son terrible. C'était comme si tous les plus grands orchestres du monde jouaient en même temps ; il n'y avait pas de mélodie mais c'était très fort, puissant et quelque part apaisant. C'était un son rapide, mouvant, comme quelque chose que je pourrais me rappeler, très familier, juste quelque part dans ma mémoire.*

Soudain j'ai eu peur. Je n'avais aucune idée de l'endroit où je me trouvais, j'étais emporté à une vitesse incroyable et rien dans ma vie ne m'avait préparé à cette aventure. Au moment où je réalisais que j'avais peur, une présence m'atteignit ; pas physiquement, mais par télépathie. C'était une présence calme et douce qui a dit : « Allez, allez, tout va bien, relax. » Et cette pensée transférée en moi eut un effet calmant, immédiat, de loin le plus puissant que tout ce que j'ai connu dans ma vie de stressé.

Je me dirigeais vers cette immense lumière à la fin du tunnel, mais à l'instant où j'allais y pénétrer, tout devint noir. Lorsque je ferme mes yeux dans une pièce sombre j'ai toujours la sensation de voir. J'ai aussi la sensation du toucher et celle d'avoir un corps. Le noir dont je parle était total sans aucune sensation. Ma conscience ETAIT simplement. J'existais, mais sans aucune sensation ailleurs. C'était absolument terrifiant. Cela a duré un moment, comme une journée entière. Alors mes sensations ont commencé doucement à revenir et j'ai compris qu'elles étaient uniquement positives. Il n'y avait plus aucune douleur dans ma jambe, ni aucun inconvénient mental ou physique. Il y avait à la place la paix, la joie, l'harmonie et la lumière. Oh, quelle Lumière c'était ! Je me rendais de plus en plus compte de sa présence, c'était une lumière dorée, et argentée et verte et remplie d'amour. Alors que ces sensations se stabilisaient, et cela me semblait cent ans parce que dans cette place il n'y avait pas de précipitation, je découvris un Etre assis à côté de moi. Il portait une robe blanche et était la paix même. C'était celui qui m'avait rassuré pendant les derniers instants de mon voyage, je le sus d'instinct. Et il me rassurait encore. Je savais qu'il aurait pu être tous les amis que je n'ai jamais eus et tous les guides et professeurs dont j'aurais pu avoir besoin un jour. Je savais aussi qu'il serait là si jamais j'avais besoin de lui. Mais comme il en avait d'autres à surveiller, je devais prendre soin de moi aussi bien que je le pouvais.

On était assis côte à côte sur un rocher, surplombant le plus beau paysage que j'ai jamais vu. Les couleurs étaient hors de ma connaissance, d'un éclat dépassant tous mes rêves, de composition exceptionnelle. C'était extraordinairement agréable et il n'y avait pas de pression, mon ami me connaissait et m'aimait mieux que jamais je n'aurais pu me connaître et m'aimer moi-même. Je n'ai jamais ressenti une telle radiance et une telle paix. « C'est vraiment quelque chose, n'est-ce pas ? » s'exclama mon ami, parlant de la vue. J'étais assis confortablement avec lui et admirais dans un silence indescriptible. Il dit : « Nous pensions t'avoir perdu un moment. » (...) Pendant que j'étais toujours en train de m'émerveiller sur ce que je contemplais, mon ami me suggéra qu'il serait temps d'y aller. Devenant moi aussi agité, j'acquiesçai. IMMEDIATE-MENT, nous changeâmes d'endroit. Nous écoutions maintenant un chœur d'Anges en train de chanter. Ils chantaient la plus adorable et la plus extraordinaire musique que j'ai jamais entendue. Ils étaient tous identiques, tous aussi beaux les uns que les autres. Lorsque leur chant prit fin, « l'une » d'eux vint vers moi pour m'accueillir. Elle était exquise et j'étais extrêmement attiré par elle et je réalisais alors que mon admiration pouvait seulement s'exprimer de façon totalement non physique, comme avec un petit enfant. J'étais embarrassé par mon erreur, mais ce n'était pas grave. Tout était pardonné dans cette place merveilleuse.

(...) Le sentiment que je devais partir se transforma d'abord en certitude puis en terreur. Mon appréhension fut confirmée lorsque mon guide me dit clairement qu'il était temps pour moi d'y aller, mais que je devais me rappeler que cette place était toujours ma maison, et que j'y retournerai un jour prochain. Je lui dis qu'il m'était impossible de retourner dans cette vie en bas après cette expérience, mais il me répondit que je n'avais pas le choix, que j'avais encore du travail à faire. J'ai protesté, prétextant que les circonstances de ma vie étaient devenues telles que je ne pouvais plus continuer ; et je fus consterné à la pensée de toute la douleur mentale et physique qui m'attendaient. Il me demanda d'être plus précis et je me rappelai une période de ma vie au cours de laquelle j'avais eu de grosses difficultés. Instantanément je ressentis totalement les émotions de cette

époque. C'était presque insupportable. Alors, avec rien de plus qu'un simple geste, la douleur disparut pour être remplacée par un sentiment glorieux d'amour et de bien-être. Ce processus fût répété plusieurs fois selon les différentes étapes de ma vie au cours desquelles j'eus des difficultés. Mon ami alors me montra que je pouvais faire cet exploit invraisemblable moi-même.

(...) Il me fit comprendre qu'il n'y avait aucune discussion possible sur mon retour. Les règles étaient les règles et je devais m'y conformer. Il n'y aurait aucune exception pour moi, et l'attendrissement sur soi n'était pas une forme d'expression acceptable. En un instant, tout disparut et je me trouvais dans la salle de réanimation me demandant ce que je devais me rappeler. L'expérience a duré 5 minutes ou 5 heures. »

Il s'agit incontestablement de l'un de nos plus beaux témoignages sur l'Ange gardien dans une NDE. Un récit d'une précision chirurgicale qui nous apporte un certain nombre de recoupements. Le sujet voyage dans le tunnel comme hors du temps et, au moment où il prend peur, il découvre à ses côtés une présence qui lui parle et dont les mots, ou plus exactement pensées, lui procurent un sentiment absolu de paix et surtout de sécurité : « *Cette pensée transférée en moi a eu un effet calmant, immédiat, de loin plus puissant que tout ce que j'ai connu dans ma vie stressée.* » Ce sentiment de sécurité représente l'un des facteurs communs des NDE « angéliques ». Premier acte. Deuxième acte : le sujet flotte dans le noir complet, dans lequel il ne s'assure de son existence que par sa pensée (ce qui nous renvoie directement dans les bras de Descartes et de son célèbre « *je pense, donc je suis* »). L'obscurité se dissipe et le sujet est assis sur un rocher avec « présence » du tunnel à ses côtés, drapé dans une robe blanche, dégageant une sérénité contagieuse. Une nouvelle certitude se fait dans son esprit : « *Je savais qu'il aurait pu être tous les amis que je n'ai jamais eus, et tous les guides et professeurs dont j'aurais pu avoir besoin un jour. Je savais aussi qu'il serait là si jamais j'avais besoin de lui, mais comme il en avait aussi d'autres à surveiller, je devais prendre soin de moi aussi bien que je le pouvais.* » On ne peut pas être plus clair et nous verrons plus loin dans ce livre à quel point cette précision correspond à merveille à diverses définitions de l'Ange gardien. Cependant, le sujet n'utilisa jamais le mot d'Ange mais celui d'Etre. Cette description, très puissante, nous plonge droit dans le mystère de la fonction de l'Ange. C'est une pure merveille et parmi les nombreux livres que j'ai lus sur le sujet, pas un ne donnait une explication aussi simple, brève et fulgurante. Puis l'être lui dit une phrase mystérieuse « *nous pensions t'avoir perdu un moment* ». Qui nous ? Rappelons que dans ce témoignage, le mot de Dieu n'a toujours pas été prononcé. Or, après le rocher et la ville, le sujet est « transporté » instantanément par l'être devant un chœur d'Anges. Là il utilise bien le nom d'Ange. Il les observe attentivement : ils sont plus beaux les uns que les autres et à la fin, « une » Ange, une vraie, vient l'accueillir. Elle est tellement belle et attirante que notre sujet se sent, comme on dit, pousser des ailes et découvre avec un certain embarras que son « *admiration ne peut s'exprimer que de façon non-physique* »[1]. Faut-il le souligner, c'est ce chœur d'Anges, rappelant le tableau de Fra Angelico « La danse des élus », qui a placé le récit de Bob H. dans un environnement divin.

12) J'ai réalisé que je ne marchais pas seule

A 3 h 30 un matin de juin 1959, Glenn Perkins se réveille tout à coup après avoir rêvé que sa fille, gravement malade et hospitalisée, a besoin de lui. Il s'habille, mange un morceau en vitesse, s'installe finalement au volant vers 4h15 et met le cap vers l'hôpital. Il y arrive vers 5 h 00. Au même moment, dans la chambre 336 de l'Union Hospital d'Indiana, Terre-Haute, le médecin constate le décès de Betty et la déclare officiellement morte. L'appendicite gangrenée, assortie d'une pneumonie lui avait détruit l'estomac et les ovaires avant de s'attaquer au reste du corps. Le drap de son lit est remonté jusqu'au visage par l'infirmière qui sort sans bruit pour annoncer la nouvelle aux parents. Pendant qu'elle téléphone et remplit les papiers administratifs relatifs au décès, Glenn Perkins monte les marches trois par trois, déboule dans la pièce et voit le drap recouvrant le visage de sa fille. Frappé de stupeur, il se jette à son lit et prie en pleurant

1. Ce passage me fait penser à Gabriella Light le personnage du roman écrit par Andrew Greeley, « Angel Fire » Toor Books.

« Jésus, Jésus ». Betty, elle, se trouve « de l'autre côté ». Cette expérience l'a tellement bouleversée qu'en 1977 elle a publié son récit dans les moindres détails[1]. Ce qui demeure remarquable dans son histoire est qu'elle ne se souvient pas avoir passé un tunnel :

> « La transition fut sereine et apaisante. Je me suis réveillée au pied d'une très belle colline. Elle était escarpée mais je l'escaladai sans aucun effort et une profonde extase envahit mon corps. (...) Tout autour de moi s'étendait un merveilleux et profond ciel bleu sans aucun nuage. Regardant encore, je remarquai qu'il n'y avait aucune route ou chemin. Cependant, je semblais savoir où j'allais. Alors je réalisai que je ne marchais pas seule. A ma gauche et un peu derrière moi se tenait un grand personnage, d'allure masculine, dans une robe. Je me suis demandé si c'était un Ange et essayai de voir s'il avait des ailes. Mais de face je ne pouvais voir son dos. J'ai senti cependant qu'il pouvait se rendre partout où il voulait et très vite. Nous ne parlions pas. D'une certaine manière, cela ne semblait pas nécessaire puisque nous allions dans la même direction. Je me rendis compte qu'il ne m'était pas étranger. Il me connaissait et je ressentais une étrange complicité. Où nous étions-nous déjà rencontrés ? Nous connaissions-nous depuis toujours ? Il semblait que oui. Où allions-nous maintenant ?
>
> Comme nous marchions ensemble, je ne voyais pas de soleil, mais la lumière était partout. (...) J'ai senti que nous pouvions aller où nous le voulions et ce instantanément. La communication entre nous s'effectuait par projections de pensées. (...) Juste au moment où nous atteignions le sommet de la colline, j'entendis la voix de mon père appelant « Jésus, Jésus ». Sa voix semblait lointaine. J'ai pensé faire demi-tour pour le retrouver. Je ne l'ai pas fait parce que je savais que ma destination était devant. (...) L'Ange s'est arrêté devant moi et a posé la paume de sa main sur une porte que je n'avais pas remarquée auparavant. (...) Je vis ce qui apparaissait (derrière la porte) comme une rue de couleurs dorées recouverte de verre ou d'eau. La lumière jaune qui apparut était aveuglante. Impossible de la décrire. Je n'ai pas vu de silhouette, même si j'avais la conscience d'une Personne. Soudain, je sus que cette lumière était Jésus, que la Personne était Jésus. Je n'avais pas à bouger. La lumière était tout autour de moi. Il semblait qu'il y avait une certaine chaleur à l'intérieur comme si j'étais exposée aux rayons du soleil ; mon

1. « My Glimpse of Eternity », 1977, Betty Malz, Chosen Books, New York.

corps commença à rayonner. Chaque part de moi était absorbée dans cette lumière. Je me sentais enveloppée par les rayons de cette énergie puissante, pénétrante et aimante. L'Ange me regarda et me communiqua la pensée « Veux-tu entrer et les rejoindre ? » Tout mon corps voulait y entrer, mais j'hésitais. Avais-je un choix ? Alors je me rappelai la voix de mon père. Peut-être que je devais partir et le trouver. « Je voudrais rester et chanter un peu plus longtemps et ensuite redescendre la colline » ai-je finalement répondu. Mais ce fut trop tard. Doucement, les portes fusionnèrent en une feuille de perles et nous commençâmes à redescendre la même magnifique colline. Cette fois, le mur était sur ma gauche et l'Ange marchait à ma droite. »

Betty réintégra son corps et son lit avec des textes de l'Evangile dansant devant ses yeux. C'est son père, toujours au pied du lit qui décela un mouvement sous le drap et appela les infirmières. Dans l'hôpital, personne ne comprit comment elle avait pu « *revenir* » alors qu'elle était morte. Amaigrie par des semaines de traitement médical intensif et la quasi absence de nourriture, Betty voulut aussitôt manger, au plus grand effroi du personnel hospitalier qui le lui défendit formellement. Elle n'en eut cure. Par « hasard », un plateau repas ne lui étant pas destiné atterrit dans sa chambre juste après son retour de la « colline ». Par hasard ? Elle se jeta dessus et le nettoya en deux bouchées. Aucune conséquence désastreuse. Son médecin la mit en garde : ses ovaires, attaqués par l'infection massive, ne pourraient plus jamais remplir leurs fonctions. Il lui conseilla même de les faire retirer, et, avant cette opération, de « protéger » ses relations sexuelles pour d'éviter la conception d'un enfant déformé. Quelques jours plus tard, elle quitta l'hôpital en pleine santé, fit l'amour dans la foulée, et se retrouva enceinte. Elle n'eut strictement aucune séquelle de sa maladie et son enfant fut parfait. Cela s'appelle un miracle documenté.

Revenons à la NDE. Elle se réveille après sa « mort » et marche dans une direction déterminée qu'elle semble connaître. Soudain elle se retourne et découvre qu'elle n'est pas seule. Un personnage d'allure masculine, vêtu d'une robe blanche se tient derrière elle. Betty Malz écrira en 1986 dans un second livre qu'elle n'aurait jamais pu imaginer un Etre doté d'une telle beauté, d'une telle puissance et assurance [1]. Elle utilise tout de suite le terme Ange et veut vérifier s'il a des ailes ! Non, il n'en possède pas mais cependant elle a le sentiment de le connaître depuis très longtemps et qu'il peut se rendre en une fraction de seconde partout où il le veut : « *Il me connaissait et je ressentais une étrange complicité. Où nous étions-nous déjà rencontrés ? Nous connaissions-nous depuis toujours ? Il semblait que oui.* » Cela nous renvoie directement aux « Dialogues avec l'Ange » lorsque l'Ange demande à Gitta si elle le connaît. Gitta est profondément touchée par les mots et sait avec « *une certitude inexplicable qu'il est son Maître intérieur : mais elle est au bord du souvenir et essaie de toutes ses forces de se rappeler. En vain* »[2]. Les deux femmes ont exactement la même réaction : « *Je le connais bien celui-là, mais où donc l'ai-je rencontré ?* » Après un bref aperçu de cette nouvelle « Jérusalem », Betty est amenée doucement vers le célèbre pseudo-choix « *veux-tu entrer ?* ». Elle tente de trouver un compromis mais n'en trouve pas. Retour dans le corps accompagnée de son guide. En retrouvant son enveloppe physique, Betty Malz n'imaginait pas que ce « rêve éveillé » changerait toute sa vie.

13) Un Ange brillant

Le cas numéro 13 nous vient des recherches du Dr Maurice Rawlings[3], le cardiologue du Tennessee. Le patient sait qu'il va mourir parce qu'en arrivant à l'hôpital, il a senti une violente douleur à la tête et soudain tout s'est éclairé autour de lui :

« *... alors je me sentis libre et en paix, avec cette impression de me porter parfaitement bien. J'ai regardé en-dessous et j'ai vu l'équipe médicale travaillant sur moi. Cela ne m'a pas inquiété le moindre du monde. Je me demandai pourquoi. Puis je fus enveloppé dans un nuage sombre et passai un tunnel. J'ai émergé de l'autre côté du tunnel dans une lumière blanche qui avait une douce lueur. C'était mon frère, mort trois*

---

1. Page 15 in « Angels Watching over me », Chosen Books, New York.
2. Page 24, « Dialogues avec l'Ange », Aubier.
3. Page 69 in « Beyond Death Door », op.c.

ans auparavant. J'ai essayé de franchir un passage mais mon frère me bouchait la vue et ne voulait pas me laisser voir ce qui se trouvait derrière lui. Puis, je vis ce qu'il y avait derrière. C'était un Ange brillant. Un Ange de lumière. Je me suis senti enveloppé par la force d'amour émanant de cet Ange qui cherchait et pesait toutes mes pensées les plus intimes. J'étais examiné au plus profond de mon être et puis il semblait que j'avais reçu l'autorisation de voir d'autres esprits, ceux de personnes qui m'étaient chères, mortes auparavant. Puis mon corps sauta en l'air à la suite du choc électrique qu'on venait de m'administrer. Je sus que j'étais de retour sur terre. Depuis que je me suis remis de cette rencontre avec la mort, je n'ai plus aucune peur d'elle. Je sais à quoi elle ressemble ».

Cette NDE est curieuse parce qu'elle ne ressemble à aucune autre. Après le tunnel, le sujet rencontre son frère qui essaie de cacher la présence qui se trouve derrière lui. Le sujet veut voir et il est déconcerté en apercevant un Ange, un vrai, qui brille, fait de lumière, bref qui clignote comme un sapin de Noël. En l'observant il se sent « *enveloppé par la force d'amour émanant de cet Ange* » qui cherche et pèse ses pensées, même les plus intimes : « *J'étais examiné au plus profond de mon être.* » Etonnant. C'est franchement curieux à quel point cette description, entièrement hors contexte, colle à la représentation de l'Archange Michael pesant les âmes dans le tableau de Hans Memling[1] « Le Jugement dernier ». Très curieux. Autre caractéristique insolite, c'est un Ange, et non un Etre de Lumière inclassable, un vrai. Ici, l'Ange jauge, pèse littéralement l'âme, comme dans le tableau de Memling et dans le chapitre « Des Anges et des mystiques », en particulier chez Marie-Julie Jahenny, nous verrons que l'Archange pèse bien les âmes.

14) Une voix m'accompagnait

Voici un cas français. Il s'agit de Marie d'Y., jeune lycéenne de 17 ans au moment des faits qui, comme tant d'autres, a entendu parler

---

1. Notons également « La Pesée des âmes » de Rogier de la Pasture au musée de l'Hôtel-Dieu de Beaune, France.

de l'éther. A la suite d'une déception amoureuse, un soir, elle décide d'imbiber généreusement un coton, de se coucher et de le coller sous ses narines. L'effet est immédiat. Son corps se détend, puis s'alourdit, tout semble lointain, les bruits ne lui parviennent plus qu'avec un écho et elle découvre étonnée que son corps semble commencer à tourner sur son axe de plus en plus vite comme une toupie. Au moment où elle va paniquer, une voix rassurante se fait entendre dans son cerveau et elle se sent alors happée vers le haut. Elle sort de son corps, observe un moment sa chambre de haut avant de fondre à grande vitesse dans un tunnel fait « *d'arches obscures et d'arches lumineuses* ». La voix la guide doucement et elle atterrit dans une « *atmosphère blanche, lumineuse, presque dorée* » :

« *C'était une voix adulte. Je ne la connaissais pas. Elle me semblait masculine et je pense l'avoir déjà entendue une fois à l'âge de dix ans lorsque j'ai eu peur dans une maison. J'émerge du tunnel et cette voix se transforme en plusieurs voix. En fait, j'ai rencontré d'autres entités. Je ne les vois pas vraiment, je les sens. Cela paraît difficile comme explication mais c'est ça. Après, j'ai vu quelque chose de bien plus lumineux. Et ces voix télépathiques qui disaient « Mais qu'est-ce qu'elle fait là ? Ce n'est pas son heure ; Ma petite, ce n'est pas ton heure, que fais-tu là ? » Ces Etres sont pleins d'amour, comme des Anges, mais sans corps ni forme, comme des sphères de lumière, indescriptibles. Ensuite j'ai erré dans un brouillard, c'était assez désagréable avec toujours cette impression de planer au-dessus de quelque chose. Puis je suis descendue encore plus bas et là, j'ai vu des formes grisâtres. Je les voyais et elles me montraient leurs poignets. Elles étaient très douces, bienveillantes et cette voix m'a dit « ce sont des suicidés », tout en me faisant comprendre que le suicide n'était pas une solution, que cela ne servait à rien et que tout serait à recommencer. Ils avaient raté quelque chose et c'était très grave. Après être remontée, j'ai rencontré une forme lumineuse indescriptible, tant sa gravité et sa profondeur m'impressionnaient, qui m'a demandé qui j'étais. J'étais embêtée. Et ma vie a commencé à défiler. C'était fou parce que je suis devenue tous ceux avec qui j'ai eu des relations, en ressentant mes actes sur eux. C'était terrible. On se sent bête après, très bête. La voix avait changé, elle était plus impressionnante, différente des « Anges » que j'avais vus à la sortie du tunnel. Je ne peux pas les décrire. C'est juste une forme lumineuse. C'est impossible à décrire parce qu'on « voit » et on « sent » en même temps. Lors de la revue de la vie, cet Ange semblait s'amuser en voyant que j'étais désarçonnée en revivant mes actes. Il avait un sens de l'humour prononcé, c'était évident. Ma stupéfaction, mon orgueil, mon égocentrisme, etc. l'amusaient beaucoup. Après la revue, je me sentie « merdeuse », mais aussi soulagée. »*

La NDE de Marie ne s'arrête pas là. Elle fond alors dans le cosmos, devient un point de lumière et se sent comme un grain de sable dans l'infini cosmique dans lequel luit une forme triangulaire qui semble, selon elle, être à l'origine de tout. Elle ne se souvient pas de son retour, simplement du regard de sa mère, baigné de larmes, en découvrant que sa fille a tenté de se suicider. Marie explique qu'après cette expérience elle a écarté toute idée de suicide parce que ce qu'elle a vécu a bouleversé à jamais sa conception du monde, des valeurs, des relations humaines et matérielles : « *J'ai la certitude au fond de moi d'une vie après la mort et de l'existence d'une lumière-énergie suprême que l'on pourrait nommer Dieu.* »

Une adolescente qui prend de l'éther pour se tuer après un chagrin d'amour, voilà un cas qui se produit trop fréquemment. Ici, les Etres sont parfaitement « visibles », du moins perceptibles, et lui montrent la zone grise des suicidés. Leçon. S'il n'y a pas de robes blanches avec des ceintures dorées, on retrouve en revanche la « sphère lumineuse » ou l'impression que ces Etres sont constitués d'un tissu de lumière.

15) L'Ange de la Mort

Cas du Dr Phillip Swihart rapporté par le Dr Maurice Rawlings. Le patient fut attaqué dans la rue et battu jusqu'à l'inconscience un vendredi soir de février 1967. Hospitalisé, le médecin de permanence décide de le garder en observation pendant la nuit afin que l'équipe du matin puisse explorer la zone abdominale durement touchée. Récit du patient :

« Je me trouvais dans la salle d'opération attendant l'intervention chirurgicale lorsque je sentis la présence d'une chose ou d'une sorte de puissance et je me suis dit « ça doit être ça (la mort) ». Ensuite, l'obscurité. Le temps avait perdu de son importance. Je ne sais combien de temps je suis resté sans aucune sensation dans cette obscurité. Puis il y

eut une lumière. Je me suis réveillé et je savais que c'était réel. Devant moi, ma vie passa en revue. Chaque pensée, chaque mot et chaque geste que j'avais eus dans ma vie depuis le moment où j'avais compris que le Christ était bien réel. Et j'étais très jeune à ce moment-là. Je vis des actes que j'avais commis et que j'avais totalement oubliés mais dont je me suis immédiatement rappelé en les regardant revivre devant moi. Cette expérience était, pour être précis, incroyable. Chaque détail, jusqu'à aujourd'hui. Et pendant que je regardais ma vie défiler, je sentais la présence de cette sorte de puissance, mais sans la voir. (...) Je lui ai demandé qui j'étais, qui elle était ou ce qu'elle était. La communication ne se faisait pas en parlant mais par un flux d'énergie. Il m'a répondu qu'il était l'Ange de la Mort. Je l'ai cru. L'Ange continua en me disant que ma vie n'était pas comme elle devait être, qu'il pouvait me prendre mais que j'avais une seconde chance et c'est pourquoi je devais m'en retourner. Il m'a promis que je ne mourrais pas en 1967. Je me rappelle ensuite m'être réveillé dans la chambre. J'étais tellement absorbé par cette expérience que je n'avais même pas remarqué le type de corps qu'il avait, ni combien de temps cela avait duré, tant ce fut réel. Je l'ai vraiment cru. Plus tard en 1967, une voiture passa sur mes épaules et mon cou. Bien plus tard, j'eus un accident de voiture dans lequel les deux véhicules furent entièrement détruits et dans les deux accidents, je m'en sortis quasiment sans aucune égratignure. Par ailleurs, je n'étais responsable d'aucune des collisions. J'ai rarement raconté mon expérience car je ne voulais pas que l'on me prenne pour un fou. Mais la rencontre fut vraiment réelle pour moi et je crois toujours que c'était bien l'Ange de la Mort. »

Cela devait arriver. L'Ange de la Mort qui manquait cruellement à notre étude s'est manifesté dans une NDE extrêmement sérieuse puisque le sujet fut passé à tabac par quelques loubards. Cette NDE répond bien aux critères classiques à savoir la sortie hors du corps, le passage du tunnel et la revue de vie. Et juste après celle-ci, telle une apparition théâtrale, surgit l'Ange de la Mort, ou du moins un Etre spirituel, une « puissance », qui se présente ès qualités. Je trouve cet Ange très drôle finalement. Comme dans une tragédie grecque, cet Ange déclame (par télépathie) : « *Ta vie n'est pas comme elle devrait être.* » Il aurait pu le faire en vers ou en alexandrins, mais l'Ange de la Mort ne semble pas avoir de l'humour... On imagine l'âme soudain glacée d'effroi, surtout après une revue complète. Mais l'Ange est magnanime et permet au sujet de retourner. Mieux, il lui promet qu'il ne mourra pas cette année-là. Le sujet retrouve son corps, assommé par la réalité de ce qu'il vient de vivre. Et l'Ange de la Mort tient sa promesse, faisant mentir son qualificatif. A deux reprises, le sujet sort indemne d'accidents qui, normalement, auraient dû le tuer, comme lorsqu'une voiture lui passa dessus!!! Ce qui donne une idée très précise de l'efficacité de la protection d'un Ange. Cela laisse vraiment rêveur...

16) Je ne t'ai pas oublié

L'expérience de Leonard Spade, un Californien de 50 ans, présente quelques similitudes avec le récit précédent comme nous allons le découvrir. Cela se passait à Brooklyn, New York en février 1969. Il était âgé de 25 ans. Une banale grippe se compliqua et les médecins identifièrent un virus contre lequel ils n'avaient pas encore d'antidotes. Les souffrances furent telles que Leonard pria Dieu pour mourir :

« J'étais dans la maison de ma mère à Brooklyn quand tout à coup je me suis senti mal. J'étais en visite chez elle et je suis parti m'allonger dans une pièce qui naguère était ma chambre d'enfant. En fait, c'était le Jour de l'An. Deux mois plus tard, j'étais toujours là et je m'en souviens bien parce qu'un phénomène étrange se passa le jour de mon anniversaire, le 26 février. Ce jour, je me suis soudain retrouvé flottant en haut de la chambre, regardant mon corps. Ensuite, je me suis vu dans une sorte de vestibule ou une antichambre et j'ai entendu une voix me dire « je ne t'ai pas oublié. Je sais que tu m'as appelé ». Effectivement, dans le désespoir le plus total, j'avais prié pour mourir parce que la maladie me faisait trop souffrir ; je voulais mourir et j'avais prié pendant des jours. J'avais prié mais personne en particulier parce que je n'avais pas vraiment de religion. Quand vous souffrez comme ça, c'est tout ce qui vous reste, le seul recours. Je n'avais cessé de prier. La voix de nouveau résonna : « Je t'ai entendu, mais tu dois savoir que ce n'est pas encore ton heure de mourir. » Puis un tunnel apparut : il ressemblait plus à un trou de 12 ou 15 mètres de profondeur qu'à un tunnel. Au bout, je voyais cette incroyable et brillante lumière blanche. Je pouvais distinguer dans cette lumière des ombres se mouvoir et je savais — je ne sais comment — que c'était celles de personnes que j'avais connues, mortes auparavant, qui *m'aimaient et qui attendaient de me revoir. J'ai éprouvé alors de l'amour et de la compassion. Ensuite je regardai à nouveau dans cette alcôve et distinguai la silhouette d'un homme grand, très grand, puissant et magnifiquement proportionné. Je me rapprochai et vis qu'il avait d'immenses ailes, comme celle d'un Archange, avec cette indéfinissable couleur gris-noir métallique. J'étais très intrigué par cet Etre mais je ne lui ai jamais demandé qui il était ou ce qu'il était. Mais plus je le regardais et plus je me rendais compte qu'il avait un aspect féminin. Ensuite, cela devint confus car, finalement, il n'avait pas de genre. Les plumes de ses ailes étaient noires. Son corps dégageait la puissance du métal et en même temps une certaine douceur. Il m'a dit que je devais m'assurer d'avoir bien tout terminé ici parce que si je continuais, c'était sans retour. Ensuite ma vie a défilé et je pensais vraiment avoir terminé. J'observais mes relations avec mes proches, ma famille et découvris qu'ils pourraient parfaitement survivre sans moi. J'ai réalisé alors que j'avais vécu toute ma vie en réaction contre mon père, que ma vie ne me plaisait pas. En même temps, j'avais le sentiment qu'aller vers cette lumière, c'était aller vers la lumière de Dieu et je ne me sentais pas prêt, tel que j'étais, à me présenter devant Dieu. Lui était prêt pour moi, prêt à m'accepter sans aucun grief. Mais moi, je ne voulais pas y aller comme ça. J'avais le sentiment que tout ce que l'on faisait ici sur cette terre n'avait aucune importance eu égard à cet amour, à cette compassion. Pourtant, je ne me sentais pas satisfait parce que j'avais le sentiment d'avoir promis de faire quelque chose de ma vie que je n'avais pas réalisé. J'ai compris alors que je devais repartir et que je ne pouvais aller vers l'Amour Absolu. J'ai regardé mon corps en bas et il me semblait cassé. J'y suis retourné, assez ennuyé. Je ne sais si c'était un Ange, mon « moi supérieur », ou je ne sais quoi d'autre, mais il était bien réel. »*

Avec ce récit, nous retombons dans le cas de Beverly B., qui, se découvrant défigurée, prie Dieu pour la première fois de sa vie pour Lui demander de mourir. Un vrai paradoxe où les symboles se télescopent. Leonard Spade prie pour échapper à ses souffrances. Les deux « mendiants de la mort » traversaient une période d'émotions intenses. Et dans les deux cas, les prières sont exaucées avec des variantes après la sortie du corps : Beverly est emmenée par un Ange dans la Lumière de Dieu qui lui fait faire un tour du propriétaire alors que Leonard se retrouve devant un Etre étrange, doté d'ailes (le premier mot qu'il utilise est « Archange » !), qui lui dit d'abord « *je ne t'ai pas oublié. Je sais que tu m'as appelé* » et ensuite « *je t'ai entendu, mais tu dois savoir que ce n'est pas encore ton heure de mourir* ». Peut-on déduire qu'il s'agit de l'Ange de la Mort ? Ces deux réponses sont importantes, puisqu'elles indiquent clairement que sa prière a été entendue. Ce qui veut dire aussi que l'acte de prier est vraiment efficace. La prière est entendue, reçue même cinq sur cinq par les occupants de « là-haut ». Encore plus étonnant : ils y répondent. En étudiant les Anges, on redécouvre finalement bien des choses.

17) Un escalier d'Anges

L'héritier du célèbre institut de sondages Gallup, Georges Gallup Jr a lu les ouvrages de Moody et s'est passionné pour le sujet au point de réaliser une enquête sur les NDE à l'échelle nationale, ce qui, compte tenu de la taille des Etats-Unis, constituait une véritable première. Les résultats de ce sondage l'ont stupéfié et il a décidé de les analyser sérieusement. Son livre « Adventures in Immortality »[1] est passionnant parce qu'il dresse un tableau précis de ce qui se passe après la mort et surtout, en recoupant tous les témoignages réunis par ses enquêteurs, de ce que l'on découvrira peut-être dans le ciel. Ses résultats confirment en tous points les synthèses de Moody et de Ring. Parmi ses récits, nous avons trouvé un cas vraiment hors normes, celui d'une femme de Pennsylvanie, âgée de 70 ans au moment de l'interview, ancienne infirmière, et qui a expliqué aux enquêteurs de Gallup l'expérience qu'elle avait vécue cinquante-trois ans plus tôt lorsqu'elle avait décidé d'accoucher à domicile.

Le médecin de la famille, rencontrant quelques problèmes au moment de l'accouchement, dut utiliser les forceps ce qui provoqua des complications internes. Une semaine après la naissance, le docteur l'examine à nouveau et décide de l'hospitaliser sur le champ. Elle reste pendant trois jours à l'hôpital avant que la décision de l'opérer soit prise. Mais son mari refuse l'intervention qui risquait sans doute de provoquer des dégâts intimes irrémédiables :

1. Pages 68,69, Mc Grow Hill, 1982, New York.

« J'étais si malade que je ne pouvais même pas me lever dans mon lit. C'était un dimanche après-midi. Mon mari prit un taxi et me transporta dans ses bras comme un bébé. Curieusement, en chemin, je recouvrai quelques forces. Toujours est-il que je sortis du taxi et marchai vers la maison jusqu'à notre appartement qui se trouvait au troisième étage. Je changeai le lit et l'arrangeai à ma façon. Ensuite je me suis déshabillée et me suis installée dans le lit. Je me sentais merveilleusement bien. Jamais je n'ai ressenti une telle sensation de bien-être auparavant et jamais depuis. Ma famille et mes voisins étaient tous là parce qu'ils étaient abasourdis en voyant le changement miraculeux qui s'était opéré en moi. Alors, exactement comme si quelqu'un me parlait, une voix me dit que j'allais mourir et que je devais en informer mon mari et ma famille. Alors je les ai tous réunis dans ma chambre. En tenant la main de mon mari je leur ai dit : « Vous devez tous vous préparer à rencontrer votre Dieu parce que je vais rencontrer le mien. » Je me sentais si calme, je ne souffrais même pas. Alors que lorsque je quittai l'hôpital trois heures auparavant, la douleur était intolérable. On aurait dit que j'étais dans une sorte de transe. A ce moment-là, j'eus une vision. Il semblait que tous ces Anges venaient du ciel, et, tendant leurs mains, formaient un escalier qui allait jusqu'au ciel. En montant cet escalier, il me semblait tout savoir de ce qui se passait dans ma maison. Ma famille et mes voisins pleuraient et mon mari s'était agenouillé au pied du lit, suppliant Dieu de m'épargner pour le bien du bébé. J'ai continué à escalader l'escalier formé de mains d'Anges jusqu'à atteindre le paradis. Lorsque j'atteignis le sommet, il y avait un brouillard devant la porte et un Ange me dit : « Ce brouillard est la prière de ta famille pour ton retour. Pourquoi ne demanderais-tu pas au Seigneur de te laisser retourner pour élever ton enfant ? » Après avoir franchi le brouillard, j'ai pu distinguer cette personne assise sur un trône, enveloppée de ce brouillard. Je dis « Seigneur, s'il Vous plaît, laissez-moi retourner et élever mon enfant ». Il ne répondit pas mais me prit la main et me reconduisit vers l'escalier à redescendre. Entre-temps, la famille préparait mes funérailles avec les pompes funèbres et envoyait des télégrammes. Lorsque je revins, je criai et je chantai, je suis sûre que vous pouvez vous imaginer quel genre de journée ce fut. J'avais 17 ans à l'époque. J'en ai maintenant 70 et je n'ai eu qu'un seul enfant. »

Cas très curieux parce qu'une voix prévient le sujet qu'il va mourir et lui demande d'en informer les membres de sa famille. Jusqu'à présent, nous n'avons jamais observé un tel avertissement, même en admettant que cela puisse venir de son Ange gardien. Or si l'Ange ne semble pas se manifester visuellement à son protégé, il est remplacé par une légion d'Anges, surgissant du ciel et venant constituer un escalier de leurs mains pour aider le sujet à monter jusqu'au trône de Dieu. Cela semble totalement fou. Le problème est que vu le domaine dans lequel nous essayons d'évoluer sans perdre la raison, ce cas est atypique. On pourrait invoquer une hallucination. Mais le sujet était cliniquement mort puisque ses proches avaient commencé à envoyer des câbles. Par ailleurs, ce témoin utilise le terme de vision, exactement comme les plus grands mystiques que nous verrons dans un chapitre suivant. Ensuite, sa vision n'est pas sans rappeler le chapitre 28 de « La Genèse » où Jacob, endormi au pied d'un rocher, rêve d'une échelle avec des Anges montant et descendant du Ciel. Elle arrive finalement au sommet de cet escalier étrange où un autre Ange l'attend avec un brouillard, « *la prière de ta famille pour ton retour* ». L'aide de l'Ange est claire : il souffle la solution à l'âme arrivée au jugement. Même si tout cela nous semble bien allégorique, ce récit n'est pas plus surnaturel que tous les témoignages que nous avons vus précédemment.

18) Michael, l'Archange

Cas qui m'a été transmis par Kimberley Sharp, présidente de la branche IANDS de Seattle, survenu à Richard Philips en février ou mars 1969 dans une vieille ferme du Minessota, à la frontière du Canada. Richard avait quatorze ans lorsqu'il attrapa la grippe de Hong-Kong et la varicelle. Ses parents l'avaient installé dans le canapé du salon et le veillaient, immobilisés par une violente tempête de neige. C'était l'hiver le plus froid depuis vingt ans, avec des températures largement en dessous de zéro. Avec le froid polaire qui glaçait même les os, la varicelle et la grippe se sont aggravées. Entouré de ses parents, fiévreux, Richard se voit soudain quitter son corps :

> « *Mes mains et mes bras étaient transparents. Je me trouvais sur un plateau blanc qui brillait, au même niveau que le plafond de la maison. En montant, je me suis senti entouré d'une force, une force agréable comme celle d'un Ange qui repoussait des forces maléfiques autour de*

moi. J'ai regardé en dessous et j'ai vu mes parents pleurant autour de mon corps malade. J'étais triste pour eux ; puis je me rendis compte que je savais tout sur tout. Il n'y avait pas de limites à ma connaissance. Dans cet endroit blanc je voyais un mur, également blanc. Un inconnu, haut de deux mètres, s'avança vers moi. Il me dit qu'il était Michael, l'Archange. Il marcha avec moi et me montra les alentours. J'ai rencontré une demi-douzaine de proches comme mon grand-père mort qui avait là une vingtaine d'années et ne possédait plus un corps grabataire. Il semblait très heureux. J'ai rencontré mon futur frère qui allait naître quatre ans plus tard. Et d'autres frères et sœurs morts bien avant ma naissance. Je ne savais pas que mes parents avaient eu des enfants avant moi. Ensuite, je voulus rencontrer Dieu pour lui dire que j'étais trop jeune pour mourir et que j'étais très heureux avec ma famille. Dieu m'apparut dans une lumière blanche. Je ne pouvais pas Le regarder en face mais Sa voix résonne encore dans ma tête comme si c'était hier ; elle était la compréhension, la sagesse même et Il me faisait sentir tout son amour pour moi. Je Lui ai demandé pourquoi Il laissait le monde aller à sa destruction et Il m'a répondu qu'Il avait donné le libre arbitre à tous et que si nous gardions la vie sur terre ou si nous la détruisions, c'était notre affaire. Il a dit cela parce qu'Il a sa propre volonté, exactement comme nous, sa création. A ce moment-là, le Christ a mis ses mains sur mes épaules. J'ai vu des marques sur ses poignets. Je me rappelle avoir passé un bon moment avec le Christ mais je ne me souviens pas de ce que nous avons fait. J'ai demandé à Dieu de me laisser repartir pour avoir une femme et une petite fille en son honneur avant mes 30 ans, après quoi je mourrai avec plaisir. Ou bien de me laisser vivre au-delà de 30 ans si je n'ai pas d'enfant. C'est ce que je Lui ai proposé. Je me souviens de Dieu extrêmement attentif, comprenant ce que je lui demandais. Avant mon retour, j'ai vu passer le Diable et cela m'a surpris de découvrir qu'il était magnifique. Lorsque je revins du plateau blanc, j'ai essayé de décrire mon expérience à mes parents. Ils ont eu tellement peur qu'ils se sont précipités chez le médecin. Il en ressortit que les globules blancs avaient détruit les globules rouges dans mon corps. Cet état nécessitait un traitement immédiat et je n'aurais pas été soigné si mes parents ne m'avaient pas emmené à l'hôpital. Et jamais il ne m'auraient emmené à l'hôpital dans des conditions météo aussi sévères si je ne leur avais pas raconté mon expérience. Autrement dit, ma NDE m'a sauvé la vie. »

Compte tenu du sujet de ce livre, cette NDE constitue une très belle pièce dans notre panorama. Dans ce cas, « *un inconnu, haut de deux mètres* », l'Archange Michael lui-même, vient chercher l'enfant en l'entourant de sa protection surnaturelle : « *En montant, je me suis senti entouré d'une force, d'une force agréable comme celle d'un Ange qui repoussait des forces maléfiques autour de moi.* » Respectant sa réputation de guide, l'Archange accompagne le garçon qui, visiblement, n'a pas d'idée réelle de ce que représente cet Ange qui lui montre les « *alentours* ». Le garçon discute avec Dieu et lors de son retour il croise un autre Ange, « magnifique »...

19) Je suis ton Ange gardien

Pour démontrer que les histoires de NDE existaient bien avant qu'on ait mis un nom dessus, voici un cas rapporté par Peter Johnson en 1920[1], retrouvé par Craig Lundhal, tenant de la chaire de sociologie du Western New Mexico University et qui a eu l'amabilité de me le communiquer. Foudroyé par la fièvre jaune, Johnson repose dans le lit, brûlant de fièvre, observé par des infirmiers plus qu'inquiets.

> « *Peu de temps après, mon esprit quitta mon corps ; comment, je suis incapable de le dire. Mais je me suis senti comme à un ou deux mètres en l'air et vis mon corps allongé dans le lit. Je me sentais tout à fait normal mais comme il s'agissait de conditions nouvelles, je commençai à regarder. J'ai tourné ma tête, haussé les épaules, senti mes mains et réalisé que c'était bien moi. Mais je savais aussi que mon corps se trouvait en bas dans le lit, sans vie. Rien ne semblait anormal en évoluant dans cet environnement nouveau puisque je réalisai qu'en esprit j'étais le même qu'avec mon corps. En examinant les nouvelles conditions, quelque chose attira mon attention et, en tournant ma tête, j'aperçus un personnage qui dit :*
> *— Tu ne savais pas que j'étais là.*
> *— Non, mais je vois que vous êtes là. Qui êtes vous ? répondis-je.*

1. »A Testimony », The Relief Society Magazine, Vol III, N° 8, page 451, August 1920.

> — *Je suis ton Ange gardien. Je t'ai suivi constamment pendant que tu étais sur la Terre.*
> — *Qu'allez-vous faire maintenant? demandai-je.*
> — *Je vais rendre compte de ta présence et tu vas rester là jusqu'à ce que je revienne.*
> *A son retour, il m'informa que nous devions attendre là parce que ma sœur désirait me voir, mais elle était occupée à ce moment. Elle vint aussitôt.* »

Les cas où l'Ange s'identifie comme gardien est assez rare. Il lui précise même qu'il l'a suivi pendant qu'il était sur Terre, ce qui tend à prouver que les Anges nous accompagnent bien depuis notre premier jour. Ces cas laissent supposer que dans cet « ailleurs », le temps existe sous une autre forme..

20) J'entends des voix depuis

L'accident, ou plus précisément la mort de Chuck Girswold survenue le 25 janvier 1959 lors d'une descente de rivière, rafting, a totalement changé sa vie. Ce cas est intéressant dans le sens où il s'agit d'un ingénieur maritime qui n'était guère ouvert, à l'époque, aux questions spirituelles :

> « *On descendait un rapide du Skykomish, dans l'Etat de Washington, à côté d'une petite ville du nom d'Index. La rivière était glacée, nous étions en plein hiver. On était 23 environ sur un matelas pneumatique et pendant une heure, nous avons manœuvré, ramé et slalomé entre les rochers. Tout se passait bien et c'était vraiment excitant que d'être portés par un rapide de cette puissance. L'eau glacée ne nous gênait pas puisque nous portions des ensembles de protection à base de néoprène. Et puis soudain, on n'a rien compris : une chute, non prévue sur la carte, d'environ trente mètres. J'ai senti des tonnes d'eau sur mon corps, mes lentilles être emportées, des rochers de la taille d'une voiture défilaient le long de mon corps jusqu'à ce que je me retrouve en train de nager dans le courant. Mais je me suis rendu compte que le canot était en dessous de moi, ce qui ne me paraissait pas vraiment normal. Et tout devint dramatique car je n'eus plus aucun doute quant au fait que j'étais mort puisque je flottais au-dessus de la scène. J'étais bien mort. Et puis tout devint calme et tranquille et à ce moment-là,* »

j'ai été happé dans un tunnel au bout duquel brillait une lumière dorée, éblouissante et qui me semblait dégager une sorte d'amour inconditionnel, illimité. En même temps, j'ai senti à côté de moi deux « présences », à ma droite et à ma gauche, qui, par pensées interposées, ce que l'on appelle télépathie, m'ont expliqué que tout irait bien et que je n'avais pas à m'inquiéter. Aussitôt je me détendis et me sentis bien. J'ai regardé en dessous et vis comment on essayait de sortir mon corps de l'eau. Le shérif, plus tard, je sus que c'était le shérif Twitchell, disait à une autre personne que ce n'était pas la peine de s'occuper de celui-là, de moi, parce qu'il était mort. Il parlait de mon corps. Mais on me fit quand même de la respiration artificielle. Les autres membres de l'équipe étaient aussi en mauvais état. J'ai observé la scène avec mes « gardiens ». Je les sentais, plus d'une manière télépathique que physique. Ce qui m'a frappé est que la personnalité sur ma gauche était une sorte de mécanicien, pragmatique, et celui de ma droite était plus éthéré, plus angélique, comme si son point de vue était celui de Dieu. Toujours en même temps, je vis le ciel et le visage du shérif au-dessus de moi. J'entendais mais je ne pouvais pas parler. J'avais réintégré mon corps lorsque j'avais demandé à mes deux gardiens de voir comment se portaient mes amis. On m'a donné de l'oxygène et je retrouvai mes esprits sur la civière. Mais le changement était que mes deux guides sont restés avec moi par la suite.

Je les revis bien longtemps après cet accident, toujours au cours d'opérations chirurgicales, il y a quinze ans de cela, en 1977, puisque je fus l'un des premiers à survivre à une opération de l'abcès du foie. Mes gardiens sont là et ils me disent « oui, tu es sur le bon chemin » ou « non, évite de faire cela ». C'est toujours le soir avant de m'endormir que j'entre en contact avec eux. C'est pour cela par exemple que je ne conduis plus de voitures. A partir de 24 ans, je me suis toujours senti mal à l'aise au volant d'une voiture ; après ma NDE, mes gardiens m'ont vraiment prévenu que je ne devais conduire sous aucun prétexte. Alors je ne pilote que des bateaux. Une fois j'ai dit à ma femme que j'allais faire des courses. Mais au volant, je fus paralysé, je ne pouvais quasiment plus bouger. J'ai 57 ans maintenant et je peux vous dire que mes Anges gardiens m'ont sauvé la vie à plusieurs reprises. Par exemple, on m'avait demandé de me rendre sur un chantier maritime et mes voix m'ont dit « non, non, pas question ! ». Alors j'ai refusé et l'homme qui a pris ma place a été tué le matin même. Un autre employeur me demanda si je voulais rejoindre un groupe de travail en raison de mon expertise en explosifs et mes gardiens m'ont dit « absolument pas ». Trois semaines plus tard, cinq amis qui avaient accepté de travailler sur ce chantier furent tués par une explosion

accidentelle. Depuis ma NDE, j'ai comme on dit des sens plus déve-
loppés, comme la prémonition, lecture des pensées, etc. »

Ce cas illustre parfaitement les effets postérieurs des NDE, à savoir la modification des sens psychiques au point qu'il entend ses Anges, un peu comme Jeanne d'Arc. Il n'est pas le seul dans ce cas, même s'il est l'un des rares à parler avec ses guides. D'autres lisent dans la pensée des gens comme dans un livre ouvert, guérissent par imposition des mains ou bien « voient » l'avenir. C'est extrêmement curieux. Tous les chercheurs sont tombés un jour ou l'autre sur un cas semblable qui leur donne la conviction intime que pendant une NDE il se passe bien plus de choses qu'un « simple » aller retour. Bien après sa NDE, Chuck Griswold eut la vie sauvée à deux reprises en refusant à chaque fois un chantier et comme John Lilly, il revit ses guides au cours d'interventions chirurgicales. On peut se demander légitimement pourquoi certains sont gratifiés d'un tel présent et pas d'autres.

21) Elle était très belle

Cas d'Arvin Gibson[1]. Kim, une adolescente de 15 ans se rend à l'hôpital de Salt Lake City (Utah) en juin 1990 pour se faire opérer la jambe à la suite d'une torsion du tibia. L'opération se déroule bien mais quelques jours plus tard, une douleur foudroyante lui paralyse la jambe. Elle retourne à l'hôpital et après diverses injections, la douleur semble disparaître. Dès le lendemain cependant, elle resurgit, plus aiguë que jamais, au point que Kim veut hurler. Mais aucun son n'arrive à sortir de sa bouche et le décor autour d'elle s'évanouit. Elle ne voit ni son lit, ni sa mère, ni l'électrocardiogramme devenir plat, ni les médecins et les infirmières se ruant dans la chambre. Elle est cliniquement morte.

« Je ne sais toujours pas comment l'expliquer. C'était seulement l'obscurité tout autour, un peu comme dans un tunnel. Ce n'était pas

1. « Glimpses of Eternity », 1991 Horizon Publishers, Bountiful, Utah, pages 103-104.

vraiment un tunnel mais c'est la meilleure image que j'ai pour le décrire. Je me tenais là et je vis cette lumière brillante, pas une lumière qui réchauffe, mais une lumière qui apaise. Je devins curieuse et commençai à me diriger vers elle. J'ai entendu quelqu'un m'appeler par mon prénom; je regardai et il y avait cette dame. Elle était habillée tout en blanc. Ses cheveux étaient blancs et tombaient sur son dos, jusqu'à ses genoux. Elle était vraiment très belle, elle rayonnait, pas de la lumière distante mais d'elle-même. Elle m'appela par mon prénom et me dit « ce n'est pas encore ton heure ». Je n'ai pas vraiment compris et elle répéta son message; ce n'était pas mon heure et je devais repartir. Lorsqu'elle me dit la seconde fois que je devais retourner, je me remémorai la douleur et le reste, et je ne voulais pas rentrer. Je voulais aller vers la lumière; je me sentais si bien, si heureuse. Elle répéta le message à nouveau, me disant que ce n'était pas mon heure et que je devais retourner et que tout irait bien. Finalement, je me décidai à faire demi-tour pour rentrer. Puis je me réveillai, incertaine. »

Son cœur s'était arrêté de battre pendant quelques instants, le temps que les médecins lui insufflent de l'oxygène. Dès son « retour », ils lui injectèrent des calmants et comme l'être le lui avait promis, la douleur de la jambe disparut pour de bon.

22) Ils sont mes gardiens

Cette expérience aux frontières de la mort survenue au Dr John Lilly s'est déroulée dans un hôtel de Chicago où il a attendu plus de six heures, la plupart du temps dans le coma, avant qu'une ambulance vienne le chercher. Souffrant, il décida de s'injecter une dose d'antibiotiques destinée à le remettre en forme. Quoi de plus normal qu'un médecin qui se soigne? Mais l'aiguille, mal lavée, contenait encore des résidus de détergent qui se sont aussitôt disséminés dans le corps, endommageant les fonctions vitales du cerveau. Foudroyé par la douleur, il se demanda ce qui lui arrivait : son cerveau ne réagissait quasiment plus et le cortex visuel s'arrêta de fonctionner. Presque aussitôt, il sombra dans le coma. Un peu plus tard, il émergea, agrippa le téléphone de sa chambre et appuya sur le 0. Le détective arriva aussitôt et lui demanda s'il avait un ami dans l'hôtel. Dans le brouillard le plus complet, il réussit à donner un nom avant de s'effondrer à nouveau. S'il ne se souvient pas du reste, en revanche Lilly se rappelle parfaitement de ce qui se passa juste après :

> « *L'épouvantable mal de tête, la nausée et les vomissements qui suivirent m'avaient forcé à quitter mon corps. (...) Soudain, deux points de conscience similaires apparaissent dans le lointain, sources de rayonnement, d'amour, de conscience, de chaleur. Je vois leur présence sans yeux, sans corps. Je sais qu'ils sont là, donc ils sont là. Alors qu'ils se rapprochent de moi, je sens de plus en plus chacun d'eux, interpénétrant mon propre être. Ils transmettent des pensées rassurantes, respectueuses et impressionnantes. Je réalise que ce sont des êtres qui me sont bien supérieurs. Puis ils commencent à m'enseigner. Ils me disent que je peux rester dans cette place, que j'ai quitté mon corps mais que je peux y retourner si je le désire. Puis ils me montrent ce qui se passerait si je décidais de laisser mon corps, un chemin alternatif que je pourrais prendre. Ils me montrent également où je peux aller si je décide de rester dans cette place. Ils me disent aussi que ce n'est pas mon heure de quitter définitivement mon corps et que j'ai toujours l'option d'y retourner. (...) Comme ils s'approchent, je me « sens » de moins en moins dans mon être, replacé de plus en plus par le leur. Puis ils s'arrêtent à une distance critique et me disent que mon développement actuel ne leur permet pas de s'approcher plus. S'ils se rapprochaient, je fusionnerais avec eux et me perdrais en tant qu'entité cognitive. De plus, ils disent que je les ai séparés en deux puisque c'est ma façon de les percevoir, mais qu'en réalité ils ne sont qu'un dans l'espace où je suis. Ils disent que j'ai insisté pour garder encore mon individualité, forçant une projection sur eux, comme s'ils étaient deux. Ils ajoutent que si je retourne dans mon corps et me développe davantage, je pourrais éventuellement apercevoir l'unité d'eux et moi, et de beaucoup d'autres. Ils disent qu'ils sont mes gardiens, qu'ils étaient avec moi avant, lors des moments critiques et qu'en fait ils sont toujours avec moi, mais que normalement je ne suis pas dans un état pour les percevoir. Je suis dans un état pour les percevoir lorsque je suis près de la mort du corps. Dans cet état, il n'y a pas de temps. Il y a une perception immédiate du passé, présent et futur comme si c'était le présent. (...) Ils me disent aussi que mon corps n'aura aucune séquelle.* »[1]

---

1. Pages 23-24 in « In the Eye of Cyclone ».

John Lilly se réveilla dans son corps au moment où on lui injectait quelque chose dans les artères au niveau du cou. Lorsqu'il reprit pleinement conscience à l'hôpital, il découvrit qu'il était aveugle à la suite d'une lésion non localisée dans le cerveau. Mais, et comme ses « gardiens » le lui avaient prédit, ses yeux réagirent progressivement aux stimulus lumineux au bout de quelques jours. Après deux mois de convalescence, ils réagirent normalement.

Ce récit est primordial parce qu'il nous provient d'un scientifique doublé d'un médecin. La description du Dr Lilly est impressionnante de précision et de clarté. Pas d'allégorie religieuse mais un tableau détaillé de ce qu'il a ressenti et vu en quittant son corps. Chez lui les Anges se manifestent par deux points lumineux « *deux points de conscience similaires apparaissent dans le lointain, sources de rayonnement, d'amour, de conscience, de chaleur* ». On retrouve donc invariablement ce rayonnement d'amour qui rassure et réconforte le sujet et qui l'avertit à distance qu'il ne craint rien. Instinctivement, il sent aussi que ces présences lui sont « supérieures » et, comme nous l'avons vu précédemment et comme nous le reverrons plus loin, le sujet les voit « sans voir ». C'est cette faculté que les rescapés ont du mal à expliquer une fois de retour sur terre, voir sans voir tout en obtenant une image précise de ces présences. On note au passage que contrairement à d'autres rescapés, Lilly ne traverse pas des collines verdoyantes, des paysages fleuris avec des lacs d'un bleu qui n'existe pas sur terre, etc. Il flotte simplement dans une zone. Respectant le mathématicien, les Etres lui montrent alors ce qui se passerait s'il décidait de ne pas retourner dans son corps, le chemin « alternatif », la tangente. Puis on note alors le phénomène de fusion que le sujet essaye d'éviter, sous peine de perdre sa propre identité. Mieux, les Etres lui expliquent qu'en fait ils ne sont pas deux, mais un. Voilà des précisions qui posent bien plus de questions qu'elles n'apportent de réponses. Comment Lilly a-t-il pu les séparer en deux ? Et pourquoi s'il se rapproche d'eux redeviendraient-ils tous un ? Vraiment très curieux. Mais inévitablement on retombe sur ce que nous avions mis en avant précédemment avec Betty Malz qui se sentait étrangement attirée par l'être qu'elle découvrit derrière elle. A croire qu'une partie de notre mémoire est déconnectée lorsque nous descendons sur Terre.

23) Un instructeur que je ne connaissais pas

Témoignage anecdotique mais officiel de Sir Auckland Gedee, un médecin, donné le 26 février 1927 devant les membres de la Société royale de médecine de Londres. Il est intéressant car ce sujet de sa gracieuse Majesté eut ce que l'on appela plus tard une NDE et il expliqua à ses confrères ce qu'il ressentit lors de sa « mort » et ce qui se passa après. On imagine la tête des vieux barbus lorsque leur illustre confrère leur parla de la sensation de flotter :

« Peu à peu, je réalisai que je pouvais voir non seulement mon corps et le lit sur lequel je reposais, mais encore tout ce qui se trouvait dans la maison et le jardin. (…) J'appris d'un instructeur que je ne connaissais pas et que j'appelle mon mentor, que je me trouvais complètement libre dans une dimension temporelle de l'espace où « maintenant » corres- pondait dans une certaine mesure à l'« ici » de l'espace tridimensionnel habituel. » [1]

Un médecin tentant d'expliquer sa « mort » et son Ange gardien à la tribune d'une académie de médecine, voilà qui n'est pas commun, d'autant que cela se passait en 1927 !

24) Un Ange gigantesque

Cas du Dr Morse. Une femme de 69 ans apporte sa voiture à réparer dans un garage et s'écroule dans les bras du mécanicien à la suite d'une crise cardiaque (lui a-t-il présenté une facture un peu trop salée ?) [2] :

« Je suis sortie de mon corps au beau milieu d'un garage où j'avais donné ma voiture à réparer. Cela s'est passé très vite : une seconde

1. In « Sterben ist doch ganz anders » Johann Hampe, Kreuz Verlag, Stuttgart, 1977, cité par le père Brune.
2. In « Des enfants dans la lumière de l'au-delà », page 194, op.c.

auparavant, le mécanicien me regardait et puis, l'instant suivant — ce fut aussi rapide qu'un bang supersonique —, j'étais en dehors de mon corps. (...) Ensuite un brouillard s'est formé, et une belle lumière ambrée est apparue au centre de cette brume. Puis j'ai éprouvé une merveilleuse impression de connaissance intégrale : j'avais la sensation d'être une patineuse qui glissait et virevoltait en traçant des figures magnifiques. J'étais certaine que Dieu était avec moi et contrôlait tout ce que je voyais ou pensais. C'était si formidable de me trouver là-haut avec Lui ! Au-dessus de la lumière ambrée se dressait un Ange gigantesque : je me dis que ce devait être mon Ange gardien. »

NDE classique. Le sujet est « heureux » comme un patineur. L'image est intéressante car elle contourne l'allégorie tout en ayant la même portée. Libre comme l'air !

25) Des Anges essayant d'aider

Il est impossible de ne pas examiner la NDE du Dr Georgie Ritchie puisqu'elle est, comme nous l'avons vu, à l'origine de la naissance des NDE modernes, lancées par le Dr Raymond Moody. C'est en 1978 que le psychiatre de Charlotsville décida de publier son récit qui se retrouva dans les vitrines des librairies un an plus tard. Le succès fut immédiat. Depuis, son ouvrage « Return From Tomorrow »[1] a été traduit en quatorze langues dont le hongrois, le japonais et le tchèque. Pas évident effectivement de trouver une expérience aux frontières de la mort dans laquelle le sujet a le Christ pour guide. Son livre mérite d'être lu intégralement d'autant qu'il est assez court, moins de cent pages. Mais s'il est bref, il n'en reste pas moins le récit le plus troublant et celui qui nous plonge droit dans le mystère de la mort. Tout s'y mêle au sens propre des termes, la mort, la vie et Dieu, et on pourrait effectivement le classer au rayon des hallucinations si Georges Ritchie ne s'était pas trouvé dans un hôpital militaire et déclaré officiellement mort à deux reprises avec de nombreux témoins.

1. Fleming H. Revell Company, Tarrytown, New York. Je suggère également la lecture de son second livre, « My Live After Dying », Hampton Road Publishing, 1991, Norfolk, Virginia.

Reprenons sa NDE : il se lève, se précipite dans le couloir pour demander l'heure, découvre qu'il passe au travers du personnel médical, revient à sa chambre troublé, aperçoit une lumière grandiose et se retrouve soudain en présence du Christ, fait de lumière. Instantanément, sa vie passe en revue dans les moindres détails et lorsque le panorama se termine, le Christ lui demande : « Qu'as-tu fait de ta vie ? » Après quelques atermoiements, le garçon se révolte et répond qu'il est trop jeune pour mourir. La Lumière manifestée le transporte alors dans divers niveaux d'existence et leur voyage se transforme en une véritable randonnée dans ce que l'on appelle communément enfer, purgatoire et paradis, bien que Ritchie décrit en fait cinq niveaux différents :

1) Le début du voyage est une exploration hors du corps de diverses zones de la Terre et ressemble à s'y méprendre aux expériences de Robert Monroe que nous découvrirons plus loin.

2) Ritchie ne sait pas trop comment appeler cette seconde réalité astrale. Il pense qu'il s'agit d'une sorte de station de réception où arrivaient des âmes en état de sommeil. Il remarque que comme cela se passait en pleine seconde guerre mondiale, il voyait d'innombrables jeunes âmes atterrir dans cet endroit, être accueillies par ce qu'il pense être des Anges. Sa description prouve que même s'il avait le Christ à ses côtés, la réalité des Anges semblait le dépasser :

> « C'est là que ce que j'appellerai des Anges travaillaient avec eux, essayant de les réveiller et de les aider à réaliser que Dieu est bien le Dieu des vivants et qu'ils n'avaient pas besoin de rester là à attendre que Gabriel ou quelqu'un d'autre vienne sonner les trompettes. Peut-être était-ce là le paradis dont parlait le Christ au voleur sur la croix. »[1]

3) Si Georges Ritchie ne savait pas comment qualifier ce second niveau, le troisième ne lui posa aucun problème compte tenu des spectacles auxquels il a assisté. Il ne s'agit pas de diablotins armés de tridents cuisinant des âmes perdues mais simplement des endroits où ces esprits continuaient à se battre et à se violer. Il remarque que cet endroit était pire que l'enfer puisqu'on ne trouvait aucune trace d'amour :

1. Page 24 in « My Live After Dying », Hampton Road Publishing, 1991, Norfolk, Virginia.

« Ce que j'ai vu là m'a horrifié bien plus que tout ce que j'ai pu voir dans ma vie. Puisque vous pouvez dire ce que pensent les êtres de cette place, vous savez qu'ils sont pleins de haine, de duplicité, de mensonges, d'amour-propre frôlant la mégalomanie et d'une lubricité sexuelle agressive qui les portaient à perpétrer des actes abominables les uns sur les autres. Ce spectacle brisait le cœur du Fils de Dieu qui se tenait derrière moi. Même là, il y avait des Anges qui essayaient de modifier leur pensées. Mais comme ils ne pouvaient admettre qu'il puisse exister des êtres qui leur étaient supérieurs, ils ne pouvaient les voir ou les entendre ». [1]

4) Ils quittent cette place que Robert Monrœ avait également décrit dans son livre « Far Journeys » pour visiter des zones de « *connaissance* », où selon sa perception, s'organisait le savoir humain.

5) Dernière étape de ce voyage en compagnie du Christ, la cité de cristal (est-ce la nouvelle Jérusalem ?) que nous avons déjà vue dans des expériences précédentes. Ritchie reviendra à lui le soir du 24 décembre 1943.

Ce récit mérite que l'on s'y attarde un peu car nous avons là des informations pratiques en lieu et place de supposition théologique. L'Eglise vous dit par exemple que l'Ange gardien vous accompagne au purgatoire mais se détache si vous allez brûler en enfer. D'après l'expérience de Georges Ritchie, ce n'est pas le cas puisque même dans cette zone réservée aux agressifs et aux violents, les Anges les accompagnent essayant à tout prix de « *changer leurs pensées* ». En discutant avec Ritchie, il m'a confirmé que ce qu'il avait vu était bien « *ce que l'on pourrait appeler des Anges essayant d'aider ces âmes égarées mais sans grand succès* ». Je lui ai demandé s'il croyait en son Ange gardien après cette expérience. Sa réponse était curieuse, comme si malgré sa NDE, le fait qu'il puisse posséder un Ange gardien ne lui était pas certain, simplement parce que cela dépassait de loin son esprit scientifique, MALGRE son expérience : « *Ecoutez Pierre, je ne sais pas si j'ai un Ange gardien et encore moins ce que sont les Anges gardiens, sincèrement je n'en sais rien. Je me souviens simplement de tous ces points lumineux d'Anges et je ne peux guère*

1. Page 25 in « My Live After Dying », op. c.

vous dire plus que ce que j'ai écrit dans mon livre. Croyez que moi aussi j'étais dépassé par tout ce que je voyais. »

Notre docteur avait noté dans son premier livre que finalement s'il n'avait pas fait attention à ces lumières au début, il se rendit compte qu'elles étaient partout, dans tous les endroits que le Christ lui avait montrés :

> *« En fait, maintenant que je me suis rendu compte de ces présences brillantes (Anges), j'ai réalisé avec stupeur que je les avais vues tout au long, sans même enregistrer consciemment ce fait, puisque Jésus ne me montrait que ce que j'étais prêt à voir. Les Anges encombraient les cités et les villes que nous avions visitées. Ils étaient présents dans les rues, dans les usines, dans les maisons, même dans ce bar glauque où personne ne se rendait compte de leur existence, pas plus que je ne le réalisais moi-même. »* [1]

26) La NDE d'un prêtre

A force de rechercher et de lire les expériences aux frontières de la mort, j'en arrivai à la même conclusion que le Dr Moody et Ken Ring : athées et croyants racontent la même chose. Mais si les croyants ont cependant plus tendance à identifier l'être de Lumière central comme le Christ, les athées se contentent de parler de l'Etre de Lumière. Et s'il existe des divergences d'interprétation de cette Lumière, en revanche il n'en existe aucune concernant les Anges ou Etres spirituels qui les accompagnent dans le tunnel ou qui les accueillent. Puis je constatai une lacune : personne n'avait réussi à trouver une NDE d'un... prêtre contemporain, catholique romain. Et je me disais que ce serait fantastique de trouver un prêtre jeune, d'une trentaine ou quarantaine d'années qui soit passé par le tunnel ou qui se soit fondu dans la Lumière, et de connaître les implications sur sa psychologie et mieux, sur son sacerdoce. Je pris mon ordinateur portable à deux mains et envoyai un mailing à une centaine d'églises réparties sur le territoire américain. Je ne reçus aucune réponse,

---

1. Page 67 in « Return from Tomorrow », Fleming H. Revell Company, 1978, Tarrytown, New York.

même pas une réponse négative. Rien. J'abandonnai l'idée. Mais comme toujours, c'est lorsque je m'y attendais le moins que je tombai sur un prêtre, un vrai, catholique romain en tenue sombre avec un col romain, grand gaillard de presque deux mètres au visage poupin. Lorsqu'il commença à me parler de son expérience, je n'établis pas immédiatement la connexion parce que je l'interviewais sur un tout autre sujet, les stigmates, et que son expérience ne présentait pas les canons d'une NDE « moodyenne » ou « ringienne ». Or le père Stephen Schneir représente le seul cas de NDE d'ecclésiastique qu'il est possible d'examiner, dans le sens où son dossier médical prouve point par point les faits qu'il relate. Et s'il ne les relatait que froidement, on pourrait se dire que, bon, il a eu une hallucination, et c'est tout. Mais lorsque le père Schneir en parle, sa voix commence à se brouiller, à se casser et l'on ressent que ce colosse tente de retenir ses larmes, qu'il essaye d'endiguer cette émotion commune à ceux qui se fondirent dans la Lumière. Ken Ring l'aurait classé dans les NDE de cinquième stade. J'ai été prodigieusement impressionné par la voix tremblante de ce géant parce que, si l'on a l'habitude de voir des femmes pleurer, on l'a nettement moins devant un homme et encore moins devant un colosse de deux mètres, qui, par sa profession, devrait pourtant être « blindé », d'autant qu'il a été ordonné prêtre en 1973.

Un jour d'octobre 1985, Stephen Schneir conduit sa Thunderbird sur une route du Kansas. Il est quatre heures de l'après-midi. Il suit une voiture et après quelques minutes, décide de la doubler. Il ne se souvient pas de la suite. D'après la reconstitution, il a déboîté sans regarder alors qu'au même instant arrivait un autre véhicule en sens inverse. Collision frontale inévitable. De sa voiture, il ne resta rien hormis un tas de ferraille digne d'une compression de César. L'autre voiture, un pick-up avec trois passagers, s'en est sortie sans blessures graves. Une ambulance emmène le prêtre dans le coma à l'hôpital le plus proche. Mais pour réduire ses deux fractures du cou, dont la seconde vertèbre cervicale, il faut un équipement dont ce centre ne dispose pas. Aussitôt, les médecins appellent un hélicoptère pour qu'il soit transféré le plus rapidement possible aux urgences de Westley de Wichita car sa vie ne tient qu'à un fil, au sens propre du terme. Son cou est brisé, magnitude C2 pour les chirurgiens, autrement dit le

« Hangman break », la cassure du pendu, qui provoque inévitablement une paralysie. Il va passer le reste de sa vie sur une planche avec un système de respiration artificielle. En fait, compte tenu de la violence du choc, il aurait dû mourir sur le coup.

« Je suis resté là du 18 octobre 1985 au 3 décembre 1986. Je ne me souviens pas vraiment de mon hospitalisation et encore moins de l'accident, comme s'ils n'avaient jamais existé. Mais inexplicablement, je me suis rétabli en un temps record puisque je n'ai même pas eu besoin d'une chirurgie spinale. Finalement, après plus d'un an d'hospitalisation, les médecins me laissèrent rentrer chez moi. J'étais content de retrouver ma paroisse. Machinalement, j'ai pris la Bible, l'ai ouverte au hasard et mes yeux tombent sur la parabole de l'arbre qui ne porte pas de fruits et qui invite à couper les branches :

« Quelqu'un avait un figuier planté dans sa vigne. Et il vint chercher du fruit et n'en trouve pas. Il dit au vigneron : " Voilà trois ans que je viens chercher du fruit sur ce figuier et je n'en trouve pas. Coupe-le ; pourquoi donc encombre-t-il la terre ? " Celui-ci, répondant, lui dit : " Seigneur, laisse-le encore cette année, le temps que je creuse tout autour et que je mette du fumier. Peut-être fera-t-il du fruit à l'avenir... Sinon, certes, tu le couperas " [1] »

A ce moment-là, j'ai eu littéralement un flash. Les mots semblaient être devenus vivants, comme s'ils étaient sortis de la page. Et alors, tout, tout me revint en mémoire. J'étais paralysé par la peur. Je transpirais. Ma pulsation cardiaque à dû monter à 200. Je me souvenais de tout. Et ce n'était pas agréable, c'était terrifiant, c'était épouvantable parce que je ressentais les sentiments qui m'avaient submergé. J'en tremblais. Je me revis immédiatement après l'accident, transporté je ne sais comment devant le trône du Christ. Et Il me jugeait. Il me jugeait en tant que prêtre. Je n'ai pas eu de tunnel, ni de lumière, ni ma vie entière en trois dimensions. Je savais simplement que je me trouvais en cet instant devant Lui et qu'il n'y avait AUCUNE ARGUMENTATION OU DISCUSSION POSSIBLE. J'étais nu. Il a dit : « Cet homme est prêtre depuis 12 ans pour lui, pas pour Moi. Il ira là où il le mérite. » Ensuite, j'entendis la voix de Sa Mère. Je ne peux pas dire que je le voyais comme on voit avec

---

1. Saint Luc, 13, 6 à 9, traduction de Osty et Trinquet, Ed. Siloé Sagesses, Paris.

*des yeux mais leurs voix résonnaient clairement dans ma tête. Elle a dit :
« Mon Fils, épargne sa vie. » Le Christ l'a écoutée avant de rétorquer :
« Ma Mère, depuis 12 ans il est le prêtre de Steve Schneir au lieu d'être
Mon prêtre. Laisse-moi exercer Ma justice divine. » Mais Marie insista :
« Mon Fils, donnons-lui quelques grâces et voyons s'il portera des fruits à
l'avenir et s'il reviendra vers Toi. Sinon, que ta volonté soit faite. » Il y eut
une pause brève puis Jésus répondit « Ma Mère, il est à Toi. » Et je sus
qu'Elle m'avait sauvé de ce qui m'attendait. Je ne sais pas ce qui
m'attendait, mais en même temps je savais au plus profond de mon être
que c'était la dernière place où je voulais aller. Ce n'était pas un rêve que
j'aurais pu faire parce que vous ne revivez pas un rêve comme cela. Ce
que j'avais revécu était réel, aussi réel que je suis devant vous.*

*Les médecins disent que je suis un miracle vivant parce qu'une partie de
mon cerveau droit fut entièrement broyé pendant l'accident et il n'y avait
aucune possibilité au monde pour que cela puisse se rétablir puisque
c'était physiquement broyé. C'est sans doute l'une des grâces dont parla la
Vierge Marie. Et je n'ai même pas eu une seule conséquence postérieure à
l'accident comme des maux de tête ou au dos. Du point de vue médical,
c'est inexplicable. Je ne parle même pas de la paralysie, tout à fait
classique lors des accidents de ce type. Cela fera bientôt sept ans, et je suis
en parfaite santé, il n'y eut aucune séquelle. Vous savez, je suis la preuve
vivante que l'enfer existe parce que je l'ai ressenti ; et je sais maintenant
que les prêtres risquent bien plus d'y atterrir que le commun des mortels
parce qu'ils sont censés porter Sa voix. Je sais que ma mission,
maintenant, consiste à témoigner devant le plus grand nombre de gens
possible, pour les convaincre qu'il existe bien une vie après celle-ci et
qu'elle dépend de ce que nous faisons maintenant. Les gens ne croient plus
à l'enfer, au diable, etc., y compris certains prêtres, parce qu'ils disent
« Dieu est Amour, Dieu est Paix ». Je dis : « Oui, Il est Amour et Paix,
mais Il est aussi Justice Divine. » Et aujourd'hui je suis un produit de Sa
justice et, lorsque Sa Mère est intervenue, de Sa miséricorde. Je suis aussi
la preuve vivante du puissant pouvoir d'intercession de Sa Mère car c'est
là que j'ai acquis l'intime conviction qu'Il ne pouvait pas Lui dire « non ».*

*Ce n'était pas un rêve. Dieu, non ! J'y étais. Tout ce qui s'est passé m'a
complètement converti. Je suis converti en tant que prêtre parce que
maintenant JE SAIS. Ma prêtrise a entièrement changée depuis et
aujourd'hui je ne regrette qu'une seule chose, toutes ces années de
ministère gâchées à m'intéresser à des choses qui ne concernaient pas Dieu
ou Ses fidèles. J'ai eu l'impression de faire mon chemin de Damas ; à*

croire qu'Il ne m'a cassé le cou que pour attirer mon attention. (Sa voix se casse et ses yeux sont brouillés par des larmes qu'il essaye de retenir en déglutissant à plusieurs reprises.) Avant cet accident, mon ministère était professionnel, point, sans trop de ferveur, sans trop de prières, sans réelle dévotion. C'était du Steve Schneir. Mais maintenant... C'est dans cet accident que j'ai vraiment appris comment je devais L'aimer et Le servir. »

Depuis, le père Schneir parcourt le pays en témoignant dans des conférences. Il n'hésite pas à raconter son expérience alors que la plupart des rescapés hésitent toujours, trop effrayés qu'on les prenne pour des cinglés. Ce géant qui aurait pu faire un excellent « quarter-back » de football américain est convaincu, sans doute plus que tout autre prêtre, de l'existence du Dieu dont il est le « public relations ».

Pas d'Etres célestes dans l'expérience de Stephen Schneir mais lorsqu'on lui demande s'il croit aux Anges, c'est comme si on lui demandait si Paris existe. « *Si Il existe, alors ils existent* », répond-il empiriquement. On remarque que le prêtre ne sait pas comment expliquer le fait qu'il les voyait : « *Je ne peux pas dire que je le voyais comme on voit avec des yeux mais leurs voix résonnaient clairement dans ma tête* ». Mais si on le compare à la déclaration du Dr John Lilly, on retrouve alors une caractéristique commune, puisque le médecin disait à propos de ses « gardiens » : « *Je vois leur présence sans yeux, sans corps. Je sais qu'ils sont là, donc ils sont là.* » Cette habilité de « voir sans voir » ne se manifeste qu'une fois hors du corps et le sujet, de retour sur terre, n'arrive jamais à décrire cette sensation assez déroutante. Mais Steven Schneir était assez loin des explorations du Dr Lilly qui scrutait ses voyages comme un paléontologue un gisement d'os. L'effet de la NDE est plus que manifeste chez le père Schneir. On peut remarquer par exemple ses réflexions sur sa prêtrise d'avant et d'après accident. Son sacerdoce d'avant NDE était plat comme celui de dizaines de milliers de prêtres de par le monde qui auraient pu tout aussi bien devenir représentants de commerce. Sans la foi, une prêtrise est toujours plate, un peu comme un lys sans parfum, et les fidèles distinguent très vite celui qui est devenu prêtre sans trop savoir pourquoi. Par extension, un prêtre qui ne croit pas en Dieu ne peut tenir sa paroisse. Tout le monde ne peut pas avoir le talent d'un Padre Pio. Du coup, les églises se vident comme le révèlent les statistiques (et surtout les finances) du Vatican.

Pourtant, avec les NDE, les prêtres détiennent une arme redoutable, d'autant plus redoutable qu'elle a été scientifiquement documentée par des médecins et des universitaires. Au lieu de s'en servir, un ecclésiastique de Rome, Monseigneur Corrado Balducci, explique qu'il est hors de question « *de voir la preuve d'une vie après la mort dans les NDE parce que les preuves de la vie après la mort sont données seulement par la parole de Dieu. On peut les concevoir comme une grâce de Dieu. Mais nous ne devons pas les rechercher. Dieu désire notre foi. Si quelqu'un croit à une vie post-mortem parce qu'il a vécu une telle expérience, alors il commet une grossière erreur*[1] ».

Je vois les « revenants » pliés en deux de rire. Et je repense aussi à cet homme d'affaires que j'avais rencontré au cours d'une soirée qui m'avait raconté comment il avait explosé sa Ferrari à 250 km/h contre un arbre : « *Je me suis retrouvé fusant comme un missile dans un tunnel, filant droit dans la Lumière. J'ai explosé en Lui. Je savais que c'était Lui, que c'était l'ETERNEL et que j'étais un avec LUI. Sa voix avait la puissance et la force de cent mille foudres. C'était d'une force... Je ne peux pas l'expliquer. Je ne voulais pas LE quitter mais IL m'a dit : « JE SUIS PARTOUT ET NULLE PART TOUJOURS ET JAMAIS, POUR L'ETERNITE. » Puis je me suis réveillé à l'hôpital. Maintenant, je roule encore plus vite. Je sais qu'IL est là et surtout qu'il y a bien une vie après.* » Il avait réglé son problème avec la mort à bord d'une Ferrari — et je me disais que quelque part ça devait être bien triste de mourir dans une 2CV[2] — et se moquait éperdument de

---

1. In « Life Magazine », mars 1992, page 71.
2. Dans son livre « Coming back to life » — Ballantine books, 1989, New York-, Phyllis Atwater donne un cas plus étrange, celui d'un patient anesthésié par un dentiste. Il se sent soudain comme hors de son corps, nageant dans un brouillard. Puis son âme l'alerte de la présence de Dieu, alors que jamais il n'y avait songé de toute son existence. Tout à coup, des mots résonnent dans son esprit : « *JE T'AI CONDUIT. JE T'AI GUIDE. PLUS JAMAIS TU NE PECHERAS, NI NE PLEURERAS, NI TE PLAINDRAS PUISQUE DESORMAIS TU M'AS VU* ».

ce que racontaient les prêtres puisque de toute façon il n'allait jamais à l'église. N'oublions pas que bon nombre d'organisations religieuses ont accusé le Dr Moody, le Dr Sabom ou Ken Ring d'être des suppôts de Satan, parce que l'être de Lumière au bout du tunnel ne pouvait être que le Diable. Pourquoi pas ? Ennui, le Diable ne dégage pas de l'amour, sinon il y a bien longtemps que cela se saurait. Pourtant, un problème subsiste, un problème même très sérieux.

La raison pour laquelle l'Eglise se méfie tant de cette vague se trouve dans l'absence de mauvaises expériences. Il est impossible à ses yeux, abominables pécheurs que nous sommes, que nous puissions avoir accès à Dieu
1) sans nous être confessés,
2) sans être d'abord passés par le purgatoire, ou mieux, l'enfer.
Cela ne colle pas avec le dogme. Et de ce point de vue, l'Eglise a raison, non par l'absence de la confession, mais tout simplement par l'absence de mauvaises NDE. La littérature NDE qui ne rend compte que des cas positifs tend à faire croire qu'après la mort, tout est pardonné et que l'on vivra dans un nirvâna permanent. Or l'Eglise explique qu'il existe un enfer, un purgatoire et un paradis, paradis qui semble toujours être la destination de ces « revenants ». Et comme pour donner raison à l'Eglise, la communauté des chercheurs NDE rejette unanimement les cas du cardiologue Maurice Rawlings. Le Pr Carol Zaleski, auteur d'une comparaison entre les NDE médié-vales et NDE modernes remarque [1] » *qu'on trouve la volonté de promouvoir un message doctrinal spécifique seulement dans les témoi-gnages de NDE chrétiennes vraiment polémiques comme le « Beyond Death Door » de Maurice Rawlings et le compte rendu de Jess Weiss « I was a atheist, until I died » ».* Ces ouvrages sont jugés polémiques par cette communauté simplement parce qu'ils abordent l'enfer et les mauvaises NDE et qu'ils poussent le lecteur vers Dieu. Les membres de cette communauté oublient un peu trop facilement que c'est justement grâce à la NDE vécue par Georges Ritchie avec le Christ qu'ils travaillent tous sur le sujet.

1. In « Otherwolrd Journeys », Oxford University Press, 1987.

Reprenons la plus importante des caractéristiques communes établie par tous les chercheurs du domaine des NDE (Moody, Sabom, Ring, Greyson, Grey, Morse, etc.) : lorsque le sujet revit son existence en trois dimensions, il est INVARIABLEMENT jugé sur l'amour qu'il a porté/donné aux autres. Point. Il revit chacun de ses gestes et paroles ainsi que leurs effets sur les autres. S'il a mis une gifle à quelqu'un, il revit les effets de sa gifle comme s'il se l'était donné lui-même, tout en le vivant à la place de ce quelqu'un. En suivant leur raisonnement, on est en droit d'en déduire logiquement que cela est valable pour chacun de nous, y compris pour le plus abominable des criminels. Simplement, je ne voudrais pas être à la place de ce criminel lorsqu'il revit sa vie... Et là, c'est le père Schneir qui résume parfaitement cette situation : « *Oui, Il est Amour et Paix, mais Il est aussi Justice Divine.* » On l'a deviné, ceux qui eurent une mauvaise NDE ne vont certainement pas le crier sur les toits, à quelques très rares exceptions près. Revivre une gifle ne présente pas d'inconvénients majeurs. Assassiner ou torturer quelqu'un en revanche ne manquera certainement pas de poser quelques problèmes après le passage du tunnel. Prenons un autre cas, celui de ces soldats serbes qui débarquèrent au cours de la nuit du 16 au 17 juin 1992 dans un couvent situé à Nova Topola, près de la ville industrielle de Banja Luka, et violèrent quelques religieuses, les plus jeunes bien évidemment[1]. Indépendamment du fait que nous pouvons nous demander ce que fabriquaient les Anges gardiens des sœurs, à nouveau nous devons nous imaginer ce que ces barbares vont revivre après le passage du tunnel... Est-ce qu'ils fusionneront avec cette Lumière magnifique qui n'éblouit pas les yeux ?

27) UN MESSAGER

Le cas suivant est celui d'un soldat qui raconte sa « mort » en Lybie, survenue lors de la dernière guerre mondiale. Il explique comment il a essayé de continuer à se battre lorsque soudain il découvrit que

---

1. Objet du télégramme « lettre ouverte » du pape Jean-Paul II à l'évêque de la région Franjo Komarica du 20 juin 1992.

personne ne le voyait et que les soldats lui passaient au travers. Il observe le champ de bataille et découvre d'autres camarades « morts ». La situation lui semble bizarre et il commence à se poser des questions lorsqu'il découvre un nouveau venu qui a l'air différent :

> « L'inconnu ne portait pas d'uniforme et pendant quelques secondes, je me suis demandé comment un civil avait pu arriver là. Il avait l'air arabe. Quand il s'est tourné vers moi et m'a regardé, je me suis senti comme recréé par lui. Je me suis agenouillé et j'ai murmuré « Le Christ » avec tout le respect d'un enfant.
>
> — Non, pas le Christ, mais un de ses messagers, dit l'homme devant lequel je m'étais prosterné. Il vous veut.
>
> Il me voulait !
>
> — Mais pourquoi donc ? ai-je demandé d'une voix entrecoupée.
>
> Il leva son regard vers les autres, mais, pour ma part, je ne vis rien d'autre qu'une glorieuse lumière. Elle emplissait ma tête et y brûlait quelque chose qui me retenait à cet endroit. »

Voilà un cas d'école puisqu'il s'agit d'un champ de bataille de la seconde guerre mondiale. Le sujet essaye de se battre mais il passe à travers les objets, l'ennemi, etc. Classique. Ce récit, aussi fascinant que les 26 précédents que nous venons d'examiner, ne diffère guère de ces NDE. Rien de bien exceptionnel. Pourtant ce témoignage retrouvé par Louis Pauwels et Guy Breton [1] l'est, parce que ce soldat n'est PAS revenu de l'autre côté. Il est bien « mort » à nos sens. C'est la femme du colonel de Gascoigne, officier anglais de la bataille de Khartoum, connu aussi comme le compagnon de Cecil Rhodes, qui avait des talents de médium et qui reçut ce témoignage par écriture automatique. Je me garderais bien de m'aventurer dans le domaine du paranormal que je déteste, particulièrement la communication avec les morts, mais curieusement le témoignage ne dépareille pas des récits de « rescapés » NDE précédents. Mieux, il les confirme tous, un par un.

1. In « Nouvelles histoires extraordinaires », page 126.

CONCLUSION :

On peut mourir tranquilles, il existe des Anges femmes.
ou
Gabriel est-il meilleur trompettiste que Miles Davis ?

Autour d'un p'tit café crème
Sur un des quais de la Seine
Dans le froid du matin blême
Un jour j'lui dirai que j'l'aime
On partira tous les deux
Vers un monde merveilleux
Le ciel sera tout orange
On sera deux petits Anges.

Dany Brillant – Suzette –
in « C'est ça qui est bon »,
Wea Records

Ils viennent bien de quelque part ces êtres immatériels... Si bien des gens se sont penchés sur les études des expériences aux frontières de la mort, personne en revanche n'a semblé remarquer leur présence discrète. Pourtant, ils se trouvent bien là ces guides, gardiens, présences, amis, compagnons dans ce tunnel obscur qui emmène le sujet vers la Lumière et il faut être mort ou proche de l'être pour enfin se rendre compte de leur présence. Et pourquoi certains ne disposent que d'un seul gardien alors que d'autres découvrent plusieurs présences ? Enfin, plus curieux, ils sont dans la majorité vêtus d'une robe blanche et d'une ceinture, dégagent la sérénité, rayonnent de la lumière, rassurent le sujet et le confortent. A l'examen des divers cas, le premier mot qui vient à l'esprit du sujet lorsqu'il raconte son expérience est *Ange (12 fois)*, majorité écrasante, suivi de très loin par *Etre* (4 fois), *présence* (3 fois), *gardien*, *personne* et *dame* (2 fois).

112

Ensuite on trouve des *entité*, *puissance*, *instructeur*, etc. Les enfants parlent d'une *dame* ou d'un *monsieur*, toujours *très gentils*. On remarque également que ce ne sont pas les enfants qui utilisent le terme Ange mais bien les adultes. Autre constat, les Anges ne possèdent que rarement des ailes. Ils apparaissent brillants, avec un corps, des bras et jambes et une splendide chevelure comme vous et moi, quoique j'aurais aimé que l'on parle d'un Ange avec une tonsure. Dans d'autres cas, le sujet ne les voit pas mais les sent à ses côtés, sentiment intransmissible en mots humains, comme ils disent. Ils savent que quelqu'un les accompagne. Comportement curieux, les Anges s'identifient dans seulement un tiers des cas : « *Je suis celui qui est toujours avec toi* » ou « *Je suis ton gardien* » ou encore « *Je suis celui qui te surveille.* » Jamais ils ne se présentent en disant d'emblée « *je suis ton Ange gardien* » comme si ce qualificatif assommerait le sujet, déjà passablement troublé. Autre détail, les Anges se manifestent à leurs protégés en général après le tunnel, et dans un tiers des cas seulement avant le tunnel et lorsqu'ils apparaissent avant celui-ci, c'est en règle générale pour venir chercher des enfants qui flottent au-dessus de leur corps. Dans 60 % des circonstances, ils dialoguent avec le sujet, et ce toujours par télépathie (100 %). Détail extrêmement significatif, moins d'un tiers des NDE angéliques implique un examen complet de la vie vécue, comme si leur présence en dispensait le sujet.

Abordons maintenant le sexe des Anges, sujet « délicat ». Nous avons remarqué dans notre échantillon que, oui, les Anges sont sexués, puisque dans plusieurs cas, c'est *UNE* Ange qui se matérialise pour épauler l'âme en déroute. Une Ange est, semble-t-il, une blonde, bien que nous ayons vu un cas où « elle » possédait une splendide chevelure blanche. Pas de rousses ni de brunes, du moins pas dans cet échantillon, mais je ne désespère pas. Les Anges masculins en revanche sont blonds ou bruns, peu importe, je m'intéresse plus aux Anges dits du « sexe faible ». En revanche, il semble qu'elles ne jouent pas de la harpe, eux non plus d'ailleurs, contrairement aux représentations baroques qui laissent penser que le paradis n'est qu'un conservatoire de musique. L'idée que nous ne nous retrouverons pas obligatoirement devant un Archange Michael en tenue de combat NBC est franchement rassurante. Autre constatation, ils sont souvent drôles, comme si la vie sur cette terre n'était, de leur point de vue, qu'une immense farce, un peu comme une blague juive. Une chose est certaine, dans le domaine des NDE, pas de chérubins dodus aux fesses poudrées et aux bras potelés. Plutôt des « puissances » aux visages d'éphèbes, ou des beautés surnaturelles qui se déplacent à la vitesse de la pensée et qui dégagent une force incommensurable à laquelle rien ne résiste, comme le semble avoir deviné le peintre William Bouguereau en couverture de ce livre. Leur couleur favorite est le blanc. Aucun Ange dans ces NDE ne s'habille comme Gabriella Light, on pourrait le regretter, l'héroïne du roman du Père Andrew Greeley[1], chez Yves Saint Laurent, Montana ou Christian Dior. Ils semblent tous se rendre chez le même fournisseur de robes blanches à ceintures dorées. On nous parle d'une « *femme brillante avec des cheveux blonds* », « *de robes blanches brillantes* », d'un « *Etre radiant, baignant dans une lumière blanche chatoyante* », d'un « *Etre fait de lumière, habillé d'une longue robe blanche rayonnant également de la lumière blanche et portant une ceinture dorée autour des reins. Ses pieds nus ne touchaient pas le sol* », ou encore d'un gardien à la « *chevelure dorée, haut d'environ 2 m, vêtu d'une longue robe blanche, attachée à la taille par une ceinture* », d'une « *robe blanche avec une ceinture* », d'un « *Ange de lumière* », d'une dame très belle « *vêtue de blanc avec des cheveux blancs* », de « *tissu de lumière* », de « *points lumineux* », etc.

En clair, ils semblent être faits de lumière. Un Ange, et j'imagine une Ange encore plus, possède un pouvoir d'attraction considérable sur le sujet, mais dès que ce dernier aperçoit la Lumière, il en oublie son compagnon. C'est une autre constante. J'espère très sincèrement que mon Ange gardien est une ravissante beauté divine qui ferait pâlir d'envie n'importe quel top model de « Vogue ». A ce sujet, je me permets de faire une remarque à mon honorable confrère Malcolm Godwin, l'auteur du délicieux « Angels, An Endagered Species »[2], remarque qui porte bien entendu sur le sexe des Anges, car il affirme (page 43) que l'Archange Gabriel est le seul Ange de sexe féminin dans cette population masculine ou androgyne céleste. Comme nous

1. Angel Fire, TOR Books, 1988, New York.
2. Simon & Schuster 1990, New York.

le verrons dans le chapitre « Des mystiques et des Anges », l'Archange Gabriel semble bien être ce que nous appelons un Ange et nous verrons à ce sujet que certains mystiques présentent des garanties surnaturelles indiscutables.

Revenons aux Anges des NDE. Ils existent, c'est une certitude absolue. Si un prêtre m'avait affirmé « *les Anges existent* », je ne l'aurais jamais cru, bien que le prêtre qui croit aux Anges soit une race en voie de disparition. En revanche, à travers les expériences aux frontières de la mort, l'existence des Anges pulvérise n'importe quelle hésitation théologique. Ils sont indiscutables, d'autant plus indiscutables que si la religion du rescapé (mormon, juif, catholique, protestant, hindou, orthodoxe, luthérien, etc., ou athée) influe sur le personnage central — la Lumière-, nous n'avons trouvé aucune divergence sur cette ou ces « présences » qui accompagnent parfois le sujet dans le tunnel.

L'Ange gardien, le guide, la présence Amie, le surveillant est bien là. Et plus que jamais, une NDE me fait penser aux trous noirs découverts par les astrophysiciens : une NDE c'est comme un trou noir, sauf qu'au bout de ce tunnel, on trouve la Lumière et Ses Anges. Cette constatation a prodigieusement frappé le Dr Raymond Moody, ce qui explique pourquoi nous lisons à la première page de son livre :

> « *A Georges Ritchie,*
> *docteur en médecine,*
> *et, à travers lui,*
> *à Celui dont il a suggéré le Nom* »

De son côté, le Dr William Serdahely, professeur de médecine au Montana State University fut tellement frappé par les NDE de ses patients qu'il se lança dans une étude approfondie portant sur 80 cas, étude qu'il publia dans le « Journal of Near Death Studies »[1] et il découvrit qu'effectivement nous disposons d'une aide, d'une aide aimante, chaleureuse et prévenante de « *l'autre côté* ». Lui aussi a trouvé des Anges gardiens, des Lumières brillantes, des guérisons inexplicables et nettes de cas désespérés et condamnés par la

---

1. Pages 171 à 182, 10 (3) Spring 1992, Human Sciences Press.

médecine technologique des années 90. L'un des cas qui m'a le plus frappé et qui recoupe en bien des points la NDE de Beverly B. (cas n° 4), est celui de cette jeune femme de 27 ans qui s'était suicidée. Elle se souvient de ses hurlements lorsqu'elle se retrouva dans le tunnel et de sa dernière pensée qui fut « *Mon Dieu, faites-moi savoir si Vous me pardonnez, avant de mourir* ». Elle ne sait pas, et sa requête le prouve, que l'on ne meurt pas. A peine sa phrase achevée, Joan explique au Dr Serdahely que deux mains immenses sont sorties de cette Lumière et une voix d'amour, de compassion et de joie aussi retentit, lui disant en substance : « *Je te pardonne, Je te pardonne. Je te donne une seconde chance.* » Dieu ne condamne pas aussi facilement que certains de ses prêtres ont trop tendance à le faire.

Conclusion de ce chapitre que les faits nous obligent à tirer est que Dieu existe et Ses Anges également. Simplement, ils ne présentent pas ce visage terrible que certains leur prêtent. En fait, la question n'est plus de savoir si les Anges existent, mais plutôt de savoir si l'Archange Gabriel est meilleur trompettiste que Miles Davis.

Chapitre 3

Des interventions... surnaturelles

I can sense the danger
Just listen to the wind
I want you close, I want you near
I can't help but listen
But each time I try
Its this Voice I hear
I hear that voice again

Peter Gabriel – *That voice again* –
in « So », Geffen Records

Les interventions « surnaturelles » constituent une catégorie qui regroupe des exemples d'interventions inexpliquées bien plus nombreuses que les expériences aux frontières de la mort. Rien de plus logique puisqu'il suffit d'ouvrir les journaux à la page des « faits divers » pour établir soi-même une sorte de hiérarchie dans la multitude de catastrophes. La question est, au vu des quelques témoignages qui vont suivre : « Est-il possible d'échapper à un accident inévitable et inéluctable ? » Le Dr Raymond Moody avait déjà remarqué en 1977 dans son ouvrage « La vie après la vie »[1] que dans certains récits qu'il avait rassemblés, les sujets « *attestaient que, se trouvant en danger de mort, ils ont été sauvés de l'anéantissement physique par l'intervention de quelque entité ou force spirituelle. Dans chacun des cas, l'intéressé se trouvait (consciemment ou inconsciem-*

1. Page 59, op.c.

117

ment) exposé à un accident qui eût dû être mortel, ou entraîné dans un enchaînement de circonstances fatales auxquelles il lui était impossible d'échapper par ses propres moyens. Eventuellement, il était parvenu au stade de la résignation, de l'acceptation de la mort. Pourtant, à ce moment, une voix ou une lumière se manifestait qui venait le secourir au tout dernier moment ».

En effet, si vous posez la question dans votre cercle de relations, vous allez obligatoirement tomber sur au moins un cas d'accident évité « par miracle » selon l'expression consacrée. Comme nous l'avons vu dans le chapitre précédent « Des tunnels et des Anges », l'être humain est bien accompagné d'un être spirituel qui semble ne se manifester que lorsque le corps physique se meurt. Cet Ange gardien aide son protégé à traverser le tunnel ou bien le rassure quant à la suite des événements. Alors, puisque nous les trouvons dans le tunnel de la mort, on peut en conclure à nouveau que d'une part ils sont toujours avec nous et d'autre part ils peuvent aussi intervenir pour nous sauver de la mort dans une situation dramatique. Dans la majorité des cas que nous avons vus, le sujet s'est entendu dire « *ce n'est pas ton heure* » et, bien qu'il refuse souvent de rejoindre son corps sur terre, l'être le repousse. C'est une constante. Nous avons également remarqué que dans certaines NDE, le sujet, condamné par les médecins des urgences ou par les chirurgiens, guérissait inexplicablement alors qu'en toute logique (je pense au cerveau non oxygéné pendant plus de dix minutes) il n'aurait jamais dû revenir à la vie (!) ou bien serait resté paralysé toute sa vie. En clair, et à l'examen des NDE, il semble que :

1) nous ne pouvons mourir qu'à l'heure prévue dans l'agenda Divin.

2) des accidents arrivent vraiment et les Anges sont chargés de tout remettre en ordre. Je repense particulièrement à cette jeune fille opérée à la jambe qui retourne à l'hôpital où, foudroyée par la douleur, elle sort soudain de son corps ; aussitôt une « *dame* » la récupère *in extremis* par le col alors qu'elle fonçait dans le célèbre tunnel et la renvoie en lui disant « *ce n'est pas ton heure* ».

3) tout ceci peut-être modifié par la prière !

Même si cela devient un peu compliqué, à l'examen de divers témoignages de secours imprévus et inexpliqués, nous avons établi que ces interventions « surnaturelles » se répartissent en cinq groupes majeurs reflétant plus ou moins leur aspect surnaturel :

A) Ange/Entité arrive et disparaît surnaturellement.

B) Intervention inexpliquée dans situation dramatique :
1) voix audible dans le cerveau.
2) geste inexpliqué évitant drame.
3) temps suspendu donnant au sujet l'impression qu'il peut déterminer seul la décision à prendre.

C) Aide qui arrive et disparaît humainement, rêves d'avertissements prémonitoires, synchronicités.

FIGURE A

ARRIVE ET DISPARAIT SURNATURELLEMENT

Une bombe va exploser

Nous sommes le 16 mai 1986 dans une école primaire au milieu des Etats-Unis, à Cokeville dans le Wyoming. Dans ce pays où les armes de toute nature sont en vente libre, un fou furieux du nom de David Yung, accompagné par les membres de sa famille (aussi cinglés que lui) débarquent dans l'école et prennent en otage les 156 enfants. Le forcené explique aux policiers qu'il va exécuter les bambins à coups de fusil mais il change tout à coup d'avis comme les fous ont l'habitude de le faire et sort une bombe, l'amorce, et quelques instants plus tard, à l'effroi de tous les policiers et témoins à l'extérieur, l'école, comme dans un film, implose.

Les pompiers se ruent dans les décombres, persuadés qu'ils vont ramasser les restes des petits corps à la main. Mais il n'y a aucun mort, ni blessé parmi les écoliers ! Les enfants expliqueront que des « voix » ou bien des « êtres de lumière » leur ont dit comment échapper à l'explosion. Et le démineur Richard Haskell déclarera à la presse que même le mot miracle ne suffisait pas à expliquer qu'il n'y ait eu aucun mort parmi les enfants. Le cas a été abordé par Judene Wixon dans son livre « Trial by Terror »[1]. Témoignage d'une petite fille : « *Les êtres de lumière flottaient au-dessus de nous. Il y avait une mère et un père, une petite fille avec des cheveux longs et une dame qui portait un bébé. La femme nous dit qu'une bombe allait exploser et elle nous*

1. Horizon Publishers, Bountiful, Utah, 1987.

120

demanda d'obéir à notre frère. Ils étaient vêtus de blanc et brillaient comme des ampoules électriques, mais surtout autour du visage. Cette femme avait l'air très gentille, je sentais qu'elle m'aimait. » Mais tous les enfants ne virent pas cette famille qui « *brillait comme une ampoule électrique* ». Certains n'entendaient que des voix. Déclaration d'un garçon « *je n'ai rien vu, juste entendu une voix qui m'a dit de trouver ma petite sœur et de nous mettre sous la fenêtre* ». Par la suite, l'enfant a identifié l'un des personnages dans l'album de photos comme étant un membre de la famille qu'il n'avait pas connu.

Nous retrouvons cependant un élément tout à fait classique dans les NDE « angéliques », à savoir des êtres « *vêtus de blanc* » et qui « *brillent comme des ampoules électriques* ».

La lumière rectangulaire

Sheila[1] avait douze ans au moment des faits et vivait près de la Cedar River dans l'Etat de Washington. En jouant avec des enfants de son âge, elle n'eut pas la patience d'attendre son tour pour plonger dans la rivière et décida de sauter d'un autre endroit dans l'eau, juste au-dessus d'un endroit de six mètres de profondeur, à l'extérieur paisible mais agité en dessous par des tourbillons terribles (cas recueilli par le Dr Morse après une conférence ; Sheila vint lui relater son étrange histoire)[2] :

« *Je fus immédiatement aspirée vers le fond, puis je remontai aussitôt après à la surface. J'aperçus alors des gens affolés qui essayaient de me tendre une branche depuis la rive pour que je m'y agrippe, mais le tourbillon me ramena inexorablement vers les profondeurs. En émergeant pour la troisième fois (...) de plus en plus épuisée par mes efforts, je sentis que j'étais de nouveau attirée par le tourbillon, mais le scénario précédent ne se répéta pas jusqu'au bout. Cette fois-ci, je fus comme immobilisée au-dessus du lit de la rivière et j'aperçus à quelques mètres de moi une lumière*

1. Ce n'est pas la chanteuse française...
2. Page 184, « Closer to the Light », op. c.

121

rectangulaire qui était à la fois très brillante et extrêmement douce. Pendant quelques instants, j'oubliai totalement le reste du monde, n'éprouvant plus qu'une paisible euphorie. Je me rappelle avoir tenté d'atteindre cette Lumière, mais je fus transportée sur la rive avant d'avoir pu la toucher. Je sais que je n'ai pas échappé au tourbillon en nageant : c'est cette Lumière qui m'a prise et qui m'a conduite jusqu'à la berge. »

Le docteur Morse fut plus que sceptique. Mais il décida tout de même de vérifier et il interrogea les acteurs et surtout lut les rapports écrits, établis par les divers témoins quelques heures après l'événement. Comme il le remarque lui-même, « *il me fut difficile de contenir mon incrédulité. C'est une réaction fréquente, que l'on constate chez maints participants de ces événements. En fait, ce que nous ne comprenons pas commence toujours par éveiller notre défiance. Mais ces expériences lumineuses n'en ont pas moins eu lieu* ».

FIGURE B 1

VOIX AUDIBLE DANS SITUATION NORMALE

Jeanne d'Arc

Les « voix » étranges venues d'ailleurs ne manquent pas et la plus célèbre d'entre elles est bien celle qui chargea Jeanne d'Arc d'une mission absolument inconcevable à l'époque du point de vue humain. Mais la force de cette « voix » est telle que le sujet qui l'entend, de prime abord méfiant, se sent ensuite obligé de lui obéir quoi qu'il se passe et quoi qu'on puisse lui dire. Pour bien nous rendre compte de ce qui arriva à Jeanne d'Arc, transposons un instant les événements de sa vie de nos jours, et, puisque les bergères n'existent plus, imaginons à sa place une jeune fille, noire, vierge, âgée de 16 ans, caissière de supermarché, catholique pratiquante, nommée Joan Arrow.

Joan entend une voix intérieure lui expliquer qu'elle doit se rendre à la Maison Blanche pour y rencontrer le Président. Là, elle devra lui demander des forces de police pour l'aider à combattre les trafiquants de drogue. Par une série de coïncidences invraisemblables, Joan se rend à Washington alors qu'elle n'a pas un *cent* en poche, rencontre le Président alors qu'il faisait son jogging et lui parle. Elle finit par le convaincre, ainsi que ses conseillers, de lui donner deux ou trois unités spéciales anti-gang pour nettoyer le pays des « dealers »... A la tête de ces unités, elle qui n'a jamais mis les pieds dans un commissariat ou une académie, et toujours à l'aide de ses « voix », Joan nettoie en quelques mois Atlanta, New York, Detroit et Miami de tous les vendeurs de drogue. Les trafiquants, effrayés par sa puissance, moyennant plusieurs millions de dollars, achètent les fonctionnaires de la ville de Los Angeles où elle vient justement d'entamer son nettoyage massif.

Arrêtée par la police de Los Angeles (LAPD) pour excès de vitesse, elle est passée à tabac par une dizaine de policiers, violée, torturée, avant d'être livrée aux psychiatres qui décident de l'interner parce qu'elle affirme entendre la voix de l'Archange Michael. Dans l'asile, un jour de promenade, les vrais malades mentaux l'attachent et la brûlent pour « voir ce que ça fait ». Fin.

Cela paraît totalement stupide comme scénario, mais c'est exactement ce qui arriva à Jeanne d'Arc, dite « La Pucelle d'Orléans », fille de laboureurs, voici cinq siècles de cela et qui représente aujourd'hui l'une des plus grandes énigmes de l'Histoire : on a recensé plus de 13.000 documents historiques, assortis de 10.000 ouvrages et dossiers écrits sur elle, ce qui laisse supposer que son activité militaire dura au moins une bonne trentaine d'années.

Pourtant, la carrière de cette adolescente ne dura que deux ans (de 1429 au 30 mai 1431) ce qui tend à donner un certain poids à ces supposées voix à l'origine de sa croisade contre les Anglais. L'historienne Régine Pernoud remarque dans sa « Petite vie de Jeanne d'Arc »[1] que ceux qui la condamnèrent « *ne se doutaient pas qu'ils préparaient le plus remarquable document d'Histoire : le texte du procès de condamnation (1431), avec leurs questions et les réponses de Jeanne, fournissant sur sa personne un témoignage d'autant plus convaincant qu'il a été préparé par ses adversaires, déterminés à la conduire au bûcher. Puis, dix-huit ans plus tard, quand le roi de France Charles VII parvint à chasser l'ennemi de Rouen, commence un autre procès, dit de « réhabilitation » : on interroge tous ceux qui ont connu l'héroïne pour savoir si sa condamnation comme hérétique était ou non justifiée ; quelque cent quinze témoins déposent, racontent leurs souvenirs, disent ce qu'ils ont su d'elle : magnifique source qui nous donne « en direct » l'impression qu'elle produisait* ».

Armée de sa « voix » et de l'innocence de ses 17 ans, Jeanne ne douta jamais d'elle-même et c'est avec une détermination sans faille qu'elle réussit à se faire conduire auprès du Dauphin qu'elle reconnut immédiatement alors qu'il s'était dissimulé dans la foule afin de

1. Ed. Desclée de Brouwer, page 9.

vérifier si elle était bien l'envoyée de Dieu, comme elle l'affirmait : lors de son entrée, elle se dirigea directement vers lui, alors qu'un courtisan, revêtu des parures royales, avait pris la place du roi dans le trône. « *Quand le roi et ceux qui étaient avec lui eurent vu ledit signe* » raconte Jeanne, « *je demandai au roi s'il était content, et il me répondit que oui. Et alors, je partis et m'en allai en une petite chapelle assez près, et ouïs alors dire, qu'après mon départ, plus de trois cents personnes virent ledit signe. L'Ange se départit de moi dans une petite chapelle. Je fus bien courroucée de son départ, et pleurai, et m'en fusse volontiers allée avec lui, c'est assouvir mon âme.* »

Et jamais elle ne s'attribua ne serait-ce qu'une seule victoire militaire. Elle combattit les Anglais à la tête d'une armée de presque va-nu-pieds fournie par le Dauphin alors qu'elle n'avait même pas dix-huit ans et libéra Orléans, Patay, Auxerre, Troyes et Reims. Elle venait d'inventer la « Blitz-Krieg », la guerre-éclair (le siège d'Orléans avait duré sept mois, mais il ne lui fallut que sept jours pour le lever) qui nettoie une zone en l'espace de quelques jours. Compte tenu des implications politiques, géographiques, militaires et histori-ques, on se rend bien compte que l'action de cette gamine (avoir 17 ans à l'époque ne signifiait pas la même chose qu'aujourd'hui) demeure un mystère complet si l'on refuse d'admettre qu'elle ait effectivement pu entendre des voix. Elle se révéla comme une stratège hors pair, forçant l'admiration et le respect des vieux capitaines qui au début refusaient même de la regarder. Obéir à une femme à l'époque... Quelle hérésie !

Mais si l'on admet l'authenticité de ses « voix » et de ses visions, le mystère alors s'éclaircit comme par miracle. « *Quand j'eus l'âge d'environ treize ans* », expliqua-t-elle « *j'ai eu une voix de Dieu pour m'aider à me gouverner. Et la première fois, j'eus grand peur. Et vint cette voix, au temps de l'été, dans le jardin de mon père, aux environs de midi. (...) J'ai entendu la voix du côté droit, vers l'église. Et rarement je l'entends sans clarté. Cette clarté vient du même côté où la voix est ouïe. Il y a communément une grande clarté (...) J'ai entendu trois fois cette voix, j'ai compris que c'était la voix d'un Ange (...) La première fois, j'ai eu un grand doute si c'était saint Michel qui venait à moi et cette première fois j'eus grand peur. Et je l'ai vu ensuite plusieurs fois avant de savoir que c'était saint Michel. Je vis saint Michel et les Anges des yeux de mon corps aussi bien que je vous vois. Et quand ils s'éloignaient de moi, je pleurais et j'aurais bien voulu qu'ils m'eussent emportée avec eux. (...) Je répondis à la voix que j'étais une pauvre fille ne sachant ni chevaucher ni guerroyer. »*

Capturée (sa mission semblait avoir pris fin) par les Anglais et les Bourguignons et jetée en prison, Jeanne ne se laissa pourtant jamais intimider par l'impressionnant appareil judiciaire monté contre elle. Et les rafales de questions alambiquées qui lui tomberont dessus concernant ses « voix », posées par d'éminents théologiens ne la désarçonneront pas plus ; elle rétorquera même à ses inquisiteurs :

— *J'ai plus crainte de faillir en disant chose qui déplaise à mes voix que j'en ai à répondre à vous.*

Le juge Jean Beaupère nous laissa ainsi une merveilleuse question concernant la nature de l'Archange Michael :

— *En quelle figure était saint Michel quant il vous est apparu ? Etait-il nu ?* (allusion à des siècles de débats théologiques sur le sexe des Anges).
— *Pensez-vous que Dieu n'ait pas de quoi le vêtir ?*
— *Avait-il des cheveux ?* (un problème de calvitie du juge sans doute...).
— *Pourquoi les lui aurait-on coupés ?*, répond Jeanne, imperturbable.
— *Quand vous voyez cette voix qui vient à vous, y a-t-il de la lumière ?*
— *Il y avait beaucoup de lumière, comme il est convenable. Il ne vous en vient pas autant à vous !*

Non seulement Jeanne d'Arc entendait des voix, mais en plus elle possédait un sens de l'humour acéré, ce qui rend cette jeune martyre de 19 ans encore plus sympathique. Grâce à elle, le phénomène de la « voix » est resté ancré dans toutes les mémoires. Compte tenu des effets qu'elles eurent sur la France, il nous semble difficile de ne pas les prendre au sérieux, surtout avec les cas bien plus communs qui vont suivre.

Change de file

Cette « voix » se fait entendre bien plus souvent qu'on ne le pense et pas spécialement pour une cause aussi noble et guerrière que celle de Jeanne d'Arc. Nous verrons dans les divers récits qui vont suivre que sa manifestation soudaine est avant tout destinée à sauver une personne qui fonce droit vers la mort. Cas, banal presque, d'Elisabeth Klein, survenu fin 1991 à Los Angeles :

> *« Il y a environ un mois de cela, je me trouvais dans ma voiture, roulant sur la highway 101 dans la file du milieu. J'allais aborder la pente qui descend vers la sortie de Malibu Canyon, lorsque, très distinctement, j'ai entendu une voix résonner dans ma tête, me dire « va dans la file de gauche ». Je ne sais pas pourquoi, mais j'ai instinctivement obéi. Quelques secondes plus tard, le flux de véhicules ralentit brusquement à la suite d'un accident et le camion qui se trouvait auparavant juste derrière moi (nous descendions une pente) freina brutalement ; mais emporté par son poids, il percuta la première voiture devant lui et il y eut un véritable carambolage sur la file que j'occupais quelques secondes avant. Sans cette voix, je ne pense pas que je serais encore ici. Ce devait être mon guide ou mon Ange gardien, je ne sais pas. »*

Comme nous allons le voir, le détournement de trajet représente l'un des cas les plus fréquents dans l'entourage. En général, les gens ne vous en parleront pas à cœur ouvert. Sur le coup, ils obéissent à la « voix » et après coup, en découvrant qu'ils viennent juste d'échapper à la mort, cela les marque au fer rouge. Ils ne comprennent pas ce qui s'est passé, savent qu'une « voix » les a sauvés, mais plus le temps passe et plus ils minimisent cette intervention au point de la nier quelques mois plus tard. C'est une hallucination, ou un rêve. Avec le temps, cela leur paraît tellement fou qu'ils le nient et le rangent au rayon de ce qui n'a pas eu lieu, ce jardin secret où l'on enferme tout ce dont on ne veut jamais se remémorer. On peut ainsi affirmer que moins l'intervention fut visible, moins l'on croit à une intervention surnaturelle. Ces cas sont extrêmement fréquents et dans le cas ci-dessus, le sujet a instinctivement obéi, échappant aux fracas des tôles.

Mais combien de personnes tout en entendant cette injonction hésitent, comme nous allons le voir plus loin.

Une présence merveilleuse

Cas recensé par le Dr Raymond Moody [1] d'un soldat au cours de la seconde guerre mondiale :

> « *Il m'est arrivé quelque chose que je n'oublierai jamais... J'ai vu un avion ennemi piquer vers le bâtiment où nous nous trouvions et ouvrir le feu sur nous... La poussière soulevée par les balles formait un chemin qui se dirigeait droit vers nous; j'ai eu très peur, persuadé que nous allions tous être tués. Je n'ai rien vu, mais j'ai senti une présence merveilleuse, réconfortante, là, tout près de moi, et une voix douce, affectueuse, m'a dit : « Je suis avec toi. Ton heure n'est pas encore venue. ». J'ai ressenti un tel bien-être, une telle paix en cette présence... Depuis ce jour-là, je n'ai plus jamais eu la moindre peur de la mort.* »

Contrairement au cas précédent où le sujet ignorait qu'il se trouvait en danger, dans celui-ci le soldat voit l'avion fondre sur lui et se demande quelle chance il a de survivre. A ce moment-là, il entend une voix, assortie d'une impression physique réconfortante impossible à décrire. Le sujet se sent tranquille et pourrait même affronter tous les avions ennemis du monde puisque cette voix étrange, « *je suis avec toi* », lui a en quelque sorte garanti que son heure n'était pas venue. Tiens ! On retombe dans les cas de NDE où invariablement les sujets se voyaient renvoyés avec la mention « *trop tôt, ce n'est pas encore l'heure* ».

La « voix » de Martin Caidin

Martin Caidin est un pilote chevronné. Il doit être l'un des rares de nos jours à piloter un authentique Messershmidt allemand. Indépendamment de sa passion pour l'aéronautique, il est aussi l'écrivain

---

1. In « Lumières nouvelles sur la vie après la vie », page 63.

américain le plus connu du domaine, auteur d'une trentaine d'ouvrages comme « L'Histoire du Boeing 707 », « Manuel de pilotage du ME-109 », « Le Zéro », « La Médecine aéronautique », « Les Forteresses volantes », etc. Un vrai fou volant. Après quarante ans passés à discuter avec des pilotes de toutes les nationalités (c'est lui qui coiffa l'ingénieur russe Mikoyan, en visite aux Etats-Unis d'un chapeau de Mickey à Disneyland en Floride...), Martin se rendit compte que toutes ces histoires « étranges » qui ne se racontent qu'entre pilotes, mériteraient plus d'attention. Cela l'intriguait d'autant plus qu'il se souvenait parfaitement avoir vécu une aventure étrange que ni lui, ni son copilote et encore moins le navigateur avaient pu expliquer. Date : 13 septembre 1964. Plan de vol : Floride vers Las Vegas. Avion : un Piper Aztec, N5 196Y. Profil du pilote Eddie Keyes : ingénieur balistique d'IBM ; Profil du navigateur Zack Strickland : ingénieur de la NASA ; Martin Caidin occupe la place du copilote. Au moment des faits, les deux pilotes recherchaient la fréquence de la tour de Wichita juste après avoir survolé Dodge City :

> « *La lumière de la cabine était rouge et Eddie avait du mal à distinguer les nombres sur la carte. « Quelle est la tour de Wichita ? » me demanda-t-il.*
>
> *— Comment veux-tu que je le sache ? J'habite en Floride !*
>
> *— Qu'est-ce que tu m'aides ! Donne-moi un peu de lumière.*
>
> *J'atteignis au-dessus et derrière moi l'ampoule de la cabine. Je n'ai pas eu le temps de toucher l'interrupteur.*
>
> *— Quoi ? demanda Eddie.*
>
> *— Quoi quoi ? lui répondis-je.*
>
> *— Tu viens de dire quelque chose.*
>
> *— Je n'ai rien dit. Tu m'as dit « donne-moi un peu de lumière » et ensuite tu m'as dit « tourne à droite ».*
>
> *— Non, pas du tout, nia Eddie.*
>
> *— Tu m'as bien demandé de la lumière ?*
>
> *— Oui. Mais c'est tout. C'est pas moi, c'est toi qui as dit « tourne à droite » !*
>
> *— Je n'ai rien dit du tout, lui dis-je.*
>
> *Nous nous regardâmes l'un l'autre puis, ensemble, nous nous retournâmes vers Strickland, qui ronflait sereinement, avant de nous regarder à nouveau. Au même moment, Keyes dit très calmement « Nom de Dieu ». Le reste ne fut que le résultat d'une très longue pratique ; ensemble nous*

effectuâmes les mêmes gestes au même moment avec la même synchronisation. Aucun d'entre nous n'avait dit de tourner à droite. Quelqu'un l'avait dit et ce n'était pas nous et encore moins Zack, donc...

Tous deux avons écrasé le gouvernail droit, poussé le manche vers la droite avant de le tirer jusqu'à nos estomacs et, comme Eddie, j'ai poussé les gaz : l'Aztec se mit à rugir. Zack se réveilla avec son visage cognant contre la vitre et il lui fallut plusieurs secondes pour réaliser que la ligne d'horizon était verticale (...) Cette voix avait dit de tourner à droite, et par Dieu, nous avons tourné à droite.

Alors une lueur apparut autour de l'avion. Une lueur dorée qui se répandit à l'intérieur de la cabine à travers les fenêtres. Une merveilleuse et pure lumière dorée provenant d'une immense boule au-dessus de nous. Et cette lumière s'étendait de l'horizon sud jusqu'au nord, exactement là où nous aurions dû nous trouver si nous avions continué notre trajet. Au même instant, un objet enflammé surgit du ciel et plongea au loin vers la terre.

Ex-a-cte-ment là où nous devions nous trouver.

Eddie et moi n'avions pas besoin d'un dictionnaire pour nous dire ce qui allait suivre. Nous avions coupé les gaz et relevé le nez pour redresser l'appareil; la vague de choc nous heurta de plein fouet, comme un camion. L'avion se stabilisa mais continuait à trembler comme un chien qui s'ébroue. Nous regardâmes en bas, mais la lumière avait disparu. On remit les gaz et fîmes demi-tour.

— Tu as bien vu? demande Eddie.

— Oui, répondis-je.

— Nom de Dieu, que s'est-il passé? Pourquoi avons-nous tourné? Qu'est-ce que c'était ce truc? Les questions fusaient de la bouche de Zack comme les pièces d'une machine à sous. On l'ignora.

— Tu penses ce que je pense? demanda Eddie.

— Oh oui. Ce n'était pas un météorite.

— Absolument. Les météorites ne brûlent pas avec une flamme jaune-orange, ajouta Eddie.

— Tu as vu cette surface plane? demandais-je. On aurait dit du métal brûlant.

— C'était, répondit Eddie.

Quelque chose avait surgi de l'espace. Plus vraisemblablement, c'était quelque chose de très grand mis en orbite par les Russes ou par nous et nous nous trouvions là juste au moment de son arrivée dans l'atmosphère.

J'ai appelé la radio de Dodge City, nous ai identifiés et j'ai annoncé un rapport de pilote. « Allez-y » répondit la tour.

— Il y a quelques minutes, nous nous trouvions tout près d'un objet enflammé à 13.000 à l'est de Dodge. Cela nous a remué comme une vague.

— Les gars, vous êtes passé juste au-dessus de la ville?

— Affirmatif.

— Nous sommes très heureux de parler avec vous. Avec la trajectoire de votre route, cela vous arrivait droit dessus.

— Ah oui? Vous avez d'autres rapports de pilote?

— Monsieur, cette chose a été vue dans quatorze Etats, du Canada jusqu'au Mexique. Nous avons eu une communication flash du NORAD dans toutes les stations de cette région : météorite.

— Merci. Nous rentrons sur Wichita pour atterrir.

— Bon vol. Et faites attention aux cailloux... Fin de communication.

— Un météorite; diable! s'exclama Eddie.

— Je sais...

— Qui, nom d'un chien, vous a dit de tourner AVANT que cette chose arrive du ciel? glapit Zack derrière nous.

Eddie n'a jamais pu manquer une opportunité de faire de l'esprit :

— Je pense que c'était Madame Dieu.

Le temps d'atterrir à Wichita, et Zack avait déjà descendu une bouteille de whisky qu'il avait sortie de ses bagages. Il était fait. On ne pouvait pas le blâmer.

Un post-scriptum est, je pense, nécessaire.

Quelle était cette voix? D'où venait-elle? Qui a dit de tourner à droite? Trois personnes dans l'Aztec; aucun d'entre nous ne l'avait dit. Les radios étaient éteintes, donc cette source était éliminée. Cela ne laissait que la possibilité d'une voix d'ailleurs. Ni Eddie ni moi ne pouvons certifier si nous avons entendu cette instruction « tourne à droite » sous forme de mots ou si nous l'avons entendue dans nos têtes. Nous ne savons pas. Mais nous savons en revanche que si nous n'avions pas obéi, cela aurait été la fin du voyage pour tous les trois. Pour toujours ».

Martin Caidin a raconté cette histoire dans son livre passionnant « Ghost in the Air »[1]. Les trois hommes ne sont pas des fantaisistes, loin de là, et de toute façon, lorsque vous pilotez un avion, vous ne pouvez guère vous permettre la moindre fantaisie. Sur un bateau à la rigueur, vous pouvez sauter à l'eau avec un gilet ou dans un canot de

1. Page 47, Bantam Book, New York 1991.

sauvetage. D'un avion, c'est difficile... Le copilote demande au pilote « *quoi?* ». Ni l'un ni l'autre ne se souviennent d'avoir dit à l'autre « *tourne à droite* ». Ils se disputeraient presque mais n'en eurent guère le temps.

Ce cas est extrêmement précieux car le sujet n'a pas obéi à la voix, il n'a pas tourné à droite comme elle le lui avait demandé. Alors, pour les dévier définitivement de leur trajectoire, une lumière blanche « merveilleuse » (a-t-on déjà vu une « merveilleuse » lumière??) se manifeste devant l'avion les obligeant de concert à plonger pour éviter cet obstacle « merveilleux ». A l'instant même de la manifestation de cette lumière « merveilleuse », un météorite, pas « merveilleux » du tout, bien qu'enflammé, déchira le ciel et passa exactement là où ils devaient se trouver. N'est-ce pas là une coïncidence « merveilleuse » comme le diraient les matérialistes ?

La « voix » de Georges Ritchie

Abordons maintenant un autre cas de détournement de trajet par voix, celui tout à fait remarquable du soldat George Ritchie dont nous avons fait la connaissance dans le chapitre « Des Anges et des tunnels ». A peine remis de sa NDE et après une nouvelle période d'entraînement, Ritchie débarque en France avec le reste de l'armée américaine comme infirmier auxiliaire. La guerre continue, bombardements, mines, affrontements et nous sommes encore loin de la bataille de Bastogne :

> « *Nous avions déménagé le camp Lucky Strike en première ligne où nous devînmes opérationnels. C'était dans une propriété appelée Arnicourt. Pendant que nous attendions l'arrivée de l'équipement, on nous donna une journée de libre pour aller à Reims. J'avais demandé à deux de mes camarades de se joindre à moi dans cette balade. Ce matin-là, je m'étais levé plus tôt pour écrire une lettre à Margaret et pour la poster avant de partir en permission. Lorsque les transporteurs armés qui devaient nous emmener arrivèrent au camp, je montai dans l'un des engins et m'assis entre mes deux amis en notant que nous étions douze dans le camion. Nous attendions qu'un autre transporteur de troupes se remplisse*

lorsque quelque chose de très profond en moi plaça cette pensée dans ma tête :

— Descends de ce camion et va écrire une lettre à Margaret.

C'était totalement ridicule. J'avais eu bien trop de mal à obtenir ce passe pour aller à Reims et puis, qu'allaient penser mes deux amis à qui j'avais demandé de venir avec moi ?

De nouveau, la voix retentit au plus profond de moi : « J'ai dit, descends et écris une lettre à Margaret. »

Mais je voulais voir la cathédrale de Reims et j'ignorai le second avertissement. Le troisième résonna si fort dans ma tête que j'eus peur que mes amis l'aient entendu. Je les ai vraiment surpris lorsque je me suis levé. J'ai tenté de fournir une explication plausible en descendant du camion. S'ils ne comprenaient pas, le sergent de bord comprit encore moins lorsque je lui tendis mon passe. Un jeune soldat choisi par le sergent eut mon passe et il prit ma place entre mes deux compagnons. Le camion n'avait pas fait dix kilomètres en quittant l'hôpital qu'il explosa sur une mine placée par les Allemands sur la route. Il se désintégra, tuant sur le coup le soldat qui avait pris MA place et blessant gravement mes deux amis, aussitôt rapatriés sur l'Angleterre et les Etats-Unis. » [1]

Dans ce cas de détournement de trajet, on ne fait pas dans la dentelle parce qu'ici un autre être humain est tué à la place de celui qui fut « détourné ». Rien que cette brève histoire pourrait servir de sujet lors d'un baccalauréat de philosophie parce que la vie et la mort se catapultent en l'espace d'une minute et le sort semble être jeté. Ritchie entend cette voix lui demander de sortir et d'écrire une lettre à sa fiancée. Il refuse. Comme dans le cas précédent, il rejette la « voix ». Mais celle-ci insiste, et, remarquons-le, elle ne lui dit pas « *sors de là parce que ce camion va exploser* », mais « *va écrire à ta copine* ». On peut ainsi dire qu'il arrive aux Anges de « *mentir* ». En effet, que se serait-il passé si la voix lui avait dit « *sors de là car ça va exploser* » ? En toute logique, Ritchie aurait dit à ses deux amis de sortir avec lui. Mais d'après le plan Divin, ce n'était pas prévu, ces deux-là devaient être blessés ET rapatriés (cela ouvre des perspectives infinies...). Autrement dit, ils DEVAIENT être blessés, et le soldat qui prit la place de Georges Ritchie DEVAIT mourir. Et pourquoi

1. In « My Life after dying », page 39, op.c.

l'Ange gardien de ce soldat n'a-t-il pas hurlé dans sa tête « *non, nooon, non, ne monte pas* » ou bien « *va écrire ton testament* » ? Le chapitre « Des Anges et des tunnels » nous a appris que son heure était vraisemblablement arrivée. On remarque aussi que la « voix » est intervenue énergiquement trois fois de suite avant qu'il ne se décide à descendre du transporteur, ce qui laisse supposer que cette « voix » vous cassera les pieds jusqu'à ce que vous lui obéissiez.

FIGURE B 2

GESTE INEXPLIQUE DANS SITUATION NORMALE, EVITANT DRAME

« *Quod nescis quomodo fiat, hoc non facis* »

(Si vous ne savez pas comment vous faites quelque chose,
ce n'est pas vous qui le faites.)

La balle était partie, j'étais debout

Ce récit constitue une variante de l'aventure qui me poussa indirectement à m'intéresser aux Anges gardiens. Catherine Leroy, reporter photographe, travaillait au moment des faits pour « Times Magazine » et l'agence de presse Gamma et se trouvait à Beyrouth, en pleine guerre civile. Cette catégorie du « geste inexpliqué » est intéressante car si elle semble moins « surnaturelle » que la précédente, ses effets n'en sont pas moins salutaires pour le sujet, qui, d'ailleurs, NE SAIT PAS POURQUOI, a bougé un dixième de seconde avant le drame. Soyons clairs, ce n'est pas du tout le cas où quelqu'un vous dit « *ah, si j'avais avancé d'un mètre, le camion m'aurait renversé* ». Rien à voir, je dirais même que c'est presque l'opposé. En effet, le sujet se trouve dans une situation calme et sereine, parfois sans l'ombre d'un danger à l'horizon, lorsque soudain il bondit brusquement sans savoir pourquoi. C'est un comportement inexplicable. Vous ne vous jetez pas soudainement sur votre chauffeur, comme je l'avais fait dans la Silicon Valley, au risque même de l'effrayer et de créer un accident par ce mouvement brutal et imprévu. Examinons l'aventure similaire de la journaliste :

135

« C'était en 1976 à Beyrouth, dans le quartier des grands hôtels, entre le Phenicia et le Saint-Georges. Un cameraman de Visnews m'accompagnait de barricade en barricade. On s'était arrêtés à l'une d'entre elles pour discuter avec les soldats. Un combattant palestinien se trouvait à ma droite et nous bavardions. C'était un moment d'accalmie, vers 3 ou 4 heures de l'après-midi. Je m'étais assise sur une sorte de tabouret ou de sac de sable, je ne m'en souviens plus. Le Palestinien s'était également assis et avait posé sa Kalachnikov sur ses genoux, le canon à la hauteur de mes jambes. On buvait du café brûlant. Sous le coup d'une impulsion soudaine, je me suis levée comme une fusée et au moment où je me levais, une balle partait de la Kalachnikov. Nous n'avons jamais compris pourquoi je m'étais levée si brutalement et encore moins pourquoi le coup de feu est parti. Le soldat ne jouait pas avec son AK. De toute évidence, il n'avait pas mis la sécurité. Je ne sais pas comment, mais lorsque le coup est parti, j'étais debout... Sur le coup, je n'y ai pas réfléchi, parce que ce genre de choses m'était arrivé plusieurs fois. A chaque fois, sous le coup d'une impulsion soudaine, je me sortais de mauvaises situations. Une amie m'avait un jour reproché violemment d'être trop impulsive. Et je lui ai dit : « Tu sais, si je suis encore vivante, c'est parce que je suis une impulsive. Sinon je serais morte depuis bien longtemps, sûr et certain. » Le cameraman, comme les soldats, avait assisté à ce qui s'était passé. Il y avait trois personnes concernées, le Palestinien, Noël le cameraman et moi, et c'était comme si ce n'était pas arrivé. Sinon j'aurais eu mes jambes déchiquetées. On n'y pense plus. Le soir, je me suis dit que j'étais passée vraiment très près. Sur le moment, cela n'a pas été un souvenir signifiant, simplement l'épisode de la journée, mais après, lorsque j'y ai repensé, ce fut assez terrifiant. Nul doute cependant que si nous avons des Anges gardiens, j'ai dû en épuiser plus d'un... »

Voilà l'exemple typique d'une intervention via impulsion. Impossible sinon d'expliquer ce genre de cas autrement. Le sujet serait-il finalement plus réceptif à l'intervention divine, ne nécessitant pas une manifestation audible comme une « voix » ? Là aussi, nous entrons dans un domaine qui semble obéir à des lois totalement étranges.

J'ai freiné sans savoir pourquoi

Sortons des champs de bataille et revenons dans la vie banale, quotidienne. On pourrait penser que ce genre d'impulsions n'arrive que dans des cas très précis. Pas du tout. Voici par exemple le cas d'un autre photographe, de l'agence Sipa cette fois-ci, qui n'a toujours pas compris pourquoi il a freiné « soudainement » :

« *Un soir d'octobre 1991 à Los Angeles, je suivais la voiture d'un ami : nous étions arrêtés à un feu rouge au croisement de Robertson et Burton. Le feu passe au vert, la voiture devant moi démarre et tourne à gauche. J'ai lâché le pied du frein (c'était une transmission automatique), ma voiture démarra, mais, je ne sais pas pourquoi, je me suis arrêté alors que je n'avais strictement aucune raison de le faire. Une seconde plus tard, une voiture débaula de ma droite comme une fusée à environ 90 km/h, emportait mon pare-chocs dans un bruit de tôles arrachées, se retrouva en tête-à-queue, effectua un tonneau, percuta une voiture en stationnement sur le côté droit du trottoir et se renversa sur le toit. Si j'avais tourné comme je m'apprêtais à le faire, à la vitesse à laquelle cette voiture était arrivée, je serais incontestablement gravement blessé ou mort. Mais, je ne sais pas pourquoi, mon pied a freiné sans que je le veuille, comme d'instinct, alors que je n'avais aucune raison de m'arrêter, strictement aucune, d'autant que j'étais déjà engagé sur le croisement. Et je n'avais rien vu et rien entendu.* »

On retrouve le « *je ne sais pas pourquoi, il n'y avait aucune raison* » et le sujet semble toujours s'excuser d'avoir freiné ou bougé comme si l'espace de quelques secondes il avait perdu sa raison, comme s'il s'était comporté comme un malade mental. On ne freine pas lorsqu'on est engagé dans un carrefour, on ne saute pas en l'air comme un pantin désarticulé, etc. sans raison. Les sujets ne comprennent pas comment ils ont pu faire une chose pareille sans que cet acte ait été pensé et ordonné par leur cerveau. C'est comme si, pour quelques secondes, quelqu'un avait agi à leur place.

FIGURE B 3

ACTION INVISIBLE DANS SITUATION DRAMATIQUE AVEC TEMPS SUSPENDU

Mary Frampton

Mary Frampton est une photographe du « Los Angeles Times» à la retraite. Son mari, journaliste et éditorialiste du même quotidien décédé à l'âge de 57 ans, était encore vivant lors des faits suivants. En juin 1979, ils se trouvaient tous deux sur un voilier au large des îles de Santa Cruz, en reportage pour le journal. Le temps était clair et le Pacifique remuait calmement lorsqu'un début de tempête commença à secouer doucement le bateau. Mary Frampton tenait son appareil-photo Rolleiflex et se penchait par-dessus bord pour photographier un Bombard qui transportait des plongeurs, lorsqu'elle entendit un bruit d'arrachement :

« *Instantanément, je me suis rendu compte qu'un taquet s'était inexpli-cablement détaché, fusant comme un missile vers moi. Mais en même temps, je voyais la scène au ralenti, comme dans un film, image par image, sans vraiment comprendre. J'avais l'impression que je disposais de tout mon temps pour prendre une décision. Mais je me suis sentie tirée en arrière par quelqu'un et la bague de protection en aluminium de mon appareil-photo sembla absorber le choc en se déformant comme du plastique. Je n'ai rien compris car personne ne se trouvait derrière moi et mon mari qui avait vu la scène était persuadé que je m'en sortirais défigurée à vie. Le Rolleiflex se trouvait au niveau de mon menton et j'ai vu la bague se déformer au ralenti. Je l'ai gardée précieusement car cet objet m'a sauvé la vie. Considérant le poids du taquet et sa vitesse de*

propulsion, mon appareil aurait dû être détruit et moi défigurée. Mais je
ne sais pas ce qui m'a tiré en arrière et comment, en même temps, j'ai pu
voir tout cela au ralenti ».

Cette fois-ci nous évoluons en pleine science-fiction. Le temps suspendu ! Ce n'est pas possible. Pourtant, quiconque a déjà été impliqué dans un accident a gardé cette sensation de voir la collision « au ralenti ». Ce « ralenti » semble même se mettre en place à des vitesses variées. Il y a le « ralenti » qui n'en finit pas, comme si tout à coup, le sujet était sorti de cette réalité physique et le ralenti à disons 20 ou 30 % par rapport à notre sens du temps. Un ami motard m'expliqua qu'il se souvenait parfaitement avoir effectué son vol plané comme au ralenti lorsqu'une voiture percuta de plein fouet sa moto. Dans le cas de Mary Frampton, non seulement elle voit le taquet lui arriver droit dessus au ralenti mais elle se sent également tirée vers l'arrière par quelqu'un, alors que personne ne se trouvait à ses côtés. Deux actions étranges qui défient nos sens logiques.

Une fille aux cheveux blonds

Wes Chandler avait quatre ans et jouait avec des copains dans une maisonnette construite dans un arbre lorsque, pour des raisons connues seulement des enfants, ils le poussèrent de la maison. S'il s'agit d'un accident infantile banal, en revanche son expérience pendant la chute ne l'est pas. Comme nous allons le voir, on retrouve un Ange gardien, dans toute sa splendeur, qui lui évite sinon la mort, du moins un cou brisé avec la paralysie qu'elle implique :

« Lorsque je me suis retrouvé dans le vide, j'ai vu les têtes de mes
copains qui exprimaient quelque chose comme « ouhlala ». Puis en même
temps je savais que je tombais et que j'allais me faire mal. J'essayais de
regarder le sol mais je ne le distinguais pas. En même temps, je me suis
rendu compte que je tombais mais lentement. Ensuite je vis une dame
habillée en blanc avec des cheveux blonds qui me disait « ne regarde pas
en bas, ne regarde pas en bas ». En la regardant, j'étais réconforté. Elle
répétait « ne regarde pas en bas, sinon tu vas te blesser, c'est très
important, regarde-moi, regarde-moi seulement ». Cela a duré très

*longtemps et je me souviens, je ne comprenais pas pourquoi je n'avais pas
encore heurté le sol. Elle me disait « tout va bien se passer, tout est OK »
et au moment où elle allait me toucher, j'ai touché le sol. Là où j'étais, le
temps n'existait pas. Je pense que sans elle, je me serais sans aucun doute
rompu le cou or je n'ai eu qu'une côte de cassée. »*

Voilà un accident qui sans l'intervention de cette « dame » aux
cheveux blonds se serait transformé en drame mortel. Il est intéressant de noter que cette « dame », surgissant de nulle part, portait une
robe blanche et glaçait le temps. Le gamin ne comprenait pas
pourquoi sa chute n'en finissait pas. L'Ange, car il s'agissait bien d'un
Ange gardien, il n'y a aucun doute possible, lui demande de ne pas
regarder le sol dans un espace-temps modifié, changeant ainsi la
posture du corps, lui évitant la chute fatale. Le temps qui se fige, ou
bien qui semble « ralenti », représente l'une des constantes les plus
frappantes : dans les NDE par exemple, lorsque le sujet revit sa vie
complète — parfois 60 ans — on découvre avec étonnement que son
cœur ne s'est arrêté de battre que pendant cinq secondes !! Le temps
n'existe plus, du moins plus comme on le perçoit habituellement.
Essayons de reconstituer l'accident : l'arbre est haut d'environ cinq
mètres. Si on laisse tomber un paquet de 20 kg, le temps qui s'écoule
avant le point d'impact n'excède pas les 4 secondes. Et que nous dit le
gamin : « *Elle (l'Ange) répétait " ne regarde pas en bas, sinon tu vas te
blesser, c'est très important, regarde-moi, regarde-moi seulement ".
Cela a duré très longtemps et je me souviens, je ne comprenais pas
pourquoi je n'avais pas encore heurté le sol. Elle me disait « tout va
bien se passer, tout est OK » et au moment où elle allait me toucher, j'ai
touché le sol.* » Or si l'on chronomètre le temps nécessaire à la
prononciation de cette phrase « *ne regarde pas en bas, sinon tu vas te
blesser, c'est très important, regarde-moi, regarde-moi seulement* » et
« *tout va bien se passer, tout est OK* », on arrive entre 5 et 7 secondes.
Wes Chandler ajoute qu'elle a répété ces phrases, on peut supposer au
moins deux fois, ce qui nous place entre 10 et 14 secondes. On dépasse
d'environ 300 % la durée de la chute, même en télépathie.

La roquette arrivait sur moi

Examinons un autre témoignage concernant le « ô temps, suspends ton vol » et voyons comment un journaliste, correspondant de guerre pour l'agence Sygma, puis de Gamma, interprète l'événement.

> *« Je me trouvais à Beyrouth et avec mon assistant, nous accompagnions un chiite dans la rue. Celui-ci transportait un mortier et il s'arrêtait régulièrement pour tirer un obus. D'habitude avec ce genre d'engin, on ne tire que deux coups et aussitôt on évacue les lieux car ceux de « l'autre côté » décelant aussitôt la position, répondent de façon très précise. Sans doute pour « frimer », il tira un troisième coup lorsqu'on entendit deux secondes plus tard le bruit caractéristique de l'arrivée, directement sur nous, d'un obus de mortier. Nous nous jetâmes tous à terre, croisant les bras au-dessus de nos têtes. Dans ce cas, nous n'avions aucune chance. Et j'ai vu très distinctement arriver la roquette sur nous, comme dans un film au ralenti ; je distinguais même les ailerons de la roquette, décrivant une jolie courbe pour se planter à un mètre de mon nez, dans un bac à sable. Je me crispai, attendant l'explosion, sachant que c'était la fin. Je ne sais pas pourquoi, mais miraculeusement, elle n'a pas explosé. »*

A nouveau, on retrouve le phénomène mystérieux du temps qui « ralentit ».

J'ai vu l'accident

Fred est un homme d'affaires, qui a parfaitement réussi à imposer son entreprise dans le domaine de l'informatique. La quarantaine à l'allure sportive, il voue un véritable culte aux voitures américaines. Un soir lors d'un dîner à Paris, nous discutions de choses et d'autres et je ne sais pourquoi, je lui ai parlé de ma passion pour les NDE. Il m'écouta presque gravement et, à la fin, il me dit sur le ton de la confidence très intime *« Pierre, je vais vous raconter quelque chose que je n'ai jamais raconté à personne car c'est trop fou »*. J'ouvris mes oreilles, m'attendant à une NDE poussée mais j'étais très loin d'imaginer que son histoire allait pulvériser les vagues notions établies que j'avais à leur propos. Son expérience est unique car elle regroupe à elle seule tous les aspects que nous avons abordés dans ces chapitres. C'est comme un résumé, une sorte de « Digest » :

> *« Je me trouvais au Maroc, cela devait être en 1954. J'avais 24 ou 25 ans. Je sortais d'un cinéma avec une amie. A l'époque, je possédais une grosse voiture américaine que j'adorais conduire ; je fonçais à environ 70 km/h sur la route. On ne peut pas dire que cela soit vraiment une autoroute, juste une route, même pas bétonnée. A un moment donné, la lueur des phares éclaira une espèce de camionnette qui se trouvait devant nous. J'ai légèrement déboîté pour vérifier la voie en sens opposée et, constatant qu'il n'y avait personne, donnai un coup d'accélérateur pour doubler la camionnette. Au moment exact où je la doublais, mes yeux enregistrèrent l'arrivée d'un camion, roulant tous phares éteints. Je ne sais pas ce qui s'est passé. Mais j'ai vu le choc et le monstrueux amas de tôles, je quittais mon corps et observais les corps déchiquetés. Ensuite, j'ai vu l'annonce de la nouvelle de ma mort à ma mère et les répercussions dans ma famille. J'ai vu les préparations des funérailles, l'article dans le journal relatant l'accident mortel, et surtout, surtout, j'ai assisté à mes propres funérailles. Je me souviens en particulier avoir détaillé chaque visage de ceux qui vinrent à mon enterrement. J'ai tout vu de l'extérieur.*
>
> *A ce moment-là, inexplicablement, le volant « a tourné » à gauche et notre voiture est partie finir sa course dans le désert, hors de la route. J'ai vu et entendu le camion passer comme si rien n'était arrivé. Il n'a même pas donné un coup de frein. Ma voiture s'était immobilisée à deux cents mètres de la route et nous sommes restés là dans le noir pendant plus d'une heure sans rien nous dire, sans respirer, sans bouger, totalement paralysés, abasourdis, tremblants. Je n'ai jamais, jamais oublié. »*

Après un tel témoignage, les commentaires sont difficiles. J'ai eu beau lire et relire cette histoire, à chaque fois cela me faisait un effet curieux, comme si vraiment cette vie n'était qu'un film, qu'un rêve, dont chaque acte et répercussion pouvaient être modifiés en l'espace d'une seule seconde. Là, nous ne nous trouvons pas dans un temps « ralenti », mais au contraire dans un « accéléré ». Ce témoignage est réellement saisissant. Tout y est : les circonstances du drame mortel, la sortie hors du corps, la vie hors du temps en observant le temps en accéléré et puis l'intervention « surnaturelle », le volant qui tourne brusquement à gauche, et tout redevient normal. On retrouve cependant une certaine similitude dans la NDE du Dr John Lilly : « *...ils me montrent ce qui se passerait si je décidais de laisser mon corps, un chemin alternatif que je pourrais prendre. Ils me montrent également où je peux aller si je décide de rester dans cette place. Ils me disent aussi que ce n'est pas mon heure de quitter définitivement mon corps et que j'ai toujours l'option d'y retourner.* » Dans le cas de Fred, après qu'il ait vu en quelque sorte son chemin « alternatif », le volant de sa voiture a « tourné à gauche ». Il n'a pris aucune décision, n'a rien demandé à personne et n'a pas prié Dieu...

Son visage était lumineux

Je dois le cas suivant à Evelyne-Sarah Mercier, présidente de IANDS France, cas qui lui a d'ailleurs servi d'ouverture à son livre « La Mort transfigurée »[1]. C'est une expérience de mort imminente type qui correspond assez bien à celle que nous venons de voir. Simplement, ici, le sujet voit un Etre qui semble contrôler le temps ! Evelyne a reçu cette lettre d'une habitante de la ville de Béziers qui lui explique sa sortie hors du corps au moment où une voiture fonçait droit sur elle :

« *Mon mari conduisait. A notre droite, il y avait un ravin. Un camion s'apprêtait à nous croiser. Tout d'un coup, une voiture a entrepris de le doubler et a foncé sur nous à grande vitesse. J'ai pensé : « la mort ». Je suis montée immédiatement au-dessus de mon corps. Je voyais au-dessous de moi les véhicules qui se faisaient face. Ils roulaient infiniment lentement. Le temps s'était presque arrêté. Je constatais que l'accident était inévitable, j'apercevais mon corps à l'intérieur de la voiture. Ce qui allait lui arriver m'indifférait totalement. Je voyais mon mari au volant. Je savais que ses efforts seraient vains. Je me retournai. En face de moi se tenait, immobile et silencieux un Etre immense, comme un Ange. Son visage était lumineux, mais dans l'ombre. Il émanait de lui une puissance, une sagesse, un amour au-delà de tout ce que l'on peut imaginer. Il venait me chercher. Ma joie était indescriptible, autant que mon impatience à le suivre. Je voyais loin, à l'horizon, au-dessus d'un nuage, mes « frères »,*

1. Page 41, Ed. L'Age du Verseau, Paris, 1992.

dont je réalisai l'existence à l'instant même. Ils m'attendaient. Mon exil allait se terminer, car je réalisai aussi que ma place était avec eux. J'allais les rejoindre. Mon guide me confirma que c'était le moment. Pourtant, tout d'un coup, je réalisai qu'il paraissait surpris et qu'il hésitait. Il restait silencieux et immobile. Il attendait quelque chose. Mais quoi? Il me laissait du temps et je voyais les véhicules en bas qui se rapprochaient encore. Je savais que je disposais d'un délai pour trouver quelque chose. Il ne m'aiderait pas. C'est comme si je souffrais d'amnésie. Tout à coup, je vis ma fille, loin là-bas, dans sa chambre en train de dormir, ma mère à ses côtés. J'éprouvai une immense peine. Je me suis mise à genoux devant l'être et lui dis : « Je sais que ce que tu fais est juste, mais ma fille, une épreuve si terrible, perdre ses deux parents à la fois, est-ce juste? Fais que mon mari au moins, ne meure pas. Alors je vis son visage et entendis sa voix. Il me repoussa sur Terre en disant : « Puisque tu ne demandes rien pour toi, retourne, ce n'est pas l'heure ». Je vis qu'il était joyeux de la manière dont j'avais réagi et qu'il m'avait éprouvée. Son visage était plus lumineux que le soleil et sa voix, une vibration énorme. Je retombai à ma place dans l'auto, et vis les phares s'écarter. Mon mari et moi sommes restés longtemps au bord de la route. Il avait conscience que nous aurions dû mourir. »

Si la décorporation est tout à fait classique, en revanche cet Etre mystérieux, « comme un Ange », l'est moins. En effet, rares sont les cas de décorporation dans une mort imminente où un Etre se manifeste. D'habitude, le sujet regarde en bas avec beaucoup d'indifférence et se sent comme désolidarisé de son corps, comme si soudain il lui était devenu totalement étranger. Or ici, il joue le rôle d'un professeur lors d'un « oral » où le sujet est mis à l'épreuve alors que le temps est ralenti, comme dans un film. But de cet examen, témoigner de l'amour, sanctionné par le « *puisque tu n'as rien demandé pour toi, retourne* ».

144

FIGURE C

AIDES INATTENDUES, RÊVES, SYNCHRONICITÉS

C'est une certitude que ces Etres interviennent dans notre réalité physique pour nous éviter de justesse un accident. Temps qui se fige, voix audible venant de nulle part et apparence soudaine d'un Etre de lumière qui explique la marche à suivre, constituent les divers degrés de leur matérialisation. Pourtant, le cas le plus fréquent est bien entendu le rêve d'avertissement, ce rêve qui ne s'efface pas, qui ne s'oublie pas. Le matin, ce rêve vous obsède et vous urge à faire quelque chose, à prendre une décision quasi immédiate. Et « *vous ne savez pas pourquoi* », vous le faites. Après coup, vous vous demandez pourquoi vous avez fait une chose pareille et ce n'est peut-être que deux semaines, voire un an plus tard que vous découvrez que ce conseil vous a été salutaire. C'en est purement fantastique. Ce type de rêve est indélébile et même deux ans plus tard, vous vous en souvenez, vous ne pouvez pas le confondre avec le rêve classique qui s'oublie dès le pied hors du lit. Nous ne donnerons pas d'exemples parce que nous avons tous plus ou moins expérimenté ce genre de rêve et parce qu'il vous pousse, vous oblige à suivre le conseil du rêve, même s'il est en contradiction totale avec les circonstances du moment. Et si cela ne vous est jamais arrivé, suivez instinctivement l'avertissement sans même réfléchir.

Autre phénomène classique, celui de l'aide inattendue. Par exemple vous tombez en panne d'essence en plein désert de l'Arizona et votre voiture, dans son dernier soubresaut, stoppe à côté d'un camion en panne moteur... à trois heures du matin ! Au sud, la première station se trouve à 90 kilomètres et au nord à 120 kilomètres. C'est arrivé à l'un de mes amis qui, comme l'on dit, a le « c.. bordé de nouilles ». Le chauffeur a pompé quelques litres de son Kenvorth ce qui lui a permis d'atteindre la première station.

Dernier niveau d'intervention la plus classique, la synchronicité totalement folle. Par exemple, il est minuit, vous roulez ivre de fatigue en plein décalage horaire et vous demandez à votre Ange de vous trouver un bon hôtel et de vous le confirmer par un signe. Vers minuit, j'ai débarqué dans un premier hôtel qui était complet. Dix minutes plus tard, j'en trouvais un second, mais il me semblait tellement nul que je préférai continuer. Au troisième, je n'avais guère plus de forces et m'arrêtai en me disant « *ça suffit, je ne peux plus conduire dans cet état* ». Je remplissais les papiers à la réception lorsqu'un couple entra dans le hall du Holiday Inn. La femme derrière moi voulut savoir si elle avait des messages et l'employé lui demanda son nom. « *Mrs Angel* » répondit-elle. Je marquai une seconde d'arrêt et souriai. C'était le « *signe* ». J'étais dans le bon hôtel, au bon moment. Autrement dit, j'étais « *à l'heure* ». Et effectivement, l'hôtel était parfait avec une chambre immense et une piscine agréable. La synchronicité, c'est aussi le cas de ce psychiatre jungien dont un patient avait tendance à se prendre pour le Christ. Un après-midi, il le reçoit en consultation. Le malade s'allonge dans le canapé et déclare « *Je suis Celui qui a apporté la lumière et Celui qui éteindra la lumière* ». A peine eut-il achevé sa phrase que le lampadaire se décrocha du plafond sans aucune raison valable et lui tomba sur la tête. L'histoire ne dit pas si ce coup l'a guéri mais c'est indiscutablement un splendide cas de synchronicité.

Après ce court examen de quelques interventions surnaturelles, on ne peut cependant s'empêcher de se poser quelques questions : pourquoi dans tel cas un Etre de lumière se matérialise-t-il pour aider des enfants à échapper à une explosion et pourquoi dans d'autres cas, présentant un degré de danger mortel similaire, certains entendent des voix, ont des impulsions soudaines ou un temps suspendu ou encore certains bénéficient de terribles rêves prémonitoires ? Pourquoi dans ce carambolage de cinquante voitures on remarque, juste au milieu, une voiture intacte, encadrée par des accidents devant et derrière.

Et dans ce même carambolage, une femme, juste après le choc, décide de sortir immédiatement de sa Renault et de s'enfuir; cinq secondes plus tard, un camion pulvérisa son véhicule dont il ne resta rien.

Chapitre 4

Des dialogues avec des Anges

No one on earth could feel like this
I'm thrown and overblown with bliss
There must be an Angel
Playing with my heart
I walk into an empty room
And suddenly my heart gœs' boom!
It's an orchestra of Angels
And there are playing with my heart
(Must be talking to an Angel).

Eurythmics –
There must be an Angel –
in « Be yourself tonight »,
RCA Records

Ma passion pour les « Anges » avait commencé par une question :
tout en écoutant le disque de Jean-Louis Murat[1], je chantonnais les
paroles de « L'Ange déchu » et, intrigué par le texte, je me suis
demandé si j'avais un Ange gardien. C'était une pensée que je
trouvais assez séduisante, sans y croire une seule seconde. Environ
une heure plus tard, je quittais mon appartement pour acheter
quelques livres et disques dans un grand magasin des Champs-
Elysées. A la librairie, je passais de rayon en rayon, ouvrant des livres
par-ci par-là, feuilletant quelques-uns jusqu'à ce que mes mains
tombent sur une pile des « Les Dialogues tels que je les avais vécus ».

---

1. « Cheyenne Automn », Virgin Records.

149

J'aurais reposé le livre aussitôt si mes yeux n'avaient pas accroché des phrases écrites en capitales et en... hongrois. Ma grand-mère étant hongroise, j'en ai appris tous les rudiments exactement comme une langue maternelle. Intrigué, je le pris aussitôt pour un examen plus attentif et quelle ne fut pas ma surprise en découvrant qu'il s'agissait d'une explication sur un jeu de mots effectué par des... Anges et ce en hongrois. Etrange coïncidence, compte tenu du fait que juste une heure avant, je me demandais mi-figue mi-raisin si je possédais un Ange gardien. Sans aller plus loin je l'achetais aussitôt et rentrai chez moi. Le livre me tint éveillé toute la nuit et je n'avais qu'une seule hâte, arriver au matin pour me procurer les « Dialogues » eux-mêmes, celui en ma possession n'étant qu'un ouvrage explicatif.

Et lorsque je finis par le trouver, après avoir téléphoné à diverses librairies, je me précipitai chez moi, ivre de sommeil et d'excitation. Je les lus, relus et les lis encore, découvrant chaque fois quelque chose de nouveau, un passage obscur qui tout à coup s'illumine, en éteignant d'autres, comme des incantations violentes, brûlants d'amour et de lumière. Ces 88 dialogues martèlent l'esprit et je ne vois qu'une seule musique qui pourrait se mettre au diapason, une sorte de Carmina Burana, interprétée par l'orchestre de la Légion Etrangère et les chœurs parachutistes de l'Armée Rouge devenus hystériques, autrement dit l'œuvre immortelle de Christian Vander du groupe Magma, Mekanïk Destruktïw Kommandöh[1]. En reprenant la pochette de ce disque, je fus stupéfait de trouver cette note du compositeur, datant pourtant de 1973 ! :

> « *Ils ne sentirent pas la mort.*
> *Et les Anges et les Séraphins*
> *S'inclinèrent devant eux*
> *Les berçant comme des enfants*
> *L'Univers tout entier vibrait en eux*
> *Résonnant de mille voix mélodieuses et immatérielles*
> *Et cette sensation fut si forte pour la perception humaine*
> *Qu'ils s'évanouirent dans l'espace.*
> *L'état de grâce était accompli* »

1. Le disque a été réédité en CD par Seventh Records, 101 Avenue Jean-Jaurès, 93800 Epinay-sur-Seine, France. Ne pas confondre avec « Mekanik Kommandöh », avec une pochette noire, qui est absolument nul.

J'ai offert ce livre à des amis et la plupart l'ont rangé dans un coin de leur bibliothèque, en disant : « *Trop violent* ». C'est vrai que c'est violent et puissant, virulent et corrosif, frénétique et furieux à la fois (comme l'œuvre de Christian Vander), à l'opposé de la représentation universelle des Anges bien joufflus, décochant une flèche dans le cœur d'une jeune fille. Les « Dialogues » exécutent au détour de chaque page les amours, chérubins et autres Anges aux fesses roses et aux bras potelés. Il est certain que ce n'est pas le genre de discours que l'on attend de prétendus Anges et que l'on est déçu car ces entretiens constituent un torrent de lave, un magma de mots qui fait comprendre au plus profond de soi-même ce qu'est le Verbe. Incontestablement, ils ont été exprimés par des entités non humaines : lors de la lecture en allemand, même Pierre Emmanuel de l'Académie française s'est exclamé : « *D'où viennent ces vers? Impossible de restituer leur concision et leur musique.* » Ces vers angéliques embrasent l'esprit. C'est du feu. Il y a un incendie presque à chaque page, ce qui explique l'absence d'avis mitigés sur les « Dialogues ». On aime ou on déteste. Le romantisme en est totalement absent, banni, proscrit, comme un sens interdit dans cette hiérarchie mystérieuse, aux accents guerriers, prête à brandir l'épée divine pour trancher les têtes. On sort d'une lecture des « Dialogues » comme d'un ring de boxe, l'âme au beurre noir, les arcades fendues et les lèvres ouvertes.

De quoi s'agit-il ? En compagnie de trois autres amis, Gitta Mallasz a vécu une expérience spirituelle jugée authentique, en 1943 à Budapest en Hongrie. Rappelons les faits : pendant les années sombres de la guerre en Hongrie, quatre amis (trois de confession juive — Hanna, Lili, Joseph — et une catholique, Gitta) se retrouvent en « présence » de ce que l'on a coutume d'appeler des « Anges » ou « êtres de lumière » au moment où ils se posaient quelques questions sincères. Chaque vendredi vers trois heures de l'après-midi, ces êtres « descendaient » — de façon invisible — et utilisaient les cordes vocales de l'un ou de l'autre pour répondre à leurs questions. Les propos — 88 dialogues au total — ont été scrupuleusement consignés dans des petits cahiers d'écolier qui ont attendu 33 ans avant d'être publiés pour la première fois, temps qu'il a fallu à Gitta Mallasz pour quitter l'enfer communiste (les trois autres amis sont morts en déportation en 1944).

J'ai eu l'occasion de voir Gitta Mallasz lors d'une conférence à la Sorbonne. L'amphithéâtre était plein, les allées étaient remplies et des gens patientaient dehors, dans les couloirs, attendant d'avoir une chance de se glisser dans la salle archi-comble. Certains brandissaient des microphones omnidirectionnels pour enregistrer sa conférence. D'autres la regardaient comme s'il s'agissait d'une sainte ou d'une extraterrestre, avec une lueur d'envie dans les yeux. Ce livre ne bénéficia d'aucune publicité de son éditeur Aubier mais son retentissement fut tel, qu'il fit son chemin seul, par le bouche à oreille, jusqu'à être traduit dans une dizaine de langues. Or les ouvrages dont le succès franchit les frontières avec une traduction dans plus de dix langues sont rarissimes et ne peuvent qu'être promus par le « bouche à oreille », média cent mille fois plus puissant que n'importe quelle article de presse, publicité ou télévision.

On peut mettre en cause l'authenticité des « Dialogues ». Mais curieusement, peu s'y sont aventurés parce qu'on sent une puissance infinie déferler de chaque phrase.

Pourtant, avant de rédiger mon article pour « Le Quotidien de Paris », j'ai voulu en avoir le cœur net et décidai de me rendre chez Gitta Mallasz à Lyon. J'avais tout prévu sauf la réaction de Philippe Tesson, le directeur du journal, qui, à la lecture de mon formulaire de reportage, se demanda de quoi il s'agissait. Je ne savais plus quoi lui dire et préférai lui expliquer que cette dame avait vu des Anges, que son livre était un succès considérable et qu'il serait intéressant de savoir ce qu'elle raconte. Il resta là à m'observer se demandant sans doute si je n'étais pas devenu fou, puis, après un moment d'hésitation, signa l'ordre de mission qui me donnait mon billet SNCF. « *Avec un tel succès en librairie, les droits d'auteur* », me disais-je, « *ne devaient pas être minces, et son niveau de vie trahira la supercherie, si supercherie il y a.* » Arrivé chez elle, je découvris une toute petite maison sans aucune prétention, en haut d'un coteau, surplombant les vignes lyonnaises. Pas de piscine, pas de domestiques, pas de villa, pas de signes extérieurs de richesse. Seuls indices de modernité, un télécopieur et un micro-ordinateur. Rien qui puisse laisser penser que l'on se trouve dans la maison d'un auteur (plus exactement d'un « scribe ») au succès international. Premier indice. Une autre preuve — psychologiquement incontournable pour un écrivain — figure sur la couverture du livre lui-même : aucune trace de nom sur la jaquette ou sur le dos. Or je ne connais pas d'écrivain qui ait refusé l'impression de son nom sur la couverture du livre, qu'il considére comme son œuvre immortelle, son enfant, et pas de journaliste, qui, après la rédaction d'un article se prive de la signature, sceau incontestable d'une création littéraire ou journalistique personnelle. Un livre, c'est soi, c'est une part de l'*ego* et un peu de semblant d'immortalité. Mais en page 8 des « Dialogues », on lit cet avertissement :

> « *Je ne suis pas l'auteur des Dialogues.*
> *Je suis le scribe des Dialogues.* »

Cette profession de foi, ajoutée aux autres indices et surtout au refus de Gitta Mallasz d'être érigée au rang de gourou ou à celui d'une star du « new age » prouve son indépendance vis-à-vis du contenu du livre. Elle ne dit pas « *j'ai écrit ce livre* » avec cette fierté si commune aux auteurs, aux journalistes et à tous ceux qui rédigent un rapport ou un éditorial. Elle écartait d'un rire de jeune fille tous ceux qui auraient tendance à la regarder comme une vedette ou comme « la personne miraculeuse » qui a parlé avec les Anges.

Dès mon retour à Paris, je rédigeai mon papier pour la rubrique « Vivre demain » (!), rubrique essentiellement consacrée aux sciences en tous genre et le confiai à Henri Tricot qui avait la charge de le « vendre » lors de la conférence de rédaction du matin, réunissant tous les chefs de service autour de Philippe Tesson. La parution de cet article fut reportée plusieurs fois. Un jeudi matin, devant prendre un avion à 8h30 pour un reportage en Autriche, je me rendis vers 7h15 à la station de taxi en bas de chez moi. D'habitude, quatre ou cinq voitures attendaient toujours le client. A cette heure, vingt minutes suffisaient pour arriver à Charles de Gaulle. Mais ce matin-là, pas l'ombre d'un taxi. Tous ceux qui passaient étaient occupés. Et dans la bonne tradition des taxis parisiens, certains, vides, ne s'arrêtaient même pas. Prodigieusement énervé et maudissant tous les chauffeurs de taxis, je finis par en trouver un à 7h40 qui fonça à Roissy où j'arrivai à 8h20, bien ralenti par la circulation parisienne. Me précipitant au comptoir pour demander un enregistrement express à l'hôtesse, elle m'expliqua, navrée, que l'enregistrement était terminé.

Elle téléphona toutefois aussitôt au « satellite » mais on lui répondit que l'avion se dirigeait vers la piste de décollage.

La situation était à peine croyable car ce matin-là, la plupart des vols étaient soit annulés en raison d'une grève des contrôleurs aériens, commencée à 6 heures, soit retardés en raison des conditions météorologiques défavorables ! Le mien, lui, était parti avec cinq minutes d'avance ! Coincé, je demandai à l'hôtesse une place sur le prochain vol pour Vienne et elle m'inscrit sur le vol Air France de 13 ou 14h. Bloqué, je décidai, en attendant le prochain vol, de rentrer à la rédaction à Neuilly. Dans le couloir du journal, je fus silencieusement stupéfait d'entendre Henri Tricot me dire « *tu tombes bien, parce qu'on voulait passer ton papier sur les Anges, mais je m'apprêtais à l'annuler définitivement parce que je ne pouvais pas le modifier à ta place; et comme tu partais à Vienne...* ». L'article est paru dans « Le Quotidien de Paris » le vendredi 15 juin 90. Un mois plus tard, le quotidien « Libération » consacrait trois pages aux « Dialogues »[1], et bien plus tard, le magazine « ELLE » publiait un article assez long sur le livre dans le numéro aux ventes record, celui consacré au veuvage de Caroline de Monaco. Coïncidence.

Pourtant des prêtres avaient mis en doute l'authenticité de ces « Dialogues », ce qui a ulcéré Gitta. Peut-on imaginer un prêtre niant l'existence des Anges? Eh bien oui. Raison pour laquelle elle disait souvent : « *Ne parlez jamais des « Dialogues » à un prêtre; ils ne comprennent rien et de toute façon, ils ne croient pas aux Anges.* » Pourtant, c'est un jeune séminariste, impressionné par ces textes, qui lui rendit visite un jour de 1978 et lui demanda : « *Savez-vous pourquoi les Anges ne venaient que les vendredis à trois heures de l'après-midi?* » Gitta, qui n'en avait aucune idée avoua son ignorance. « *Parce que le Christ est mort un vendredi à trois heures.* » lui répondit-il.

Comme si ces Anges avaient décidé de rendre hommage « *d'une grande beauté, bien que ne correspondant pas toujours aux formules théologiques habituelles* » — notait le père Brune — à Celui qui était venu enseigner bien avant eux. Cependant, la façon dont Gitta Mallasz présentait ces Dialogues pose un petit problème qu'il convient

---

1. Le 5 juillet 1990.

de résoudre. Elle disait : « *Personne n'a le droit d'enseigner le contenu des « Dialogues », tout simplement parce que personne ne l'a vécu. Parce que c'est un enseignement individuel, toute comparaison avec des religions révélées ou d'autres enseignements spirituels est inutile et déplacée* [1]. » C'est vrai : toute explication des « Dialogues » est impossible car à chaque lecture on découvre quelque chose de nouveau. Mais on serait tenté de dire que si personne ne peut commenter les « Dialogues » hormis elle parce qu'il s'agit d'un enseignement privé, ce n'était même pas la peine de les publier, à croire que ces textes à eux seuls représentent un évangile à part et que ces Anges appartiennent à un monde inconnu de nous tous. Pourtant, les Anges parlent du Christ et du Père à quasiment toutes les pages. Simplement, ils n'en parlent pas avec la permission du Vatican et s'expriment bien mieux que n'importe quel mystique terrestre, sans doute parce qu'ils sont infiniment plus proches de Dieu. Ces Anges viennent bien d'une sphère christique et il est strictement impensable d'affirmer le contraire. Ils appartiennent bien à une religion révélée et il suffit de lire la note en page 16 de l'édition française : « *Le pronom ö, employé par les Anges pour désigner le Divin, pouvait signifier également Dieu ou Jésus — une intonation très subtile permettant seule de faire la différence —. La graphie LUI, SON, SA a été adoptée lorsqu'il s'agit de Dieu ; Lui, Son ou Sa lorsqu'il s'agit de Jésus.* » A priori, puisque selon Gitta Mallasz « *toute comparaison avec des religions révélées ou d'autres enseignements spirituels est inutile et déplacée* », il me semble pourtant que le Christ n'appartient ni aux bouddhistes, ni aux musulmans, ni aux juifs. Ne lit-on pas par exemple page 241 [2] :

> « *Le septième Ciel est aussi proche
> que la place ici-bas où reposent vos pieds, la terre.
> Là, Il (le Christ) est roi. Il ne revint plus sur terre.
> Lumière éblouissante, Unique réalité.
> Roi : Celui qui EST de toute éternité
> Son vêtement est blanc d'un feu
> qui monte jusqu'à LUI.*

1. In « Quand l'Ange s'en mêle », page 122.
2. Entretien 40 du 24 mars 1944.

Vous êtes ses serviteurs ! Servez-le, le Glorieux.
Lui qui est Lumière, Lui qu'on ne peut regarder,
L'Eternel Incroyable, le Seul en qui l'on peut croire.
VOUS ETES DES DESCENDANTS ! VOUS TOUS !
Vous tous : des JESUS.
Vous êtes à Sa place. Vous agissez, vivez et devenez.
Mais Lui est la Cause, le Chemin, la Vérité et la Vie. »

Mais fort heureusement, Catherine de Sienne[1], n'a jamais interdit à quiconque de commenter et de répandre ses « Dialogues ». Pourtant, personne n'a vécu les Dialogues à la place de Catherine de Sienne, qui aurait d'ailleurs pu déclarer qu'ils constituaient un enseignement privé, ce qui est la stricte vérité. Elle ne l'a jamais fait, pas plus que Thérèse d'Avila, Hildegarde Von Bingen ou Marie d'Agreda.

Autre preuve de l'authenticité des « Dialogues avec l'Ange », leur style et leur puissance. Et il suffit de parcourir les divers livres explicatifs écrits « par » Gitta Mallasz pour se rendre compte de la différence de style et de pensée, ce qui donne globalement ceci : « *N'est-on pas pris de nausée en entrant dans une librairie ?* » écrit Gitta Mallasz « *Des tonnes de savoir livresque ! La pensée rationnelle nous conditionne comme un lavage de cerveau. Cette démesure de l'intellectualisme ne nous renvoie-t-elle pas à la mesure naturelle de l'omniscience présente dans nos cellules ?.* »[2] Rêvait-elle d'une libraire qui ne vendrait que des « bons » livres comme dans les pays communistes ? Bref, on pardonne bien volontiers ces petits égarements de Gitta Mallasz, puisque c'est grâce à elle que ces précieux « Dialogues » nous sont parvenus. Après tout, c'est un peu de notre faute puisque nous attendions de cette femme des analyses et commentaires à la hauteur des « Dialogues ». Comme on l'a vu, c'est strictement impossible, pas même par celle qui les a vécus. Et on retombe toujours sur la même conclusion, les « Dialogues avec l'Ange » sont absolument authentiques. Alors puisque ces « Dialogues » sont authentiques, nous allons essayer d'examiner à la lueur

1. Je ne compare pas Catherine de Sienne à Gitta Mallasz ; ce n'est même pas comparable ; je compare simplement deux femmes qui nous ont chacune transmis des « Dialogues » de grande portée spirituelle.
2. In « Les Dialogues ou le saut dans l'inconnu », Aubier, Paris, page 166.

d'autres rencontres angéliques, comment les Anges se manifestent, dans quelles circonstances ils apparaissent et quels sont les messages qu'ils transmettent.

Constatation générale, l'Ange se manifeste lorsque son protégé traverse une crise intérieure grave, lorsqu'il est au « bout du rouleau » comme on dit ou bien lorsqu'il se pose sincèrement des questions existentialistes type « *qui suis-je, où vais-je, à quoi cela sert de vivre, etc.* ». C'est dans ces moments de stress que le sujet note des phénomènes surnaturels et s'en souvient parfaitement, même trente ans après. Par exemple l'ancienne actrice de Hollywood, Earlyne Chaney se rappelle comment elle fut réveillée par une « voix ». La « voix » était tellement forte que l'adolescente craignit qu'elle ne réveille ses sœurs qui dormaient près d'elle. Elle sortit, chercha, mais ne trouva rien, bien que la « voix » persistât dans sa tête. Cela dura quelques jours mais c'est seulement lorsqu'elle s'habitua à la voix de cette présence invisible qu'elle put enfin la découvrir vraiment lors d'une nuit de juin. Au moment des faits, elle avait douze ans. La voix la réveilla et comme d'habitude, elle sortit de la maison observer le ciel étoilé pour s'asseoir à sa place habituelle :

> « *Soudain, je sentis un frémissement dans mon corps, similaire à choc électrique et j'eus la certitude que quelqu'un se tenait derrière moi, bien visible cette fois-ci. Je fus prise de panique. Ma première pensée fut de m'enfuir mais je découvris que je ne pouvais pas me lever. J'avais même peur de me retourner et de regarder. Malgré tout, je savais qu'il ne s'agissait pas d'un mortel. Puis j'entendis sa voix. Ce n'était pas comme une voix humaine. J'avais l'impression de l'entendre avec l'intérieur de mon plexus solaire plutôt qu'avec mes oreilles. C'était comme si mon plexus solaire réagissait comme une radio, captant une station qui diffusait sa voix. Les mots devinrent clairs : « N'aie pas peur » dit-il, « j'ai souvent été avec toi. » La peur disparut aussitôt bien que ce fût la première fois que j'entendais cette voix consciemment. (...) Puis je le vis. Il se tenait juste derrière mon épaule gauche, je le vis comme s'il se tenait devant moi, comme si son visage se reflétait dans un miroir devant mes yeux. (...) Finalement je lui demandai : « Es-tu Dieu ? » (...)*
> *— Non. Je suis quelqu'un qui t'observe de haut depuis longtemps. N'aie pas peur de moi, répondit-il.*

— Es-tu Jésus? demandai-je.

— Non. Mais je suis l'un de ses disciples.

J'essayai de lui répondre mais aucun mot ne sortit de ma bouche. Je restai là, assise, à l'observer les yeux grands ouverts. Il portait une longue robe blanche avec une cape bleue, presque violette, posée sur ses épaules. La cape touchait ses pieds.

— Qui es-tu? demandai-je finalement.

— Je suis ton Maître, répondit-il. Et ces mots se fondirent dans mon cerveau comme des gouttes d'eau dans une éponge. (...)

— Je reviendrai, dit-il[1]. »

L'être spirituel disparut progressivement, laissant la petite fille dans un état indescriptible, comme un enfant laissé soudain seul par ses parents. « *Je voulais le suivre, je voulais qu'il m'emmène avec lui.* » explique-t-elle dans son autobiographie. A ce moment, elle entendit de nouveau la voix de l'être lui dire « *je ne te quitterai jamais ; et tu me reverras* ». Cependant, Earlyne n'allait pas le revoir avant plusieurs années.

A Budapest, c'est Hanna qui prêtait le plus souvent ses cordes vocales aux Anges. Le premier entretien eut lieu le vendredi 25 juin 1943 et le dernier le vendredi 24 novembre 1944. Pendant 17 mois, les Anges accorderont 38 entretiens à Gitta, 35 à Lili et 4 à Joseph ; à partir du 24 mars 1944 (veille de la fête de l'Annonciation), ils ne s'adresseront plus qu'au groupe, sans aucune distinction. Le premier dialogue eut lieu au moment où les trois amies tentaient de répondre à des questions intérieures. Les Anges s'annoncèrent sans crier gare et Hanna eut juste le temps de prévenir les autres : « *Attention, ce n'est plus moi qui parle.* » Et lorsque Hanna demanda à Gitta avec cette autre voix « *me connais-tu ?* », Gitta n'arriva pas à se souvenir, tout en ayant la certitude que cette présence était celle de son « Maître intérieur »[2]. Or lorsque Earlyne Chaney demanda à cette présence qui elle était, l'être répondit « *Je suis ton Maître* », réponse qui s'inscrivit en elle de la même manière que les dialogues de Hanna et Gitta, alors que ces femmes n'avaient aucun moyen de connaître leurs

1. In « Remembering » Earlyne Chaney, New Age Press, La Canada, California, 1974, pages 51-52. »

2. Page 24 in « Dialogues avec l'Ange », op.c.

expériences respectives puisque celle d'Earlyne eut lieu dans les années trente aux fins fonds des Etats-Unis et celle de Gitta dans les années quarante au beau milieu de l'Europe, en Hongrie. Earlyne publia son livre en 1974 et Gitta en 1977 et leurs expériences, bien qu'assez divergentes, présentent au départ les mêmes caractéristiques puisque les Etres ne s'identifient pas, ou plus exactement ils ne se matérialisent pas en disant immédiatement d'une voix énergique, au son des trompettes, « *je suis ton Ange gardien, n'aie crainte, je suis là pour te protéger* ». Il faut attendre. Ainsi, dans les « Dialogues », ce n'est que cinq mois plus tard que ces Etres utiliseront le mot « Ange ». Entre-temps, Hanna vivra chaque sensation des Anges, leur adoration, leur énervement et leur colère : parfois, elle sera en quelque sorte consumée par le verbe vivant du messager, ne supportant même pas sa chaleur. Cette chaleur, nous la retrouverons à différentes reprises car ces Etres spirituels éprouvent des difficultés à se rendre à notre niveau comme s'en expliquera l'Ange lors du dixième dialogue de Budapest :

Ange : — *Rendons grâce! (avec un sourire radieux) Aujourd'hui, il est bon d'être ici.*

(Gitta) : *Hanna me dira plus tard que, pendant les premiers entretiens, elle a souvent senti combien il était difficile pour mon Maître de descendre et de rester dans notre atmosphère trop dense. Aujourd'hui, ma joie rend les choses plus faciles. Désignant le verre d'eau :*

Ange : — *L'eau m'approche de toi. Ce que fait le feu pour toi, l'eau le fait pour moi.*

(Gitta) : *Je comprends que plus je brûlerai de joie, plus je pourrai m'approcher de mon Ange; par contre, le feu de l'Ange doit être atténué par l'eau pour qu'il puisse m'approcher.* [1]

Cette difficulté à descendre dans notre atmosphère « *trop dense* » a également été notée lors d'un exercice de sortie hors du corps à l'Institut Monroe. L'étudiant, un médecin, décrivait ses sensations à Robert Monroe et ce dialogue enregistré recoupe ce que nous venons de voir avec les « Dialogues » de Gitta Mallasz. Notons que dans le

1. Page 54, op. c.

cas ci-dessous, bien que le contact s'effectue hors du corps, l'entité éprouve quand même des difficultés :

— *(Médecin) : ...je vois un point de lumière. Cela mis à part, je ne sens rien.*
— *(Monroe) : Quelle sensation la lumière donne-t-elle ?*
— *(Médecin) : On dirait une étoile. Lorsque je me concentre sur elle, je commence à flotter.*
— *(Monroe) Faites une expérience avec la lumière.*
— *(Médecin) : Maintenant, ils se rapprochent, maintenant c'est moi qui me rapproche d'eux.*
(intervalle 2,5 mn)
(Nouvelle voix) : — Comment allez-vous ?[1]
(Monroe) : — Enchanté de faire votre connaissance. Je vous suis reconnaissant d'être venu.
(Nouvelle voix) : — C'est difficile de venir jusqu'ici.
(Monroe) : — Où est la difficulté ?
(Nouvelle voix) : — Il faut pénétrer de nombreuses couches.[2]

Si les Anges éprouvent quelques difficultés à descendre vers le sujet pour une communication physique, une fois présents, le sujet ressent un changement profond, une joie comme s'il avait soudain retrouvé un morceau manquant de lui-même comme nous l'avons déjà remarqué dans les récits de NDE. La capucine catalane Marie-Angèle Astorch (1592-1662) ressentit ce même bonheur lorsqu'elle rencontra pour la première fois son Ange gardien :

« *Dès l'instant où je sentis sa présence, il s'opéra un tel changement dans mon esprit qu'on peut dire que je vivais en moi-même tout en étant hors de moi-même. Il remplit mes facultés d'une grande noblesse, mon cœur d'un réconfort très doux, et par une patiente opération, il fortifia mon esprit tout entier. Il laissa en moi une telle empreinte, une gratitude si humble et si tendre que je ne connaissais plus les faiblesses des créatures, toutes les passions s'étant retirées ; une telle pureté de conscience et une*

---

1. La « lumière » parle à travers le sujet hors du corps.
2. Page 65 in « Fantastiques expériences de voyage astral », Robert Laffont, Paris 1990. Publié en américain en 1985 sous le titre « Far Journeys ».

telle mortification des sens que je n'avais plus à les vaincre grâce à la puissance de cette miséricorde. »[1]

Dans tous les cas, le sujet parle toujours d'une sensation indélébile extrêmement difficile à décrire en termes humains. C'est une constante que l'on retrouve également chez tous ceux qui eurent une expérience aux frontières de la mort : inoubliable, indescriptible, indélébile. Il en fut de même pour John Lilly[2]. Pour écrire son roman

1. Page 312,313 in « Vida de la venerable Maria Angela Astorch » de G. Roxo, 1733, Madrid ; cité par Vincent Klee.
2. A l'âge de dix-huit ans, il entre au célébre CALTECH d'où il sortira diplômé en 1938. John Lilly estima que la physique ne lui suffisait pas et il s'inscrivit en médecine à l'université de Pennsylvanie pour compléter sa formation. Médecin diplômé en 1942, il sera aussitôt mobilisé par l'US Air Force qui lui demandera d'étudier la pression sanguine des pilotes à haute altitude dans le cadre d'un barrage anti-aérien ennemi. Cette mission lui servira par la suite de base pour ses études sur la déprivation sensorielle car si ses travaux sur les dauphins l'ont rendu célèbre, John Lilly est encore plus connu pour la caisse d'isolation (Isolation Tank) qu'il avait mise au point en 1954, dans le cadre de ses recherches au National Institue of Mental Health dans le Maryland. A l'époque, il était admis que le cerveau ne pouvait aller au-delà d'une certaine relaxation parce que les organes du corps lui fournissaient en permanence des informations du corps (mains, yeux, crâne, jambes, dos, etc.). Lilly eut alors l'idée d'observer la réaction du cerveau avec une privation sensorielle. Pour cela, il s'empara d'une chambre totalement insonorisée remplie d'eau qui servait à l'US Navy pour étudier le métabolisme des nageurs de combat. Après quelques tâtonnements, il trouva qu'à une température de 93 Fahrenheit, le corps n'avait ni chaud, ni froid. La composition de l'eau qu'il utilisa pour remplir la caisse ressemble à celle de la mer Morte, avec une très haute teneur en sel et divers additifs chimiques qui supportent le corps. Une fois enfermé dans le caisson, les informations en provenance des organes sont neutralisées et on ne ressent plus que ses pensées. Le corps a disparu. Le sujet n'est plus qu'âme, flottant dans l'eau. A sa surprise, Lilly découvrit que le cerveau n'avait pas besoin de stimulations externes pour rester éveillé. Cette trouvaille le poussa alors à aller plus loin et à noter ses réactions en restant une heure, deux heures, quatre heures dans le caisson. Petit à petit, il découvrit que ce caisson était un véritable « trou dans l'univers » et que la conscience s'ouvrait naturellement vers d'autres niveaux d'existence, comme quelque chose d'inné mais oublié par le cerveau. Ensuite il décida d'aller plus loin et d'examiner comment le cerveau allait réagir dans le cadre d'une privation sensorielle complète avec un état de conscience préalablement modifié. Il se laissa donc glisser dans le caisson avec une dose de LSD-25 —Lysergic Acid Diethylamide- fabriqué par les laboratoires Sandoz (d'où le film de Ken Russel). Ces expériences sous LSD dureront parfois plus de douze heures pendant lesquelles John Lilly vivra plusieurs expériences hors du corps à différents niveaux et il est absolument étonnant de constater à quel

« Le Jour du dauphin », l'écrivain Robert Merle s'était inspiré de la vie de ce célébre biologiste américain[1] qui, dans les années 50-60, réussit à établir une méthode de communication avec les dauphins. Deux production cinématographiques lui furent indirectement consacrées de son vivant : « The Day of Dolphins » de Mike Nichols avec dans le rôle de Lilly le non moins célèbre George C. Scott (le général Patton) et le « Altered States » de Ken Russel ; il était également à la base du feuilleton télévisé « Flipper le Dauphin » du réalisateur Ivan Tors. Bien qu'il soit encore vivant, nous disposons de trois ouvrages biographiques, deux rédigés par John Lilly lui-même, « The scientist » et « In the center of the cyclone », et le troisième, une biographie finale, écrite par le neurologue californien Francis Jeffrey, publié en 1990 sous le titre « John Lilly, so far... ». La vie de ce Jacques Cousteau américain est fascinante car on y rencontre de tout : des physiciens, des dauphins, des militaires, des études psychiatriques, des expériences mystiques sous toutes les formes, des amis et relations illustres (Robert A. Millikan prix Nobel de physique, le Dr Albert Hofmann, inventeur du LSD, les romanciers Aldous Huxley et Herman Wouk, le philosophe Alan Watts, le pape du mouvement Power-Flower des années 1970 Timothy Leary, l'acteur Robin Williams, etc.) et surtout une recherche constante des états modifiés de la conscience permettant de « voir » d'ici ce qu'il y a... ailleurs. Mais à la base de cette vie mouvementée, on trouve une enfance marquée par la rencontre totalement inattendue avec son Ange gardien en 1925, au mois de janvier. Le garçon avait dix ans et il brûlait d'une fièvre tuberculeuse au point que les médecins et ses parents ne savaient pas s'il allait survivre. Mais pendant qu'ils

---

point ses descriptions concordent parfaitement avec celles de Robert Monroe. Par ailleurs, lors de ses expériences sous hautes doses de LSD, à son grand étonnement, il retrouva parfois les guides -ou Anges- qui l'avaient visité lors de son accident cardiaque (NDE de la page 96). Il prendra par la suite l'habitude de les décrire non comme des Anges, mais comme les membres de l' « ECCO » — Bureau de contrôle des coïncidences de la terre — Earth Coincidence Control Office, autrement dit, ceux qui contrôlent le hasard !

1. John Lilly fut également le beau-père du chanteur français Bernard Lavilliers qui avait épousé sa fille adoptive Lisa Lyon-Lilly, première championne du monde de culturisme.

l'observaient, l'enfant, rapporte son biographe Francis Jeffrey, connaissait cependant une expérience inoubliable :

> « (...) un point d'une exceptionnelle luminosité fond sur lui et se transforme en un Etre dans lequel il reconnaît son Ange gardien. L'Etre communique :
>
> — Est-ce que tu veux venir avec moi ou rester ici ?
>
> — Où est-ce qu'on ira ?
>
> — C'est toi qui choisis. Tu peux rester ici dans ce corps et être un petit garçon ou bien tu peux venir avec moi et rejoindre les autres Etres.
>
> — Maman a dit qu'elle ne voulait pas que je meure. Si je vais avec toi, est-ce que je meurs ?
>
> — C'est ce que veut dire mourir, venir avec moi et quitter cette place, quitter ta maman et ton papa, quitter Dick et David, quitter Jamey.
>
> — Mais je ne veux pas partir. Je ne comprends pas ce que tu veux dire, aller vers les autres Etres. Je veux guérir et jouer.
>
> — C'est toi qui choisis. Tu vas rester ici maintenant et par la suite tu viendras avec moi.
>
> — Tu vas rester avec moi ou tu vas partir ?
>
> — Je serai toujours avec toi aussi longtemps que tu crois que tu pourras me rencontrer [1]. »

Cette expérience se gravera dans son esprit et progressivement, l'enfant se rapprochera de son Ange gardien. Plusieurs fois ils se rencontreront, toujours dans des circonstances dramatiques ou qui auraient pu le devenir. Lorsqu'il monte par exemple tremblant de peur sur la table d'opération pour se faire enlever les amygdales : une infirmière lui applique de l'éther sur le visage et John Lilly se souvient avoir quitté aussitôt le bloc opératoire pour atterrir directement dans les ailes de deux Anges qui l'ont consolé pendant la durée de l'intervention. Une autre fois, il joue avec le chien sur un petit mur sans se rendre compte qu'il va tomber de l'autre côté, dans le ravin. L'animal le mord et John se retourne aussitôt pour le frapper. Mais l'Etre décida de remettre les choses à leur place en dialoguant avec lui un peu plus tard, laissant le garçon pensif :

1. In « The scientist », page 39 et « John Lilly, so far.. », page 1.

— *Es-tu mon Ange gardien ?*

— *C'est comme cela que tes parents m'appellent, ce n'est pas mon vrai nom, mais il assez juste pour être utilisé. Je suis disponible à chaque fois que tu as besoin de moi.*

— *Mais j'avais besoin de toi aujourd'hui quand Jamey m'a mordu.*

— *J'étais là. Tu allais tomber de l'autre côté du mur et j'ai chargé Jamey de te retenir.*

— *Mais je pensais que Jamey avait fait ça parce qu'il m'aimait...*

— *Jamey t'aime mais il ne pouvait pas comprendre que tu te trouvais en danger. J'ai dû passer par lui.*

— *Est-ce que tu t'occuperas toujours de moi ?*

— *Oui, aussi longtemps que tu croiras en moi. Est-ce que tu croiras toujours en moi ?*

— *Qu'est-ce que tu veux dire par « croire en » ?*

— *« Croire en », c'est savoir, c'est aimer, c'est être avec. Je suis. Tu es. C'est cela que « croire en » veut dire.*

— *Je suis. Tu es. Je crois en moi. Je crois en toi. C'est ça que tu veux dire ?*

— *Oui*[1].

Examinons maintenant une quatrième rencontre angélique, celle de la Hawaïenne Pat Devlin, qui est une illustration vivante de l'une des paraboles du Christ « *Celui qui me suit ne marche pas dans les ténèbres.* » parce qu'elle est aveugle de naissance. Patricia est née trois mois avant terme, en 1952. Le gynéco-accoucheur la place dans une couveuse dont l'arrivée d'oxygène, mal réglée, détruit les rétines du nourrisson[2]. Le bébé est aveugle. Ce sera le début de ses problèmes de santé. Son enfance est émaillée de visites incessantes chez divers ophtalmologues qui trouveront même un début de tumeur cancéreuse. Bref, suivant les conseils des médecins, les parents décident de la faire opérer afin de la garder en vie et Pat Develin perdra définitivement ses yeux. Ses globes oculaires seront désormais vides. Elle s'habitue à son état. Elle grandit, la vie passe, elle donne naissance à des jumelles, obtient un doctorat en psychologie et déménage un jour à Lubbock, Texas, une ville de 200 000 habitants où

---

1. In « The scientist », page 38, op.c.
2. Ce qui arriva également au chanteur Stevie Wonder.

elle décroche un poste de conseillère conjugale. Elle s'installe dans une petite maison où elle essaie tant bien que mal d'oublier sa maladie. Depuis huit ans, elle traîne la maladie de Menière, un problème causé par l'oreille qui draine mal et qui se résume par des maux de tête épouvantables, des nausées, une perte de l'équilibre, et parfois des attaques. Parallèlement, le mal de Menière dégrade progressivement son système auditif.

Au mois d'août 1988, elle entend dire que la Vierge va apparaître dans l'église Saint John Neumann de Lubbock. La nouvelle va vite, démentie aussitôt par les autorités ecclésiastiques. Peu importe, une foule estimée à 20 000 personnes se regroupe autour de l'église le 15 août 1988. Parmi elles notre aveugle avec son petit ordinateur qu'elle ne quitte jamais, le Braille Speach. Elle est assise près de la fontaine. Une messe est célébrée en plein air. Elle ne voit rien, bien sûr, mais elle entend des gens hurler « à genoouux, à genoux ». Elle ne comprend rien. Elle entend simplement des gens pleurer autour d'elle. Pat Devlin demande dans le vide « *que se passe-t-il?* ». Quelqu'un lui ordonne de s'agenouiller. Elle ne comprend toujours pas.

Finalement, une femme derrière elle finit par l'éclairer : « *La Vierge est à quatre mètres au-dessus de la fontaine et elle la bénit.* » Pat Devlin a envie de pleurer, pas vraiment à cause de la Vierge mais parce qu'elle ne peut La voir. Elle est affectée au plus profond de ses entrailles de ne pas voir, de ne pas posséder des yeux comme tout le monde. Une femme lui dit même avec un ton de mépris « *Enlevez vos lunettes et priez.* » comme si ses lunettes noires étaient une insulte à l'apparition. Elle lui suggérera de demander à Dieu de lui rendre ses yeux pour voir ce qui se passe au-dessus de la fontaine. Patricia a envie de hurler « *Laissez-moi!* »[1]. Cinq jours plus tard, elle se rend compte que les symptômes de sa maladie ont disparu. Elle n'arrive pas y croire et pourtant elle le sent. Le mal se diagnostique par un examen des yeux. Mais Pat n'a plus ses yeux. Par conséquent, il est impossible parler de « miracle » puisque aucun examen scientifique ne peut être effectué. Juste un contrôle discriminatoire des symptômes. De ce

1. La commission officielle de l'Eglise à propos de Lubbock a nié tout phénomène surnaturel.

point de vue, elle a bien été guérie. Plus de nausées, plus de déséquilibre, plus d'attaques. C'est fini. En revanche, c'est le début d'une nouvelle « maladie » : « *J'ai commencé à voir des lumières brillantes.* » m'expliqua-t-elle. « *Au début, j'ai cru que j'étais devenu folle. Comment puis-je voir des lumières puisque je n'ai pas d'yeux. Après j'ai cru que je voyais des fantômes. Mais ce n'est qu'ensuite que je compris que j'avais affaire à des Anges. J'ai beau tourner la tête, la lumière est stationnaire. Et même si je mets les mains devant mes yeux où il y a encore des nerfs optiques, je les vois toujours. C'est magnifique, c'est une lumière magnifique. Mes nerfs optiques ne réagissent qu'en plein soleil et encore, il ne s'agit que d'une lueur très faible. Mais cette lumière persistait même le soir. Après, j'ai commencé à entendre des voix émanant de ces lumières. Là, j'ai franchement commencé à m'inquiéter. De plus, personne d'autre ne peut voir cette lumière ou entendre cette voix.* »

Son père, un civil qui travaille pour les militaires de la base de Pearl Harbor, a du mal à croire. Il sait que sa fille a été guérie inexplicablement, il sait qu'elle n'est pas folle et en même temps il a du mal à admettre qu'elle puisse voir des lumières.

— *Vous voyez des Anges ?* lui ai-je demandé.

— *Non, je n'ai jamais vu un Ange ou des Anges. Je ne vois que des lumières. Elles me parlent. La première chose que cette lumière qui n'a pas de forme ni de silhouette m'a demandée est d'être prudente et de* « *toujours tester la lumière* », *et que si j'entendais une voix, de toujours lui demander si elle était avec le Christ...* Et, sans achever sa phrase, elle se lança dans une prière vocale pour tester sur-le-champ la lumière qu'elle affirmait apercevoir derrière moi. En quelque sorte, elle « testa » ma lumière et sans doute mes intentions... Comme tous les mystiques, ils pensent toujours au Diable. Un journaliste, par définition colporteur de fausses nouvelles ne peut être qu'un envoyé du Malin. Bref, après sa prière, elle s'estima rassurée et me demanda de remettre en marche mon magnétophone. Ma lumière devait être blanche comme Bonux. Quelque part j'étais agréablement rassuré.

— *Pouvez-vous me donner une description de cette lumière ?* A peine la question avait-elle franchi mes lèvres que je me rendis compte avec effroi de ma stupidité sans fin.

— *Vous savez, comme je ne connais pas les couleurs, ni vraiment les formes ou les visages, je serais bien incapable de vous la décrire »* me répondit-elle. Encore plus idiot, en réécoutant la cassette, je m'entendis répéter à plusieurs reprises *« oui, je vois... »*. Dans le genre « tact », j'avais tout raté.

— *Alors vous parlez avec cet Ange ?* lançai-je en essayant d'effacer mon impair.

— *Oui, toujours, en permanence. Au départ c'était limité, mais progressivement les discussions se sont approfondies. Parfois il me fait la tête. De toute façon, il obéit à Dieu, pas à moi. Un jour, j'étais au téléphone avec un ami et mon Ange me demanda de lui dire un certain nombre de choses qui n'avaient aucune signification pour moi mais qui étonnèrent mon interlocuteur. Lorsque je raccrochai, je tremblais un peu parce que c'est très dur de transformer en mots ce que me disait mon Ange. A ce moment-là, il me rassura, me disant que malgré mes doutes et mes craintes, il était satisfait de la façon dont j'exécutais ce qui m'était demandé. Je note systématiquement ce qu'il m'apprend.* Elle ne souhaitait pas trop en parler. Je voulus savoir alors si elle voyait des lumières derrière chaque personne : *« Non, mais je n'interprète pas cela comme une indication de l'absence d'Ange gardien. Je ne les vois pas, c'est tout. Par exemple, lors des messes, je vois des lumières tout autour de l'autel, du tabernacle, mais pas toujours. Un jour j'ai demandé à mon Ange pourquoi je ne voyais pas ces lumières en permanence et il m'a répondu qu'elles étaient toujours là, mais que mes « yeux » n'étaient pas toujours ouverts... »*

Je m'attendais à quelque chose de similaire aux « Dialogues » de Budapest. Pas du tout. Les Anges de Pat Devlin, on l'a compris, ne délivrent pas d'enseignement. Ils la confortent simplement ou lui demandent de prier pour leurs protégés. *« Les Anges m'ont dit que je n'étais pas une messagère mais juste un chroniqueur. »* précisa-t-elle, *« et j'ai demandé « un chroniqueur aveugle ? » »*, *« Oui, tu écris ce que tu vois »* et ils ont commencé à rire. *Vous savez, les Anges possèdent le sens de l'humour. Leurs voix sont mélodieuses, très belles et toujours différentes. Ces voix, comment vous l'expliquer, touchent mon âme, mon cœur, je les entends de l'intérieur. Le jour de mon anniversaire en 1990 je n'avais personne avec qui le célébrer, mes filles étaient en examens, etc., j'étais extrêmement triste. Soudain un chœur d'Anges chanta pour mon anniversaire. Ce fut le plus beau cadeau de ma vie. »*

Pat Devlin est l'opposé de Gitta Mallasz. Autant Gitta était pleine de vie, avec un sens de l'humour décapant, autant Patricia est assez doloriste. Normal, elle est sous la direction d'un directeur spirituel, un prêtre, le père Walsh. Mais ce dernier m'a expliqué que le seul livre digne de foi sur les Anges était celui écrit par le père Fox, un membre actif de l'organisation internationale « *Opus Sanctorum Angelorum* »[1]. Donc on ne risque pas de lire prochainement les chroniques de Pat Devlin qui de toute façon, après la censure de son directeur

---

1. Cette organisation, assez proche de « l'Opus Dei », regroupe des prêtres et des séminaristes dédiés aux Anges ; l'un de ses principaux animateurs aux Etats-Unis, le père Robert Fox, a publié « The World and Work of the Holy Angels », un livre impressionnant par son intolérance. Un véritable ouvrage de propagande. Pourtant, cela part d'un bon sentiment, la consécration d'une âme à son Ange gardien. En revanche, lorsqu'on lit (pages 86-89) que la plupart des pratiques spirituelles des hindous, bouddhistes et taoïstes, y compris le yoga et le zen, ne sont que des invocations diaboliques élaborées, on en reste bouche bée. Des centaines de millions de gens à travers le monde ne sont alors rien de plus que satanistes selon le père Fox. Quelle mépris de la part d'un prêtre de l'Eglise catholique où il est dit avant tout « Aimez-vous les uns les autres ». Afficher un tel mépris pour les autres êtres humains sous prétexte qu'ils n'adorent pas le même Dieu que lui, est écœurant de la part d'un prêtre. Le reste de son livre est du même acabit, un sectarisme proche de l'extrême droite. Une seule solution selon Fox si vous ne voulez pas tomber sous l'influence d'un Ange déchu : la chasteté, même entre femme et mari !!! Il n'a pas osé parler de mortification, mais on y a échappé de peu. Bref, cette organisation de sectaires a même fini par énerver le Vatican ce qui est très très difficile. La patience de Rome est légendaire. Il faut accumuler beaucoup de blâmes pour avoir un avertissement sérieux du Vatican. Et beaucoup d'avertissements pour que la Congrégation pour la doctrine se penche sur des prêtres. Mais l'Opus Angelorum a réussi et la Congrégation pour la doctrine de la foi a publié le 19 juin 1992 un décret interdisant aux prêtres de cette organisation de continuer à pratiquer ses exorcismes « hors-la-loi », d'administrer des sacrements à distance et surtout de consacrer des fidèles aux Anges, opération qui ne repose sur aucun texte de l'écriture. Venant de Rome, c'est très sérieux parce que les véritables raisons ne sont pas toutes divulguées. On imagine mal le Vatican étalant dans un communiqué de presse les autres griefs qui auraient pu être exploités par les journaux civils. Simplement, lorsque la Doctrine de la foi s'énerve, c'est qu'elle a enregistré bon nombre de dérapages et surtout des plaintes de fidèles. Aujourd'hui, on se retrouve donc avec trois catégories de prêtres : la première qui regroupe les fanatiques genre Fox qui n'auraient pas déplu à l'Ayatollah Khomeiny, la seconde qui regroupe les « progressistes » pour lesquels les Anges et parfois même le Christ ne sont que des contes de fées et la troisième qui regroupe des prêtres humbles, humanistes, discrets, mais terriblement attachants parce que véritables intermédiaires entre notre monde physique et le monde invisible, comme Steven Schneir, Jean Derobert, François Brune ou Paul-Francis Spencer.

spirituel, risquent de tomber sous la griffe d'un ecclésiastique qui ne croit pas aux Anges !!! Perdu dans mes pensées, je l'observais. Elle tenait son chien-guide, Ghia, et semblait me jauger. Très curieux d'être en face d'une aveugle qui « voit » les Anges. Pourtant elle n'avait pas l'air d'une folle furieuse ou d'une illuminée. Plutôt de quelqu'un qui a soudain découvert Dieu et qui vit dans un monde intérieur, un peu comme une carmélite en stricte clôture jusqu'à la fin de ses jours. Etre aveugle et croire en Dieu, c'est comme être une religieuse cloîtrée, coupée du monde. Pat Devlin n'a même pas besoin de grille puisqu'elle ne voit rien. Et je lui posai la question que l'on ne pose pas :

— *Vous n'en avez jamais voulu à Dieu d'être aveugle ?*

Elle ne se vexa pas :

— *Non. En revanche, j'étais affligée d'être traitée comme une citoyenne de seconde classe. A part cela, j'ai toujours pensé que ma cécité était un cadeau de Dieu. Je serais sans doute très superficielle sinon. Là, j'ai eu l'opportunité de penser au spirituel, vous comprenez ? Je ne me serais jamais intéressée à Dieu si j'avais eu mes yeux, j'en suis à peu près sûre. Ma vie serait certainement différente.*

D'après les conversations angéliques de Pat Devlin, les Anges sont « les serviteurs de nos âmes ». Mais comment communiquer avec ce serviteur invisible ? Il me semblait qu'elle pouvait donner une explication intéressante : « *Très simple* » expliqua Pat, « *il suffit de lui parler, de lui donner un prénom, catholique si possible. Eux n'ont pas de prénoms ou de noms comme les nôtres, mais une description toujours en rapport avec un aspect du Christ. Mon Ange s'appelle « Joie dans l'amour en Dieu »*[1]. *Parlez à l'Ange en permanence. Mais s'il vous dit son nom, alors vous connaîtrez le but de votre vie sur terre parce que son nom est un résumé de la mission de celui qu'il doit protéger. Le nom de l'Ange est directement relié à votre tâche. Nous dévions tous plus ou moins de la tâche que Dieu nous a assignée. C'est là que joue notre libre arbitre. Lorsque vous priez, demandez-lui de prier avec vous et de déposer votre prière chez le Créateur. On a un*

---

1. Dans les « Dialogues » de Budapest, on trouve effectivement « Celui qui rayonne », « Celui qui bâtit », « Celui qui mesure », « Celui qui aide ».

accès direct au Créateur mais si votre Ange et/ou votre saint préféré intercède(nt) pour vous auprès de Dieu, c'est encore mieux, votre prière a encore plus de chances d'être exaucée. Demandez-lui toujours de vous rapprocher de Dieu, de vous montrer comment IL veut vous voir, ce qu'IL désire de vous, etc. Approchez-le. Ce n'est pas une formule magique, c'est une construction, une relation que vous enrichissez chaque jour ».

Cependant Pat Devlin fut décevante avec son dolorisme chrétien bien traditionaliste. Le « *si vous voulez aimer Dieu, vous devez souffrir* » m'énerve. Ce n'est pas avec ce genre de discours que l'on convaincra les gens de redécouvrir Dieu, loin de là. Pourtant, on retrouve chez elle la même orientation que dans les « Dialogues » de Budapest où les Anges emmènent leurs protégés dans les bras de Ö, le Créateur. Dominique Raoul-Duval a remarqué très justement dans sa préface[1] que les Anges de Budapest répugnaient à utiliser le mot « Dieu », préférant employer le pronom « Ö » : « … *Dieu, ce mot que des générations d'êtres humains ont usé, galvaudé, sali* » ; écrit-elle, « *mais les Anges emploient pour Le désigner, le prénom Ö — ici traduit par LUI — qui, dans cette langue archaïque qu'est le hongrois, n'est ni masculin, ni féminin, mais les deux à la fois (il serait plus exact de traduire LUI/ELLE) ; transcendant ainsi cette masculinité du Divin qui pèse si lourdement dans nos religions révélées. Ö est le masculin et le féminin, le Père et la Mère, force et sagesse, toute-puissance et tendresse ; et point n'est besoin de Le compléter par des figures féminines, puisque la féminité fait partie de Son essence même, et nous Le rend tellement plus proche...* » Ce Ö est le but.

A force de parler des Anges et surtout d'écrire sur eux, l'auteur américain Terry Lynn Taylor en a elle aussi fait l'expérience. Son livre « The Messengers of the Light »[2], écrit sur le coup d'une inspiration subite, a été un succès fulgurant auquel elle ne s'attendait guère lorsqu'elle signa avec son éditeur. « *Au début, seuls les Anges*

1. Page 11 in « Dialogues avec l'Ange », op.c.
2. HJ Kramer, 1990, Triburon, California.

m'intéressaient. » m'expliqua-t-elle lors d'un dîner à Los Angeles. *« Ils jouaient avec moi. Je me retrouvais dans des synchronicités extraordinaires. Puis progressivement cela a changé et je me suis rendu compte que lorsqu'on a découvert leur puissance et qu'on s'attache à eux, ils ne jouent plus parce que cela devient très sérieux. A partir de là, ils vous emmènent vers Dieu, ce n'est pas comme certains veulent l'appeler la Grande Puissance, ou le Très-Haut etc., mais bien Dieu, et ils vous font comprendre que vous devez totalement vous abandonner à Sa volonté. Et c'est là que joue votre libre arbitre, ça passe ou ça casse. Au début, les Anges vous donnent tout ce que vous leur demandez. Après ils commencent à vous donner des leçons pour approfondir votre compréhension. Vous n'êtes plus sur la même dimension et vous commencez à vous demander si vous vivez bien dans la réalité. Ma vie spirituelle est un véritable chaos en ce moment parce que j'en suis arrivée là. C'est très dur, parce que j'aime bien penser au futur, j'aime bien prévoir des choses. Mais ils m'ont poussée à n'aimer que Dieu alors que je n'aimais que les Anges parce qu'ils avaient illuminé ma vie spirituelle et aussi parce qu'ils s'étaient chargés de divers détails pratiques dont je n'avais plus à m'inquiéter comme avant. Bref, les Anges vous emmènent droit vers Dieu, vers la Lumière du Christ et c'est entièrement à vous d'accepter ou de refuser. Et là, les Anges ne plaisantent plus du tout parce qu'il s'agit de votre développement spirituel. »* Le regard de Terry Taylor s'était perdu dans le rouge de son bordeaux, un excellent Mouton Rothschild. Elle semblait s'être égarée dans une rue de la Cité mystique de Dieu et hésitait à appeler un taxi. Lorsque je l'avais rencontrée deux ans plus tôt, elle ne parlait pourtant que d'Anges et ne jurait que par eux. Son livre pulvérisa les pronostics les plus optimistes. Elle était devenue une star « new age » et seuls les Anges comptaient à ses yeux. Son livre n'avait rien d'une révélation privée, simplement elle y expliquait leçon par leçon comment atteindre son Ange gardien. Deux ans plus tard, si je retrouvais les mêmes yeux bleus de petite fille entourés de cheveux blonds, le regard n'était plus le même. Comme si Terry Taylor avait.. grandi ? évolué ? mûri ? je ne sais. Quelque chose s'était passé entre son premier best-seller et la mise sous presse de son troisième livre sur les Anges. Etonnant d'observer ce changement. Mais l'approche de Terry Taylor, comme celle de Gitta Mallasz m'était infiniment plus proche que celles de Pat Devlin ou d'Earlyne Chaney. En parcourant pour la cent cinquante millième fois les « Dialogues avec l'Ange », je fus frappé par la différence entre les quatre femmes. Terry Taylor a une approche instinctive et originale des Anges, comme un enfant qui découvre les possibilités d'un Lego. Gitta Mallasz est hors concours, étant la dépositaire d'une expérience spirituelle prédestinée et qui a provoqué l'implosion de bon nombre de cervelles. Pat Devlin discute avec des Anges doloristes (sans doute les veut-elle comme cela) depuis 1988 à la suite de sa guérison « miraculeuse ». Quant à Earlyne Chaney dont je n'arrive jamais à prononcer le prénom, elle a fondé un mouvement spirituel, Astara, dont elle est, bien sûr le leader... Organisation qui possède sa propre église (messes tous les dimanches à Upland, une banlieue perdue de Los Angeles) qui enseigne la sagesse des Egyptiens, du Christ et d'autres « initiés ».

A nouveau les « Dialogues avec l'Ange » s'imposaient comme le labyrinthe de l'esprit ou le jogging de la cervelle. Plus on les lit, plus on s'y perd et moins on désire trouver la sortie. On veut rester avec les Anges. Mais, exactement ce que me disait Terry Taylor, ils vous chassent gentiment et vous emmènent chez Ö, le Créateur, LUI, le Père. Une certitude me sauta alors aux yeux : ces Anges (de Budapest) étaient avant tout au service de Dieu, du Créateur, du Père Eternel, au choix. S'ils parlaient régulièrement du Christ, c'était en termes nouveaux, comme dégagés d'une certaine pesanteur doloriste puisqu'en finale, seul LUI avait vraiment de l'importance. Ils ne désiraient qu'une chose, que la créature se réconcilie avec son Créateur et pour cela elle devait s'avancer sur le pont invisible de la foi.

Or, qu'est-ce que la foi ? La certitude que Dieu et les Anges existent ou bien que notre âme est immortelle, ou les deux ? Comme nous l'avons vu, lors des expériences aux frontières de la mort, l'âme (ou l'esprit) sort du corps du patient et observe ce qui se passe sur les lieux avant de filer dans le tunnel. Et comme certaines personnes qui ont le don des langues, d'autres, fort rares il est vrai, ont reçu le don de sortir de leur corps sans aucune difficulté. Le phénomène n'est pas nouveau puisque déjà dans des temps plus anciens, il est signalé par

Pline, Socrate, Plotin et même Plutarque et Platon qui tous parlaient des « voyages de l'âme ». Plus près de nous, remarque Rosemary Guiley dans sa remarquable « Harpers Encylcopedia of Mystical & Paranormal », Marcel Forhan (1884-1917) expliqua ses voyages hors du corps dans son livre « Pratique du voyage astral » et comment il prenait l'habitude de visiter (incognito, bien sûr) la chambre d'une jeune femme (le coquin !), qui allait devenir plus tard son épouse. Il était persuadé que, comme lui, tout le monde pouvait sortir du corps à volonté et qu'il suffisait d'apprendre à se concentrer. De l'autre côté de la Manche, l'Anglais Whiteman disait qu'il avait effectué plus de deux mille sorties hors du corps, expériences détaillées en 1961 dans son livre « Mystical Life ». Aux Etats-Unis, Sylvan Muldoon publiait en 1929 « The Projection of the Astral Body » ouvrage qui compilait ses sorties, faculté survenue spontanément à l'âge de douze ans. Bref, les précurseurs ne manquent pas. En 1958, l'Américain Robert Monroe s'est un jour retrouvé lui aussi hors de son corps et a voyagé de façon très réelle. Au retour, il s'est sincèrement demandé s'il n'était pas devenu fou. Ingénieur en acoustique, businessman, propriétaire d'une chaîne de radios, il ne comprenait pas ce qui lui arrivait et alla immédiatement consulter son médecin, persuadé d'avoir une tumeur au cerveau. Comme le phénomène persista pendant des années, le laissant au petit matin les yeux cernés par le manque de sommeil, il décida en 1961 de liquider ses affaires et de se consacrer exclusivement à l'étude de ses sorties hors du corps, au point de quitter New York et de s'installer au milieu de la campagne de la Virginie, à une demi-heure de voiture de Charlotsville[1] et d'y fonder un centre de recherches.

Après plus de dix ans de « sorties », Monroe publia en 1971 « Journeys out of body », livre qui retraçait ses aventures nocturnes. L'ouvrage, traduit en plusieurs langues, allait l'imposer comme le spécialiste incontesté du genre. Il expliquait ses voyages, assez

---

1. Ce qui n'a pas manqué de me troubler fut de découvrir que « tout » a commencé dans cette vallée de Shenandoah de la Virgine, berceau de Elisabeth Kübler-Ross, du Dr Stevenson, de Raymond Moody, de George Ritchie, de Robert Monroe et de Phyllis Atwater.

fantastiques, comment il avait expérimenté d'autres niveaux de réalité, rencontré parfois des êtres bizarres, se bagarrant avec d'autres, etc. Mais il finit par se lasser de ses excursions au-dessus des toits et n'en attendait plus rien d'extraordinaire. Pourtant, un jour il décida d'essayer à nouveau en utilisant une technique de relaxation et en priant (« je demande l'assistance de tous ceux qui sont plus évolués que moi »). Lorsqu'il quitta son corps, Monroe expérimenta ce que bon nombre de gens ont découvert lors d'une NDE, l'impression de voyager à la vitesse de la lumière, une sensation qui dépassait tout ce qu'il avait connu auparavant. Ses recherches allaient connaître un nouveau tournant. A partir de là, il dialogua avec d'autres « êtres », visita d'autres dimensions et obtint des informations sur d'autres plans d'existence. Mais un ingénieur reste un ingénieur : acousticien, Monroe se pencha sur la condition qui lui permettait de sortir de son corps (un son très bas) et voulut l'automatiser, sachant que le cerveau n'était rien de plus qu'un amas de fréquences électriques. Il étudia le sujet mais ne découvrit rien de plus de ce qu'il ne savait déjà, c'est-à-dire le classique nivellement des quatre stades électriques du cerveau, suivant son état de fonction :

Ondes bêta (entre 16 et 12 hertz) en situation réveillée ;
Ondes alpha (entre 12 et 7 hertz) en relaxation ;
Ondes thêta (entre 7 et 4 hertz) juste avant le sommeil ;
Ondes delta (en dessous de 3,5 hertz) sommeil.

L'ensemble de ses expériences lui prouvait que sa conscience restait parfaitement éveillée alors que son corps dormait profondément. Il ne lui restait plus qu'à trouver comment réussir à endormir le corps en laissant la conscience éveillée, sachant que l'oreille humaine n'interprète pas les ondes inférieures à 30 hertz, que les spécialistes de haute-fidélité appellent l'extrême-basse. En 1975, Robert Monroe allait pourtant trouver la solution à ce problème grâce à la stéréo : en envoyant un son de 200 hertz à l'oreille gauche et un autre de 208 hertz à l'oreille droite, il découvrit que le cerveau effectuait une soustraction. Les hémisphères gauche et droit annulaient les deux fréquences pour ne garder que la différence, soit 8 hertz. Après diverses expériences, Monœ valida le concept : le cerveau se mettait bien au diapason (à 8 hertz par exemple) et s'autoprogrammait aussitôt en relaxation. Si l'oreille n'interprétait pas le son, en revanche elle l'entendait parfaitement. Il fabriqua ses premières cassettes et les testa sur ses étudiants.

Concrètement, on entend d'abord une note uniforme dans l'oreille gauche, rejointe ensuite par une autre note uniforme dans l'oreille droite. Lorsque le cerveau se calque sur le différentiel, on a alors l'impression d'entendre des vagues de sons. En les combinant, le cerveau entreprend alors son travail classique, c'est-à-dire qu'il endort le corps, comme si tout se passait normalement ; en revanche, l'esprit demeure parfaitement éveillé, ce qui se traduit vraiment par un corps engourdi[1]. A partir de là, les aventures ou plus précisément les ouvertures vers d'autres niveaux pouvaient vraiment commencer. Invité comme conférencier en 1977 à l'Institut Esalin de Big Sur (Californie), Monroe décida d'expérimenter son invention brevetée, baptisée Hemi-Sync, sur une quarantaine de personnes. Le succès dépassa toutes ses espérances et de fil en aiguille, l'appareil finit par être utilisé un peu partout. Même l'armée américaine a découvert[2] qu'en soumettant les recrues à quelques séances avec son appareil, leurs performances à l'entraînement enregistraient des progrès stupéfiants.

Mais le travail le plus important de Robert Monroe résida dans son acharnement à essayer d'apprendre le voyage hors du corps à tous ceux qui voulaient bien lui faire confiance. Depuis 1981, plus de 8.000 personnes se sont ainsi succédées sur les matelas d'eau à très haute teneur de sel des cabines insonorisés. A condition de s'enfermer dans l'une des cabines de Robert Monroe et d'être guidé par l'opérateur au fur et à mesure que le cerveau reçoit les ondes alpha, bêta, delta et thêta, il n'y a rien de plus facile que de rencontrer son Ange gardien (ou guide, ou Etre d'une autre dimension, etc.) après quelques séances d'entraînement. Le sujet est bardé d'électrodes sur les doigts, sur le corps et bien entendu sur la tête, tous reliés à une tour de contrôle informatique permettant de surveiller le « voyage » hors du

---

1. Au bout de vingt minutes de sons, j'avais essayé de remuer mes doigts sans succès ; ils me semblaient totalement engourdis.
2. Fort Benjamin Harisson, Indiana.

corps et de le ramener immédiatement en cas d'émotion trop violente. Un journaliste de « Newsweek », sortant de la cabine, a passé deux heures en larmes, après une rencontre avec le... Christ.

Malgré ses 77 ans, Robert Monroe continue à aider les étudiants et à les « piloter » lors de leur sortie de corps. Nous avons repris quelques commentaires d'étudiants. Il s'agit des résumés de « pensées » envoyées par l'entité à l'étudiant qui décrit ce qu'il voit dans son micro. Comme nous l'avons vu dans les expériences aux frontières de la mort, dans ces zones, la pensée n'est plus véhiculée par la parole : elle devient dynamique et les conversations sont mentales. Fait curieux : lorsque ces Etres utilisent les cordes vocales de l'explorateur pour s'exprimer, son corps et surtout son cerveau connaissent des variations de voltage. Dave Wallis, le responsable de la recherche et développement de l'Institut a branché l'électro-encéphalogramme NRS-24 sur plusieurs sujets afin d'observer les réactions des deux hémisphères. Il a constaté qu'au début, les hémisphères réagissaient aux sons envoyés par l'Hemi-Sync et se synchronisaient, ce qui en temps normal est impossible. Plus intéressant, lorsque l'être spirituel (que Dave Wallis nomme I.H.S. — Inner Self Helper-) s'exprimait avec les cordes vocales de son « protégé », l'activité des hémisphères, pourtant parfaitement synchronisée, se modifiait automatiquement et indiquait une animation tout à fait singulière. Tous les neurologues qui examinèrent ces graphiques eurent la même réaction : le sujet ne peut en aucun cas provoquer lui-même un tel état cérébral, même dans la plus profonde des méditations. Et lorsque la « conversation » prenait fin, les hémisphères reprenaient progressivement leurs états désynchronisés précédents. Voici deux exemples de commentaires « en direct ». Le premier est celui d'une assistante sociale qui a rencontré lors de sa sortie hors du corps un « bonhomme vert » :

« Je bavarde avec mon bonhomme vert et je m'exerce à monter et descendre là où ils sont... et j'ai compris pourquoi il avait cette robe verte. Il a dit qu'il n'en avait pas besoin, mais qu'il la fallait, pour moi, afin que je sois plus à l'aise avec lui. Il a dit aussi que j'avais encore un peu peur, alors il veut que je me sente plus à l'aise d'aller et venir hors de mon corps... Je veux m'asseoir et parler encore un peu avec lui... Il s'est assis,

en quelque sorte, et a parlé de moi et de l'endroit où je me trouve. Et il a dit qu'il était en quelque sorte mon gardien et qu'il est quelque chose comme responsable de mon développement et mon gardien dans le cadre de cette responsabilité. (...) Je me sens comme chez moi. C'est un sentiment que je connais. » [1]

Le second extrait est celui d'un ingénieur qui, une fois hors du corps, a vu une source lumineuse vivante et a dialogué avec elle :

« J'ai rencontré la source et je l'ai interrogée sur ses directives et perspectives. Je lui ai demandé s'il était un familier de la terre et il m'a répondu « oui, c'est mon territoire ». J'ai eu l'idée que la terre était en quelque sorte le domaine qui lui était assigné. J'ai également pensé que lui et d'autres entités sont mis à notre disposition pour nous aider à maximiser ou à vivre notre existence sur terre. Je ne veux pas dire par là « vivre » dans le sens « venir à bout », mais ils sont là pour nous aider à en tirer le maximum. » [2]

Dans le premier cas, l'entité confirme qu'elle est « *en quelque sorte son gardien et qu'elle est quelque chose comme responsable de son développement et son gardien dans le cadre de cette responsabilité* ». Dans le second cas, l'entité explique (par la pensée) qu'elle est mise à la disposition des humains pour les aider à maximiser ou à vivre leur existence sur terre. Monroe a constaté avec une certaine surprise que les sujets permettaient à ces entités « amies » de prendre possession de leur corps et d'utiliser leurs cordes vocales et que parfois, le moniteur, installé dans la salle de contrôle, pouvait prendre part aux conversations. En analysant les enregistrements de ses « explorateurs », il a pu établir les quatre phases d'une rencontre hors du corps avec une entité spirituelle :

-1) Ces Etres dégagent un amour qui rassure immédiatement les sujets.

-2) Ils se présentent en général avec le visage dissimulé dans l'ombre. Lorsque le sujet s'est « habitué », il ne voit plus qu'une lumière.

1. Page 63, in « Fantastiques... » Op C.
2. Page 64, op. C.

-3) Lorsque cet Etre parle, il est limité au vocabulaire mémorisé par le sujet.

-4) Quand un Etre utilise les cordes vocales du sujet, le corps de ce dernier connaît des variations de voltage.

L'une des conversations enregistrées par l'Institut avec l'un de ces Etres de lumière illustre parfaitement la condition *sine qua non* de l'interaction entre un Ange et son protégé :

« *(...) Peut-être comprendrez-vous tout cela si vous vous représentez sept cercles, ce qui vous donnera 49 niveaux. Aux trois premiers niveaux, vous trouverez la matière physique telle que vous la connaissez. Ce sont vos plantes, vos animaux, vos êtres humains. Le quatrième cercle est votre passerelle, votre domaine, votre centre. C'est là qu'une conscience peut choisir de revenir aux niveaux inférieurs ou de monter aux niveaux supérieurs. De nombreuses consciences choisissent de revenir à la forme physique, aux niveaux inférieurs. Les trois cercles supérieurs représentent ce que votre conscience qualifie de spirituel. A ce stade, une bonne partie du travail est achevée. Je ne pourrais guère aider quelqu'un qui ne se trouverait pas au niveau 18, parce que mon plan, mon niveau vibratoire, est différent. C'est pourquoi je ne puis vous aider à résoudre vos problèmes particuliers. Je peux vous communiquer des idées, mais non l'orientation directe comme je le ferais si vous vous trouviez au niveau 18. Nos niveaux se touchent.* »[1]

On l'a compris, une bonne communication avec un Ange/Entité dépend intimement du niveau spirituel que l'on a atteint. Quant à Monroe lui-même, il lui a fallu environ dix ans de voyages réguliers hors du corps pour se rendre compte qu'il était aidé dans ses « explorations ». Mais sa rencontre hors du corps avec des Etres Supérieurs, qu'il a appelés INSPECS, correspond parfaitement aux descriptions données par Gitta Mallasz dans ses « Dialogues ». Pour Robert Monroe, le premier rendez-vous allait donner suite à bien d'autres :

« *...commencé à avoir chaud, de plus en plus chaud, c'est devenu insupportable et j'étais sur le point de rebrousser chemin... foncé la tête la première dans quelque chose et me suis effondré, ébranlé... il y avait un*

1. Page 74,75 ; op. c.

obstacle d'une texture lisse, rigide, impénétrable... une lumière éclatante,
très intense, brillait devant moi, d'abord ovale, puis dessinant une grande
forme humanoïde, si brillante que je me dérobai. Durant ce qui semblait
une éternité, j'ai reculé, essayant d'échapper à la clarté... progressivement,
la température a diminué. Je me suis senti plus à l'aise et j'ai pu tolérer la
clarté.

(Est-ce que cela va mieux?)

»Mieux », c'était peu dire. Encore un peu et je me serais liquéfié. (...)
Ma peur se dissipait rapidement et faisait place à une agréable sensation de
chaleur, rappelant celles des vieilles amitiés profondes, mais empreinte
d'un respect intense, pas ce que l'on attend des Anges tels qu'on les
imagine, si c'est cela qu'ILS étaient.

(On peut rapidement se faire pousser des ailes, si vous voulez.)

Non, non, je vous en prie, pas d'ailes. Pas d'auréole non plus, bien que
j'en aie eu la perception nette en regardant mon ami INSPEC!.. »

Ce qui ressort de cette description tout à fait extraordinaire est cette
sensation de brûlure au contact de cet Etre de Lumière, brûlure qui
nous rappelle une expérience quelque peu semblable dans les
« Dialogues avec l'Ange » avec Gitta Mallasz :

»En cet instant, l'apparence de Hanna s'efface. Elle devient un
instrument conscient de le servir entièrement. Ses gestes sont maintenant
simples, pleins de signification et de dignité. Son bras ne paraît plus le
même : il rayonne de force concentrée et me rappelle les sculptures de
Michel-Ange. Puis d'un geste abrupt comme l'éclair :
— BRULE!

... suis saisie, secouée, émerveillée. Mais toutes ces sensations disparais-
sent quand je vois Hanna. Après le mot « Brûle! », elle est complètement
épuisée; elle grelotte, saisie par un froid glacial... »

S'agit-il d'un Séraphin? Faut-il le rappeler, le nom Séraphin veut
dire littéralement « brûlant ». Le plus distingué de tous les angéologues et père de la spécialité, Denys l'Aéropagite[1] donne des détails
sur le brasier que représente un Séraphin[2] :

1. Qui inspira un autre remarquable angéologue moderne, Gustav Davidson,
auteur du « Dictionnaire des Anges » (The Free Press, New York) un ouvrage
d'environ 400 pages dans lequel il a recensé tous les noms d'Anges, y compris ceux
des Anges déchus, mentionnés dans toutes les religions.
2. Denys l'Aéropagite in « Théologie mystique et hiérarchies célestes ».

« La sainte appellation de séraphins signifie pour qui sait l'hébreu ceux qui brûlent, c'est-à-dire ceux qui s'échauffent... Le mouvement perpétuel tout autour des secrets divins, la chaleur, la profondeur, l'ardeur bouillonnante d'une constante révolution qui ne connaît ni relâche ni déclinaison, le pouvoir d'élever efficacement à leur ressemblance leurs inférieurs en les animant de la même ardeur, de la même flamme et de la même chaleur, le pouvoir de purifier par la foudre et par le feu, l'évidente et indestructible aptitude à conserver identiques et leur propre lumière et leur propre pouvoir d'illumination, la faculté de rejeter et d'abolir toute ténèbre obscurcissante, telles sont les propriétés des séraphins telles qu'elles ressortent de leur nom même. »

Peu importe de savoir si Robert Monroe avait eu affaire à des Séraphins, Puissances, Archanges ou autre chose. Ce qui importe, c'est la similitude des expériences dans le temps : cette même sensation de chaleur, de brûlure au contact d'une entité spirituelle. On peut imaginer que si les Séraphins sont brûlants, les autres Anges le sont aussi, à des degrés différents. Au cours d'une autre sortie, l'Américain recevra une vision, qu'il appelle une « boule de pensée », décrivant en quelque sorte le rôle de ces êtres de lumière, sorte d'ingénieurs célestes qui lui ont d'ailleurs confirmé qu'en aucun cas on ne pouvait les confondre (comme certains l'affirment) avec des extra-terrestres : « *Ce sont des manifestations d'un autre type.* »

Avec de telles expériences, je me devais de rencontrer Robert Monroe et de lui demander ce qu'il pensait réellement de l'Ange gardien. Je suis donc allé le voir en Virginie et j'ai été charmé par cet homme de 77 ans. Nul trace de mégalomanie ou de suffisance chez lui, contrairement à tant d'autres vedettes de l'irrationnel qui clament à tous vents être les seuls à détenir la vérité absolue sur Dieu, les Anges, le Christ, etc. Je voulais savoir qui sont ces Etres brûlants, ou INSPECS comme il les avait appelés, auxquels il s'était heurté ? Monroe alluma une cigarette, me fixa de ses yeux bleus, et m'expliqua que sa première rencontre avec ces « entités » avait eu lieu en 1981 ou 1982 : « *Je ne me suis jamais demandé si c'était des Anges au sens religieux du terme parce qu'en tant qu'ingénieur, j'avais toujours essayé de me débarrasser de toute croyance qui pourrait influer sur mes expériences* » me dit-il. « *Je voulais aller au-delà de ces illusions parce* que si vous êtes catholique, il s'agit d'un Ange gardien mais si vous êtes bouddhiste, c'est autre chose. Je sais maintenant ce qu'étaient mes « INSPECS » et si vous voulez que ce soit des Anges, soit. Mais de mon point de vue, les Anges n'ont pas d'ailes. Oui, ce sont bien des figures de gloire ; oui, ils possèdent des connaissances et des pouvoirs dépassant les nôtres. Ces Anges sont bien réels avec cependant une différence fondamentale : je sais ce qu'ils sont, qui ils sont et ce qu'ils font. Toujours selon ma perspective, je sais aussi ce qu'est un Ange gardien et ce n'est pas un messager de Dieu. Ce n'est vraiment pas cela. Voyez-vous, chacun de nous dispose d'environ 2 000 vies antérieures qui reposent en nous. L'expérience acquise dans chacune de ces vies constitue un Etre à part, différent. Pour moi, votre Ange gardien, c'est vous-même, cette partie de vous-même qui possède la mémoire et l'expérience de vos vie antérieures. Ce groupe de vies antérieures dispose d'une puissance et d'une connaissance considérables grâce aux expériences regroupées. Il est alors capable de faire des véritables miracles dans la vie physique. Il dit par exemple : « Pierre a besoin d'un miracle, donnons-le lui... » Mais ce n'est pas par votre prière que vous l'aurez, mais bien par la puissance de votre émotion et de votre besoin. C'est vous qui vous aidez. Personne d'autre. Les gens qui font des expériences aux frontières de la mort et qui rencontrent une lumière au bout du tunnel ne rencontrent[1] qu'eux-mêmes... Mais il est agréable de savoir qu'il suffit simplement de s'allonger et respirer profondément pour rencontrer tous ces Anges, Entités ou ce que vous voulez. En revanche, si j'avais eu un fort système de croyance religieuse, un Ange — avec des ailes — serait venu me voir pour me dire « Robert, il est temps de faire ceci ». Et alors, dans cette religion, je me serais jeté à terre et aurais dit « oui, oui, tout ce que vous voulez... ». J'ai passé outre ces trucs, parce que je n'y croyais pas et c'est pour cela que je suis arrivé en disant « hello, moi c'est Bob, et vous ? », sans aucune crainte. Et ce que vous appelez Ange, m'a dit : « Hello, heureux de trouver enfin un éveillé... »

---

1. Cette déclaration me semble trop péremptoire et ne trouve aucune confirmation lorsqu'on étudie les NDE. En effet, nous avons vu dans le chapitre 2 que l'Etre accompagne le sujet vers la Lumière et qu'il est indépendant et autonome.

En l'écoutant, j'en avais conclu que j'étais encore un endormi et voulus savoir ce qu'était un « éveillé » de son point de vue. « *Etre éveillé* » me répondit Monroe, « *c'est ne pas avoir peur, ne pas craindre. Les gens sur cette Terre ont peur de la mort parce qu'ils ne sont pas certains de ce qui les attend après. Mais il faut comprendre que l'on ne meurt pas, on change simplement de réalité.* » Selon Robert Monroe, l'Ange gardien n'est rien de plus que le véritable moi qui vit hors du temps. Cette explication m'avait étonné. De plus, il sous-entendait que Dieu n'existait pas. Or il donnait une description du Créateur dans son second livre « Far Journeys ». Je lui demandai alors s'il acceptait quand même le principe d'un Créateur unique de l'Univers. Robert Monroe reconnut qu'initialement, il ne croyait guère à Dieu, ni à un Créateur : « *Le besoin de croire à un Créateur m'était inconnu avant mes expériences avec les INSPECS. Un jour pourtant, j'en suis arrivé très près (du Créateur) mais « on » ne m'avait pas autorisé à aller plus loin. Je ne vous cache pas que j'aimerais rencontrer ce fabuleux et magnifique esprit qui a créé tout cela. Lorsque de très loin je me suis approché du Créateur, de cette immense et extraordinaire forme lumineuse, je me trouvais dans ce que l'on appelle une « station relais », c'est-à-dire une place qui transformait Son énergie pour la transférer sur Terre et je n'ai pas pu aller plus loin.* »

Donc, finalement même Monroe fut obligé de se rendre à l'évidence, Dieu existait ! Bravo, Monsieur Monroe, vous avez gagné un voyage hors du corps aux Seychelles pour deux, tous frais payés. Même si certaines déclarations de Monroe m'agacent prodigieusement, on arrive invariablement à la même conclusion : spécialistes du new age, du « hors du corps », catholiques, juifs, hindous, etc. s'ils divergent sur de nombreux points, il y a au moins une chose sur laquelle ils sont d'accord, c'est celle de l'Ange gardien. Certes, le nom varie, mais la fonction demeure. Et comme nous allons le découvrir, s'il est incontestable que nous possédons un niveau de conscience supérieur qui enregistre tous les détails de notre vie, l'Ange gardien est unique et totalement dissocié de cette partie de notre conscience. Il est VIVANT et INDEPENDANT. Les NDE nous ont prouvé que l'Ange qui « veille » ne se révèle, dans 99 % des cas, qu'au moment de la mort ou dans une circonstance particulièrement dramatique.

Chapitre 5

Elisabeth Kübler-Ross

You walk like the angels talk
Where are you from
Tell me then some
With a room by the sea
And a voice in the sand
Telling me your truth
And telling me your view
In how you see the world
Spinning, spinning round
And what is love and what is death.

Toni Childs –
Walk and Talk like Angels –
in « Union », A&M records

Elisabeth Kübler-Ross, EKR, est ce que l'on appelle une légende vivante. On parle du Dr Kübler-Ross dans le domaine de la thanatologie comme on parle de la Callas dans le domaine de l'opéra. C'est une autorité absolue et incontestée de la spécialité. Personne au monde, sauf peut-être la mère Teresa, n'a accompagné autant de malades jusqu'à leur dernier soupir. Mais personne, pas même la mère Teresa, n'a fait autant pour ceux qui ont perdu un être cher que Elisabeth Kübler-Ross puisque c'est elle qui a « *inventé* » l'accompagnement des mourants. Ses ouvrages, nombreux, ont été traduits dans le monde entier et encore aujourd'hui, elle n'hésite pas à prendre l'avion pour se rendre à Tokyo, au Canada ou à Paris, pour expliquer inlassablement comment on doit se comporter avec un mourant et ce que nous pouvons faire pour l'aider à mieux « vivre sa mort ». Docteur, professeur de faculté, docteur *honoris causa* de dix-huit universités, Elisabeth Kübler-Ross était LA personne que je devais obligatoirement rencontrer sur un sujet aussi « vertical » que les Anges. Il m'avait fallu six mois de patience pour obtenir un rendez-vous et dans l'avion qui m'emmenait vers Washington, je brûlais presque d'impatience de la voir. Tout au long de mes interviews, on me disait invariablement « *vous savez, vous devriez rencontrer le Dr Kübler-Ross* ». A la fin, c'en était devenu une idée fixe. Quand trente personnes, et pas n'importe lesquelles, vous renvoient toutes vers un seul contact, vous vous dites que peut-être tout votre livre va tomber à l'eau ou bien recevoir une splendide confirmation. Lorsqu'elle avait commencé à parler des expériences aux frontières de la mort de ses patients, la communauté médicale s'était dit qu'EKR passait plus de temps avec les mourants qu'avec les vivants et qu'elle prenait leurs hallucinations pour argent comptant. Mais elle ne tint pas compte de ces critiques parce que ces phénomènes étaient devenus trop répéti- tifs. « *A mon avis* » expliqua-t-elle lors d'une interview à « Playboy », « *est scientifiquement honnête celui qui note ses découvertes et explique comment il est arrivé à sa conclusion. On devrait se méfier de moi et même m'accuser de prostitution si je ne publiais que ce qui plaît à l'opinion générale. Il n'est pas dans mes intentions de convaincre, voire de convertir qui que ce soit. Je considère que mon travail consiste en la transmission de la recherche. Ceux qui y sont prêts me croiront et ceux qui ne le sont pas argumenteront avec ratiocinations et pédanterie.* »

Même Raymond Moody, lorsqu'il termina son premier livre « Life After Life » lui demanda de l'adouber avec une préface. Le médecin suisse accepta et lui confirma qu'elle aussi avait noté les mêmes manifestations auprès de ses patients : « *Ayant eu personnellement l'occasion au cours des vingt dernières années, d'assister des malades parvenus au terme de leurs souffrances* », écrivait-elle dans sa préface, « *je me suis intéressée de plus en plus à l'étude approfondie du phénomène de la mort. Nous avons de la sorte beaucoup appris sur le processus de ce passage, mais il nous reste encore bien des questions à élucider sur ce qui se produit au moment même du décès et sur ce que nos malades éprouvent lorsqu'ils sont médicalement tenus pour morts*

(...) *Tous ces malades avaient eu l'impression de flotter hors de leur corps, impression accompagnée d'une sensation de paix et de plénitude. La plupart avaient eu conscience de la présence d'une autre personne venue apporter son aide au cours de cette transition vers un autre plan d'existence.* »[1] Il était donc clair que je ne pouvais pas terminer mon enquête dans le domaine des NDE sans le Dr Kübler-Ross.

Il m'avait fallu trois heures de route à partir de Charlotsville pour arriver au centre EKR, niché dans le Georges Washington National Forest. Le ciel était ensoleillé et j'avais le sentiment d'évoluer dans un film : la bannière suisse flottait sur le chalet en bois, comme pour rappeler la nationalité d'origine de cette femme hors du commun et un petit ruisseau serpentait le long du centre, donnant à l'ensemble un côté bucolique incontestablement « Made in Switzerland ». Et c'est une femme menue aux cheveux gris, avec un accent suisse-allemand à couper au couteau qui vint m'accueillir. Pas eu besoin de me dire qu'il s'agissait de la légende. C'était « Dr EKR » et maintenant qu'elle était devant moi, je ne savais plus quoi lui dire, comme un journaliste débutant qui se retrouve face à face avec sa première grande vedette.

— *Allons chez moi, nous serons plus tranquilles pour l'interview*, me dit-elle.

Arrivés devant sa maison, je crus avoir une hallucination : un saint-bernard, un vrai, à qui il ne manquait que le tonneau de rhum et la civière, vint se frotter affectueusement contre ma taille. Pas de doute, je me trouvais bien en Suisse. Il ne manquait que les chocolats et le coucou pour achever l'illusion. Elisabeth Kübler-Ross se précipita vers la cuisine où elle se lança dans la préparation d'un thé pendant que j'essayais de brancher mon magnétophone.

— *Pourquoi vous intéressez vous tant aux Anges ?* me demanda-t-elle

— *Je ne sais pas trop, mais c'est devenu une passion.*

— *Ne cherchez pas à prouver. Votre tâche ne consiste pas à prouver. Les gens qui ont leur quadrant spirituel ouvert trouveront leurs propres vérifications. Ceux qui n'ont rien d'ouvert diront que vous êtes fou, que vous n'êtes pas scientifique, ou que vous êtes un mystique. On se*

1. Préface de « La Vie après la vie » de Raymond Moody, op.c.

moquera de vous. Vous ne convaincrez personne, strictement personne. Essayer de convaincre, c'est ce que font les religieux qui disent « vous irez en enfer tant que vous ne prendrez pas Jésus comme sauveur ». Si seulement ils enseignaient l'amour, la compréhension et la compassion... Ils devraient enseigner que la vie ne finit jamais, jamais, au lieu de culpabiliser les gens. Ils devraient enseigner qu'à notre mort, il nous sera rendu compte de chacune de nos pensées, de chacune de nos paroles et de chacun de nos gestes, car tout a une conséquence. Lorsque vous serez dans la Lumière, vous devrez rendre compte de tout, y compris de tous vos choix. Chaque personne est entièrement responsable. Tout ce que l'Eglise devrait enseigner est que vous êtes responsable de tout, absolument tout. Mais les prêcheurs ne parlent que de l'enfer et ils terrorisent les gens au lieu de les aider.

Cela commençait très fort et cela me rappelait le commentaire du Dr Moody à qui un prêcheur était justement venu raconter sa NDE au cours de laquelle il avait vu comment il avait empoisonné l'existence de ses fidèles en ne leur parlant que de l'enfer. Je me voyais bien expliquer à la « Lumière » pourquoi j'avais décidé d'écrire ce livre, pour me prouver que les Anges existaient bien et, je ne sais pourquoi, imaginai un groupe d'Anges éclatant de rire...

Elisabeth sortit deux gâteaux qu'elle me mit sous le nez.

— *Mangez.*

Je me disais qu'il me serait difficile de manger et de l'interroger en même temps. Par ailleurs, mes questions existentialistes ne cadraient pas avec un gâteau au chocolat. C'était comme si l'on parlait de la famine à table. Mais elle insistait comme une mama italienne. Au moment où je m'apprêtais à lui poser ma première question, la théière émit un sifflement strident qui rappelait les sirènes prévenant une attaque aérienne.

— *Après tant d'années d'exercice dans l'accompagnement des mourants et de recherche, vous croyez donc à la vie après la mort...* m'aventurais-je en avalant timidement un bout de gâteau. Elle émit une sorte de grognement comme si je lui avais demandé si la terre était ronde.

— *Je ne crois pas ; je sais. Je sais que la vie ne s'arrête pas à la mort. C'est tout. Ce n'est pas « croire en quelque chose », c'est « savoir ».*

— *Comment le savez-vous ?* Le chocolat collait à mes doigts.

— Parce que je l'ai expérimenté. Il n'y a pas l'ombre d'un doute. Mais vous ne pouvez pas expliquer aux gens ce qu'il y a après et ce n'est même pas la peine d'essayer de les convaincre. Je sais, c'est tout. Regardez ce pédiatre (Melvin Morse) qui a écrit ce livre sur les NDE infantiles. Lui aussi était sceptique au départ. Lui aussi n'y croyait pas au début. Excusez-moi, je vais aller chercher une aiguille. Je veux tricoter. Mangez. Je ne peux pas rester assise sans rien faire.

Je me dépêchai de finir mon gâteau.

— Combien de malades en phase terminale avez-vous accompagnés au cours de votre carrière ?

— Je ne sais pas. Beaucoup. Peut-être 20 000 personnes. Je voyage dans le monde entier. Mais je ne tiens pas de comptes. Je vais voir les patients et je les aide à passer de l'autre côté partout dans le monde.

EKR tricotait tranquillement devant moi, comme une grand-mère. Cet entretien était franchement étonnant.

— Quelle est votre religion ?

— Je n'en ai pas. Sur le papier je suis protestante. Dans mon cœur je crois comme les catholiques et j'ai été mariée à un juif pendant 22 ans. Très œcuménique. Cela n'a aucune importance, puisque nous sommes tous les enfants d'un seul Dieu et nous Le retrouverons éventuellement un jour. Au début, j'étais protestante. Mais lorsque les patients ont commencé à me parler de leurs expériences, alors tout a changé.

Je me demandai pour qui elle tricotait.

— Quelle est la NDE qui vous a le plus marquée ?

— Celle d'un petit garçon qui avait pris froid. Le médecin lui avait fait une piqûre mais il avait très mal réagi et il fut déclaré mort. Le docteur n'a pas compris. La mère est devenu folle et il fallu à peu près une heure et demie pour retrouver le père sur un chantier. Et quelques minutes juste avant son arrivée à la clinique, le gamin a soudain ouvert ses yeux et a dit à sa mère : « Maman, j'étais mort. » Profondément choquée, elle ne voulut rien entendre, et chaque fois que l'enfant voulait lui raconter son histoire, elle lui disait de se taire. Mais il finit par lui raconter son expérience : « Maman, il faut que je te dise, tu sais, parce que Marie et Jésus sont venus me chercher et ils m'ont dit que ce n'était pas mon heure. Mais je ne voulais pas partir et Marie m'a pris par le poignet et m'a renvoyé en bas en me disant " tu dois sauver ta maman du feu ". » La mère en fit une dépression parce qu'elle crut qu'elle irait

brûler en enfer et que c'est son fils qui la sauverait, tout ça parce que l'Eglise enseigne la peur et la culpabilité. Alors je lui ai demandé « mais qu'auriez-vous ressenti si Marie ne vous avait pas renvoyé votre fils ? » et elle dit sans même réfléchir « Mon Dieu, ma vie aurait été un enfer ». Elle avait compris à ce moment-là. Dans les années soixante, personne ne parlait de NDE.

— Et les Anges dans ces expériences, qu'en pensez-vous ?

— Normal puisque tout être humain possède un Ange gardien. Il faut savoir cependant qu'ils n'ont pas toujours des ailes. L'Ange, c'est le compagnon. En Californie on les appelle guides, je les appelle mes « spooks », les enfants les appellent leurs compagnons de jeu, les catholiques les appellent Anges gardiens, ils ont des noms différents dans le monde entier mais tout le monde en possède un, bien que tout le monde ne discute pas avec son Ange gardien.

— Vous êtes en contact avec vos Anges ?

— Oui, ils m'aident, ils me guident, ils m'instruisent, ils me guérissent lorsque j'ai des problèmes de santé... Vous ne pourriez pas survivre dans ce monde sans votre Ange gardien. Certaines personnes savent qu'elles en possèdent un, d'autres non. Si vous écoutez les petits enfants parler avec eux lorsqu'ils vont au lit... Ils ont les plus grandes conversations. Et puis les parents disent « cesse de parler tout seul », « ne crois plus à ces histoires », « tu es grand maintenant », etc. Très très peu de personnes ont gardé leur contact avec leur Ange gardien.

— Quand avez-vous commencé à parler avec vos Anges ?

— Je ne sais plus. Il y a des années de cela, sept ans environ.

— Est-ce que vous notez ce qu'ils vous disent ?

— Non, c'est là dans mon cœur, ça suffit. Vous savez, j'en suis arrivée à leur parler personnellement, comme nous bavardons en ce moment. Je leur parle pendant des heures et des heures. C'est un cadeau très rare que de les voir car ils se matérialisent parfois. Lorsqu'ils se matérialisent, ils sont comme vous et moi, solides. Mais c'est très très rare.

— Que vous ont-ils appris ?

— Je parle avec eux depuis sept ans et je pourrais vous parler pendant sept ans sans pouvoir vous expliquer un millième de ce qu'ils m'ont appris.

— Existe-t-il une règle pour l'attribution des Anges ?

— *Cela dépend de votre travail et de votre mission dans la vie. Si votre travail est à haut risque, vous en avez plusieurs, mais si vous ne faites rien de spécial, vous en possédez au moins un depuis votre naissance. Les Anges se trouvent plus facilement dans la réalité des NDE que dans celle des voyages hors du corps.*

— *Alors que vous ont-ils enseigné à propos de la souffrance ?*

— *La souffrance, c'est comme le Grand Canyon. Si vous dites, « c'est tellement beau, il faut le protéger du vent et de la tempête », jamais il n'aurait pu être sculpté par le vent et jamais vous n'auriez pu apprécier sa beauté. C'est ma réponse à propos de la souffrance. Si vous ne souffrez pas, vous ne grandissez pas. Il faut passer par la douleur, la perte, les larmes et la colère. Chaque fois que vous passez par là, vous grandissez, vous progressez. Il n'y a rien de plus important dans la vie pour votre progression. Personne ne progresse si tout lui est apporté sur un plateau d'argent. Personne. Tout dépend de ce que vous avez à faire. De toute façon, on connaît notre Ange gardien avant de naître, simplement on oublie tout à la naissance. Votre tâche est de trouver la raison pour laquelle vous êtes venu sur Terre. L'un de mes guides m'a dit que s'il devait se réincarner, ce serait en enfant mourant de faim. Et je lui ai demandé pourquoi il voulait faire une chose aussi stupide. Il m'a répondu que c'était pour agrandir son sens de la compassion.*

L'explication d'EKR correspond assez bien avec ce que nous avons vu dans le chapitre « Des Anges dans les tunnels », à savoir le sentiment du sujet de connaître cet Etre depuis fort longtemps.

— *Croyez-vous au hasard, aux coïncidences ?*

— *Non. Non. Les coïncidences ne sont que notre manipulation divine. Je ne crois pas aux coïncidences. Tout, absolument tout possède un sens, une raison.*

Je voulais en savoir plus.

— *Où se trouve notre libre arbitre alors, si le hasard, les coïncidences n'existent pas ?*

— *Le libre arbitre est le plus beau présent que nous ayons reçu à notre naissance. Vous choisissez vous-même vos parents, vos enfants, votre femme avant de vous incarner et vous ne pouvez pas en vouloir à Dieu lorsqu'ils vous posent des problèmes parce que tous les problèmes qu'ils vous poseront ont une raison positive d'être. Il y a un défi dans la vie. Si les gens examinaient leur problèmes comme un challenge destiné à les faire grandir au lieu de leur faire peur, cela changerait bon nombre de choses. Nous sommes dans cette vie pour apprendre. Regardez par exemple cette maison que quelqu'un m'a trouvée, elle est magnifique n'est-ce-pas? On tire sur mes fenêtres, mes pneus sont crevés chaque fois que je vais à l'aéroport, je trouve des croix du Ku Klux Klan depuis que j'ai adopté 20 bébés atteints du sida... Avant eux, les voisins étaient charmants et tout allait bien. Lorsque ces enfants sont arrivés dans le centre, des gens ont essayé de mettre le feu. Ils m'avaient mis sur leur liste de chasse pour me faire passer dans un accident. A un moment, je ne pouvais même plus me déplacer sans une escorte policière. Je dois traverser cela pour grandir encore...*

On retombait dans le détachement des mystiques catholiques et hindous.

— *C'est une sorte de détermination alors?*

— *Tout dépend de vous. J'aurais pu devenir négative et aigrie, et dire « qu'ils aillent au diable tous ces gens avec leur sida » et m'installer sur la Riviera pour vivre dans le luxe en oubliant mes patients. Mais je vois cette situation comme un challenge. Si je peux survivre ici, je peux survivre ailleurs... Il y a toujours une raison positive à tout.*

— *Quelle est la raison d'être de cette existence?*

— *Souffrir, parce que cela aide à grandir, à progresser vers la Lumière, pour être comme le Christ. La seule chose qui compte dans la vie, c'est l'amour. La peur vous aide à survivre.*

EKR était aussi doloriste que le plus strict des jésuites ou des stigmatisés. Etonnant. Jamais je n'avais imaginé que la célèbre Kübler-Ross tiendrait un discours encore plus doloriste que n'importe quel mystique. Je voulus alors savoir si elle priait comme eux.

— *Est-ce que vous priez?*

— *Je prie quand je jardine, quand je nourris mes animaux, toujours, quand je cuisine, mais je ne médite jamais parce que j'ai toujours besoin de faire quelque chose. Je prie toujours. Toute votre vie doit être une prière, pas besoin de vous mettre à genoux dans une église, vous êtes bien plus près de Dieu dans votre jardin. Il faut demander à Dieu. On obtient toujours ce dont on a besoin, mais pas toujours ce que l'on veut.*

— *Est-ce que vous vous rendez compte que tout ce que vous dites est très proche de l'enseignement du Christ?*

— *Oui. Mais lorsque je vois les chrétiens aujourd'hui, je me dis qu'ils sont très loin de ce que le Christ a enseigné. C'est juste une affaire d'argent... Ecoutez les évangélistes à la télé : tout ce qu'ils savent dire, c'est « envoyez de l'argent, envoyez des chèques, envoyez des sous ». Ce que le Christ a laissé est merveilleux. Mais ce qu'ils en ont fait est autre chose...*

— *Pourtant vous dites que l'enfer n'existe pas..*

— *J'ai le sentiment qu'apparemment je dois expliquer aux gens que l'enfer n'existe pas en effet et c'est pour cela que j'ai commencé à travailler sur la mort.*

— *Et les gens qui ont eu de mauvaises NDE?*

— *Tous mes cas de mauvaises NDE étaient en général des hommes entre 40 et 50 ans, des fondamentalistes et parfois des sujets qui trompaient leur femme tout en se disant que ce qu'ils faisaient était mal, ou péché. Alors, un jour, sur le terrain de golf, ils sont victimes d'une crise cardiaque et ils voient le diable et que sais-je d'autre, et cela leur semble terriblement réel alors qu'ils devraient se concentrer sur la Lumière au bout du tunnel et y aller tout de suite pour rencontrer l'amour et la compassion.*

— *Mais les gens qui violent, qui tuent ou qui torturent?*

— *Une fois sortis de leurs corps, ils savent ce qui les attend, qu'ils doivent revivre, intégralement, avec toutes les conséquences sur les maris, les familles, etc. et surtout ce qu'ils ont fait subir à leurs victimes. Le moindre détail y passe. Cela peut durer des dizaines de milliers d'années parce que, de l'autre côté, le temps ne compte pas, c'est l'éternité. Personne ne peut revivre à leur place la négativité qu'ils ont créée, personne. J'ai souvent pensé à Hitler. Si vous pouvez pardonner à Hitler, alors vous serez pardonné. La seule possibilité pour Hitler, c'est ma fantaisie, c'est qu'il se réincarne et qu'il sauve autant de vies qu'il en a détruites. Des millions. Le seul moyen pour lui de se racheter en une seule vie est de développer par exemple un vaccin contre le sida. C'est la seule chose que je peux imaginer pour qu'il puisse effacer, ses — je n'aime pas ce mot —, ses péchés.*

EKR affirmait que l'enfer, genre catholique, n'existait pas. Mais ce qu'elle disait à propos de ce qui attendait les violents était de la même veine, voire pire. C'est peut-être cela l'enfer, une place où ces individus revivaient hors du temps, donc dans l'éternité, ce qu'ils avaient fait subir à leurs victimes. A nouveau, cela recoupait parfaitement les visions de Georges Ritchie, le « père » des NDE. La définition du mot « enfer » n'est simplement pas la même.

La « légende » tricotait sans relâche au point que j'avais le sentiment d'être là depuis toujours. Curieux à quel point une femme qui tricote possède un pouvoir calmant... J'essayais d'en savoir plus sur ses Anges mais EKR ne désirait visiblement pas trop dévoiler sa vie spirituelle, elle m'en avait déjà dit beaucoup, et dans un sens c'était parfaitement compréhensible. La vie spirituelle est un domaine encore plus tabou que la vie sexuelle. On ne raconte pas aux autres dans le détail comment on prie, qui on prie ou pour qui l'on prie, et ce que l'on demande à Dieu. Mon entretien avec EKR m'avait en partie laissé sur ma faim tout en me confirmant ce que j'avais découvert au cours de mes recherches, à savoir que la vie ne s'arrêtait pas à la mort et que nous possédions vraiment un Ange gardien. Mais l'entendre de la bouche de Kübler-Ross m'avait rassuré, conforté en quelque sorte. Comme elle l'a dit, « *nous pourrions difficilement survivre sans notre Ange gardien* ». Parfois pourtant, je me disais que je perdais mon temps avec ce livre et que tout au plus il intéresserait peut-être deux ou trois mille lecteurs. Cependant, en discutant avec certaines personnes, j'étais surpris par leur intérêt, d'abord voilé, comme si elles ne voulaient pas me dire d'emblée qu'elles aussi cela les préoccupait, avant de me demander ensuite d'en parler ouvertement. Mais j'étais bien plus sensible aux gens qui me prenaient pour un fou. Au cours d'un dîner, un architecte californien me demanda sur quoi j'écrivais et je lui répondis « *les gens qui meurent et qui voient des Anges* ». Comme on dit, un Ange dans un corbillard passa, et mon vis-à-vis se reversa un verre de vin, pensant clairement que j'étais débile. En le regardant partir totalement ivre au volant de sa voiture, je me dis que finalement je préférais m'intéresser aux Anges plutôt que de me soûler comme un idiot et conduire au risque de créer un accident. Mais la conversation avec EKR m'avait assombri. L'idée de vivre sur cette terre pour souffrir m'angoissait littéralement. N'est-il finalement pas plus simple de se soûler ? Cela ne pouvait pas être cela, ou du moins pas totalement cela. Et pourquoi ne pas vivre dans une certaine joie avec ce Créateur qui nous a tous créés et que nous retrouverons au bout de ce tunnel ? Mais comment reprocher ce dolorisme à EKR, elle qui avait vu tant d'enfants mourir ?

— *Un enfant qui meurt dans les bras de ses parents, c'est quoi alors ? lui demandai-je.*

— *C'est une leçon. Les enfants retournent d'où ils sont venus. J'ai remarqué qu'un enfant mourant reçoit une sorte de compensation pour la perte de son corps physique : son quadrant spirituel s'ouvre totalement. Il retrouve tout ce qu'il avait oublié comme par exemple son Ange gardien ou son compagnon de jeux. L'enfant sait à l'avance qu'il va mourir, même si vous ne lui avez rien dit. Il suffit d'observer ses dessins. Vous ne pouvez absolument pas mentir à un enfant, il sait. Les enfants qui meurent sont nos enseignants.*

— *Que pensez-vous de la phrase typiquement NDE « ce n'est pas ton heure, tu dois retourner dans ton corps ». Est-ce une détermination ?*

— *Non, puisque nous choisissons nos parents, nos maris et nos enfants qui nous seront nécessaires pour progresser avant de naître. Tous les gens importants de notre vie, nous les avons choisis avant en fonction de leurs qualités qui nous seront nécessaires pour notre croissance.*

— *Mais alors pourquoi priez-vous ?*

— *Parce qu'on peut tout corriger, tout modifier au fur et à mesure. Vous pouvez tout réparer aussi. Comme je vous l'ai dit, il faut demander à Dieu car on obtient ce dont on a besoin, mais pas toujours ce que l'on veut.*

Chapitre 6

Où sont les Anges
dans les accidents ?

Running out of reason
Knowing certain things
Keeps you frightened of me
Keeps you from me
If there's any time
Or any place
If there's any sense
Trust me
I'm never going to leave you
Trust me
I always will be near you.

Martha Davis & The Motels —
Trust Me — in « Little Robers »,
Capitol Records.

Alors, cette Divine Providence (ainsi nommée dans les « Dialogues » de Catherine de Sienne qui mentionnait l'arrivée d'Anges dans une situation critique), pourquoi se manifeste-t-elle à certains et pas à d'autres ? Chaque jour des accidents surviennent, des enfants meurent, des piétons et automobilistes finissent dans une chaise roulante, des enfants naissent paralytiques sans que visiblement leur Ange gardien se soit manifesté pour les sauver... Admettons encore que la mort soit programmée, et je repense à ce cas assez incroyable de l'automobiliste roulant dans le désert américain sur une route infiniment droite et déserte dont les roues percutent un cric oublié par quelqu'un au bord de la chaussée. Propulsé par la violence du choc, le cric métallique perfore la caisse de la voiture et se fiche droit dans le cœur du conducteur. Son dernier réflexe est de l'arracher de sa poitrine. Les policiers, hallucinés par leur découverte, se dirent que son heure était vraiment arrivée comme celle de ce joueur de rugby, terrassé par la foudre en plein match, un samedi après-midi, devant des milliers de spectateurs dans le sud de la France.

Alors pourquoi voit-on régulièrement dans les NDE cette proposition : « *Est-ce que tu veux rester ou bien retourner ?* » A première vue, le sujet peut choisir. Mais ce n'est qu'une impression. Prenons le cas typique, tellement typique qu'il en est merveilleux, de cet homme victime d'un accident de moto qui a raconté son expérience à Arvin Gibson.

En 1978, John Stirling passa sur un dos d'âne qui déséquilibra sa moto alors qu'il montait une côte dans un canyon. Il essaya tant bien que mal de garder l'équilibre mais avec le poids de son passager, la moto se dirigea droit vers le précipice. Il obligea son passager à sauter et quelques secondes plus tard, la roue avant heurta un rocher. Ce fut l'accident : la moto retomba sur lui, le rétroviseur lui percuta la tête (pas de casque) avant de s'écraser cent mètres plus bas. John se retrouva aussitôt hors de son corps, observa la scène puis commença à traverser un tunnel à une vitesse incroyable, « *comme dans le film " Star Wars "* » dira-t-il. Alors il entendit une voix lui demandant s'il avait terminé. « *Bien sûr, j'ai fini. Je ne veux plus retourner. Je ne veux plus jamais y retourner.* » La voix lui redemande « *as-tu terminé ?* » et il répond à nouveau, « *oui, j'ai fini, je ne veux plus y retourner* ». Une troisième fois, il entend la même question résonner dans sa tête et pour la troisième fois, il répond la même chose. Alors, au moment où la voix énonça tranquillement « *bon, jetons un coup d'œil à ta vie* », John revécut instantanément sa vie en trois dimensions et en couleurs, en ressentant les émotions et les sensations depuis sa naissance jusqu'à l'accident. En observant ce dernier jour, il comprit qu'il devait retourner pour élever et éduquer son fils. Alors il se rendit à l'évidence et dit : « *Oui, je vais y retourner.* » La voix ne se manifesta plus et il réintégra aussitôt son corps[1].

1. In « Glimpses of Eternity », pages 183-184, Arvin Gibson.

Mais pour le Dr Morse, il ne s'agit que d'un faux choix, d'une fausse proposition : « *Vous savez, c'est comme avec mon fils lorsqu'il joue dans le jardin. Si je lui dis « viens, on rentre », il refuse et veut continuer à jouer. Mais si je lui dis « Brad, viens, on va voir ce que fait maman », alors là, il laisse tout et il accourt. J'ai rarement vu de NDE dans laquelle le sujet voulait revenir tout seul. Il se sent si bien en dehors de son corps, cela lui est tellement naturel qu'il est prêt à tout abandonner, parents, femme, maîtresse, enfant, bébé. Tout. C'est Tom Sawyer, un mécano écrasé par une voiture qu'il réparait qui a dit avoir été viré du Ciel à coup de pieds au fesses parce qu'il ne voulait pas retrouver son corps.* » A croire que ce faux choix oblige l'âme à se pencher sur sa vie et à comprendre elle-même qu'elle doit rester pour terminer sa tâche, son heure n'étant pas arrivée. Que penser d'autre en effet, sinon que l'heure de la mort semble bien être fixée à l'avance. J'ai interrogé Kenneth Ring à ce sujet : « *Pensez-vous qu'il y ait une détermination ?* » Il a joué pendant quelques secondes avec ses lunettes avant de répondre comme si on ne lui avait jamais posé cette question : « *Beaucoup de rescapés argumentent mais dans certains cas, les gens reviennent sans avoir eu l'impression d'avoir fait un choix. Mais je pense qu'ils sont guidés à faire le choix qui leur correspond le mieux. La Lumière semble connaître parfaitement le passé et le futur du sujet.* » Ce qui ressemble fort à une sorte de détermination.

Cependant, deux remarques s'imposent : si l'heure de la mort semble être fixée à l'avance, il me semble à l'examen de toutes ces NDE que la prière, autrement dit le dialogue authentique entre la créature et Le Créateur [1], peut modifier le vécu du sujet.

Or, que découvre-t-on dans les études sur les NDE ? Que dans la quasi-totalité des cas, le sujet ne veut pas revenir (sur Terre) et qu'il est repoussé soit par un membre de sa famille décédé précédemment, soit par un Ange, soit par la Lumière, mais qui disent tous la même phrase : « *Ton heure n'est pas encore venue, tu as encore des choses à faire /à finir /à terminer /à achever /etc.* ». Parfois, lorsque le sujet répond « *non, je ne veux pas retourner* », la Lumière dit « *oui, mais regarde ce que tu vas rater* » suivi d'une projection de l'avenir. Alors le

---

1. Je repense toujours à ce sermon à propos de la prière : « *Il ne faut pas prendre le Bon Dieu pour un garçon de café.* »

sujet accepte le retour. Après le millier de récits de NDE que j'ai pu entendre et lire, j'en arrivais inévitablement et toujours à la même conclusion « *l'heure de la mort est programmée comme l'est le déclenchement d'un virus dans un ordinateur* ». J'en avais acquis la conviction absolue, assortie de la consolation suivante, « *ce qui de toute façon n'a aucune importance puisque seul le corps meurt. Pas l'esprit* ».

Mais la souffrance, à quoi sert-elle ? Si l'on admet l'existence du Créateur, on serait en droit de penser qu'en tant que Père, il ne s'amuserait pas à distribuer des chaises roulantes, des cancers et d'horribles maladies incurables à ses créatures, et encore moins à ses toutes petites créatures. Avant de m'intéresser aux Anges, j'en avais toujours conclu qu'Il nous avait bien créés, mais que, pour une raison incompréhensible, Il se désintéressait totalement de sa Création. Le Créateur a oublié ses créatures. Mais cette pensée bien simpliste fond comme neige au soleil avec les stigmatisés, dont les blessures furent constatées par des milliers d'officiels, avec les saints et leur miracles, reconnus avec réticence par l'Eglise, et surtout par ceux qui connurent une véritable expérience aux frontières de la mort.

Lorsque je fis la connaissance de Kenneth Ring à l'université du Connecticut, je l'ai interrogé sur l'effet de ses recherches sur ses propres croyances et lui ai demandé si maintenant il croyait aux Anges : « *Oui, je crois que nous avons une conscience qui survit à la mort physique. Je n'aime pas le terme « vie après mort » mais je crois que nous ne disparaissons pas lorsque notre corps cesse de fonctionner. L'Ange gardien est un concept que j'associe au catholiques. De ma perspective, nous avons tous un ou plusieurs guides spirituels qui semblent se manifester lors des moments les plus critiques de notre vie, comme par exemple notre mort. Le concept a un sens propre, mais peut-être pas le terme. Je crois à ces Etres. J'ai beaucoup de cas où ils apparaissent dans des NDE. Et ceux qui les ont vécues sont désormais sûrs qu'ils possèdent une aide, qu'ils sont guidés. Comme s'il s'agissait du Higher-Self, du Super Moi.* » Au point où j'en étais arrivé, il m'importait peu de jouer sur les mots. Ange ou Super Moi ? Le débat est ouvert. Mais peu importe, mon enquête venait de recevoir une nouvelle confirmation. Je lui ai demandé alors ce qu'était selon lui ce Super Moi : « *Nous avons un ego* », me répondit-il d'une voix posé, « *qui appartient à une part plus importante de nous-mêmes et qui nous aide, qui peut-être n'interfère pas dans votre vie mais qui nous aide et nous connaît parfaitement depuis le début jusqu'à la fin. Et c'est aux moments critiques qu'il se manifesterait. Le point commun de tout cela, Ange gardien, Inner-Self, guide, est une aide bénévole que nous ne découvrons qu'au moment de notre mort.* »

Et Dieu dans tout cela ?

— *La connexion entre les NDE et la résurrection du Nouveau Testament ne vous a pas frappé ?* » lui ai-je demandé.

Kenneth Ring reposa son stylo à la manière d'un Lord britannique et, toujours d'une manière extrêmement lente, commença à jouer avec un trombone.

— *Si, c'est évident, pas seulement dans la Bible mais également dans tous les autres textes religieux. L'expérience de saint Paul sur la route de Damas présente de nombreux points communs avec ce qu'on appelle aujourd'hui NDE. Les NDE ressemblent à un code qui permet d'éclairer un grand nombre de textes religieux qui apparaissaient au premier abord obscurs. Je pense que les gens qui ont eu une NDE ont touché d'une façon ou d'une autre cette réalité transcendantale. Les gens des NDE se lancent alors dans la prière parce qu'ils sentent la présence de Dieu. Et comme ils ont fusionné dans la Lumière, lors de leur retour ils l'ont gardée en eux. Ce qui explique pourquoi ils se sentent plus proches de Dieu. Mais ils n'éprouvent pas le besoin d'aller à l'église ou à la synagogue pour trouver Dieu. Je dirais que cette Lumière est l'émanation visible, palpable de Dieu, Sa manifestation visible, Son aspect cognitif. On pourrait dire aussi que de toute façon, la Lumière est Dieu, et toutes les religions associent la lumière à Dieu et cette Lumière représente l'une de Ses extensions* ».

Je brûlais de curiosité de savoir si après deux livres majeurs sur le sujet, il avait une vie spirituelle.

— *Où en est votre vie spirituelle après toutes ces NDE ?*

— *Probablement que cela m'a rendu plus spirituel. Je suis juif mais je ne me considère pas comme pratiquant. La religion est une doctrine, une institution où la vie spirituelle n'est pas placée au premier plan. Beaucoup de gens des NDE deviennent extrêmement spirituels mais pas religieux. Bien sûr que je crois en Dieu mais je ne suis pas plus religieux.*

— Mais depuis le temps que vous entendez parler de cette Lumière, n'avez-vous pas envie de la découvrir, de voir par vous-même? (les plus chanceux qui ont pu dialoguer avec la Lumière lors de cette communion en gardent un souvenir indélébile, comme marqués au front au fer rouge car chaque atome de leur âme avait vibré à la même fréquence que celle de l'Etre de Lumière, leur procurant un bonheur incorruptible, à côté duquel une jouissance sexuelle bien terrestre, même au paroxysme de l'extase absolue ne ressemble qu'à un feu éphémère d'allumette. Ils disent souvent « *j'ai baigné dans l'amour* » ou « *j'ai nagé dans de l'amour pur* » ou encore « *j'étais amour* »).

— Si, si, je suis vraiment curieux. Après 15 ans de travail sur le sujet, une NDE arrive toujours à m'émouvoir. Mais ce n'est pas pour autant que je deviendrai religieux.

Kenneth Ring était donc certain de l'existence de Dieu qu'il appelle Lumière et par extension des « guides ». Cependant, cela n'explique pas la souffrance dont la distribution parfaitement inégale a passionné les théologiens et les philosophes tout au long des siècles, sans qu'ils puissent fournir une explication vraiment convaincante pour un matérialiste. Le rabbin américain Harold Kushner en est même arrivé à penser que Le Créateur était dépassé par Sa propre création! Tout jeune rabbin, il est muté dans une banlieue de Boston avec ses deux enfants, Aaron, trois ans, et Ariel, âgée de quelques semaines. En examinant l'aîné lors d'une visite médicale, le pédiatre découvre que son fils est atteint du « progeria », une maladie qui l'empêchera de grandir : « *Votre enfant n'aura jamais de cheveux, ne dépassera jamais la taille d'un mètre, ressemblera à un vieillard et mourra vers dix ans* ». On imagine le choc de ces paroles sur le rabbin : « *Comment réagir à une nouvelle pareille? J'étais encore un jeune rabbin inexpérimenté, pas très familiarisé avec la douleur comme je le serai plus tard, et ce que j'ai ressenti le plus ce jour-là était une profonde et terrible injustice. Cela n'avait pas de sens : j'étais quelqu'un de bien. J'avais toujours essayé de faire exactement ce qui allait dans le sens de Dieu. Mieux, je vivais une vie bien plus religieuse que la plupart des gens que je connaissais et qui avaient une famille plus grande que la mienne et en parfaite santé. Je croyais suivre le chemin de Dieu et remplir sa tâche. Comment une chose pareille pouvait-elle arriver dans ma famille? Si Dieu existait, s'Il était juste, aimant et miséricordieux, comment pouvait-Il me faire une chose pareille?* » écrit-il dans son livre « Lorsque le malheur frappe les bonnes gens »[1].

Voilà l'éternelle question : « *Comment peut-Il me faire une chose pareille?* » Les doloristes cathos diront « *vous l'avez mérité* » ou bien « *c'est pour vous mettre à l'épreuve* ». Les hindous diront « *c'est votre karma* ». Et j'ai toujours envie de leur demander comment ils réagissent lorsqu'ils voient un aveugle essayant de prendre le métro : est-ce qu'ils le laissent avancer jusqu'à ce qu'il tombe sur les voies parce que Dieu l'a voulu ainsi, ou parce que c'est son karma et qu'il doit se débrouiller avec? Cette interrogation en amène une autre « *où sont les Anges gardiens dans les accidents?* ». En effet, il n'y a rien de plus facile que de rédiger un livre avec des histoires de gens sauvés mystérieusement et dire « les Anges existent ». Très bien. Mais prenons le cas suivant survenu en 1992 : un adolescent s'isole pour prier. Il sort son chapelet de sa poche et commence un rosaire, qui comme on le sait, est une prière/litanie à la Vierge. Dans des circonstances peu claires, cinq autres adolescents (entre 14 et 17 ans) le voient, se moquent de lui et décident de l'étrangler. Et ils l'étranglent pour de bon! Etranglé alors qu'il récitait le rosaire! Le « Los Angeles Times » a placé cette histoire dans un article à la « une » consacré à la violence infantile. Que faisait l'Ange gardien de ce malheureux? Les « cathos » ne peuvent guère donner d'arguments sur une affaire semblable parce que la victime a été tuée en pleine prière. En revanche, si l'on se place du point de vue NDE, alors il nous apparaît clairement que :

1) son heure était arrivée.

2) on peut imaginer que c'est la Vierge qui se trouvait au bout du tunnel puisque dans le rosaire on trouve ces mots « Sainte Marie priez pour nous maintenant et à l'heure de notre mort ». C'était plus que de circonstance...

1. In « When bad things happend to good people », Avon Books, New York.

Mais aussi, pourquoi lors de ce voyage de presse, un journaliste ne se réveillait pas le matin et ratait l'avion, qu'un autre annulait en catastrophe sa place et qu'un troisième crevait un pneu sur le chemin de l'aéroport alors qu'en vingt ans de permis jamais il n'avait crevé un pneu. Et pourquoi les autres journalistes sont-ils montés dans l'avion qui allait s'écraser quelques heures plus tard, ne laissant aucun survivant ? Comment expliquer la chute d'un nourrisson d'un an du dix-huitième étage d'un immeuble parisien sans aucune contusion (dépêche Agence France Presse) et la traversée banale, mais fatale, d'une rue par Michel d'Ornano, le maire de Deauville ? Pourquoi lors du crash de l'Airbus A-320 de Mulhouse il n'y eut que trois morts et dans la catastrophe de Strasbourg[1] que 8 survivants, alors que trois semaines auparavant, un avion de la compagnie scandinave SAS. s'écrasait le jour de Noël, juste après son décollage, plein de carburant (!), sans faire aucune victime ? Il semble que leurs Anges se soient débrouillés pour leur éviter la fin. Mais la souffrance ?

A cette question, voici la réponse du rabbin Kushner[2] pour qui la vie humaine n'est plus qu'une jungle : « *Dieu est là uniquement pour nous donner la force de supporter nos souffrances (...) Je crois en Dieu. Mais je ne crois plus en Lui de la même façon que lorsque j'étais enfant ou étudiant en théologie. Je reconnais Ses limitations (sic). Il est limité par ce qu'Il peut faire avec les lois naturelles et par l'évolution de la nature et de la morale humaine. Je ne rends plus Dieu responsable des maladies, accidents et des catastrophes naturelles, parce que j'ai réalisé que je gagnais peu et que je perdais beaucoup en le blâmant pour ces choses. Je peux adorer un Dieu qui déteste la souffrance et qui ne peut pas la supprimer ; mais je ne peux pas adorer un Dieu qui choisit de faire souffrir et mourir des enfants, peu importe ses raisons.* »

C'est très curieux comme raisonnement. Personnellement, je vois encore moins l'intérêt d'être le prêtre/représentant d'un Dieu « incapable », « limité », en quelque sorte d'un Dieu Crétin, dépassé par Sa propre création et qui ne peut rien faire pour aider Ses créatures : « *Ah ben oui, absolument, Dieu existe, mais vous savez, Il se fait un*

1. 87 morts.
2. Pages 127 et 134 ; op. c.

peu vieux, il ne sait plus ce qu'Il fait. » pourrait-on le paraphraser. Paradoxalement, c'est dans les « Dialogues avec l'Ange », [1], que l'on trouve une réponse, inhumaine, au sens propre comme au sens figuré :

> *Dure parole : la guerre est bonne.*
> *Soyez attentifs !*
> *La force utilisée à tort,*
> *la dévastatrice, la destructrice ne s'arrêterait jamais*
> *s'il n'y avait pas de faibles,*
> *s'il n'y avait pas de victimes pour l'absorber.*
> *C'est le passé, il fallait que cela soit.*
> *Le mal, l'acte engagé, ne peut être redressé.*
> *La victime absorbe et éteint les horreurs.*
> *Le persécuteur trouve le persécuté*
> *et la mort est rassasiée.*
> *(Silence)*
> *Le faible sera glorifié*
> *L'Agneau ne sera plus égorgé sur l'autel.*
> *Il fallait que ce soit la guerre.*
> *Le calice amer se remplit déjà.*
> *Ne tremblez pas !*
> *Autant il est plein de l'amer,*
> *autant il est plein de la Boisson divine,*
> *de la Sérénité Eternelle.*

Mieux, dans le « Traité de la divine providence » inspiré à Catherine de Sienne [2], on découvre un intitulé du chapitre fort intéressant : « *Comment la providence divine veut nous tourmenter en vue de notre salut. Du malheur de ceux qui mettent leur confiance en eux-mêmes. De l'excellence de ceux qui la mettent dans la providence.* » Dans ce dialogue, Il explique tout simplement que si Sa providence en use ainsi, c'est pour nous secourir, puisqu'elle nous enlève tout espoir dans le monde et nous pousse vers Lui, Lui qui doit être notre seul but. Il s'en explique même :

---

1. Entretien 82, 25 octobre 44.
2. In « Le Livre des dialogues », Seuil, 1953, page 483.

« Songe, mon enfant, à ce qu'ils (les hommes) feraient s'ils ne trouvaient dans le monde que plaisir et repos ! C'est donc ma providence qui leur concède et leur donne de souffrir du monde ; c'est pour éprouver leur vertu et les récompenser des efforts et de la violence, qu'ils se font à eux-mêmes. Ainsi, ma providence a tout réglé et prévu avec une grande sagesse. Je leur ai donné beaucoup parce qu'ainsi que je te l'ai dit, je suis riche et je pouvais et je puis donner toujours, tant ma richesse est infinie. »

Ce qui revient à dire que toute chose, bonne et mauvaise, nous vient de Lui. Les musulmans disent la même chose, d'une façon différente : « C'était écrit », y compris la souffrance et cela recoupe l'explication d'Elisabeth Kübler-Ross pour qui la souffrance n'est rien de plus qu'un élément déterminé, destiné à nous faire grandir, à nous faire progresser, à nous aider à évoluer, même si cela nous semble incompréhensible. Parfois en revanche, c'est Lui qui se manifeste, selon la constatation de Kenneth Ring : « *Cette fusion dans la Lumière était souvent offerte à des sujets qui ont eu une enfance malheureuse, enfants battus ou violés.* » m'assura-t-il. Et j'ai repensé à cette religieuse que j'avais rencontrée à Paris et qui m'a dit : « *Vous savez, nous avons remarqué que les gens ne reviennent sincèrement vers Dieu que lorsqu'ils ont été détruits par un immense chagrin, un chagrin tel qu'ils découvrent qu'il ne leur reste plus qu'un seul espoir, une seule porte de sortie, Dieu. Alors ils débarquent dans l'église, en larmes, s'installent sur une chaise et prient pour la première fois depuis leur enfance et peut-être de leur vie. L'appel de Dieu prend parfois des chemins extrêmement douloureux. Leur problème est qu'il prient, prient, et une fois qu'ils ont obtenu satisfaction, ils oublient cette grâce et reprennent leur vie habituelle.* »

Cela voudrait-il dire que tout, absolument tout est déterminé ? Et si tout est déterminé, où se trouve alors le « libre arbitre » qui permet à chacun de réagir et d'agir en fonction de sa propre et unique conscience ? Et si tous nos pas sont déterminés, où se trouve alors l'intérêt d'un Dieu qui définit à l'avance les relations que nous entretiendrons avec Lui ? Après quatre ans d'enquête sur les Anges, il me semble que rien n'est déterminé parce que si cela l'était, nous n'aurions pas d'interventions d'Anges dans nos vies, mais en même temps, Il voit tout et sait à l'avance ce que nous allons faire, quelles décisions nous allons prendre. Comme l'a noté Kenneth Ring : « *La Lumière semble connaître parfaitement le passé et le futur du sujet.* » Cette Lumière est hors-temps et possède donc une vision égale du passé, présent, avenir. Pour le Dr Kübler-Ross, une fois hors du corps, le sujet se retrouve immédiatement confronté à l'ensemble de sa vie avec tous les détails, toutes les paroles, tous les gestes et pensées, même les plus secrètes, avec leur effets sur les autres. Le Dr Morse a été frappé par le fait que certains revivent quarante ans de leur vie alors que leur arrêt cardiaque n'a duré que trois secondes. Dans cette autre réalité, le temps, comme dit le poète, suspend son vol. Les interventions divines prennent alors tout leur sens : ce photographe de guerre qui déclare « *c'est comme si le temps s'était figé* », ou cette journaliste qui raconte qu'il semblait « *que le temps s'était ralenti comme dans un film* ». Ces interventions s'expliquent mieux alors comme une surveillance constante — hors du temps —, sorte de réglage de précision divine de nos vies afin de nous maintenir dans les rails de notre destinée. L'Anglaise Margot Grey rapporte dans son livre « Return From Death [1] » le témoignage de l'un de ses sujets qui eut une expérience profonde aux frontières de la mort, en fusionnant avec la Lumière du bout du tunnel :

> « *Pendant mon expérience, je me rendis compte de tout ce qui s'était passé et de tout ce qui allait se passer — dans toutes mes vies passées et celles que j'allais vivre dans le futur —. On m'a aussi montré des événements qui allaient se dérouler dans l'avenir immédiat, mais uniquement pour me faire comprendre que rien n'était totalement fixé et que tout dépend de la façon dont nous utilisons notre libre arbitre et que même les événements prédestinés peuvent être changés ou modifiés uniquement par notre réaction vis-à-vis de ces événements.* »

Donc, les très grandes lignes de notre vie semblent bien être tracées — prédestination — à l'avance alors que la vie de chaque jour ne dépend que du libre arbitre et, semble-t-il, de la vie spirituelle du sujet. Sur la détermination, voici l'opinion de Robert Monrœ qui avoue son ignorence par rapport à cet autre plan d'existence qui le dépasse : « *Notre vie physique crée des variables plus ou moins*

1. Page 123, op. c.

grandes simplement pour divertir, aider ou créer un changement. » Monroe, en voyage hors du corps, nota ainsi les propos tenus par un Etre spirituel duquel il n'avait pas pu s'approcher parce qu'il était... brûlant, et qui lui déclara : « *Le libre arbitre est vital dans l'expérience de la connaissance humaine. Les déviations par rapport à l'intention première sont fréquentes et calculées à l'avance, comme vous diriez. Ces ajustements ne sont rien de plus qu'un... le terme exact me manque... réglage de précision... oui, un réglage de précision. »* [1]

L'apparition d'un Ange dans une vie humaine ne serait rien de plus alors qu'un ajustement induit par le libre arbitre du sujet. Et ces ajustements sont souvent des réponses à des prières. Mais les Anges interviennent en fonction de plusieurs autres facteurs, le plus important étant la relation spirituelle avec leur protégé, comme l'expliquait cette autre entité au cours d'une sortie à l'Institut Monroe : « *...je ne puis vous aider à résoudre vos problèmes particuliers. Je peux vous communiquer des idées, mais non l'orientation directe comme je le ferais si vous vous trouviez au niveau 18. Nos niveaux se touchent.* » Si le protégé ne croit pas à l'Ange gardien (domaine de la vie spirituelle) et ne découvre que plus tard son existence, l'action de cet être immatériel est plus ou moins altérée, mais cependant prête à se développer : l'Ange attend l'éveil de son protégé, a deviné le poète allemand Christian Morgenstern [2]. En revanche, s'il n'y croit pas et n'y croira jamais, l'interaction n'est pas impossible, mais ne sera jamais aussi efficace que lorsque le sujet l'invoque régulièrement. Comme l'a remarqué cet auteur ésotérique anonyme [3], il n'existe pas de pire tragédie dans le ciel qu'un Ange gardien privé de « travail », autrement dit un Ange au chômage technique :

> « *Mais — et c'est là le côté tragique de l'existence angélique —, cette génialité (de l'Ange) n'éclate que lorsque l'homme a besoin d'elle, lorsqu'il donne lieu au rejaillissement de ses lumières. L'Ange dépend de l'homme dans son activité créatrice. Si l'homme ne le demande pas, s'il se détourne de lui, l'Ange n'a aucune raison d'avoir une activité créatrice. Il*

1. Page 122 in « Fantastiques... » op. c.
2. Lire son poème page 9.
3. « Méditations sur les 22 arcanes majeurs du tarot », Aubier, 1980, page 454.

peut alors tomber dans l'état de conscience où toute sa génialité créative demeure en puissance et ne se manifeste point. C'est l'état où on végète, où on vivote, et qui est comparable au sommeil du point de vue humain. Un Ange qui existe pour rien, c'est une tragédie dans le monde spirituel. »

Et qui aurait imaginé que les propos de cet auteur anonyme se retrouveraient le 12 mai 1992 à la première page du « Wall Street Journal », le quotidien économique new-yorkais le plus influent de l'Occident !

LONG UNEMPLOYED ANGELS
NOW HAVE THEIR WORK TO DO

Le journaliste Gustav Niebuhr expliquait dans son article qu'après plus de 300 ans d'oubli et bien plus de scepticisme, les Anges sont de retour. Le cas de l'Ange « sans travail » trouve une excellente illustration dans le cas du jeune John Lilly, à l'article de la mort :

John : — *Tu vas rester avec moi ou tu vas partir?*
Ange : — *Je serai toujours avec toi aussi longtemps que tu crois que tu pourras me rencontrer* [1].

Ou bien encore lorsque le chien le mord pour l'empêcher de tomber :

John : — *Est-ce que tu t'occuperas toujours de moi?*
Ange : — *Oui, aussi longtemps que tu croiras en moi. Est-ce que tu croiras toujours en moi?*

Croire en l'Ange semble bien représenter la clé pour une interaction entre notre domaine matériel visible et son domaine invisible mais tout aussi matériel que le notre, puisqu'il existe. On retrouve également l'importance de la foi en l'Ange, dans les « Dialogues » de Budapest du vendredi 26 novembre 1943, lorsque Lili lui demande si chacun possède un guide, un Ange instructeur, ou Ange Gardien.
La réponse fut sans appel :

1. In « The scientist », page 39, op.c.

« Non.
Nous sommes faits de foi.
Celui qui a la foi — a son Maître.
Et la foi, c'est SA FORCE.
Si tu crois que j'ai une voix — je peux parler
Si tu crois que je suis toi — je le serai :
c'est la foi placée en haut
Tu peux placer ta foi aussi en bas
Cela ne dépend que de toi.
Aujourd'hui, les diables font du bruit
et les Anges ne chantent pas.
MAIS NOUS DESCENDONS A TRAVERS VOTRE FOI,
CAR LA FOI — C'EST LE PONT. »[1]

Cela ne veut pas dire que certains n'ont pas d'Ange gardien, mais simplement que l'Ange ne peut réellement intervenir qu'à travers la foi de son protégé, par extension, la foi en l'Ange. Et dans le pire des cas, l'Ange « chômeur » ne peut qu'assister les bras croisés au déroulement de la vie de son protégé comme l'a montré le réalisateur Wim Wenders dans son film « Les ailes du désir » : un jeune homme désespéré (au chômage ?) décide de se suicider en se jetant d'un pont. L'Ange, interprété par l'acteur Bruno Ganz, tente de lui parler mais l'homme ne l'« entend » pas, entendre au sens intuitif.

En revanche, si la croyance en l'Ange ne cesse de croître, sa puissance ne cesse de grandir, amenant ce que Carl Jung appelait la synchronicité, signes, coïncidences et hasards, n'ayant de sens que pour le seul sujet. A nouveau, l'éclaircissement le plus juste nous a été donné par ce remarquable auteur anonyme des éditions Aubier :

« L'Ange gardien défend son protégé comme une mère défend son enfant qu'il soit bon ou mauvais. C'est le mystère de l'amour maternel qui vit au cœur de l'Ange gardien. Tous les Anges ne sont pas des Anges gardiens ; d'autres ont des missions diverses. Mais les Anges gardiens, en tant qu'Anges gardiens, sont les mères de leurs protégés. Aussi, l'art traditionnel les présente-t-il comme femmes ailées. Et c'est pourquoi la quatorzième arcane du Tarot le présente franchement comme femme

1. In « Dialogues avec l'Ange », page 140 et 141.

*ailée, habillée d'une robe de femme, mi-bleue, mi-rouge. C'est pourquoi
la Sainte Vierge et Mère de Dieu porte le titre liturgique de « Reine des
Anges ». C'est l'amour maternel qu'elle a en commun avec les Anges
gardiens et qui, dépassant le leur, fait d'elle leur mère. »*[1]

Dans le même registre, le théologien italien Giovanni Sienna
remarque avec beaucoup de poésie que l'Ange aime son protégé sans
aucun intérêt et que sa sollicitude n'est inspirée que par l'amour :

> *« L'Ange gardien nous aime, comme peut aimer une créature céleste
> qui brûle de charité divine et qui, image plus ressemblante de Dieu, est
> plus près de Lui dans son essence première : l'Amour. Il nous aime d'un
> amour pur, désintéressé. Son intérêt pour l'homme ne repose sur aucune
> ambition, exceptée celle de nous voir, pour toujours, heureux avec lui et
> comme lui. (...) De plus, étant au dernier degré de l'échelle angélique,
> l'Ange gardien vit en relation étroite avec l'homme et, comme l'affirme
> plus d'un docteur de l'Eglise, a une certaine ressemblance avec lui. Il y a,
> entre l'homme et l'Ange gardien une affinité qui les rapproche l'un de
> l'autre et favorise leurs rapports. (...) Serait-ce une âme sœur? Il
> semblerait. De toute manière, il est certain que les soins, la sollicitude,
> l'amour de cet être céleste, surpassent ceux de la plus douce des mères. »*[2]

Mais encore faudrait-il le laisser s'exprimer, cet être céleste.
Question : « comment faire? ». Il n'existe pas cent cinquante façons
de l'inviter à se rapprocher de vous. En lui parlant et en priant car
lorsqu'on le prie, ce n'est pas vraiment l'Ange que l'on prie, mais
Dieu, même si l'Ange intercède pour nous, bien mieux que nous ne
saurions le faire. Comme nous l'avons vu précédemment, le simple
acte de croire en l'Ange gardien vous met automatiquement en
contact avec la réalité divine. L'Ange se chargera de vous aiguiller
puisque vous le lui demandez. Mais, et c'est là que se trouve notre
libre arbitre, si nous ne lui demandons rien, il ne fera rien. La
mystique allemande Thérèse Neumann, au cours de l'une de ses
nombreuses extases nous a même laissé un conseil plein d'espoir :

---

1. In « Méditations sur les 22 arcanes majeurs du tarot », op.c., page 452.
2. In « Padre Pio : voici l'heure des Anges », pages 96-97, Ed. Arcangelo, 1977,
San Giovanni Rotondo.

« *La Terre produit suffisamment pour la nourriture de tous les hommes. Mais, comme ils ne soupirent qu'après les biens d'ici-bas, il en résulte l'oppression des uns par les autres ; ils attirent ainsi le fléau d'une misère extrême. En revanche, pour immense que soit cette misère, il est toujours au pouvoir du Seigneur d'y remédier, car Il est Tout-Puissant. Il a créé le monde et soutient la Terre et les étoiles. Pourquoi ne pourrait-Il pas aider l'homme ? Cependant, Dieu désire que les hommes l'aiment et l'invoquent, s'ils veulent vraiment être aidés. Les hommes ne pensent pas assez à la puissance de Dieu et comptent beaucoup trop sur leurs propres forces.* »[1], ce qui laisse penser que si Dieu lui-même désire être aimé (comme nous tous), combien l'Ange désire-t-il le contact avec son protégé...

Et comme nous allons le découvrir dans le chapitre suivant, chez ceux qui prient comme des stakhanovistes, autrement dit les saints, les Anges se manifestent comme dans les expériences aux frontières de la mort. Mais attention, ceux que nous allons découvrir dans ce chapitre sont, eux, bien prédestinés et leur plus grande gloire est justement qu'ils ont accepté la vie qui les attendait, une vie qui ne présente que peu de points communs avec nos vies bien confortables.

---

1. Page 124,125 in « Stigmatisés et apparitions », Pascal Sanchez-Ventura, Nouvelles éditions latines, 1967, Paris.

Chapitre 7

Des mystiques et des Anges

Oh well I took control of his fire
And it kept me warm all night long
Now I find it hard to control the desire
To keep it burning on.
Oh well his love is strong as strong can be.
Oh well his love is strong enough for me.
I've got an Angel
I've got an Angel
I've got an Angel
I've got an Angel

The Communards – Heavens Above —
in « Communards »,
MCA Records

Après avoir traqué les Anges dans les tunnels des expériences aux frontières de la mort, j'étais obligé de reconnaître que cette Divine Lumière dont parlaient les rescapés présentait plus que des similitudes avec les descriptions des mystiques. Si auparavant les textes religieux m'apparaissaient comme des histoires de vieux barbus et de vieilles grenouilles de bénitier, à la lumière des NDE, ils prenaient un tout autre aspect. Un peu comme si, avec les NDE, j'avais trouvé la clé ou le code pour déchiffrer un article difficile. Au journal, on reprochait souvent à mes papiers informatiques d'être incompréhensibles et je rétorquais qu'il en était de même avec les articles financiers. Celui qui ne sait pas ce qu'est le Dow Jones, le CAC ou l'indice Nikkei ne peut comprendre une analyse boursière dès la première lecture. Il faut un minimum d'éclairage. De même pour ces textes. Mais à la lueur des NDE, la Lumière dont parlait saint Jean et celle de Saul sur le chemin de Damas, devint soudain limpide. En fait je découvris que les Evangiles abordaient souvent les NDE. La résurrection ? C'est le bout du tunnel. L'enfer ? Ceux qui revivent leur vie en trois dimensions et qui, après avoir torturé et tué, ressentaient dans un espace SANS TEMPS ce qu'ils ont fait subir à leurs victimes.

La combinaison NDE Anges allait me mener directement dans un domaine encore plus fascinant, celui des saints. Selon les NDE, personne ne meurt puisqu'il s'agit simplement d'un changement de réalité. Cela veut dire aussi que Jean de la Croix, Gemma Galgani, Thérèse de Lisieux et tous les autres sont aussi vivants que vous et moi. Je découvris alors le monde des mystiques comme un enfant qui découvre Disneyland pour la première fois. Pour eux, la « *merveilleuse Lumière inexprimable en mots humains* » du bout du tunnel ne représente qu'un apéritif juste avant un dîner de gala car les fusions dans la Lumière, les visions d'Anges, les extases, les béatitudes, les dialogues avec la Lumière (Kenneth Ring diagnostiquerait immédiatement des NDE cinquième stade), les sorties hors du corps, les séraphins et les visites d'autres réalités constituent des caractéristiques j'oserais dire banales chez les saints. Si avec les NDE, nous nous trouvions aux portes d'une réalité qui nous dépasse, avec les mystiques, on y saute à pieds joints.

Prenons le cas de la carmélite allemande Marie-Anne Lindmayr qui expliquait comment son âme quittait son corps pour visiter d'autres dimensions. Elle n'avait jamais entendu parler de NDE et encore moins de Robert Monrœ ou du « caisson d'isolation » de John Lilly, puisque cela se passait en 1705 à Münich :

> « *Au début, quand je n'avais encore aucune expérience de ces trois sortes d'extases, je me préparais à la mort. Au cours de ces extases, j'ai reçu l'assurance (et l'expérience me l'a appris) que l'esprit ou l'âme sortait complètement du corps et le quittait complètement. Cette extase a toujours produit comme conséquence une telle force, qu'il est impossible de la décrire... Mais c'est le corps qui est le plus fortement surpris lorsque l'âme y rentre. Souvent, trois jours durant, je ne pouvais me réchauffer ; mes* »

membres étaient aussi engourdis et inutilisables que ceux d'un corps mort.
(...) J'ai prié le Seigneur de me faire percevoir le déroulement de l'extase
en gardant le plein usage de ma raison, comme bien des mourants
conservent jusqu'au dernier instant leur connaissance. Cette grâce m'a été
accordée par l'intercession de sainte Thérèse (d'Avila). J'ai expérimenté le
début, le point culminant et la fin de cette extase de la manière suivante.
J'étais prise d'une grande faiblesse. Elle n'était pas la conséquence d'une
faiblesse naturelle, mais de ce que Dieu voulait me faire voir ses
merveilles. Cette faiblesse était accompagnée et suivie d'un froid d'une
intensité inexprimable qui, commençant par la partie inférieure du corps,
gagnait peu à peu le corps tout entier, de sorte qu'il perdait toute
sensibilité. (...) Avant ce départ de l'âme, je me sentais encore présente,
mais j'étais extérieurement comme morte, absolument insensible, et froide
comme la glace, sentant moi-même un souffle froid. En un instant, la
raison avait disparu avec l'esprit et au même moment j'étais conduite où le
Seigneur voulait que je sois [1]. »

Du coup, je me plongeai dans la vie des saints à la recherche de
témoignages sur les Anges. Après tous ces récits de rescapés aux
frontières de la mort, j'en étais arrivé à l'intime conviction que l'Ange
gardien était bien plus qu'un produit de l'imagination, et que les
saints, plus que n'importe quel autre groupe socio-culturel, ont dû
laisser des descriptions détaillées de leur visions angéliques. Si
naguère quelqu'un m'avait dit qu'un jour, vautré dans le fauteuil d'un
747, je dévorerais les œuvres complètes de Marie d'Agreda, j'aurais
éclaté de rire. Je n'aurais jamais pu imaginer que cette curiosité,
transformée en acharnement, m'aurait conduit à de telles pieuses
lectures ! Et sincèrement, j'ai été frappé de voir l'omniprésence de ces
personnages dans notre vie sans même que nous nous en rendions
vraiment compte. Ils sont partout : on porte leur prénoms, on vit leurs
jours, on traverse leurs rues, on habite leurs avenues, leurs places,
leurs montagnes, leurs villages, leurs villes et même leurs mégapoles.
On compte par millions ceux qui habitent à travers le monde une cité
portant le nom d'un saint et parfois celui d'un Ange. C'est tellement
évident que cela ne nous frappe plus, un peu comme l'enseigne Coca
Cola. Or, avant la rédaction de ce livre, comme la majorité des gens,

1. Pages 17-18 in « Mes relations avec les âmes du purgatoire », Marie-Anne
Lindmayr, Christiana. »

je voyais dans les saints des êtres presque mythiques, parfaits, chastes et gentils comme des agneaux (pour ne pas dire totalement idiots) qui, pour des raisons plus ou moins diverses, ont été canonisés au cours des siècles par des papes tout aussi illuminés, gentils, chastes, etc.

Après un plongeon dans la littérature spécialisée, force m'est de reconnaître que les saints n'ont pas tous été saints au cours de leur vie, certains étaient même mariés, eurent des enfants, et que d'autres furent loin de répondre aux canons de la sainteté. C'était rassurant. Ensuite, je découvris qu'en règle générale, les proches du « saint » ne soupçonnaient guère qu'il allait en devenir un. Il était anonyme parmi les anonymes. Au cours de ces recherches, ce qui m'a le plus frappé était la réaction des papes qui se méfiaient autant que vous et moi de ces saints et du surnaturel qui parfois les enveloppait. De leur vivant, et à quelques rares exceptions près comme Thérèse d'Avila, Catherine de Sienne ou le Padre Pio, ils n'attiraient guère l'attention, puisque relégués dans l'anonymat le plus complet et affectés aux travaux les plus ingrats comme Catherine Labouré, Charbel Makhlouf ou Juan Capistrano.

D'ailleurs peu se doutaient que ces serviteurs de Dieu allaient droit vers la canonisation. Plus amusant : lorsqu'un dossier est en cours d'instruction, j'ai appris que le Vatican demandait au saint trépassé de *prouver sa survie* en réalisant différents miracles et ce en fonction de l'avancée de son dossier ! En effet, le Vatican, encore plus méfiant que les croyants de base, craint d'authentifier un miracle ou un saint, qui ne l'étant pas, pourrait discréditer l'Eglise entière. Par conséquent, Rome n'a trouvé qu'une seule méthode pour distinguer un vrai saint d'un faux : lui demander de se manifester par des miracles. Le candidat à la sainteté a alors tout intérêt à « assurer » sa défense s'il désire trôner un jour dans les chapelles. Voici quelques-uns de ces signes surnaturels qui comptent lors d'une procédure de béatification et de canonisation :

— L'incorruptibilité du cadavre.
— Les écoulements inexplicables de la dépouille.
— Les manifestations surnaturelles de lumière.
— Les guérisons en tous genres médicalement inexplicables.
— Les parfums d'origine inconnue.

— Les apparitions aux fidèles.

— Les stigmates, qui, comme le corps incorruptible, aident à la constitution du dossier mais ne garantissent pas un dénouement positif.

Parmi ces signes, le plus spectaculaire — et totalement inexpliqué — est celui de l'incorruptibilité. Dans ce cas très précis, ce n'est pas le propriétaire de ce corps qui se manifeste mais bien Dieu : non seulement la dépouille demeure en parfait état de conservation mais en plus elle dégage une odeur en contradiction formelle avec celle des cadavres « normaux ». Or, lorsque l'on exhume un cercueil, deux ans, vingt ans ou deux cents ans après l'inhumation, on est légitimement en droit d'attendre un squelette sans doute bien poussiéreux mais nettoyé de toute chair. Pourtant, avec certaines dépouilles de ces hommes et femmes, les lois de la nature se figent : les fossoyeurs découvrent un corps en bon état, flexible, mou, propre, parfumé, comme s'ils venaient de l'enterrer. Les cas totalement incroyables mais dûment constatés, mesurés, pesés, examinés, ne manquent pas, même de nos jours. Pourtant personne n'en parle.

Parmi les cas d'école, la dépouille de Charbel Makhlouf (1828-1898) est exemplaire. Ce garçon, né dans une famille pauvre de Libanais maronites, quitta un beau jour de ses 23 ans la maison familiale pour se retirer dans un monastère. Après avoir été ordonné prêtre, Makhlouf tomba malade au cours d'une messe et décida à la suite de l'incident de vivre en ermite dans une cellule jusqu'à sa mort. Celle-ci intervint huit ans plus tard et ses compagnons le déposèrent directement dans une tombe, avec sa robe de moine en guise de cercueil. Cela n'avait strictement rien d'inhabituel car tous les moines de cet ordre qui l'avaient précédé furent enterrés de la même façon spartiate. Et comme celle de tous les autres, la mémoire du moine Makhlouf aurait rejoint la cohorte des moines morts anonymes si une lumière blanche mystérieuse n'avait entouré sa tombe pendant quarante-cinq nuits consécutives après son enterrement. Quatre mois après l'inhumation, et uniquement à cause de cette lumière, le supérieur du monastère, en accord avec les autorités ecclésiastiques, décida d'exhumer le corps afin de lui donner une place plus visible, compte tenu des « événements » surnaturels.

Lors de l'excavation en présence de nombreux témoins, son cadavre se révéla en parfait état, ne présentant aucun signe de pourrissement, ni d'odeur nauséabonde. D'autres tombes voisines furent ouvertes afin de comparer les restes, mais sur ces autres cadavres la nature avait parfaitement suivi son cours. Pour bien se rendre compte de ce genre de mystère (miracle), allez chez votre charcutier, achetez un lapin ou un poulet fraîchement abattu, enterrez-le ou mettez-le dans une boîte hermétiquement fermée. Laissez reposer trois ou quatre mois dans votre cave et ouvrez un matin de votre choix pour observer le résultat. Même au bout de quelques jours seulement, le cadavre de l'animal n'aurait pas manqué de se rappeler à votre souvenir.

Autre exemple encore plus frappant, celui de la célèbre Bernadette Soubirous qui, adolescente, vit la Vierge apparaître dix-huit fois dans une grotte de Lourdes. On peut refuser de croire à ses visions ainsi qu'aux miracles constatés régulièrement à Lourdes, l'incorruptibilité de son cadavre est cependant bien réelle et tend à valider ses visions mariales. Pourtant, la vie de Bernadette Soubirous est loin d'être extraordinaire à côté de celle du Curé d'Ars, de Catherine de Sienne ou de Thérèse d'Avila. A l'âge de vingt-deux ans, proie de dévotions hystériques et assaillie de toutes parts, Bernadette choisit de se retirer dans le couvent des petites sœurs de Nevers. Elle mourut à trente-cinq ans et fut enterrée derrière son couvent, après treize ans de vie maladive. Bref, l'opposé d'une vie de star catholique comme celle du Curé d'Ars ou du Padre Pio, même si aujourd'hui les magazines lui auraient acheté ses photos et les éditeurs les droits de ses mémoires.

Mais selon le Très-Haut, elle a vécu comme une sainte et c'est seulement trente ans après sa mort, en 1909, que son cadavre fut exhumé en présence de tous les corps constitués qui découvrirent, stupéfaits, son visage resté intact. Après l'avoir lavée et revêtue de nouveaux habits, il fut décidé de replacer la dépouille dans le tombeau et lors de la seconde exhumation le 3 avril 1919, soit dix ans plus tard, son corps, toujours impeccable, fut placé dans une châsse, après que son visage eut été recouvert d'un très léger masque de cire.

Pas un médecin légiste n'est en mesure d'expliquer le phénomène d'incorruptibilité du corps, comme le remarque, après cinq ans d'enquête, l'Américaine Joan Carroll Cruz[1], « *Il est regrettable cependant qu'hormis les médecins et les hommes de science qui ont examiné individuellement les restes des saints, l'auteur (J.C. Cruz) n'ait pu trouver quelqu'un qui ait étudié plus à fond ce phénomène de quelque façon que ce soit. Nous devons donc nous fier à l'opinion de ces médecins qui, après de prudents examens des corps des saints en question, ont déclaré qu'ils s'étaient conservés de façon « inexplicable » ou « mystérieuse » ou « miraculeuse ». Comment peut-on expliquer de façon différente l'existence de ces reliques lorsqu'on sait que la plupart des corps de ces saints ont été malmenés par des maladies ou des infirmités particulièrement vigoureuses jusqu'à les tuer ? Comment peut-on expliquer autrement leur existence alors qu'ils n'ont pas été embaumés (...) ? Comment ont-ils pu résister aux innombrables bactéries, attirées non seulement par les corps vivants mais surtout par les corps sans vie qui ne peuvent plus les combattre ? Si le corps vivant, si fragile, est enclin aux infirmités, comment les cadavres, incapables de se défendre, de se régénérer, sont-ils capables de supporter des climats rigoureux, passant des étés torrides aux hivers vigoureux, avec des degrés d'humidité et des températures variables (...) pendant des siècles, sans dommages ? »*

En effet, comment ces corps réussissent-ils à demeurer en parfait état, défiant toutes les lois de la nature ? Hélène Renard, une journaliste française, auteur de nombreux ouvrages, s'est elle aussi intéressée au sujet dans son livre « Des prodiges et des hommes »[2] et s'est heurtée au même mur en interrogeant Michèle Rudler, professeur de médecine légale à l'université de Paris V : « *Les globules rouges du sang meurent dès qu'il n'y a plus d'oxygène. Quant à l'odeur, (...) les bactéries, cassant les extrémités des protéines, libérent des gaz soufrés, sulfure d'hydrogène ou ammoniaque, méthane, etc. et dégagent une odeur pestilentielle. Commence alors la phase de putréfaction, par une tache verte à l'abdomen, près de la fosse illiaque droite, non loin de l'appendice, une boursouflure du gros intestin qui est une zone*

---

1. In « The Incorruptibles », page 301, Tan Books, 1977, Rockford (Illinois).
2. Editions Philippe Lebaud, page 212.

très « bactérisée ». La tache se forme après quarante-huit heures et la putréfaction s'étale sur tout l'abdomen ».

Bref, si les médecins légistes sont parfaitement capables d'examiner un cadavre et de déterminer plus ou moins précisément la date, l'heure, les causes du décès et le menu de son dernier restaurant, ils sont incapables en revanche, d'expliquer l'incorruptibilité passé trois jours. Et même si on les range, tout « frais », dans un congélateur, les globules rouges finissent par exploser. Retour à la case « Divin ».

Sur les 108 cas de corps « incorruptibles » recensés par Joan Carroll Cruz, la proportion est de 59 hommes pour 44 femmes ; son ouvrage s'arrête sur Maria Assunta Pallotta morte en 1905, ce qui laisserait penser que le phénomène a cessé à ce moment-là. Il n'en est rien. L'historien français Joachim Boufflet, dans son astronomique et tout à fait exceptionnel ouvrage « Encyclopédie des Phénomènes extraordinaires de la vie mystique »[1], a relevé dans les archives du Vatican plusieurs autres cas, non dénués d'intérêt comme celui de Léonie Van Den Dyck morte en 1949 et exhumée en juin 1972, ou bien celui de Joachim-Marie Stevan mort en 1949 et exhumé pendant l'été 1951 ! En 1965, toujours en Italie, à Turin, 25 ans après le décès du père Louis Orione, son tombeau fut ouvert en présence de médecins et de chirurgiens : sa dépouille ne présentait aucun signe de dégradation et le dossier complet établi par le corps médical peut être examiné au Vatican.

A la lumière de ces mystères, on pourrait se demander pourquoi les autorités ecclésiastiques ne procèdent pas systématiquement à une exhumation. A cela, le Vatican répond simplement qu'il est impossible d'ouvrir tous les cercueils de religieux et de religieuses morts depuis 1900 pour vérifier l'état de leur enveloppe corporelle, susceptible de témoigner de leur sainteté. Ce qui explique pourquoi ces « incorruptibles » ne sont découverts que lors des déménagements induits soit par des conséquences matérielles (manque de place, inondations), soit par des phénomènes surnaturels (lumière, miracles, etc.). Par ailleurs, seuls les procès en béatification exigent une exhumation avec une autopsie en règle.

1. Ed il, Paris, 1992.

Mais même un corps incorruptible ne suffit pas à Rome pour béatifier ou canoniser une âme.

Quel rapport avec les Anges gardiens ? La parfaite conservation des corps de ces hommes et femmes, anonymes la plupart du temps à leur époque, prouve leur existence (pour ceux qui affirment que les saints, comme le Christ, n'ont jamais existé) et surtout ratifie leurs écrits, leur procurant ainsi une dimension surnaturelle (divine ?) supplémentaire et indiscutable. Ensuite, compte tenu de ces nombreux signes surnaturels, il est par conséquent exclu que de leur vivant, ces saints aient pu mystifier, exagérer ou mentir. On peut donc supposer que tous ces serviteurs de Dieu, affirmant avoir vu leur Ange gardien ou des Archanges, n'étaient pas des fantaisistes. Cependant, que l'on se rassure, cette caractéristique n'est pas plus fréquente chez les saints que chez l'homme de la rue. Parmi les saints, ceux qui eurent ce privilège sont assez rares.

Après recensement de ces visions angéliques, on peut les classer dans quatre groupes différents, en fonction de l'importance des signes surnaturels qui ont validé leur personne.

GROUPE I
– Stigmatisé de son vivant.
– Miracles.
– Vision d'Ange.
– Incorruptibilité de la dépouille.

GROUPE IIA
– Stigmatisé de son vivant.
– Miracles.
– Vision d'Ange.

GROUPE IIB
– Miracles.
– Vision d'Ange.
– Incorruptibilité de la dépouille.

GROUPE III
– Visionnaires.
– Miracles.
– Vision d'Ange.

Ces femmes et hommes semblent avoir vécu dans un autre monde. A nos yeux, leur comportement est totalement incompréhensible, déconcertant. Que penser de toutes ces femmes qui, revivant la Passion, demandaient régulièrement au Christ de leur apporter plus de souffrances, plus de douleurs et autres tortures ? C'est totalement déroutant. Et toutes, comme répondant d'une seule voix à travers les siècles, déclarent qu'elles veulent alléger Ses souffrances.

Sont-ils vraiment humains tous ces mystiques qui ont effectué un court passage sur Terre, comme pour prendre une sorte de relève, un flambeau d'épines ? Considérés de leur vivant par la médecine moderne[1] comme des hystériques (Gemma Galgani, Marthe Robin), par le Vatican comme des tricheurs (Padre Pio) ou tout simplement ignorés de leur vivant (Thérèse Musco), les mémoires de ces hommes et femmes ont cependant traversé l'histoire par des grâces surnaturelles. Pourtant, faut-il le rappeler, chaque année des dizaines de milliers de prêtres sont ordonnés dans le monde et encore plus de femmes et d'hommes revêtent l'habit sans qu'ils soient tous « marqués » par le Très-Haut, ni avant, ni pendant, ni après.

_____

1. Qui n'est absolument pas en mesure d'expliquer le phénomène physique et physiologique des stigmates.

Des saints « Formule 1 » et des Anges

You're just a sinner
I am told
I'll be your fire when you're cold
I'll make u happy when you're sad
I'll make u good when u r bad
I'm not a human
I am a dove
I am your conscious
I am love
All I really need is 2 know that
U belive that I would die 4 u.

Prince – I would die 4 U –
in « *Purple rain* »,
Warner Bros Records

Faisons-nous l'avocat du Diable (qui, selon les Ecritures, n'était autre que le plus beau des Anges, ne l'oublions pas) et admettons qu'effectivement rien n'est plus naturel pour un esprit cartésien que de douter d'une personne qui affirme avoir vu un Ange et parlé avec lui. Le cartésien lui dira au choix :

— *Vous avez trop bu.*
— *Vous avez fumé un joint.*
— *Vous avez trop forcé sur le Valium.*

ou plus catégoriquement :

— *Vous êtes fou (folle) à lier,* ce qui met un terme à une discussion plus poussée.

Alors que penser d'une jeune femme qui, en plus de ses visions angéliques, contemple le Christ, opère des miracles, lévite et revit la Passion tous les vendredis en en subissant les conséquences au plus profond de sa chair à travers les stigmates. Et, comme si ces preuves ne suffisaient pas, après sa mort, son cadavre n'est détruit ni par les vers, ni par les bactéries, ni par la moisissure et encore moins par le temps, tout en dégageant une délicate fragrance alors que les corps des tombeaux voisins ont été parfaitement nettoyés par la nature, comme si la putréfaction n'était réservée qu'au *vulgum pecus*. Inutile de souligner que ceux qui ont accumulé autant de signes surnaturels (la totale !) sont rarissimes. Quatre cas répondent à nos critères :

Anne-Catherine Emmerich
Marie-Madeleine de Pazzi
Thérèse d'Avila
Catherine de Sienne

Quatre femmes qui ont épousé le Christ au cours d'un mariage invisible et ont été comblées de grâces divines. Pourtant, leurs vies nous semblent avoir été un véritable enfer. Et ces grâces qui les ont accompagnées tout au long de leur vie nous laissent penser que les « Dialogues » de Catherine de Sienne avec son « mari » sont parfaitement authentiques et incontestables, tout autant que les extases de Thérèse d'Avila ou les passions d'Anne-Catherine Emmerich et de Marie-Madeleine de Pazzi. Toutes vivaient avec le Christ qui les emmenait dans des transports invisibles, particularité qui demeure d'ailleurs un facteur commun, que ce soit lors des visions mariales ou des fiançailles divines, au point que Marie-Madeleine de Pazzi qui recevait du Christ des robes et des bijoux, se promenait, vêtue de ces habits invisibles, toute nue dans son cloître.

Voyage chez les mystiques en compagnie des femmes de Dieu et de Ses Anges.

ANNE-CATHERINE EMMERICH
1774-1824

(Groupe I, stigmates, miracles, Anges, incorruptibilité)

ALLEMAGNE

Oh, oh, baby you can walk,
You can talk just like me.
You can walk, you can talk just like me.
You can look, tell me what you see.
You can look, you won't see nothing like me.

Talking Heads –
Thank you for sending me an Angel
in « More songs about buildings and food »,
Sire Records

L'augustine Anne-Catherine Emmerich (1774-1824) est mondiale-ment connue. Dans le domaine de l'édition, ses visions sont régulière-ment rééditées, sous différentes formes, comme par exemple « La Passion » racontée par la sœur Anne-Catherine ou bien « La Vie de Marie » selon les visions de Fraulein Emmerich. Dans cette catégorie, incontestablement, elle dame le pion aux autres « élues », y compris à Thérèse d'Avila ce qui n'est pas peu de choses. De son vivant, elle fut même tellement attachante par sa fragilité, sa misère matérielle qui contrastait tant avec sa vie dans cette « autre » réalité, qu'un prêtre, Karl Schmöger, lui dédia dix ans de sa vie pour rédiger sa biographie, un pavé de 1200 pages. La vie de Anne-Catherine Emmerich est un saut dans le surnaturel où les Anges font office de stewards au cours de vols réguliers vers la Lumière. Visions étonnantes que celles de cette pauvre fille qui fut traitée comme « Elephant Man » par les médecins prussiens, par les médecins français après l'arrivée de Napoléon, et prussiens à nouveau après sa défaite.

223

Née à Flamsche en Westphalie le 9 septembre 1774, Anne-Catherine eut ses premières visions à l'âge de neuf ans : d'abord celles de son Ange Gardien, et ensuite celles du Christ et de Marie. Avec des débuts aussi prometteurs, elle ne pouvait que se retirer dans un couvent, ce qu'elle fit en 1802. En 1811, lorsque le gouvernement prussien décida de supprimer les institutions religieuses, la jeune femme se retrouva à la rue et fut recueillie par un prêtre français, le père Lambert. Elle avait 38 ans. Un an plus tard, les stigmates apparurent sur son corps. Chaque vendredi, Anne-Catherine revivait et surtout voyait la Passion du Christ comme si elle se trouvait à ses côtés, avec une caméra vidéo en mains. Comme la stigmatisée française Marthe Robin, elle ne mangeait jamais, se nourrissant exclusivement d'hosties de la communion. C'est aussi à partir de ce moment que les rumeurs les plus folles commencèrent à se répandre dans la population à propos de la vierge.

Les visions d'Anne-Catherine, auxquelles Paul Claudel doit sa conversion au catholicisme, ressemblent vraiment à des reportages de journalistes, sortes de chroniques en direct du passé. Ceux qui l'approchaient ne s'en remettaient que rarement : Anne-Catherine lisait dans les pensées, lévitait régulièrement, était transportée par son Ange gardien à des milliers de kilomètres de son village natal appelé Dülmen (Westphalie) ce qui lui permettait d'annoncer les nouvelles bien avant qu'elles n'arrivent dans ce coin perdu. Son confesseur ne se remit jamais de l'une de ses visions qui décrivait le pape couronnant un petit bonhomme à la mine verdâtre. Quatre jours plus tard, la population apprenait que Napoléon Bonaparte était élevé au rang d'empereur par le souverain pontife. Ne pouvant pénétrer dans la maison de la stigmatisée, six hussards passèrent par la fenêtre et atterrirent aux pieds du lit de la jeune femme. Apeurés par la lumière qui entourait son visage, les guerriers, interdits, ne surent trop que faire. Certains se sont agenouillés en lui demandant de les excuser tandis que les autres la regardaient hallucinés, comme refusant d'interpréter les informations transmises par leurs yeux. Et tous sortirent de sa chambre calmement et par la porte, comme des gamins surpris en train de voler des confitures. Avec autant de grâces divines, Anne-Catherine Emmerich fut accusée de fraude et une première enquête fut diligentée par les membres du clergé local. Constatant

Chapitre 2:
Dr Georges Ritchie, mort et ressuscité , le 20 décembre 1943 dans une caserne du Texas. Il est le père des NDE modernes, puisqu' il rencontra " par hasard" Raymond Moody à qui il raconta son expérience. Moody s'y intéressa par la suite avec les résultats que l' on connaît: 10 millions de livres vendus dans le monde.
(Photo : Courtoisie de G. Ritchie, D.R.)

Kenneth Ring, professeur de psychologie à l'université du Connecticut. En une démonstration magistrale, il a donné aux NDE les contextes scientifique et universitaire dont elles avaient besoin pour être indiscutables.
(Photo: University of Connecticut, D.R.)

George Gallup *(à gauche)*, l' héritier du célèbre institut de sondages Gallup, qui réalisa le premier sondage sur les NDE aux Etats-Unis et le **Dr Maurice Rawlings** *(à droite)*, médecin militaire, cardiologue du Pentagone à Washington, qui découvrit bien malgré lui les NDE de certains de ses patients. Les travaux des deux hommes confirmèrent les NDE du Dr Raymond Moody.
(Photo: Courtoisie de G. Gallup et M. Rawlings, D.R.)

Le **Dr Melvin Morse** intrigué par une NDE
" angélique " et voulant prouver que le Dr Moody
s'était trompé, a confirmé de manière scientifique,
avec l'étude de Seattle sur les NDE infantiles que:
1) pour connaître une NDE, le sujet devait
obligatoirement frôler la mort; 2) une NDE n' était
pas provoquée par une overdose pharmacologique.
(Photo: Courtoisie de M. Morse, D.R.)

Chapitre 4:
Robert Monroe, ingénieur en acoustique,
spécialiste incontesté des voyages " hors du corps "
et inventeur du " hemi-sync "." *Les Anges existent* ",
dit-il, " *mais ils ne possèdent pas d' ailes* ",
confirmant les visions des mystiques et des NDE.
(Photo: Monroe Institute, D.R.)

Chapitre 5 :
Elisabeth Kübler-Ross *(ci-dessus)*, médecin, professeur, docteur honoris causa d'une quinzaine d'universités. Elle inventa "l'accompagnement des mourants" devenu aujourd'hui une spécialité médicale à part entière. *"On ne pourrait même pas survivre sans notre ange gardien "*, dit-elle. Elle fut tant marquée par les visions "angéliques" des mourants qu'elle installa dans son centre un ange gigantesque *(ci-contre)*, agenouillé au pied du lit d'une malade en "phase terminale".
(Photo : P.J, D.R.)

Chapitre 8:
Anne-Catherine Emmerich, stigmatisée et temporairement incorruptible, est une sainte " formule 1 ", bien que sa béatification ne soit prévue qu' en 1994. La jeune allemande se déplaçait régulièrement en compagnie de son Ange gardien dont elle donna quelques descriptions à son biographe Clemens Brentano.
(Photo: Image pieuse du XIXe siècle Bibliothèque Nationale, D.R.)

Chapitre 8:
Lorsque l' Ange s' amuse avec **Thérèse d' Avila**, vu par Le Bernin. Extases, lévitations, stigmates, incorruptibilité, parfums, miracles; autant de caractéristiques qui qualifient une âme pour l'immortalité. La religieuse espagnole est la seule qui reçut une transverbération des mains d' un Ange:
" Il n' était pas grand, mais petit et extrêmement beau; à son visage enflammé, il paraissait être des plus élevés parmi ceux qui semblent tout embrasés d' amour. Ce sont apparemment ceux qu' on appelle chérubins, car ils ne disent pas leurs noms ".
(Photo: D.R.)

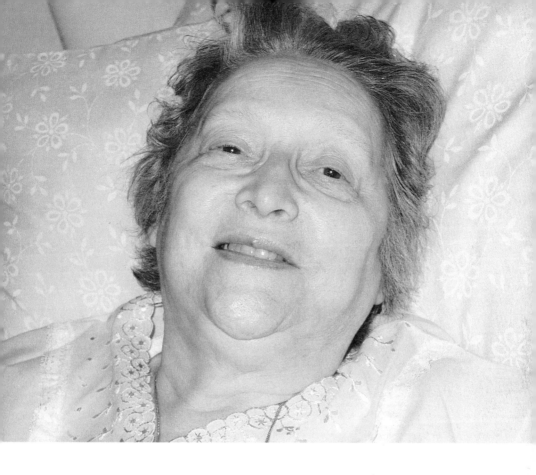

Chapitre 9:
Georgette Faniel *(ci-dessus)*, la stigmatisée de Montréal, qualifiée par un journaliste anglais comme " *la plus puissante des stigmatisées vivantes* ". Ses prières d'intercession ont permis à plusieurs malades, condamnés par la médecine des années 90, de guérir instantanément. Elle dit de son Ange gardien: " *Il porte une tunique blanche. On ne peut pas comparer sa beauté à la beauté humaine* ".
(Photo: P.J, D.R.)

Chapitre 9 :
Gemma Galgani *(ci-contre)*, la Marilyn Monroe des autels catholiques, canonisée en 1933 en raison de ses extases, de ses stigmates et surtout de son Ange gardien qui l'accompagna tout au long de sa courte vie. Contemporaine de Thérèse de Lisieux. Considérée par les Italiens, pourtant très exigeants en la matière, comme l' une des saintes les plus " efficaces " du calendrier. Elle est l' égérie des Passionistes, un ordre religieux ultra ascétique.
(Photo : Casa Generalizia Dei Passionisti, Roma, D.R.)

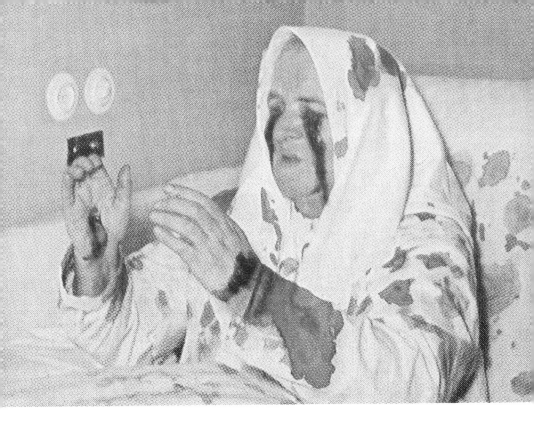

CHAPITRE **9:**
Thérèse Neumann *(ci-dessus)*, dans ses grands jours : ici un vendredi de la Passion. Elle n' a pas mangé pendant 39 ans. Plus de 700 livres furent écrits sur son cas. On lui doit la vision de l'Archange Gabriel apparaissant à Marie de Nazareth et les mots exacts, en araméen s' il vous plaît, de la situation angélique: " *Shelam elich, Miriam gaseta. . .*"
(Photo: D.R.)

Hélène Kowalska *(ci-contre)*,1905 -1938, une épouse stigmatisée du Christ à qui Thérèse de Lisieux avait expliqué en 1930, dans un rêve, qu'elle deviendrait une " sainte ". Effectivement béatifiée en 1993 (!), Hélène Kowalska eut d' innombrables expériences avec les Anges auxquels elle ne prêtait guère attention, vivant avec le Christ.
(Photo: D.R.)

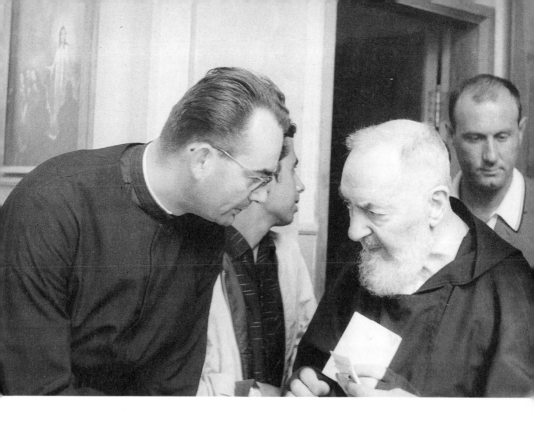

Chapitre 9:
Padre Pio *(ci-dessus)*, stigmutisé et visionnaire, incontestablement le prêtre le plus célèbre au monde (mort en 1968), en compagnie du séminariste Jean Derobert, devenu depuis chapelain de la basilique du Sacré-Cœur. Le séminariste s' est pris une gifle dans le confessionnal parce qu' il ne priait pas son Ange gardien que le Padre Pio voyait derrière lui!
(Photo: Jean Derobert, Imar di Giuseppe Vinelli, D.R.)

Chapitre 11:
Le corps de **Jacinta Marto** (ci-contre), " voyante " de l' Archange Michael à Fatima, morte à l' âge de 10 ans et découverte incorruptible le 12 septembre 1935, lors de la translation de ses restes. Ceux-ci s'étaient totalement conservés, malgré la chaleur "infernale" de cette région du Portugal ! Aucune odeur n' était perceptible. Le mystère est d' autant plus significatif que, si le corps de la petite fille était intact, celui de son frère a obéi aux lois de la nature.
(Photo: Vice - postulaçao dos Videntes, Fatima, D.R.)

Chapitre 12:

Comme promis par l'Archange Michael à Garabandal, une hostie apparut sur la langue de **Conchita Gonzales** (*ci-dessus*), dans la nuit du 18 au 19 juillet 1962, à 1h40 précises. Quatre - vingts photos environ furent prises avec des appareils rudimentaires (Instamatic) à la lueur des lampes de poche! Conchita fut "glacée" pendant son extase et l'hostie fut visible sur sa langue pendant 45 secondes.
(Photo: D.R.)

Le biologiste **John C. Lilly**, médecin, physicien, directeur de recherches, profondément marqué par la rencontre avec son Ange gardien. John Lilly déclare: " Il s' agit d' êtres qui nous sont supérieurs ".
(Photo: Courtoisie de Barbara Lilly - Human -Dolphin Foundation, D.R.)

l'absence de supercherie, les prêtres, malgré tout prudents, rédigèrent un rapport circonspect en suggérant une enquête civile indépendante. Le 7 août 1819, une commission nouvelle, composée du préfet, d'un conseiller de l'Hygiène de l'Etat, du médecin Zumbrink, de chirurgiens, de scientifiques et de témoins civils, tous athées ou francs-maçons, s'attaqua à la jeune fille : « *Le 7 août* » raconte Johannes Maria Höcht, « *la malade fut brutalement arrachée de son lit et, avec l'aide d'une infirmière inconnue, placée sur une civière; celle-ci fut prise en charge par quatre policiers, entourés d'un peloton de gardes commandé par un lieutenant. Des centaines de voisins, assistant à ce spectacle, manifestèrent par des larmes leur bouleversement. On conduisit la sœur dans une maison inconnue, où elle fut déposée toujours sur sa civière, au milieu d'une grande salle, d'où l'on pouvait la regarder sous tous les angles.* »[1] La commission examina pendant plusieurs jours le corps de la jeune femme sans aucun ménagement : ses mains furent bandées et scellées pour vérifier qu'elle ne s'infligeait pas les blessures elle-même. Interrogatoires type « stalinien », fouille en règle de sa cellule à la recherche d'instruments ou de produits chimiques susceptibles de l'aider à se blesser, contre-interrogatoires, etc. Peine perdue. L'équipe d'examinateurs précédente, consciente des résultats plus qu'embarrassants, décida de l'installer dans une autre maison, espérant que les stigmates disparaîtraient avec le déménagement. Cela ne changea rien, et les résultats des divers examens, certains très « intimes », mirent la commission civile dans une position délicate. Les rapports honnêtes établirent cependant « *l'absence certaine de fraude* » alors que les malhonnêtes, incapables d'expliquer ses stigmates, l'accusaient de « *mensonge* », ne trouvant rien d'autre pour la confondre. Le médecin allemand Bährens a résumé les observations de la manière suivante, observations qui ne l'avaient jamais convaincu qu'il s'agissait de stigmates mais plutôt d'un « *magnétisme animal* » !

> « *La double croix sur la poitrine coule régulièrement tous les mercredis, les autres plaies le vendredi, le bandeau autour du front encore plus souvent pendant la semaine. La croix et la blessure du côté apparaissent*

---

1. Cité dans « Stigmatisés et apparitions », op. c.

sur une étendue de peau dépourvue de lésion, et le sang en suinte exactement comme la transpiration des pores. Du Vendredi saint à Pâques, le sang coule à flots et les stigmates la font intensément souffrir. Les plaies bandées à force pendant sept jours et sept nuits restent dans les mêmes conditions, ne s'améliorent pas, n'empirent pas, ne suppurent pas. Même observation après plâtrage de 24 heures. (...) A peu près tous les jours, elle a des extases pendant lesquelles elle reste des heures rigide comme du bois, les yeux hermétiquement clos, apparemment sans vie. Son visage garde toujours la même couleur, et elle montre une incompréhensible sensibilité à la bénédiction d'un prêtre ou à la présence d'objets consacrés. Elle montre parfois une surprenante connaissance du futur en ce qui concerne elle-même ou en ce qui concerne ses proches. Elle semble lire dans le cœur humain. Enfin je dois mentionner que la patiente a été observée de façon continue pendant 10 jours consécutifs, nuit et jour, par des personnes de confiance, avec la permission des autorités ecclésiastiques. Ces observateurs ont unanimement témoigné que rien n'a été fait aux plaies, que la patiente n'a rien pris, sauf de l'eau, et qu'il n'y a eu aucune évacuation d'aucune sorte. Cette dernière circonstance a été observée pendant les quatre derniers mois. (...) Dans le domaine de l'expérience médicale et physique, les phénomènes observés sur le corps de la jeune nonne, Mlle Emmerich, sont d'un caractère si exceptionnel qu'aucune loi connue de la nature ne saurait en donner une explication plausible. » [1]

Bref, personne ne comprit grand-chose au cas de cette pauvre fille, hormis qu'il s'agissait peut-être d'un « magnétisme animal » qui lui permettait on ne sait trop comment de saigner tous les vendredis.

Maintenant que nous avons « planté » le cadre dans lequel évoluait Anne-Catherine et comment elle était surveillée par les autorités, plaçons-nous dans son intimité et écoutons ce qu'elle nous dit à propos des Anges. C'est purement étonnant. Par exemple, son Ange lui était visible en permanence, ou presque : « *La splendeur émanant de son Ange gardien* », nous dit l'abbé Schmöger n'avait d'égal que son regard, « *un rayon de lumière.* » Anne-Catherine disait que l'Ange l'appelait et qu'elle le suivait de place en place : « *Parfois, je passais mes journées avec lui. Il me montrait des personnes que je connaissais*

---

1. Pages 156,157 in « Metanoïa », Aimé Michel, Ed. Albin Michel, Paris.

plus ou moins, parfois pas du tout. Nous traversions les mers à la vitesse de la pensée[1]. *Je pouvais voir loin, très loin. C'est lui qui m'a emmenée chez la reine de France (Marie-Antoinette) en prison. Lorsqu'il vient pour m'emmener, en général je vois d'abord une faible lueur de lumière et puis il apparaît soudain devant moi comme la lumière d'une lanterne qui illumine les ténèbres. (...) Mon guide est toujours devant moi, parfois à côté. Je n'ai jamais vu ses pieds bouger. Il est silencieux, fait peu de mouvements, mais parfois il accompagne ses courtes réponses par un geste de la main, ou une inclination de la tête. Oh comme il est brillant et transparent ! Il est grave mais très gentil. Ses cheveux sont soyeux, flottants, brillants. Sa tête n'est pas couverte et sa robe est longue et d'une blancheur éblouissante comme celle d'un prêtre. Je lui parle librement mais jamais je n'ai pu le regarder en face. Je m'incline devant lui. Il me donne toutes sortes de signes. Je ne lui pose jamais trop de questions ; la satisfaction que j'obtiens en étant à ses côtés m'en garde. Il est toujours très bref dans ses mots. (...) Une fois je me suis perdue dans les champs de Flamske. J'étais terrorisée, j'ai commencé à pleurer et j'ai prié Dieu. Soudain, j'ai vu une lumière comme une flamme devant moi. Cela prit la forme de mon guide vêtu de sa robe. Le sol sous mes pieds est devenu sec, cela se dégagea tout au-dessus de moi et ni pluie, ni neige ne tombaient sur moi et je suis rentrée à la maison, sans même être mouillée »*[2].

Jamais Anne-Catherine n'a parlé d'ailes et en ce sens, ce qu'elle nous dit recoupe parfaitement et en tous points les témoignages des expériences aux frontières de la mort, d'autant qu'elle disait toujours « *lorsque mon âme quitte mon corps* »... Elle nous laissa ainsi sa vision des Anges qui apparaissant mystérieusement tout au long du calvaire du Christ :

> *»Aucune langue humaine ne peut exprimer l'épouvante qui remplissait l'âme du Sauveur à la vue de ces terribles expiations ; car il voyait non*

1. On ne peut que renvoyer au cas n° 4 du chapitre « Des Anges dans les tunnels ». Le voyage à la vitesse de la pensée représente l'un des dénominateurs communs de toutes les NDE et cette déclaration d'Anne-Catherine nous confirme à nouveau cette habileté tout à fait étonnante de l'âme dès qu'elle se retrouve hors de son corps.
2. Page 72 in « Life of Anne-Catherine Emmerich Vol I », Carl Schmöger, Tan Books, 1976.

seulement l'immense étendue des tourments qu'Il devait endurer, mais encore les instruments de torture, la fureur diabolique de ceux qui les avaient inventés, la cruauté des bourreaux, et les angoisses de toutes les victimes innocentes ou coupables. L'horreur de cette vision fut telle, que tout son corps se couvrit de sueur : c'était comme des gouttes de sang qui coulaient jusqu'à terre. Pendant que le Fils de l'Homme était ainsi plongé dans la tristesse et l'abattement, je vis les Anges saisis de compassion. Il me sembla qu'ils désiraient ardemment le consoler, et qu'ils priaient pour lui devant le trône de Dieu. (...) A la fin des visions de la Passion, Jésus tomba sur le visage comme un mourant. Les Anges disparurent, les tableaux s'évanouirent ; la sueur de sang coula plus abondante, et je la vis traverser ses vêtements. Une profonde obscurité régnait dans la grotte. Je vis alors un Ange descendre auprès de Jésus. Il était plus grand, plus distinct et plus semblable à un homme que ceux qui s'étaient montrés dans la vision précédente. Il était revêtu, comme un prêtre, d'une longue robe flottante, et portait dans ses mains un petit vase en forme de calice. A l'ouverture de ce vase, je vis un corps de forme ovale de la grosseur d'une fève, et qui répandait une lueur rougeâtre. L'Ange, toujours planant, étendit la main droite vers Jésus, et, le Sauveur s'étant relevé, il lui mit dans la bouche le corps brillant et le fit boire au calice lumineux, puis il disparut. » [1]

En 1824, Anne-Catherine mourut à l'âge de 50 ans, en imitant le Christ ; ses derniers mots, « *Laissez-moi mourir dans l'ignominie avec Jésus sur la croix.* » témoignaient bien de son détachement et de son indifférence à tous les médecins, curieux, prêtres et militaires qui se pressaient à son chevet pour l'examiner comme une bête de foire, qui chaque vendredi était ravagée par la Passion. Six semaines après son enterrement, elle fut exhumée pour vérifier que personne n'avait eu l'idée de « voler » quelques « reliques ». Son corps demeurait en parfait état, souple, sans odeur, sans aucune décomposition. Cependant, contrairement à Thérèse d'Avila et à Catherine de Sienne, Anne-Catherine Emmerich n'a pas encore été canonisée car ses visions furent notées par le poète allemand Clemens Brentano, soupçonné d'avoir ajouté ses propres commentaires aux visions de la jeune femme.

1. In « Visions d'Anne-Catherine Emmerich », Editions Téqui, Paris, cité par Vincent Klee.

Ce qui prouve qu'au moindre doute, et malgré des stigmates authentiques, l'administration tatillonne du Vatican n'hésite pas un seul instant à stopper la procédure de béatification. Ce dont les fidèles se moquent éperdument : la mémoire d'Anne-Catherine Emmerich a plus que survécu aux oublis de Rome, et ses « Visions », comme les « Dialogues » de Catherine de Sienne, continuent à faire la fortune des éditeurs et à convertir bien des âmes. Finalement, elle sera peut-être béatifiée le 9 septembre 1994...

MARIE-MADELEINE DE PAZZI
1566-1607

(Groupe I, stigmates, miracles, Anges, incorruptibilité)

ITALIE

> *Majestic, Imperial,*
> *A bridge of sighs,*
> *Solitude sails, in a wave of forgiveness,*
> *On Angel's wings.*
> *Reach out your hands,*
> *Don't turn your back,*
> *Don't walk away.*
>
> Siouxsie and the Banshees –
> *The Last Beat of my Heart* –
> in « Peep Show », Geffen Records.

Son corps est toujours là, parfaitement conservé et surtout visible dans l'église des Carmélites, à Florence, continuant à défier les lois de la nature et à dégager une agréable odeur de « sainteté », plus de 400 ans après sa disparition. Née en 1566, Catherine de Pazzi était la fille de l'une des familles nobles les plus en vue de Florence (avec les Médicis) et promise à un mariage de raison fructueux. Mais dès l'âge de dix ans, Catherine avait décidé qu'elle deviendrait religieuse. Et lorsque ses parents, après avoir tenté de la marier à plusieurs reprises, se rendirent compte qu'il n'y avait guère d'autres solutions, ils cédèrent à son caprice et la laissèrent entrer, à 16 ans, chez les carmélites de Notre-Dame des Anges de Florence. Catherine changea de prénom pour celui de Marie-Madeleine et allait marquer son couvent et surtout son siècle par ses fréquentes lévitations[1], ses

---

1. Comme Thérèse d'Avila et Joseph de Copertino, le moine « volant ».

stigmates, ses visions christiques, ses extases, ses miracles et, après son décès en 1607, par son corps incorruptible.

Au cours de certains de ses transports, Catherine recevait des enseignements du Christ et de... Catherine de Sienne, son modèle. Jean-Noël Vuarnet[1] la trouve moins intéressante que la « grande » Catherine : « *Les dialogues que pendant l'extase elle entretenait avec le Christ (Colloques d'Amour) sont souvent très tendres. Jésus l'appelle « ma petite fille... ma bien-aimée... ma colombe... ma petite épouse »,* *etc., et lui offre au fil des ans un certain nombre de vêtements et joyaux mystiques. Vêtue de ces vêtements et de ces bijoux, elle se promène nue dans le cloître. Jésus donne aussi à Catherine de « lire dans son cœur comme dans un livre ouvert », et, un certain 29 juin, il lui fait connaître les douleurs de la Passion. D'autres fois, c'est sous la forme d'une vigne qu'il lui apparaît ou bien il est un feu qui prend possession de sa poitrine au point qu'elle doit se rouler nue dans la neige pour éviter d'en être consumée. »*

Catherine de Pazzi a passé ses cinq premières années de réclusion sans aucun « miracle » et c'est seulement en 1590 qu'elle vécut sa première extase. Les contenus de ses dialogues et visions furent notés par les sœurs du couvent et publiés bien après sa mort qui survint le 25 mai 1607. Mais, comme plus tard le Curé d'Ars et le Padre Pio, la carmélite pouvait lire les pensées des gens, guérir les malades et surtout discerner les véritables postulantes[2]. Dans ses « Contemplations très profondes sur les perfections divines », elle nous a laissé des précisions sur la nature de l'amour entre l'Ange et l'homme :

> « *Cet amour est loin d'égaler celui de Dieu. Les Anges aiment les créatures d'un amour intense, d'un amour d'extension, de vérité et de régénération. Amour intense, qui a sa source dans le cœur du Verbe, parce qu'ils voient dans le Verbe la dignité des créatures, et l'amour qu'il a pour elles ; cet amour des Anges est, pour ainsi dire, la surabondance de l'amour du Verbe qu'ils recueillent en eux, et communiquent ensuite à la créature dans la plus noble partie de son être, c'est-à-dire le cœur. Oh ! Si la créature connaissait cet amour intense des Anges ! (...) Cet amour rend*

---

1. In « Extases féminines », Ed. Hatier.
2. Il s'agit d'un problème crucial pour toute supérieure de couvent.

l'âme sage et prudente : sage dans ses œuvres qu'elle fait avec une intention droite pour la plus grande gloire de Dieu ; et prudente dans la garde des vertus qui produisent tous ces amours dont la réunion forme un anneau précieux pour les fiançailles de l'épouse ; les séraphins qui les ont communiqués descendent du ciel, les prennent avec deux de leurs ailes, les ornent avec deux autres, et les portent avec les deux dernières en présence de l'Epoux. A cette vue, tous les chœurs angéliques se lèvent, et veulent aussi faire quelque chose pour l'épouse, mais ne sachant que faire, ils se mettent à la louer de tout leur cœur en disant : « Celle-ci est digne de recevoir un nouveau nom », et, se prosternant — parce que dans l'épouse, ils honorent l'Epoux — ils lui rendent leurs hommages. »

Catherine/Marie-Madeleine de Pazzi reçut donc les stigmates à l'âge de 19 ans, et, voulant pousser ses souffrances encore plus loin, se roulait parfois dans des ronces et, entre autres, se fouettait plusieurs fois pas jour avec la discipline. « *Ce n'était pas assez que son corps fut supplicié* » nous raconte Aimé Michel dans son « Metanoïa », « *elle le voulait encore humilié et écœuré. On la vit la corde au cou, manger à terre comme les bêtes, ramper sur les dalles du réfectoire pendant le repas des autres nonnes pour leur baiser les pieds par-dessous la table. Elle voulut être fouettée par la Prieure devant les autres religieuses, ou encore foulée aux pieds par elles. Elle tint à soigner les malades, surtout quand les soins étaient pénibles. On la vit lécher les plaies d'une sœur qui souffrait d'une répugnante maladie de peau, un ulcère de la jambe où nageaient des vers, et, dans un autre cas, d'une lépreuse.* »

Le dépassement dans tout ce qui pourrait heurter sa sensibilité n'avait pas de limites. Et autant elle se dépassait, autant elle vivait des extases demeurant incompréhensibles pour le reste du couvent. A 42 ans, Catherine de Pazzi retourna définitivement dans les bras du Très-Haut dans des souffrances que l'on peut facilement imaginer comme atroces, maigre comme un clou, édentée et le corps plein d'escarres, interdisant aux sœurs de la soulager, même lors de ses derniers instants.

Elle fut enterrée dans l'église et les carmélites remarquèrent aussitôt qu'il se dégageait de la tombe une odeur agréable. Un an après sa mort, en 1608, le couvent obtint l'autorisation de récupérer les reliques (les sœurs ne savaient pas que le cadavre de Catherine allait devenir incorruptible) et furent surprises de découvrir lors de l'ouverture du cercueil un corps en « parfaite santé », malgré l'humidité du tombeau qui avait imbibé les vêtements de la carmélite. Par la suite, le corps fut examiné en 1612, en 1625 et en 1663, aux fins de béatification. Autre phénomène, une sorte d'huile suintait de ses genoux, phénomène qui dura huit ans. La dépouille ne fut jamais embaumée.

THERESE D'AVILA
1515-1582

(Groupe I, stigmates, miracles, Anges, incorruptibilité)
ESPAGNE

I see her face and run to take her hand
Why she's never there I just don't understand
The trumpets sound my whole world crumbles down
Visions of Angels all around
Dance in the sky
Leaving me here
Forever goodbye.

Genesis – *Vision of Angels* – in « Trespass »,
Charisma Records.

La plus connue et surtout la plus mystérieuse des rencontres vécues par un être humain avec un Ange reste bien celle de Thérèse d'Avila, l'une des épouses mystiques du Christ. La rencontre entre l'Ange et la réformatrice de l'ordre du Carmel et première femme docteur de l'Eglise (née le 28 mars 1515 et morte le 4 octobre 1583) a été immortalisée par la sculpture du Bernin (1598-1680), baptisée la « Transverbération de sainte Thérèse », transverbération angélique racontée par la carmélite :

« *Je voyais près de moi, du côté gauche, un Ange sous une forme corporelle. (...) Il n'était pas grand, mais petit et extrêmement beau ; à son visage enflammé, il paraissait être des plus élevés parmi ceux qui semblent tout embrasés d'amour. Ce sont apparemment ceux qu'on appelle chérubins, car ils ne me disent pas leurs noms. Mais il y a dans le ciel, je le vois clairement, une si grande différence de certains Anges à d'autres, et de ceux-ci à ceux-là, que je ne saurais l'exprimer.*
Je voyais donc l'Ange qui tenait dans la main un long dard en or, dont

l'extrémité en fer portait, je crois, un peu de feu. Il me semblait qu'il le plongeait au travers de mon cœur et l'enfonçait jusqu'aux entrailles. En le retirant, on aurait dit que ce fer les emportait avec lui et me laissait toute entière embrasée d'un immense d'amour de Dieu. La douleur était si vive qu'elle me faisait pousser des gémissements dont j'ai parlé. Mais la suavité causée par ce tourment incomparable est si excessive que l'âme ne peut en désirer la fin, ni se contenter de rien en dehors de Dieu. Ce n'est pas une souffrance corporelle ; elle est spirituelle. (...) C'est un échange d'amour si suave entre Dieu et l'âme, que je supplie le Seigneur de daigner dans sa bonté en favoriser ceux qui n'ajouteraient pas foi à ma parole. »

Le cœur en question a été précieusement conservé et toujours exposé dans l'église des Carmélites d'Alba de Tormès. Ce cœur, transpercé par l'Ange avec une flèche symbolisant l'amour de Dieu, possède sa propre histoire, et semble continuer à vivre indépendamment de sa propriétaire : il gonfle, devient brûlant et brise le tube en cristal qui le contient. Après un examen approfondi du bout de chair incorruptible, le chirurgien Manuel Sanchez en fera une description détaillée : « *Une ouverture ou déchirure transversale se remarque à la partie supérieure et antérieure du cœur ; elle est longue, étroite et profonde, et pénètre la substance même de l'organe, ainsi que les ventricules. La forme de cette ouverture laisse deviner qu'elle a été faite avec un art consommé, par un instrument long, dur et très aigu ; et c'est seulement à l'intérieur de cette ouverture que l'on peut reconnaître des indices de l'action du feu ou d'un commencement de combustion. (...) Tout le long de la blessure, on remarque facilement des traces de combustion. Elles sont surtout visibles sur les deux déchirures de la lèvre supérieure de la plaie, qui semblent carbonisées comme par l'application d'un charbon ardent ou d'un fer porté au rouge.* »[1]

Par la suite, d'autres médecins de l'université de Salamanque noteront une perforation effectuée par le dard cité précédemment par la sainte elle-même. Les trois médecins certifieront par ailleurs sur l'honneur que la conservation de l'organe vieux de trois cents ans ne pouvait être possible avec aucun produit chimique, ou de toute autre manière que ce soit, même naturelle.

1. In « Stigmatisés et apparitions » 1967, op.c, page 83.

Et le cadavre de cette femme au destin exceptionnel dont le cœur a été percé par la flèche d'un Ange, a connu un destin tout aussi exceptionnel. « *Le lendemain de sa mort (5 octobre 1582)* », raconte sœur Ana de San Bartolomé, « *on l'enterra avec toute la solennité possible. Son corps fut mis dans un cercueil ; mais on le chargea de tant de pierres, chaux, briques que le cercueil céda sous le poids, et tout cela y pénétra. (...) Mais il émanait un parfum si délicieux de la tombe de Teresa de Jésus que les moniales souhaitèrent revoir le corps de leur Mère* ». Le 4 juillet 1583, neuf mois après sa mort, le cercueil fut ouvert. Francisco de Ribera était là : « *On trouva le couvercle brisé, à moitié pourri et plein de moisissures, l'odeur d'humidité était très forte... Les habits étaient également pourris. Le saint corps était couvert de la terre qui avait pénétré dans le cercueil, moisi lui aussi, mais aussi sain et entier que s'il eût été enterré la veille* ». Le père Ribera, ému à plus d'un titre, ajoute : « *Elle était si entière que mon compagnon Fr Cristobal de San Alberto et moi sortîmes tandis qu'on la déshabillait ; on me rappela lorsqu'elle fut recouverte d'un drap ; découvrant ses seins, je fus surpris de les voir aussi pleins et aussi droits.* »

Seul un homme pouvait être fasciné par ce détail, qui avouons-le ne manque pas de charme, même s'il s'agit des seins d'une morte, fût-elle sainte. Ce corps en trop parfait état ne le resta pas longtemps car justement en raison de sa parfaite conservation et de son odeur agréable, divers ordres et églises lui arrachèrent au sens propre du terme les membres qui demeurent toujours en... parfait état. Magistral pied de nez aux médecins légistes et autres scientifiques qui récusent ces phénomènes.

Dans sa très belle « Vie de sainte Thérèse d'Avila »[1], Marcelle Auclair a dressé l'inventaire du véritable massacre de ce corps qui s'obstine toujours à répandre une odeur indéfinissable mais agréable, ressemblant légèrement à celui du trèfle frais : « *Le pied droit et un morceau de la mâchoire supérieure sont à Rome, la main gauche à Lisbonne, la main droite, l'œil gauche, des doigts, des lambeaux de chair, épars en Espagne et dans toute la chrétienté. Son bras droit et son cœur sont dans des reliquaires à Alba de Tormes, ainsi que ce qui reste de ce corps parfait et incorruptible.* »

1. Page 462, Seuil, Paris, 1960.

Quelle folie barbare s'est emparée de ces hommes, de ces prêtres, *a priori* mentalement parfaitement normaux, représentant l'élite de l'époque, pour couper un bras, une jambe, un pied, un doigt de la sainte et même lui enlever le cœur et les yeux, si ce n'était la parfaite authenticité de ces rencontres, constatée par des milliers de témoins ? Le provincial de l'ordre, Jérôme Garcian raconte, sans doute très fier, comment il a coupé un doigt de cette main pour le garder en permanence sur lui. Il précise même que lorsqu'il fut capturé par les Turcs, il n'a pu récupérer le doigt de sainte Thérèse qu'en le rachetant moyennant quelques bagues en or et vingt reals. Essayez de vous imaginer un instant, prenant votre voiture le matin avec un doigt ou un œil d'un saint autour de votre cou[1]...

Quelle folie sinon celle de l'absolue certitude de toucher Dieu lui-même au travers de ces « bouts » sanguinaires de sainteté. Mais aussi quelles preuves extraordinaires, fantastiques pour les uns, troublantes pour les autres, de la présence du Très-Haut dans ces corps stigmatisés ou incorruptibles qui, pour la majorité d'entre eux, ont vu les mystères du ciel.

---

1. Le lecteur sera peut-être surpris comme moi, d'apprendre qu'il peut acheter une relique officielle de son saint favori. S'adresser au couvent Santa Lucia de Rome (Via in Selci) qui stocke les effets d'environ 2 000 saints. Les reliques sont classées par catégorie. Autrement dit, une relique de « premier choix » sera un morceau d'os ; une relique de « second choix » sera un morceau de tissu d'un vêtement porté par le saint et une relique de « troisième choix » sera un morceau de sa tombe.

CATHERINE DE SIENNE
1347-1380

(Groupe I, stigmates, miracles, Anges, incorruptibilité)

ITALIE

I was havin'this
Out of body experience,
Saw these cosmic beings,
Everywhere I went up there,
They were shakin'their cosmic things.

The B'52's – *Cosmic Thing* –
in « Cosmic Thing », :r Records.

Malgré le temps, Catherine de Sienne (1347-1380) est une mystique furieusement moderne. Elle est de tous les temps, sans doute parce qu'elle vécut hors du temps. On a beau relire ses « Dialogues » et sa correspondance, rien n'y fait, elle est là. On ne peut s'empêcher de la trouver bien plus délicate, bien plus sensible que Thérèse d'Avila, sans doute parce que plus féminine. Catherine de Sienne est notre contemporaine si l'on compare ses écrits aux prélats du new age actuel. Les Near Death Experience ? Elle en eut une bien avant la naissance de Raymond Moody, ce qui la laissa pendant plusieurs jours en larmes : « *Je ne voulais pas revenir dans cette prison qu'est le corps.* » Le réveil de ce que certains appellent kundalini ? On la vit léviter à plusieurs reprises, en pleine extase qui « *ne peut se décrire avec des mots humains* ». Catherine de Sienne est éternelle parce qu'elle est l'une des plus grandes mystiques de l'histoire de l'Eglise, pourtant bien plus misogyne à l'époque qu'aujourd'hui. Et elle nous a légué ses célèbres « Dialogues »[1] avec le Créateur et le Christ, un vrai

1. Ed. Seuil, Paris, 1953.

joyau qui n'a qu'un seul équivalent, les « Dialogues avec l'Ange ». Pourtant, si elle n'a pas vécu bien longtemps, 33 ans, toute son existence a baigné en permanence dans le surnaturel : stigmates, visions, extases, lévitations, incorruptibilité, etc. Elle expliqua un jour qu'elle ne voyait pas les visages des gens qui lui rendaient visite parce qu'elle distinguait leur âme : parfois, comme bien plus tard le Curé d'Ars ou le Padre Pio, elle déclinait à un quidam qu'elle n'avait jamais vu, la liste exhaustive de ses « péchés », le foudroyant sur place. A un moment, il fallait huit prêtres en permanence à ses côtés car toute personne qui lui adressait la parole était aussitôt transformée. Aussi, ce n'est pas par hasard que le souvenir d'une âme comme celle de Catherine de Sienne franchit six siècles d'histoire. Mystique parmi les mystiques, terriblement femme, au regard de scanner (au vu des tableaux et sculptures la représentant), elle était dévouée corps et âme au Christ, son seul amour, son seul amant, son seul mari et son seul Dieu. Dieu qu'elle avait commencé à vénérer dès l'âge de six ans, preuve irréfutable d'une âme prédestinée.

Il suffit de se pencher sur la vie de cette femme unique qui, bien que presque illettrée, eut une influence considérable sur la vie politique et religieuse de son pays, sur les papes et surtout sur l'ensemble de la communauté religieuse de son époque, franciscains et dominicains compris. Pas parce qu'elle était une femme dévote mais parce que sa réputation franchit très vite les frontières. Par exemple, en prière dans l'église, elle s'écroulait soudain devant tous les fidèles, pâle, le corps totalement rigide, sans aucun battement de cœur, en extase... Elle restait là pendant trois, quatre heures, au point que les prêtres, à l'aide de ses « enfants spirituels », la sortaient sur le parvis sans qu'aucun membre de son corps n'ait bougé d'un millimètre. Un dominicain, persuadé qu'elle n'était qu'une simulatrice, attendit sournoisement dans l'église l'une de ses extases pour se précipiter et lui piquer les pieds et le corps avec un couteau[1]. Mais Catherine Benincasa n'eut aucune réaction sur le coup. En revanche, trois

---

1. De nos jours lorsque des enfants affirment voir la Vierge, les médecins se précipitent et piquent les enfants avec une aiguille ou bien passent la flamme d'un briquet sous leurs mains et devant leurs yeux pour vérifier qu'il n'y a pas de simulacre.

heures plus tard, « de retour sur Terre », non seulement elle se plaignit violemment de l'agression mais en souffrit et une plaie se forma. Un dimanche d'août 1370, son corps prit toutes les couleurs de la mort et au bout de quelques heures, ses proches, persuadés qu'elle venait de mourir, l'installèrent dans un cercueil, ouvert pour le dernier hommage. Mais Catherine finit par ouvrir les yeux, terrorisant les pauvres sœurs qui la gardaient. « *Que s'est-il passé ?* », l'interrogea son confesseur Raymond de Capoue, « *étiez-vous donc réellement morte ?* » « *Mon cœur a éclaté, il s'est fendu de haut en bas* » répondit-elle. « *Mon âme se trouva séparée de mon corps*[1]. *Je ne sais pas combien de temps, les sœurs disent quatre heures. Mais j'ai vu les arcanes de Dieu (Vidi Arcana Dei). Je n'ai pas vu l'essence divine elle-même, mais j'ai vu la gloire des saints, les peines des pécheurs en enfer, et celles des âmes qui se purifient au purgatoire. Mes souvenirs ne sont plus assez distincts. Et puis, je n'ai pas de mots pour expliquer de telles choses. Ah, quel chagrin d'être revenue ici-bas ! Mais le Seigneur m'a dit :* « *Le salut de plusieurs dépend de ton retour sur Terre où tu ne vivras plus désormais comme autrefois, confinée dans une cellule* ». » Cela n'empêcha pas la jeune femme de pleurer : elle ne voulait pas revenir dans son corps. Une autre fois, un prêtre la mit à l'épreuve en lui offrant, lors de la communion une hostie non consacrée. Furieuse, elle se releva et l'incendia violemment. Par la suite, on le devine, plus personne n'eut besoin de lui piquer les pieds car, dès le début de certaines de ses extases, elle se soulevait légèrement comme une plume et, toujours sans bouger, était emportée dans les airs par les bras de son Epoux, invisible bien sûr. Les fidèles qui assistaient à la messe demeuraient paralysés d'inquiétude, et on le comprend.

Son mariage avec le Christ ne manqua pas de donner des idées aux joailliers italiens. Un soir de 1337, alors qu'elle était perdue dans ses prières, le Christ lui apparut et lui tint le discours suivant : « *Depuis que, par amour pour Moi, tu as renoncé aux vanités, méprisé les plaisirs de la chair et fixé tous les délices de ton cœur en Moi, et maintenant que le reste de la maison s'amuse, J'ai décidé de célébrer les*

---

1. Aujourd'hui les spécialistes du new age diraient qu'elle fit une expérience « hors du corps ».

noces de ton âme et de t'épouser dans la foi comme Je te l'avais promis. » Alors, toujours d'après son témoignage, l'apôtre Jean, Marie, saint Paul et saint Dominique se matérialisèrent dans la petite cellule pour être les témoins... Marie prit la main de Catherine et présenta la jeune vierge à son Fils qui lui passa au doigt une alliance en or sertie d'un diamant et de quatre perles : « *Ici, Je te marie avec Moi dans la foi, Moi ton Créateur et ton sauveur. Garde cette foi sans tâche jusqu'à ce que tu viennes à Moi au ciel, célébrer ce mariage qui n'a pas de fin. A partir de ce moment, ma fille, sois ferme et décisive dans tout ce que dans Ma providence je te demanderai de faire. Armée comme tu es de la force de la foi, tu vaincras tous tes ennemis et seras heureuse.* » Cette bague demeurait invisible sauf à Catherine qui la voyait toujours, hormis, avait-elle admis en rougissant, lorsqu'elle avait offensé son Epoux (après une confession en bonne règle, tout redevenait « normal » ! !).

Curieusement, nous avons peu de textes sur les Anges de Catherine de Sienne, sauf l'un de ses « Dialogues », qui ont traversé plus de six siècles d'édition. Ce passage des entretiens avec le Père Eternel parle de la « Divine Providence », que certains appellent le hasard, d'autres la coïncidence et d'autres encore la synchronicité :

« *Parfois cependant elle (la providence de Dieu) s'exercera envers mes grands serviteurs sans passer par la créature, directement, ainsi que tu l'as éprouvé toi-même et ainsi que tu l'as entendu dire de ton glorieux père saint Dominique*[1] *ce bien-aimé serviteur qui, un jour des premiers temps de l'ordre, alors que ses moines, au moment du repas, n'avaient rien à manger, dit plein de foi et certain que Je le secourais : — Mes fils, asseyez-vous —. Obéissants, les moines s'assirent devant la table. Alors, moi qui aide ceux qui espèrent en moi, j'envoyai deux Anges porteurs de pains très blancs, et en si grande quantité qu'ils en eurent pour plusieurs repas. Voilà un exemple où ma providence s'est exercée sans le moyen de l'homme, mais avec la clémence de l'Esprit-Saint.* »[2]

1. Catherine de Sienne était une dominicaine tertiaire.
2. Un tableau de cette scène se trouve au musée du Louvre : « Le repas de saint Dominique servi par les Anges » par Fra Angelico.

Catherine de Sienne ressentit les premières douleurs de la Passion en 1373 avec la couronne d'épines autour de la tête, suivies deux ans plus tard par les marques des cinq autres blessures qui apparurent sur son corps, douloureuses mais cependant invisibles comme elle le Lui avait demandé (elles apparurent en revanche lors de son décès). Pendant toute sa vie, Catherine n'eut de cesse de se détruire pour Lui laisser la place : détruire les besoins physiques de son corps, anéantir son besoin de sommeil, supprimer son appétit et surtout décimer ses aversions psychologiques afin que plus rien ne subsiste entre elle et Lui. Sur le papier, cela semble peut-être simple, mais dans la pratique comme nous allons le voir, cela l'est nettement moins et illustre parfaitement la différence entre le commun des mortels (vous, moi) et presque tous les mystiques abordés dans ce chapitre qui ont vu un ou des Anges.

Dès son adolescence par exemple, Catherine ne cessa de se mortifier avec l'incontournable « discipline » au point que sa mère la suppliera de cesser de se mutiler en pleurant : « *Ma fille, tu es en train de mourir devant mes yeux. Tu vas te tuer. Pitié, pitié. Mais qui veut emporter ma fille, qui m'apporte autant de malheurs ? Qu'est-ce que j'ai fait au bon Dieu pour mériter ça, etc.* » Elle ne croyait pas si bien dire. Sur quoi, Catherine lui répondit par un superbe et sans appel « *je ne veux pas voir en toi seulement la mère de mon corps mais aussi la mère de mon âme* ». Elle avait dix-sept ans... Plus tard, Cabriani, l'un de ses fidèles, qualifia les lésions et plaies — résultantes de ses flagellations — de « petites roses » et « petites fleurs ».

Avant d'aller plus loin, abordons l'inévitable mais trop hâtive conclusion du sadomasochisme. A ce sujet, c'est Aimé Michel qui, après une étude approfondie de la vie d'une autre grande mystique, Catherine de Pazzi, que nous venons de voir, a donné la meilleure analyse, infirmant la thèse du sadomasochisme :

> « " *Tous ces phénomènes* ", écrit Dingwall parlant des mortifications *de la sainte, sont bien connus des spécialistes de la psychopathologie, en particulier de ceux qui s'intéressent aux pratiques masochistes, dans lesquelles le plaisir sexuel est éprouvé par le moyen de certaines douleurs mentales et physiques infligées de préférence par une personne du sexe opposé. Dans certains cas, surtout chez les personnes vouées au service de la religion, ce plaisir masochiste se distingue de tout ce qui peut être dit*

consciemment sexuel, et il faut distinguer nettement des autres cette variété de masochisme ascétique. »

Mais que connaissent de l'ascèse les « spécialistes » dont parle Dingwall ? Rien. Ont-ils fréquenté les couvents ? Non. Dingwall, qui a immensément lu et qui cite une écrasante bibliographie sur la flagellation en tant que pratique sexuelle, tire toute sa science (il le dit) des livres, et la proportion est forte, parmi ceux qu'il cite, d'ouvrages de pure et simple gaudriole. Il a toujours été de bonne compagnie de plaisanter les moines. Le moine paillard mène déjà les cinq cents diables sur les chapiteaux romans et les sculptures des cathédrales. Quand donc une nonne se flagelle, c'est forcément une flagellée masochiste. Que les couvents soient les seuls endroits du monde où il n'y ait aucun dévoyé sexuel, je n'irai pas jusqu'à le dire. Mais il s'agit ici d'un cas particulier bien observé, et de lui seul : oui ou non, les flagellations et mortifications de Marie-Madeleine de Pazzi avaient-elles pour but (conscient ou non) le plaisir sexuel ? Je réponds par la négative pour les raisons suivantes :

— Les masochistes n'aiment nullement la douleur. Ils aiment une certaine douleur, et infligée dans des circonstances bien précises. J'attends qu'on me montre, statistiques à l'appui, que les masochistes ont l'habitude de se faire arracher les dents sans anesthésie, de se jeter dans les incendies pour sauver des vies, qu'ils font maintenant la queue pour s'engager comme infirmiers dans les léproseries, et qu'à l'armée ils sont automatiquement volontaires pour les corvées. En fait le masochiste est un être attardé : « Sadisme et masochisme (...) existent toujours chez l'enfant à un certain stade de sa maturation »; chez l'adulte, ils ne sont qu'une « persistance » (Dr R.R. Held).

— La pulsion masochiste grandit et cesse avec les pulsions sexuelles : la douleur non spécifique (c'est-à-dire autre que celle que requiert sa manie) l'éteint, la maladie aussi et, bien entendu, la satisfaction. Le masochiste qui crève de faim oublie son masochisme et ne garde que son envie de manger. Par pulsions sexuelles, il faut évidemment entendre aussi bien celles de l'imagination que celles des sens : un vieillard peut être masochiste : à condition toutefois de n'avoir ni trop faim, ni trop soif, ni mal aux dents, et de ne pas souffrir d'un panaris » [1].

Mais dans ce genre, les exercices de Catherine de Sienne iront bien plus loin que ceux du sadomasochisme, et je défie quiconque d'en

1. In « Metanoïa », op.c., pages 108-109.

faire autant : elle n'a jamais hésité par exemple à soigner les plus malades, avec une prédilection pour ceux dont personne ne voulait s'occuper, comme Andrea, atteinte d'un cancer tellement avancé et nauséabond que personne ne voulait l'approcher. En la déshabillant pour nettoyer la lésion sur la poitrine, Catherine, soudain blême à la vue de la blessure infâme, eut un tel mouvement de dégoût qu'elle se rejeta en arrière avec une violente envie de vomir. Mais ce fut tout car elle s'était juré d'annihiler en elle tout ce qui pouvait encore réagir, afin de Lui laisser encore plus de place. Alors elle se reprit et nettoya l'ulcère en mettant toutes les chairs en putréfaction et autres liquides qui y baignaient dans un bol, et le... but. Ensuite elle plaça son visage dans la plaie et la lécha afin de la nettoyer. On peut parler de folie. Mais qui oserait encore parler de sadomasochisme ?

L'épouse mystique mourut à 33 ans comme son divin mari, le 29 avril 1380 ; c'est à ce moment-là que les stigmates apparurent. Le corps de Catherine de Sienne, exposé pendant trois jours après son décès, reçut la visite de milliers de fidèles et de nobles, tous attirés par son intimité avec Dieu. Et ce n'est qu'en 1385, soit cinq ans plus tard, lors d'un déménagement, que son cercueil fut ouvert pour récupérer ses os, autrement dit ses reliques. Les témoins furent ébahis de la découvrir intacte, comme si le temps s'était figé. Et son corps subit le même sort que celui de Thérèse d'Avila. Son confesseur Raymond de Capoue lui arracha le cœur et lui coupa la tête (!!!) pour l'envoyer comme relique à l'église Saint-Dominique de Sienne qui hérita plus tard d'une main. Un bras rejoignit la même ville, trois doigts partirent pour Venise, Rome garda la plupart de ses objets et l'autre main, Florence s'estima satisfaite avec une côte, le doigt portant la bague invisible atterrit chez les chartreuses de Pontiniano, les dents furent généreusement distribuées aux proches et les dominicaines de Rome héritèrent d'une... épaule.

Une véritable boucherie réalisée par les religieux eux-mêmes qui ne s'explique que par l'authenticité de cette femme hors du commun. Mieux, le 4 octobre 1970, le pape Paul VI ordonna Catherine de Sienne Docteur de l'Eglise, comme quoi son authenticité hante encore les esprits, assoiffés de toucher le Très-Haut et ses Anges, même à travers le temps.

Chapitre 9

Des stigmatisés et des Anges (IIA)

Aujourd'hui je te dis :
Souffrir par toi n'est pas souffrir
C'est comme mourir ou bien faire rire
C'est s'éloigner du monde des vivants
Dans la forêt, voir l'arbre mort, seulement...

Julien Clerc – *Souffrir par toi n'est pas*
souffrir – in « N°7 », EMI Pathe Records.

Depuis fort longtemps, tout mystique éveille systématiquement la suspicion de Rome. Les preuves établissant une sainteté doivent être innombrables, accompagnées de miracles incontestables et d'un signe divin, le bouquet final en quelque sorte. Le journaliste de « Newsweek » Ken Woodward, raconte dans son livre « Making saints », comment le tout puissant cardinal John O.Connor de l'archevêché de New York a essuyé une fin de non-recevoir du Vatican : l'archevêque, à la demande du cardinal Theodore Mac Carrick, a entamé une procédure de béatification de son prédécesseur de la cathédrale Saint-Patrick de New York, le cardinal Terence Cooke, cinq mois seulement après sa mort. Certains de leur influence considérable (avant tout financière), les deux cardinaux américains ont voulu faire pression sur la Congrégation pour la cause des saints. Réplique sans appel de Rome : « *Nous attendons minimum cinquante ans pour examiner un dossier.* »

Sous entendu, si la mémoire du disparu survit au temps grâce à des miracles (en général des guérisons inexpliquées), le dossier peut être accepté en première instance. Pas avant[1]. En clair, strictement aucun détail, susceptible de jeter un doute, ne peut être laissé de côté, sous peine de discréditer les autres saints et surtout Rome. Un risque impossible à assumer compte tenu des conséquences, surtout à une époque aussi spirituellement aride que cette fin de XXe siècle. Maria Simma, la visionnaire suisse morte en 1955, a parfaitement résumé les causes de la méfiance de l'Eglise dans son ouvrage « Les Ames du purgatoire m'ont dit »[2] : « *Souvent, on comprend mal la grande réserve dont fait preuve l'Eglise catholique à l'égard des révélation privées. (...) Il vaut mieux que l'Eglise ne reconnaisse pas comme authentique dix cas, que d'en reconnaître comme tel un seul qui ne le serait pas.* »

Ce groupe IIa recense donc exclusivement les sujets stigmatisés (blessures constatées, vérifiées et authentifiées par diverses autorités civiles, médicales et ecclésiastiques de l'époque) qui eurent, entre autres, des visions angéliques. Au même titre que l'incorruptibilité des cadavres, les stigmates valident la relation surnaturelle entre le sujet et le divin, leurs « visions », et, surtout, nous donnent des indications sur la nature des Anges.

Comme le groupe précédent, celui-ci comporte des noms illustres. Dans le cas par exemple de Padre Pio, mort en 1968, on dispose bien entendu de photos, mais aussi de films et d'enregistrements audio, indépendamment des nombreuses expertises médicales. Tous ceux qui pensent que les stigmatisés sont atteints d'une maladie mentale sont invités à rencontrer au choix quelques stigmatisés contemporains comme Jane Hunt, une Anglaise née en 1957 (divers reportages et interviews de la BBC sont disponibles), Vera d'Agostino, une

---

1. La procédure d'enquête conduisant à la canonisation a été établie en 1910 par Canon Macken, un prêtre anglais. Elle se décompose en neuf phases : 1) Phase préjuridique. 2) Phase informative. 3) Jugement d'orthodoxie. 4) Phase romaine. 5) Section historique. 6) Examen de la dépouille. 7) Procédure d'examen des miracles. 8) Béatification. 9) Canonisation. L'ensemble peut durer entre 40 et 400 ans...

2. Ce livre connaît depuis sa première édition un succès considérable à travers le monde ; plus de 500.000 exemplaires ont été vendus dans les différentes traductions.

Italienne de Pescara, née le 21 février 1959 ou le père Jim Bruse de Lake Ridge, Virginie. A ce jour, et malgré les moyens scientifiques dont disposent les médecins et biologistes, aucune explication n'a pu être fournie pour expliquer ce mystère.

C'est l'Américain Michael Freze qui a relevé les points communs des tous ces stigmatisés dans l'un des ouvrages le plus complet écrit sur ce phénomène « They bore the wounds of Christ »[1]. Sept caractéristiques majeures se détachent :

1) Ils sont choisis par Dieu (donc prédestinés).

2) Dieu désire toujours leur consentement avant de leur attribuer cette vie de victime expiatoire.

3) Le sujet a des locutions et/ou des visions dès l'âge de quatre ou cinq ans. Le Christ ou le Père lui parle.

4) Il perd dans son enfance des proches, voire sa famille.

5) Le sujet est souvent foudroyé par diverses paralysies et les médecins cherchent désespérément à en trouver les causes.

6) Le sujet est annihilé mais ses souffrances sont compensées par des extases qui ne « *peuvent être décrites avec des mots humains* ».

7) Le sujet meurt lorsque les médecins ne s'y attendent pas.

En clair, si votre petite fille, tout en jouant avec sa poupée Barbie vous dit soudain « *Maman, Papa, Jésus m'a parlé et il a dit que je me marierai avec lui quand je serai grande* », attendez-vous à ce qu'effectivement elle devienne religieuse, ou stigmatisée, ou les deux. Son sort est de toute façon scellé et il y a très peu de chances qu'elle refuse son rôle de victime pour racheter nos « péchés ».

Certains psychiatres prétendent que les stigmates proviennent d'une autosuggestion et brandissent comme preuve le fait que la blessure du Christ sur le côté se situe, soit à droite, soit à gauche, en réalité calqué sur la représentation du crucifix devant lequel prie le stigmatisé. Les Evangiles, il est vrai, ne précisent pas de quel côté le Christ reçut la lance. D'après le saint suaire de Turin, la blessure, de forme elliptique, se trouve sur le côté droit. On pourrait éventuellement accepter l'hypothèse de l'auto-hypnose s'il n'y avait aussi l'absence totale d'alimentation (comme nous le verrons plus loin avec

1. O.S.V., 1989, Hutington (Indiana).

Thérèse Neumann) sans aucune conséquence, les parfums émanant des plaies, des blessures qui ne s'infectent jamais, une manifestation plus marquée chaque vendredi, des dons de lecture des âmes (mise à nu), et, parfois après le décès, un cadavre incorruptible pour nous replonger dans l'inexplicable.

GEORGETTE FANIEL
1915-/

(Groupe II a, stigmates, miracles, Anges)

CANADA

> *No earthly church has ever blessed our union.*
> *To stain the beauty of this nuptial hour.*
> *No flowers on the Altar,*
> *No white veil in your hair,*
> *No maiden dress to alter,*
> *No Bible oath to swear.*
> *The secret marriage vow is never spoken.*
> *The secret marriage never can be broken.*
>
> Sting – *The Secret Marriage* -
> in « Nothing like the Sun »,
> A&M Records

Après des mois d'immersion complète dans les stigmatisés à la recherche de leurs visions d'Anges, je découvris que ces personnages me fascinaient autant, voire plus, que ces Etres célestes. Catherine de Sienne, Padre Pio et Gemma Galgani me captivaient littéralement. Puis j'imaginai de façon assez fantaisiste que le « Quotidien de Paris » m'envoyait en Italie avec notre photographe Salvatore Carambia pour interviewer Gemma Galgani : « *Mademoiselle, vous dites que vous voyez votre Ange gardien. Comment est-il ? Quel est son nom ? Lit-il « Témoignage Chrétien » ou bien le « Figaro Magazine » ? Est-ce qu'il mange ? Fume-t-il des Gitanes ? Est-ce qu'il va à la messe ? Travaille-t-il pour Michael Archange ou pour Dieu ? Est-il vrai qu'il se trouvait en congé maladie lorsque vous vous êtes cassé une jambe ?, etc.* » Pendant ce temps, Salvatore armait ses « flashes-parapluies », ses pellicules

400 asa Ektachrome et son Nikon pour immortaliser la jeune femme et son Ange gardien. Bref, à mon bureau de la rue Ancelle à Neuilly, je rêvais de rencontrer une « vraie stigmatisée ». Mais je découvris qu'obtenir un numéro de téléphone revenait à demander celui d'une star de cinéma. Je revois encore le père René Laurentin, avant tout un confrère journaliste, assez agacé lorsque je lui avais demandé l'adresse d'une stigmatisée et surtout visionnaire (elles ne le sont pas toutes). Il ne m'en donna aucune, bien entendu. Comme je n'étais pas prêtre mais journaliste, spécialisé dans l'informatique (!), mes intentions étaient forcément malsaines et certainement inspirées par le Diable, oh le vilain ! Raison pour laquelle je persiste à dire que si les prêtres avaient moins d'œillères et plus d'humour, les églises seraient assurément moins vides.

Mais la Divine Providence veillait au grain et me mit sur la piste de la Canadienne Georgette Faniel dont je n'avais jamais entendu parler, bien qu'elle soit parfaitement « authentifiée » par l'Eglise. Le cardinal Léger de l'archevêché de Montréal avait même autorisé son directeur spirituel à célébrer la messe chez elle. Il s'agissait donc d'une stigmatisée « en règle ». Alors, toutes les questions que je rêvais de poser à Catherine de Sienne, à Thérèse d'Avila, à Anne-Catherine Emmerich et à Gemma Galgani ont resurgi. Aussitôt, je pris un billet pour Montréal et fus assez surpris de recevoir un accueil agréable de la part du père Guy Girard, directeur spirituel de celle que je m'apprê-tais à bombarder de questions irrespectueuses style « *pourquoi souffrez-vous comme cela ?* », « *est-ce que cela sert à quelque chose ?* », « *que faisait votre Ange gardien lorsque vous êtes tom-bée ?* », « *le Christ vous a-t-Il donné une bague lors de votre mariage avec Lui ?* », « *n'avez-vous jamais eu envie de divorcer ?* », « *pourquoi vous soigne-t-on puisque vos maladies sont imposées par Dieu ?* », etc.

Après avoir étudié toutes ces épouses du Christ, parler à l'une d'entre elles représentait une sorte d'aboutissement. J'avais le senti-ment de rencontrer une extra-terrestre car les stigmatisés semblent se plaire à vivre dans un état de souffrances permanent. Pire, tout en leur affirmant qu'elles étaient ses « bien-aimées », le Christ leur « offrait » encore plus de souffrances et de douleurs. Ce dolorisme me mettait mal à l'aise. De plus, ces déclarations christiques étaient en opposition totale avec les expériences vécues dans les NDE où les sujets parlent d'amour divin infini et compassionnel. Alors ? Ma rencontre avec la stigmatisée de Montréal allait m'éclairer une fois pour toutes, surtout lorsqu'elle me dit qu'en 1947, « *elle avait traversé un tunnel avec une magnifique lumière au bout* ». En l'écoutant, la raison de ces souffrances devint claire, limpide, d'autant plus que je fus intimement convaincu par la simplicité de cette femme de 76 ans, au regard innocent de « vierge consacrée ». En tant que journaliste, j'avais interviewé trop de gens pour ne pas déceler la sincérité et surtout l'authenticité de cette dame. Ses réponses étaient plus claires que celles de n'importe quel docteur en théologie comparée. Elle parlait avec son cœur et une simplicité enfantine parce qu'elle n'avait pas dépassé le cours moyen, foudroyée par diverses maladies dès son enfance, comme Marthe Robin. Nulle trace d'hystérie chez elle et son premier directeur spirituel, un jésuite comme on n'en fait plus, aurait tôt fait de découvrir la supercherie. « *Certaines personnes ont peur de moi. Il y a quelques jours, une dame a récité une dizaine de chapelets avant de monter les escaliers, tellement elle était effrayée.* » me confia-t-elle. Effectivement, une vraie stigmatisée, même si elle ne porte pas toujours des plaies visibles, ça fait peur...

Le premier contact fut curieux. A Montréal, j'étais arrivé un peu en avance à son appartement niché au premier étage d'un immeuble construit dans une petite rue proche de l'avenue Rachel. L'aide de Georgette Faniel faillit ne pas me laisser entrer parce que le prêtre ne m'accompagnait pas. Après quelques palabres, finalement je pénétrai dans l'appartement. Le décor et les meubles me rappelaient la modestie des intérieurs des pays de l'Est. Tout était silencieux. Même les trois perruches en cage ne pipaient mot. Georgette Faniel dormait dans une petite pièce aux murs blancs avec un crucifix accroché au-dessus de son lit.

En attendant son directeur spirituel, je vérifiais l'état des piles du magnétophone, préparais les cassettes, contrôlais le micro et surtout relisais la liste des questions que j'avais préparée. Curieusement, je ne trouvais pas d'ambiance alors que je m'attendais à je ne sais quelle atmosphère surnaturelle. Rien. Le calme et la paix d'un appartement d'une personne âgée. Puis le père Girard entra et me serra vigoureusement la main en me souriant. C'était la première fois que je voyais un prêtre en tenue bleu ciel, indiquant son appartenance à la Société des pères des saints apôtres et cela changeait agréablement des sinistres tenues noires. « *Alors, vous écrivez sur les Anges ?* » me demanda-t-il. Cela me changeait des « *avez-vous pris votre filet à papillons ?* » Puis il m'expliqua en quelques mots la vie de Georgette Faniel. Fille d'un peintre belge immigré au Canada, elle commença à entendre des voix intérieures dès l'âge de six ans et pensait qu'il en était de même pour tout le monde. Classique. Catherine de Sienne avait elle aussi expliqué à sa mère dès l'âge de cinq ans qu'elle parlait avec Jésus. Bref, depuis presque soixante-dix ans, Georgette Faniel discute avec le Père Eternel, le Christ et Marie, voit l'Archange Michael et son Ange Gardien. Parfois elle biloque mais c'est un sujet qu'elle n'aborde pas. C'est son « jardin secret ». Et comme les autres stigmatisées, des maladies diverses et variées l'immobilisèrent dès son plus jeune âge. De façon à régulariser cette union divine dans la souffrance, elle a été « consacrée » par son directeur spirituel de l'époque, le père Gamache, comme « victime ». Auparavant, elle avait fait ses vœux de chasteté et de pauvreté. Aujourd'hui, si ses souffrances sont « normales » pendant la semaine (hormis la messe quotidienne), le vendredi elles deviennent effroyables.

Jusque-là, la vie de Georgette Faniel correspond trait pour trait au profil de Gemma Galgani. Mais cette dernière n'a pas eu à souffrir pendant trop longtemps puisqu'elle mourut à 25 ans alors que la stigmatisée de Montréal n'a pas bougé de chez elle depuis plus de cinquante ans. Au moment de l'interview, elle souffrait d'une fracture du sternum. Son médecin ne l'abandonne pas et tente de la soulager. Mais justement, à quoi servent réellement ses souffrances ? Le père Guy Girard ne fut guère étonné par ma question. « *Vous savez, elle connaît régulièrement des transfixions ou transverbérations* » m'explique-t-il, « *c'est-à-dire une douleur subite, particulièrement brutale et pénible, suivie d'une joie, à côté de laquelle toutes les autres joies du monde ne sont rien. Mais récemment, le Père Eternel lui a demandé de renoncer même à cette joie pour offrir davantage pour le salut du monde, et en particulier pour Medjugorge* [1]. *Ses transverbérations sont un acte d'amour du Père ou de Jésus qui lui prouvent toute l'affection*

1. Au moment de l'interview, la guerre entre Serbes et Croates faisait rage.

qu'Ils lui portent, en lui assurant qu'elle est source de rédemption pour le monde. Cette souffrance est source de salut pour des millions et des millions d'âmes qui, sans elle, ne connaîtraient pas Dieu. Une transfixion, c'est comme lorsque quelqu'un fait un infarctus. La douleur est terrible, comme si l'on vous plantait un couteau dans le cœur. Dans ces cas-là, Georgette se saisit la poitrine. Elle ne crie pas, parce qu'après cinquante ans, elle a le courage de ne pas crier. Elle ne fait que répéter « Seigneur, que ta volonté soit faite, je t'offre toute ma souffrance, pour les mourants, pour les enfants qui n'ont rien à manger, pour les blessés, pour tous ceux qui vont mourir aujourd'hui, pour l'Eglise, etc. ». Lorsqu'elle souffre, elle prie et elle offre. Elle porte les souffrances du Christ dans ses pieds, dans ses mains et sur son front. Mais c'est pendant la célébration de l'Eucharistie qu'elle souffre le plus. »

Je ne pouvais m'empêcher de trouver cela affreux. Pourtant, lorsque la stigmatisée elle-même m'expliqua avec sa voix de petite fille la raison de ses souffrances, cela m'apparut d'une clarté aveuglante. Et je n'ai jamais su comment elle a réussi à me faire comprendre l'aspect le plus rébarbatif de ce concept de l'Eglise catholique. Finalement, le père Girard m'invita dans la chambre de la stigmatisée. Georgette Faniel me regarda avec des yeux d'enfant et je me disais qu'en aucun cas je devais m'attendrir.

— *Offrir la souffrance est le plus important aux yeux de Dieu ?* lui demandais-je.

— *Oui, parce que nous accomplissons ce qu'Il a demandé, de porter notre croix. Alors la souffrance pour moi c'est une partie de la croix, aussi bien physique que spirituelle.*

Je me demandais pourquoi la souffrance au lieu du bonheur.

— *On ne peut pas Lui offrir notre joie ou notre bonheur à la place de la souffrance ?*

— *C'est difficile à comprendre mais ça se vit. J'éprouve de la joie de savoir que j'exécute la volonté de Dieu, d'accepter ce qu'Il me demande sans me révolter.* Elle s'arrête quelques instants. *Il faut savoir que la souffrance a trois degrés : nous pouvons expier nos fautes, coopérer au salut des hommes avec le Christ et aussi mériter. Celle-là, personne ne peut vous l'enlever. Cependant, il n'y a de joie dans la souffrance que si elle est acceptée. Le Père et le Christ me demandent régulièrement de souffrir et ils m'en apportent pour racheter les âmes.*

— *Quelle est la différence entre le Père et le Christ?*

— *Lorsque le Père me demande quelque chose, c'est avec fermeté. Jésus, lui, est plutôt comme un époux. Il s'approche doucement, ou bien il fait un détour parfois pour me demander telle ou telle chose* (elle rit gentiment comme si elle Le voyait et n'osait pas Lui demander quelque chose). *Le Père demande beaucoup plus que le Fils. Le Christ est un Epoux, il nous accompagne, nous aime, nous fortifie dans l'Eucharistie, alors que le Père se manifeste bien plus clairement lorsqu'Il demande quelque chose que le Fils ne pourrait le faire. On sent une nuance entre la demande du Père et celle du Fils. Le Père est beaucoup plus direct mais Il demande toujours si j'accepte. Il respecte ma liberté. Mais je suis tellement habituée par la grâce de Dieu à accepter Sa volonté que j'arrive à ne pas me révolter : lorsque mon médecin par exemple me donne des traitements douloureux, comme cet après-midi où il devait m'infiltrer le sternum avec une aiguille. Alors, au lieu de penser que cela va me faire très très mal, je pense à Jésus sur la croix qui Lui n'a rien eu pour adoucir ses douleurs. Après, je fais des actes d'Amour, c'est-à-dire que je remercie le Père et j'unis mes souffrances à celles de Jésus et aux douleurs de Marie pour n'avoir aucune richesse personnelle. Ce n'est pas ma souffrance, mais celle que le Père a choisie pour moi.*

— *Vous êtes une épouse mystique du Christ...* (pas le temps de terminer ma question).

— *Je n'aime pas le mot mystique, j'y suis allergique. Je suis une simple servante de Dieu.*

— *Mais le Christ vous a bien épousée à un moment donné?*, m'étonnai-je.

— *Oui, d'accord, je ne veux pas nier que je suis Son épouse.*

— *Quand eut lieu le mariage?*

— *Il était déjà mon compagnon de tous les jours. Cela a eu lieu le 22 février 1953, lorsqu'Il m'a demandé si j'acceptais d'être Son épouse ainsi que le contenu de la croix pour sauver les âmes avec Lui. Il m'a dit qu'IL était Tout et que je n'étais rien. Ensuite il m'a demandé de porter une bague, bénie par mon confesseur. Alors j'ai consenti, sans savoir*

dans quoi je m'engageais vraiment, et pour combien de temps.
J'espérais qu'Il viendrait me chercher assez tôt. Mais je vais avoir 77
ans bientôt, avec 72 ans de maladie derrière moi. Alors... (elle rit).

— *Vous êtes une épouse du Christ et aussi celle du Père ?*

Un point qui m'échappait totalement.

— *Je suis l'épouse de la Trinité.*

Je repensai au mariage de Catherine de Sienne.

— *Comment s'est passé le mariage ? Vous avez eu une vision, une*
extase, une bague ?

— *Oui, mais elle est invisible. Il y a la croix dessus... Elle est passée*
sur mon annulaire droit. Sur la main gauche, ce ne serait que des
fiançailles ou bien l'union d'époux sur le plan humain. Alors que sur le
plan spirituel, c'est sur la main droite que se trouve la bague. Marie était
présente avec la cour céleste.

— *La cour céleste ?*

— *Les Anges, les Archanges et tous ceux qui adorent Dieu et qui*
sont présents dans ses œuvres.

J'avais l'impression soudain d'être retombé en enfance, du temps de
mon premier catéchisme à l'âge de six ans. Mais cette interview me
passionnait de plus en plus car, pour la première fois, le surnaturel
commençait à être palpable.

— *Alors comment sont les Anges ?*

— *D'une grande splendeur... Les Archanges sont ceux qui ont des*
messages à transmettre au monde ; les autres semblent être faits pour
l'adoration de Dieu, pour le service de Dieu et pour nous aider, comme
les Anges gardiens.

— *Vous voyez votre Ange gardien ?*

— *Oui, je l'ai déjà vu !*

De plus en plus le sentiment de redevenir enfant ou d'être un
aveugle en compagnie d'un guide.

— *Comment est-il ?*

— *Très beau* (elle rit comme une jeune fille à qui un jeune homme
fait la cour). *Il a une tunique blanche. Mais on ne peut pas le comparer*
à la beauté humaine. Il est au-delà de cela, dans les traits, le visage,
dans tout. Je n'ai jamais vu d'homme aussi beau. Je vois aussi les Anges
pendant l'Eucharistie. Ils sont en état d'adoration, prosternés devant la
présence réelle de Dieu devant l'autel. Je ne vois pas pourquoi des gens

et même des prêtres ne croient pas à l'Ange gardien qui nous accompagne toujours.

— Comment parler avec son Ange gardien ?

— D'abord croire que nous avons un Ange qui nous accompagne jusqu'à la mort, qui intercède pour nous, nous garde et nous protège. Un Ange gardien ne cesse d'intercéder pour son protégé. Je le prie tous les jours ainsi que les Anges de ceux qui vivent dans la souffrance morale, physique et spirituelle. Vous savez, il y a tellement de souffrances qui se perdent, parce que les gens ne savent pas qu'ils peuvent offrir leur souffrance à Dieu ».

Georgette Faniel tente de trouver une position plus confortable dans son lit, car son sternum la fait à nouveau souffrir.

— Justement que faisait votre Ange gardien lorsque vous êtes tombée ?

— Je pense que c'est Dieu qui permet toute épreuve. J'aurais pu mourir, vous savez. Après ma chute et cette fracture du sternum, j'ai entendu le Père Eternel me dire « c'est ta première chute ma bien-aimée, dans le plan physique. Tu en auras deux autres, comme mon Fils. La seconde sera plus terrible parce qu'elle sera dans le plan spirituel. Mais ta troisième chute sera dans mes bras ». Après, j'ai été immédiatement hospitalisée et lorsque les médecins ont vu les radios, ils m'ont demandé « mais qui vous a frappé Madame ? Il faut absolument le dénoncer ; c'est un crime ». J'ai dit « non, c'est juste une chute ». Ils ne m'ont pas crue.

— Comment arrivez-vous à supporter toutes ces souffrances ?

— Aujourd'hui, c'est surtout l'Eucharistie qui me tient. Elle m'a même guérie d'une paralysie du côté droit du visage. Un après-midi, j'ai entendu la voix intérieure me dire « ma bien-aimée, reçois le corps du Christ et tu seras guérie ». Le père Girard venait juste d'entrer me rendre visite et je voulus lui faire signe avec ma main gauche en lui indiquant le ciel, l'hostie et la bouche mais il a cru que le store de la fenêtre était trop haut et qu'il fallait le baisser. Quand il est revenu vers moi, j'ai demandé au Seigneur de lui faire comprendre que je voulais communier. J'avais beau lui faire des signes, il ne comprenait pas. Avant qu'il parte, j'ai dit à Dieu le Père « si Vous voulez que je reste paralysée, que votre volonté soit faite, je Vous en remercie. Sinon, si vous voulez me guérir pour que je puisse faire un témoignage, inspirez

au père Girard de me donner l'Eucharistie ». Etant aumônier, il l'avait sur lui en permanence. C'était le 20 janvier. Au moment de partir, il revint vers moi et me dit « ah, j'ai oublié de te bénir ». Puis, voyant mon visage, il ajoute « et si je te donnais une parcelle d'hostie, crois-tu que cela pourrait t'aider ? ». Il me donna donc l'hostie, se leva et s'apprêtait à partir. Au moment où il termina sa bénédiction, je lui dis « merci » sans m'en rendre compte. Il n'en revenait pas. « Comment ? Tu parles, tu bouges... Tu es guérie ! » Et il éclata en sanglots. Je n'avais jamais vu un homme pleurer comme cela. C'était la première fois qu'il assistait à un miracle. Lorsque j'ai appelé mon médecin, il m'a raccroché au nez, croyant à une mauvaise blague parce qu'il savait que je ne pouvais pas parler. L'infirmière qui travaillait pour lui est venue me voir et a constaté que c'était vrai. Il n'en revenait pas. Une autre fois, j'étais gravement malade, une hémorragie terrible, et l'hôpital m'attendait aux urgences. J'ai dit au père Girard, « donnez-moi l'Eucharistie, je suis sûre que je vais aller mieux » et en effet je fus guérie. J'étais certaine que le Seigneur avait voulu tester ma foi. Alors je ne peux pas ne pas avoir confiance en l'Eucharistie.

— Donc vous êtes heureuse dans votre mariage.. divin ? Je ne voulais plus utiliser le mot « mystique » qui l'avait énervée.

— Oui. La seule chose est que je ne voudrais pas déplaire à Dieu en acceptant pour toujours sa volonté. Mais j'essaie. On est tous humains. Jamais je ne me révolte devant la souffrance. Je prie souvent mon Ange gardien pour qu'il vienne m'aider.

— Il vient ?

— Oh oui, Il fait ce dont je ne suis pas capable de faire. La première fois que j'ai connu la cour céleste, on travaillait pour les pauvres et il fallait attacher des boîtes, et mes doigts n'en étaient plus capables. Alors j'ai demandé au Père de m'envoyer mon Ange pour m'aider et Il m'a dit « oui, je vais t'envoyer plus que ton Ange gardien, je vais t'envoyer la cour céleste ». C'était la première fois que j'entendais parler de la cour céleste. « Qui ? » ai-je redemandé. « La cour céleste, à moi ? » m'étonnai-je. « Oui, à toi, Ma bien-aimée. Si mes Anges m'obéissent et que tu m'obéis, alors je vais leur demander de t'obéir et de t'aider. » Et tout s'est fait facilement.

— Vous parlez souvent de l'Archange Michael...

— Oui, parce que c'est celui que je préfère, sans vouloir faire de

peine aux autres, parce que je sais qu'il est là et parce qu'il me protège toujours.

— Mais le père Girard m'a expliqué que le démon a essayé de vous étrangler. Il vous protège vraiment ? m'étonnai-je.

— Oui, il attendait simplement les ordres de Dieu. Les Anges ne peuvent pas décider eux-mêmes, c'est le Père qui les commande et qui leur dit que je dois passer par telle et telle épreuve. Alors ils s'inclinent et intercèdent pour que je ne succombe pas, pour que je ne me décourage pas.

— Cela vous est-il est déjà arrivé de vouloir « divorcer » ?

— Oui, quand j'avais 17 ans. J'en ai eu assez de souffrir et de voir les autres s'amuser, de voyager alors que j'étais clouée au lit. J'avais même jeté Sa bague. J'ai dit un jour à mon directeur spirituel de l'époque que j'en avais jusque-là de la vie. Je me demandais « pourquoi moi ? », pourquoi Il m'avait choisie. Pourquoi aussi des gens venaient me demander des prières pour que Monsieur ait une voiture, pour que Madame ait la santé, pour qu'ils puissent faire des voyages alors que j'étais clouée sur un lit de souffrances. Je trouvais ça révoltant. Alors il s'est énervé parce qu'il savait que c'était le Malin qui me faisait dire ça. Il a prié, il a demandé pardon au Père. Ensuite il m'a demandé de reprendre mes esprits parce que le Seigneur m'avait envoyé une épreuve. Il voulait savoir si oui ou non j'acceptais la vie qu'Il m'avait choisie pour sauver des âmes. J'ai répondu que j'allais y réfléchir. Et puis j'ai dit « oui ». « Mimi », ajouta mon directeur spirituel, « je vais faire quelque chose que je n'ai encore jamais fait dans mon sacerdoce : je vais vous offrir d'une manière spéciale au Seigneur. Est-ce que vous acceptez ? » J'ai répondu « oui ». Il a élevé ses mains et m'a offert au Père Eternel comme hostie et comme une victime consacrée par Son amour miséricordieux. Il a prié : « Père Eternel, faites-en ce que Vous voudrez, elle accepte. » A ce moment-là, j'ai senti une douleur aiguë dans les orteils, comme si on me les tirait et qu'on me les tournait. C'était atroce. Et ça montait progressivement. En même temps, j'éprouvais une joie extraordinaire de souffrir parce que Dieu acceptait mon offrande. Intérieurement je me disais que dès que cela arriverait au cœur, je mourrais et cela serait terminé. Mais ça a continué. J'aurais tant voulu mourir comme cela. Cela aurait été trop beau. J'avais encore un bout de chemin à faire.

— Avez-vous des visions, est-ce que vous revivez la Passion du Christ ?

— Pendant l'Eucharistie et en particulier lors du Vendredi saint. Je ressens les plaies de Jésus dans les pieds, les mains et surtout le cœur, son agonie dans le jardin, et la plaie à l'épaule, parce qu'Il m'a priée de porter sa croix.

J'avais l'impression de devenir fou. J'étais là à Montréal, enregistrant les propos d'une dame qui, sans doute, n'aurait même pas pu se lever et elle m'expliquait le plus simplement, et surtout le plus sincèrement du monde qu'elle portait parfois la croix du Christ. J'avais eu beau me familiariser avec l'existence des Anges et avec leurs blagues célestes, là, j'étais dépassé de très loin dans le surnaturel.

— De quelles autres grâces bénéficiez-vous, je pense à la bilocation par exemple ?

— Des personnes prétendent m'avoir vue à Rome et à Medjugorje avec ma robe bleue. On affirme m'avoir vue à trois reprises. Alors j'ai demandé qu'on me photographie pour qu'au moins je puisse me voir (elle rit). Par l'esprit je voyage beaucoup notamment en Yougoslavie. J'ai demandé à la Vierge en janvier dernier un rempart de la cour céleste autour de Medjugorje (Croatie) pour empêcher les Serbes de pénétrer dans ce village. D'après les dernières nouvelles, il n y a eu aucun mort ni blessé. Un avion serbe a visé l'église de Medjugorje et lâché quatre bombes, mais elles n'ont pas explosé[1].

— C'est quoi la conduite « idéale » selon le Père Eternel ?

— C'est d'avoir la foi et surtout d'accepter Sa volonté et d'être convaincu qu'Il est le tout-puissant et qu'Il nous a créés. Que nous soyons croyants ou athées, nous revenons vers le Père pour être jugés[2].

---

1. Les Serbes, qui se sont acharnés à bombarder le plus grand nombre d'églises croates, n'ont pas réussi à anéantir ce lieu qu'ils avaient baptisé « Notre-Dame des Devises » malgré divers essais, ce qui constitue en soi un véritable miracle. Une bombe a bien explosé mais n'a tué qu'un bœuf.

2. Inévitablement, toutes les NDE me revinrent à l'esprit et effectivement, les pratiquants et athées racontent, comme on l'a vu, tous la même chose : le tunnel puis cette lumière ineffable dans laquelle ils veulent se fondre. Le jugement du Père semble être le jugement du sujet qui revit sa vie en trois dimensions en une seconde et

— Au cours de vos 24 diverses opérations chirurgicales depuis l'âge de quinze ans, cela vous est-il déjà arrivé de perdre connaissance et de « partir » ?

— Oui, c'était du temps du père Gamache[1], je venais d'être opérée de la colonne vertébrale et le médecin m'avait condamnée m'affirmant que je ne pourrais plus jamais bouger ou marcher. Je me suis sentie mal. On m'a installée dans ma chambre et je suis restée là toute seule parce que les bonnes sœurs (les infirmières) étaient parties pendant environ une heure. J'ai finalement perdu connaissance. On m'a ranimée mais me sentant de plus en plus mal, j'ai dit au père Gamache « Père, je pense que c'est la fin, donnez-moi l'onction des malades ». Et il s'est étonné : « Vous êtes à l'article de la mort ? » Il me donna l'onction et je suis « partie ». J'étais comme dans un grand tunnel rempli d'une lumière extraordinaire. J'étais bien. Oh, j'étais heureuse. Et puis, cela a duré un bon moment mais je n'ai vu personne. Plus j'avançais, plus la lumière grandissait. Lorsque j'ai repris conscience, j'ai regardé autour de moi, les infirmières, le médecin, le père et je me suis mise à pleurer. J'étais déçue ; je ne voulais pas revenir. Je m'en allais vers cette clarté qui m'apportait tellement de joie, tellement de bonheur et lorsque j'ai constaté que j'étais encore vivante alors j'ai eu beaucoup de peine. Mais le Seigneur m'a consolée en me disant « tu sais, pour sauver des âmes, souvent je demande à des gens d'offrir leur vie en sacrifice ; alors à toi, je te demande le sacrifice de vivre encore pour sauver le plus d'âmes possibles ». Il me demandait exactement le contraire de ce qu'Il demandait aux autres. Et j'ai accepté de boire le calice jusqu'à la dernière goutte.

— Comment cela est-il arrivé ?

— D'après les médecins, il y a eu mort apparente. L'infirmière qui surveillait mon pouls ne sentait plus rien. Mais Jésus m'a dit « ne t'inquiète pas, ils croient que tu es morte, mais tu étais encore avec nous

---

les effets de ses actes sur les autres. Ce n'est pas Dieu qui les juge ; il ne juge pas. Mais le sujet, qui découvre ses failles, ses manques toujours dans un seul et unique domaine, l'Amour.

1. Son premier directeur spirituel, un jésuite extrêmement strict qui l'a contrôlée pendant vingt ans.

sur la Terre pour nous aider à sauver des âmes ». C'est ça qui m'a consolée[1].

— *C'était quand ?*

— *En 1947 je crois*[2]. *Cela doit figurer quelque part dans mes cahiers spirituels de l'époque.*

— *Puisque vous entendez le Père et le Christ, pourquoi avez-vous besoin d'un directeur spirituel ?*

— *Parce que le Malin veut me tromper et me faire croire des choses fausses. Il me dit parfois que tout ce que je vis ne sert à rien, que je perds mon temps et il a souvent réussi à semer le doute. Mais comme je raconte tout à mon directeur de conscience, il est en mesure de discerner.*

— *Comment est-il en mesure d'identifier ce qui vient du Malin ?*

— *Par la grâce de son sacerdoce. C'est bien rare qu'un prêtre qui est près de Dieu et qui a la foi dans son sacerdoce se trompe.*

— *Un prêtre ne se trompe jamais ?*

— *Non, s'il a la foi dans son sacerdoce.*

— *Où se trouve le libre arbitre si Dieu vous a choisie comme victime ?*

— *Dans le fait d'accepter ou refuser. Certains acceptent ce que Dieu présente à leur vie, d'autres refusent.*

Georgette Faniel souriait. Mieux, il semblait qu'elle avait plaisir à répondre à cet interrogatoire. Visiblement, je l'amusais gentiment avec mes questions bêtes. Je repensai à Angela de Foligno et à ses unions mystiques :

---

1. J'imagine que cette précision ne manquera pas d'intriguer les Dr Maurice Rawlings, Raymond Moody et Sabom. Par ailleurs, j'ai retrouvé trois cas de mort apparente survenus respectivement à Catherine de Sienne, Thérèse d'Avila et Gemma Galgani, curieusement trois stigmatisées. Dans chaque cas, l'entourage ne décela plus aucune activité cardiaque, au point qu'après plusieurs heures sans aucun signe de vie, ils réservèrent un emplacement au cimetière. Thérèse d'Avila eut même du mal à ouvrir les yeux, scellés par de la cire de bougie.

2. Surpris par cette anecdote, le père Girard, aumônier d'hôpital, m'expliqua qu'à deux reprises, des patients l'avaient pris à part pour lui raconter une expérience semblable ; mais il était à mille lieues d'imaginer que sa « fille spirituelle » avait elle aussi vécu une expérience similaire.

— *Qu'est-ce qu'une union avec Dieu?*

— *Presque la mort, parce que l'âme se détache complètement du corps pour Le rejoindre. C'est alors l'union parfaite entre deux âmes. Le véritable Amour. Cela ne peut pas se décrire, et ne dépend pas de notre volonté. La transfixion, c'est comme si Dieu prenait un dard, qu'Il l'enfonçait dans le cœur et qu'Il le retirait en le triturant. A ce moment-là, sachant que cela vient de Dieu, j'éprouve une très grande joie. Cela ne peut pas s'expliquer, je ne peux pas faire le lien avec une joie humaine, d'autant que je n'en ai guère connues dans ma vie. Mais le Père m'a demandé de renoncer même à cette joie-là. Il ne reste plus que la souffrance, pas de consolation, juste la foi pour me soutenir.*

— *Revenons à vos stigmates. Le chiffre « 2 » qui s'est inscrit dans votre chair, vous l'avez toujours?*

— *Oui, ça va faire dix ans. C'était le jour de la fête du précieux sang. Le Seigneur s'est manifesté en m'apportant une douleur terrible; Il m'a déclaré « c'est ma signature que j'ai incrustée dans ta chair : « 2 » dans une même chair. Par cette alliance, tu seras toujours protégée ». C'est l'alliance, inscrite dans ma peau, sur le flanc droit. Le médecin est venu l'examiner. Comme il restait debout en penchant la tête, j'ai entendu une voix me dire « Demande-lui de s'agenouiller ». Mais j'étais gênée de demander à mon médecin de se mettre à genoux. Alors j'ai prié le Père : « Eclairez-le. » Et il finit par s'agenouiller tout seul. Ce qu'il vit l'émerveilla, sans vraiment pouvoir expliquer ce qui se passait. Il tenait une loupe et disait que cela ressemblait à un néon lumineux et qu'il pouvait voir le sang circuler. Le « 2 » était constitué de sept points minuscules, symbolisant les sept dons du Saint-Esprit[1]. Jésus m'a confirmé que cela représentait l'intimité de Dieu avec une âme dans les souffrances du Christ crucifié. La première fois que j'ai ressenti les douleurs de la Passion, c'était en 1950. La couronne d'épines ne vint qu'en 1953, au mois d'avril.*

---

1. Déclaration du médecin, le Dr Mishriki : « Au cours d'un examen approfondi, j'ai pu voir que cette lésion cutanée a la forme parfaite du chiffre 2, constitué de plusieurs points rouges, parfaitement et individuellement vascularisés. » Pour ma part, j'avoue avoir été totalement surpris par ce « 2 » luminescent dont les sept points semblent être éclairés de l'intérieur, un peu comme si on lui avait greffé des diodes sous la peau. Etonnant.

— *Avec votre témoignage sur Medjugorje*[1] *vous vous êtes dévoilée...*

— *On m'a fait une autopsie de l'âme. Tout, tout ce que je tenais caché depuis 30 ans, a été révélé d'un coup. Pourtant, j'avais supplié que l'on ne mette pas mon nom mais « mademoiselle X ou Y ». Mais mon directeur spirituel m'a suggéré de demander au Père Eternel ce qu'Il en pensait. J'ai donc prié et Il m'a dit « commencerais-tu à rougir du nom que tu as reçu au baptême ? ».* Alors j'ai accepté à contrecœur que mon nom figure sur le livre. Mais le Père m'a confirmé que l'on ne connaîtra qu'après ma mort toutes les souffrances que j'ai vécues.

— *Comment est-IL ? Vous pouvez LE décrire ?*

— *Bien souvent je Le vois voilé. Je ne peux pas distinguer Ses traits. C'est arrivé quelques fois cependant. On dit que c'est un pur esprit. Moi je ne le crois pas. Je ne pense pas que Marie et Jésus ne puissent voir qu'un « esprit ».*

Puis Georgette eut l'air de souffrir. Je regardai ma montre : cela faisait presque deux heures que je la pressais de questions. Alors je lui demandai si je pouvais la photographier. Elle accepta, en ayant du mal cependant à tenter de dissimuler sa douleur. Je pris deux ou trois clichés rapidement, sachant que la qualité ne serait pas très bonne parce qu'elle était allongée dans son lit. Je pouvais difficilement lui demander de poser... Bref, au moment où j'allais ranger mon Fuji, le père Girard me demanda si je désirais qu'il me prenne en photo avec Georgette Faniel. J'acceptai et m'assis à côté d'elle pour qu'il puisse nous cadrer. Il appuya aussitôt sur le déclencheur. Je ne m'étais pas rendu compte qu'elle était stupéfaite. Et elle me dit en riant « *c'est bien la première fois en soixante ans qu'un homme s'assoit sur mon lit* »

J'étais vraiment rassuré. Les stigmatisés, malgré leurs souffrances, ont le sens de l'humour.

Bien que Georgette Faniel n'ait pas publié ses carnets spirituels (il faut attendre qu'elle « tombe une troisième fois »), cet entretien nous permet de mieux comprendre la psychologie des stigmatisés qui vont suivre. Globalement, ces âmes ne présentent aucun point commun avec les nôtres, dans le sens où elles sont bien prédestinées à être des victimes expiatoires. Et dans ce sens, cela me rassure.

1. « Mary, queen of peace, stay with us, Testimonies in favor of Medjugorje », Guy & Armand Girard, Ed. Paulines, Montréal. Disponible aussi en français.

PADRE PIO
1887-1968

(Groupe II a, stigmates, miracles, Anges)

ITALIE

Searching for your destiny
In a book that's not reality
We solve the earth's problems
Through science and technology
Look back one thousand years
When science was in it's infancy
The church had the word
The world was forced to heed
How many times they led astray
Their flock was shown no mercy
« It's God's will », not good enough
Minds were closed ignorantly.

Dark Angels
– *The New Priesthood* –
in « Time Does Not Heal »,
Combat Records.

Nul doute que lorsqu'on ouvrira le tombeau de Francesco Forgione, plus connu sous le nom de Padre Pio, c'est un corps incorruptible qui sera découvert, lui permettant ainsi d'accéder au groupe I (stigmatisé/incorruptible) avec Catherine de Sienne, Thérèse d'Avila, Anne-Catherine Emmerich et Marie-Madeleine de Pazzi.

Dans l'histoire de l'Eglise moderne, le Padre Pio constitue un cas à part, un cas unique, sorte de mélange de Curé d'Ars et de Catherine de Sienne puisqu'il fut le premier prêtre « signé par Dieu » depuis deux mille ans. On a vu des nonnes, des moines et même des laïcs

264

recevoir les stigmates au cours des siècles, mais jamais un prêtre consacré. Pourquoi ? Dieu seul le sait. Mais les dizaines de milliers d'histoires rapportées sur le Padre Pio par autant de témoins dignes de foi, ne représentent qu'une infime partie de l'œuvre de l'Italien. Et pourtant lorsqu'on lit tous ces témoignages vibrant en même temps de foi, d'amour, et de surnaturelle tendresse sur ce vieux prêtre qui fut notre contemporain, lorsqu'on écoute ceux qui l'ont connu et ceux qui allèrent en curieux voir le « phénomène » et qui en sont rentrés retournés, il n'existe aucun doute possible.

Les livres ou les films de science-fiction ne sont rien à côté des histoires du Padre Pio qui vivait chaque seconde de sa vie dans le surnaturel, dans l'impalpable, dans les ombres du Christ et des Anges. Maria Winowska, auteur d'un livre émouvant sur le stigmatisé de San Giovanni Rotondo, a constaté que « *l'aventure du Padre Pio n'est qu'un chaînon dans la série des faits qui, depuis deux mille ans, émaillent la vie des saints* »[1]. Quant au pasteur luthérien Bernard Ruffin qui a édité en 1991 le livre le plus complet sur le prêtre italien[2], il note que, sans avoir publié un seul ouvrage ou prononcé une seule conférence universitaire, le Padre Pio est, presque vingt ans après sa mort, plus vivant que jamais.

Avec lui, on dirait qu'IL a besoin de nous envoyer régulièrement une sorte de *preuve vivante* de Sa Passion pour que nous puissions croire, comme Thomas, à Son existence et à Sa survie. Comme si, à travers les stigmates de son serviteur, Il cherchait à nous dire, « *venez, J'existe, Je suis mort pour vous et vous me méprisez encore, alors que Je vous aime d'un Amour* (comme le diraient tous ceux qui ont connu une expérience aux frontières de la mort) *inconditionnel et qui ne peut exister sur terre. Venez à Moi à travers lui* ». On dirait qu'Il est un mendiant de nos âmes et ne sait trop comment nous attirer à Lui. Le Padre Pio, c'est aussi la preuve absolue et incontournable de la méfiance de l'Eglise pour les mystiques, fussent-ils stigmatisés, en lévitation ou en bilocation, apparaissant à trente personnes différentes en simultané. Mais surtout, il est à notre connaissance le seul en ce xxᵉ siècle avec Gemma Galgani qui ait passé sa vie à converser avec

1. Page 6 in « Le Vrai visage du Padre Pio », Ed. Fayard.
2. « Padre Pio, the true story (revised and expanded) », OSV.

son Ange gardien, Ange qu'il voyait comme il voyait ceux des autres. Il avait d'ailleurs pour habitude de dire « *si tu as besoin de moi, envoie-moi ton Ange gardien* » à tous ses enfants spirituels qui, prêts pourtant à se faire tuer pour le Padre Pio, ne croyaient guère aux Anges.

Né en 1887, huitième enfant d'une famille d'Italiens pauvres, Francesco Forgione entra à 16 ans, conformément à sa vocation, chez les capucins, la branche la plus austère des franciscains, où il étudia pendant huit ans avant d'être ordonné en 1910. Tout jeune prêtre, il fut pourtant mobilisé en 1916 et c'est là que le jeune Padre Pio attira pour la première fois l'attention des médecins civils. Peu de temps avant d'être envoyé au front, il tomba gravement malade, ce qui lui valut d'être « consultant », selon l'expression militaire. Au cours d'une auscultation de routine, les médecins enregistrèrent une fièvre allant jusqu'à 48°[1], niveau qui invariablement faisait éclater les thermomètres classiques et laissaient les praticiens bouche bée, persuadés d'avoir affaire à un tuberculeux du dernier stade. Certains que le jeune homme n'avait plus que quelques semaines à vivre, les autorités médicales lui accordèrent séance tenante six mois de permission, le temps de mourir ailleurs qu'à l'hôpital. Alerté par son dossier médical militaire, le supérieur des capucins décida lui aussi de le transférer dans un endroit calme et ensoleillé, au monastère de San Giovanni Rotondo, afin qu'il puisse y terminer ses derniers jours tranquillement.

Pourtant, une fois arrivé dans le monastère, sa santé s'améliora soudainement ; et peu de temps après, le vendredi 20 septembre 1918, le frère Arcangelo (!) découvrit que les mains du Padre Pio saignaient abondamment. Les stigmates invisibles qu'il avait reçus en 1910 s'étaient révélés au grand jour. Le jeune capucin allait bouleverser à jamais la vie du monastère. Aussitôt, il fut transporté dans sa cellule et le supérieur, avant de mander un médecin pour un examen détaillé, exigea que les blessures soient immédiatement photographiées. Bien entendu, le praticien du village ne trouva aucune explication naturelle aux lésions qui auraient dû soit s'infecter, soit cicatriser. Autre

---

1. Ils utilisèrent le thermomètre d'une chaudière pour mesurer sa température.

phénomène étonnant, le sang ne coagulait pas et dégageait un parfum agréable.

Ces stigmates qui accompagnèrent le Padre Pio jusqu'à sa mort en 1968, furent très mal accueillis par l'Eglise : examens, contre-examens, enquêtes et en finale, interdiction formelle d'apparaître en public et de recevoir des visites. Ainsi, les médecins envoyés par le Vatican se succédèrent auprès du Padre, y compris le médecin personnel du pape Benoît XV, le Dr Luigi Romanelli, directeur de l'hôpital de la ville de Baretta qui le torturera physiquement avec des bandages[1].

Le Dr Amico Bignami tenant de la chaire de pathologie à l'université de Rome, lui posera des scellés sur les mains et le suivant, le Dr Festa, chirurgien de clinique privée, sera obligé, comme ses deux prédécesseurs de reconnaître que ces blessures qui ne s'infectent pas ni ne guérissent échappent à toute explication médicale. Les traces de sang sur les bandages que les médecins emportèrent avec eux plus d'une fois à des fins d'analyses en laboratoire ne sentirent jamais..., alors que logiquement le sang exposé à l'air dégage au bout de

---

1. Voici un extrait du rapport du Dr Romanelli :

« Les lésions que Padre Pio a aux mains sont couvertes d'une mince membrane de couleur rougeâtre. Il n'y a ni points sanguinolents, ni enflure, ni réaction inflammatoire des tissus.

J'ai la conviction et même la certitude que ces plaies ne sont pas superficielles. En les pressant avec mes doigts j'ai senti un vide traversant toute l'épaisseur de la main.

Je n'ai pu constater si, en pressant plus fortement, mes doigts se rejoindraient (sic), car cette expérience, ainsi que toute pression, provoque chez le patient une douleur aiguë.

Cependant, je l'ai soumis à cette pénible épreuve à plusieurs reprises le matin et le soir et je dois avouer que chaque fois j'ai fait la même constatation.

Les lésions aux pieds présentent les mêmes caractéristiques que celles des mains, mais à cause de l'épaisseur du pied je n'ai pu faire la même expérience que sur les mains.

La blessure sur le flanc est une coupure nette, parallèle aux côtes, d'une longueur de sept à huit centimètres, incisant des tissus mous, d'une profondeur difficile à vérifier et qui saigne abondamment. Ce sang a toutes les caractéristiques du sang artériel et les lèvres de la plaie montrent qu'elle n'est pas superficielle.

Les tissus qui entourent la lésion ne présentent aucune réaction inflammatoire et sont douloureux à la moindre pression. J'ai visité le Padre Pio cinq fois en quinze mois et tout en ayant constaté quelques modifications, je n'ai pu trouver une formule clinique qui m'autorise à classer ces plaies. » Rapport traduit par Maria Winowska, page 82, op c.

quelques heures une odeur fétide. Mieux, il émanait de ces bandages une agréable fragrance qui ne pouvait être comparée à aucun parfum bien terrestre (ce que certains appellent communément « odeur de sainteté »)[1]. Malgré tous les verdicts, le Vatican lui interdira de montrer ses stigmates à qui que ce soit, même à un médecin, sans sa permission écrite.

Profondément humble et respectueux des ordres de ses supérieurs, le Padre Pio se pliera toujours de bonne grâce à ces contrôles et aux injonctions de ses supérieurs. Tous finiront par voir en lui le successeur de François d'Assise, premier stigmatisé de l'Eglise.

Et dans la bonne tradition de certaines années de guerre, le Padre Pio a été dénoncé! Il a été dénoncé au Vatican par l'archevêque Pasquale Gagliardi de Manfredonia comme tricheur, s'infligeant les blessures lui-même pour se rendre intéressant et gagner de l'argent. En 1919 déjà, un autre prêtre, Don Giovanni Miscio avait écrit aux journaux, à l'archevêque, au supérieur des capucins et à Rome pour dénoncer le tricheur. Mais le plus curieux est le comportement de l'archevêque Gagliardi, homosexuel notoire, qui avait aussi tendance à mélanger les biens de son église avec les siens. Bernard Ruffin raconte ainsi qu'en 1919, une statue de la Vierge particulièrement adorée par la population de Viesta avait disparu de l'église. Connaissant sa vie de débauché, la population en eut assez et débarqua le jour même dans la cathédrale, se saisit de Gagliardi et le passa littéralement à tabac. Il ne dut sa vie — et de garder ce qui fait de lui un homme — qu'à l'arrivée des carabinieri car les femmes, couteaux en main, avaient entrepris de l'émasculer! Malgré le scandale, le Vatican

---

1. Il existe une exception très curieuse à cette règle divine du parfum de la sainteté, celui de Rita de Cascia (1381-1457), plus connue comme sainte Rita, invoquée pour les causes désespérées et dont le corps a été stigmatisé et retrouvé incorruptible (elle ne nous a laissé aucun texte sur les Anges). Jo Lemoine raconte dans sa biographie de la sainte (Ed. Medisapaul Paris, page 78) que le sang qui suppurait des stigmates de Rita de Cascia dégageait une odeur épouvantable de son vivant : « Seulement la vue et l'odorat des autres religieuses se trouvent bientôt incommodés par la proximité de cette plaie béante, qui est, peut-être — certains veulent encore en douter — d'origine céleste, mais qui sent mauvais. Sans se cacher, maintenant, les unes s'écartent d'elle comme d'une pestiférée... Elle doit prendre ses repas seule, au bout d'un banc, et prier à l'écart des autres... »

ne broncha pas. Dix ans plus tard à Rome, le même archevêque Gagliardi jurait la main sur sa croix pectorale qu'il avait vu de ses propres yeux le Padre Pio se maquiller et parfumer ses plaies avant de célébrer la messe : « *C'est un possédé du démon et les capucins qui vivent dans un luxe incroyable ne sont qu'une bande de voleurs.* », avait-il ajouté. Ensuite, il demanda à tous ses autres amis prêtres, homosexuels comme lui, d'envoyer des lettres de dénonciation. La réaction de Rome ne traîna pas : en 1931, le Vatican interdit au Padre Pio de célébrer des messes en public, d'entendre des confessions et de parler aux... femmes et ce jusqu'en 1933.

Pire, en octobre 1959, le Padre Emilio, son nouveau supérieur, avait installé un microphone dans la pièce de la sacristie où le Padre recevait, dans l'espoir de saisir quelques confessions spontanées, violant ainsi la règle sacrée du secret. Le père Luna s'en indignera et notera que « *trente-sept bandes magnétiques furent ainsi enregistrées durant les trois mois que dura la profanation la plus indigne que l'on connaisse dans l'histoire* »[1].

On croit rêver en découvrant de tels comportements au sein des plus hautes autorités religieuses. Mais ce n'était pas tout : déjà le 5 juin 1923, le Vatican avait publié un acte apostolique qui informait officiellement le public que les phénomènes associés au frère capucin Padre Pio n'avaient pas été authentifiés par Rome comme surnaturels. Ensuite, les livres consacrés au frère capucin furent mis à l'Index ! ! ! Pour être complète, il ne manque à cette liste qu'un autodafé. Le journaliste de « Newsweek », Ken Woodward, précise que dans les années 60, soit huit ans avant la mort du prêtre, les contacts entre les fidèles et le Padre Pio furent strictement limités par le cardinal Alfredo Ottaviani, afin de juguler le culte de sa personnalité par les milliers de gens qui venaient le visiter des quatre coins du monde.

C'était sans compter sur les Italiens, qui savent mieux que quiconque comment conjuguer commerce et sainteté. Ainsi, il a fallu la décision, prise en « haut lieu », de muter le Padre dans un autre monastère, dans l'espoir de calmer les esprits des fidèles. Dès que la nouvelle se propagea, ce fut l'insurrection à San Giovanni Rotondo : paysans, commerçants, hôteliers, et le maire Morcaldi s'installèrent

---

1. Jean Barbier in « Trois stigmatisés de notre temps », op.c., pages 81-82.

devant toutes les issues du monastère, armés de haches, de faux et même de carabines de chasse, prêts à découper en morceaux le premier « monsignore » ou capucin qui tenterait de faire sortir le Padre. On ne prend pas un saint à des Italiens, surtout du sud, qui n'hésitaient pas à vendre aux pèlerins candides du sang de poulet, prétendument sang des stigmates du Padre. Les commerces étaient florissants dans la petite ville. Tous les commerces. Les capucins par exemple envoyaient leurs habits à laver chez les teinturiers du village d'où les chaussettes et le linge maculés de sang du prêtre ne revenaient jamais, remplacés par des effets neufs. Pourquoi ? à cause de la « combinazione » : tous les vêtements ensanglantés du Padre était aussitôt découpés en morceaux et vendus comme reliques. Certains, avec un sens du commerce particulièrement affiné, avaient même découpé des morceaux de la chaise sur laquelle il avait l'habitude de s'asseoir. Bref, la ville entière savait que sans le Padre, tout le commerce licite et illicite s'envolerait. La population se souleva donc, mais pas toujours pour des raisons spirituelles, comme on l'indique trop souvent.

Réduits à l'impuissance, et surtout après avoir constaté l'avis du peuple — le maire lui-même expliqua qu'il faudrait lui passer sur le corps pour emporter le Padre — le « haut lieu » décida qu'il serait plus prudent de le laisser là où il se trouve. Un jour, en pleine messe, on vit même un fou sauter sur le Padre Pio, avec un pistolet dans la main, le prenant en otage et menaçant de le tuer s'il quittait San Giovanni de Rotondo : « *Mort ou vif, tu resteras ici avec nous.* », jeta-t-il au prêtre !!

Plus jamais le Padre Pio ne reçut un ordre de mutation.

Un certain nombre de cardinaux, y compris le futur pape Jean-Paul Ier, le regardaient de leurs lambris dorés romains comme un clown mystique et ne lui accordaient aucun crédit. Et ceci, malgré les différents comités d'investigation composés de médecins généralistes, dermatologues et chirurgiens qui établirent l'authenticité de ses blessures. Ne découvrant aucune faille, aucune fraude et surtout aucune explication naturelle aux stigmates, le Vatican finit par lever ses interdictions, mais du bout des doigts seulement, car si le Padre Pio fut de nouveau autorisé à célébrer une messe publique, celle-ci devait avoir lieu à... 5 heures du matin, de façon presque clandestine[1].

Mais la foule, elle, se moquait bien de cette heure matinale et attendait patiemment dans la nuit l'ouverture des portes de l'Eglise. Alors, les attaques vinrent d'ailleurs : ne trouvant guère de défauts au pauvre prêtre, certains esprits, très catholiques pourtant, laissèrent entendre que le stigmatisé tirait profit de ses relations féminines (*sic*) dans le confessionnal, accusation assortie d'autres délations aussi élégantes.

Jamais un mystique ne fut la proie d'autant d'attaques de ses pairs et n'eut à affronter une telle hostilité au sein de l'Eglise. Ce sont les fidèles qui l'ont protégé en instaurant dans le monde entier des groupes de prière « Padre Pio » et l'ont érigé au rang de saint. Après sa mort, le Padre Pio est plus vivant que jamais, alors qu'il n'a même pas été béatifié. Que peut faire le Vatican contre la *vox populi* ? Que peut-il faire contre les stigmates, contre les miracles obtenus par son intercession et surtout, surtout, contre sa légendaire « clairvoyance » ?

Comme le Curé d'Ars, Gemma Galgani et bien d'autres, le Padre Pio lisait dans les âmes, les mettant totalement à nu, sachant à l'avance ce que le pénitent allait lui dire, avouer et surtout dissimuler. Un jour de 1947, un prêtre polonais, tout juste ordonné, venu jusqu'au monastère pour se confesser au déjà célèbre prêtre, s'entendit dire par ce dernier : « *Un jour, vous serez pape* ». Ceci explique pourquoi Jean-Paul II s'est montré plus accueillant avec le dossier du capucin et a prié, agenouillé, devant sa tombe. Attilio Crepas, un journaliste italien de la « Stampa Sera » était assis sur un banc de l'église et observait le Padre Pio en imaginant en même temps comment il allait commencer son premier feuillet. Le Padre, qui ne le connaissait pas, se retourna, vint vers lui et dit : « *Pourquoi pensez-vous à votre bureau et à vos feuilles de papier ? Ce n'est pas bon de faire du bruit autour d'un prêtre qui prie.* » Le journaliste ne s'en remit jamais.

1. Finalement, c'est le pape Paul VI qui, peu de temps après son élection, se révolta contre les mesures « criminelles » prises à l'encontre du Padre Pio. Il les annula toutes le 8 septembre 1963.

Et comme Thérèse d'Avila et Catherine de Sienne, le Padre Pio s'imposa par sa sainteté véritable de son vivant, avant même d'être reconnu par l'Eglise. Le public ne s'était pas trompé : les fidèles patientaient pendant des heures pour être confessés par lui, au point que les capucins, pour éviter les resquilleurs, durent distribuer des tickets numérotés[1] et parfois faire appel aux carabiniers pour maintenir l'ordre.

Du coup, le Vatican apparaît bien comme une administration froide et cynique[2], un peu comme la Sécurité sociale. Les miracles du Padre Pio se comptent par milliers, et certains, du point de vue médical, demeurent totalement inexpliqués. Stigmatisé, il était obligé de porter des gants, cousus spécialement pour ses mains, afin que le sang ne macule pas ses manches et la nappe de l'autel. Sa démarche témoignait des souffrances de ses pieds, cloués eux aussi sur cette croix invisible qu'il était le seul à porter au plus profond de sa chair. Il lui arrivait enfin fréquemment de passer quotidiennement entre douze et quatorze heures dans le confessionnal à écouter et absoudre les fidèles qui attendaient parfois trois jours avant de le rencontrer. Et, comme les fans hystériques qui arrachaient des bouts de la chemise d'Elvis Presley, les pieuses matrones italiennes débarquaient dans l'église avec des ciseaux et lames de rasoir dans leurs poches, avec le ferme espoir de couper un bout de l'illustre soutane.

Dans la lignée de tous les « grands » stigmatisés, le Padre Pio bénéficiait de toutes les grâces divines : bilocation, vue à distance, connaissance de la vie passée, présente et future des fidèles, lecture des âmes... On ne compte plus ceux, condamnés par la médecine officielle, qu'il guérit juste avec une prière, ni les conversions aussi soudaines qu'inexpliquées et bien sûr, les stigmates. Avec autant de cadeaux divins en échange de ses souffrances constantes (essayez de marcher et de travailler avec des trous dans les pieds et les mains...),

1. Bien entendu, ces tickets donnèrent lieu à des trafics et on s'étonne d'ailleurs que les Italiens n'aient pas imprimé de faux tickets pour se confesser plus vite chez le Padre Pio.
2. La mère Teresa par exemple, qui a consacré sa vie à soigner les malades à Calcutta et qui est considérée par le monde entier comme une sainte vivante, devra attendre au moins cinquante ans pour qu'un dossier en vue d'une béatification soit ouvert.

le Padre Pio ne pouvait que voir son Ange gardien ainsi que les Anges gardiens des autres. Alberto del Fante, journaliste du « Italo Laica », franc-maçon, allait le traîner dans la boue, le qualifiant d'imposteur et d'autres adjectifs peu flatteurs. Un jour, il décida de l'affronter sur son terrain et se rendit dans son confessionnal. Le Padre Pio lui récita la liste complète de ses péchés, le tétanisant par les larmes d'émotion. La suite on la devine, le rédacteur de presse devint son plus fidèle supporter au point de rédiger un livre qui recense tous les miracles du prêtre, des témoignages de source sûre, recoupés, vérifiés, examinés et authentifiés.

Cependant, j'ai trouvé le témoignage le plus étonnant de ce livre sur les Anges, dans des circonstances tout à fait étonnantes à Paris. Ce fut d'ailleurs la première fois dans ma carrière de journaliste que j'effectuais une interview — avec microphone et magnétophone — dans un confessionnal... interrogeant le chapelain de la basilique du Sacré-Cœur de Paris, l'abbé Derobert.

En 1955, Jean Derobert est jeune séminariste à Rome et entend parler à plusieurs reprises du cas du Padre Pio. Dans des circonstances bizarres, il est finalement amené à visiter San Giovanni et prend donc le train vers Naples, persuadé à l'avance de rencontrer, selon sa propre expression, un illuminé. Une fois arrivé à San Giovanni de Rotondo, le jeune Français découvre le comportement des Italiens du sud dans les églises et s'en scandalise : « *C'était le 2 octobre* », raconte-t-il dans son ouvrage « Padre Pio, témoin de Dieu »[1], « *on préparait la fête de saint François d'Assise. Il y avait donc une cérémonie avec prédication, chant et récitation du rosaire. J'ai ressenti un sentiment très curieux, jamais éprouvé jusqu'alors, une sorte de mépris pour cette démonstration de foi. J'avais déjà vu et entendu plusieurs cérémonies de ce genre, mais jamais un tel mépris ne s'était emparé de moi à l'égard de ces paysans du Gargano et de ces pèlerins. D'autant plus que ma qualité d'ecclésiastique tranchait quelque peu avec un pareil état d'esprit. Là, dans cette église, j'ai ressenti une allergie pour les choses de Dieu.* »

Profitant de sa tenue de séminariste, Jean Derobert se fait conduire à la tribune de l'église d'où il espère apercevoir quelque chose :

1. Editions Jules Hovine, Marquain, Belgique, pages 7-8.

« *J'avise alors, au premier rang, une place libre. Je m'y installe. Mon voisin de gauche toussait, crachait, se mouchait... et m'énervait quelque peu. Je lui jetais un regard furtif : « J'ai déjà vu cette tête quelque part ! » pensai-je... Brusquement, le capucin inconnu passa sa main sur sa tête, dans un geste qui devait lui être familier. Cette main était gantée... Je me trouvais à genoux à côté de celui dont j'avais tant redouté la rencontre, le Padre Pio lui-même !... Cela m'a fait une impression terrible, quelque chose d'analogue à un coup de poing dans l'estomac. Je ne pouvais plus demeurer à genoux... Je dus m'asseoir, plus de jambes, plus de forces du tout. Je ne le quittais pas des yeux, fasciné par ce visage tendu vers un au-delà que je ne connaissais pas. J'assistais, en moi, à la naissance d'un sentiment d'affection pour cet homme qui, visiblement, souffrait beaucoup, sentiment qui, d'ailleurs, contrastait étrangement avec le mépris que j'éprouvais à l'égard de cette foule qui écoutait un capucin dénoncer le communisme, parler de la Madone et de je ne sais quoi.* »

Le moins que l'on puisse dire est que le premier contact fut paradoxal : voilà un futur prêtre, qui, à la vue de la « bondieuserie » portée à son paroxysme tout italien, se sent envahi d'un mépris d'intellectuel pour tous ces gens qui n'ont strictement aucune retenue dans leurs prières, et surtout se lamentent et prient à haute voix.

La suite est encore plus étonnante : le lendemain matin, Jean Derobert, grâce à la coutume qui veut que les prêtres bénéficient d'un passe-droit, n'a pas à attendre entre deux et trois jours avec un numéro pour être confessé par le Padre, et, à sept heures du matin, il se retrouve en cinquième place dans la longue file :

« *J'attendais avec une certaine anxiété. En effet, par moments, le père enflait la voix, se mettait à crier « combien de fois ? », « pourquoi as-tu fait cela ? ». Parfois, il chassait un pénitent : « Via ! Va chercher un autre confesseur ! » « Non, non Padre », etc.*

Je prends place au confessionnal.

— Père, je suis français.

— Bene, qu'as-tu fait ? me demande-t-il en latin.

— Parlez italien père, je le comprends.

— Bene, cos'hai fatto ?

— Je ne sais pas !

Puis, commençant à perdre contenance, je m'énerve : je me sentais ridicule parce que je ne savais pas quoi lui dire. Le trou noir. Ce n'est qu'ensuite que j'avais appris que le Padre Pio mettait l'âme à nu. Pendant ce temps, il souriait.

— Père, j'ai fait cela.. et cela...

— Oui, c'est vrai, me dit-il, mais cela a été pardonné vendredi dernier. Et c'était la stricte vérité.

— Mais tu oublies telle et telle chose... Il y a deux ans, dans tel endroit. Pourquoi as-tu fait cela... Et cela ? Vero ?

Les larmes aux yeux, il m'a montré la gravité de certaines actions... gravité à laquelle, à vrai dire, je n'avais jamais songé. Mais, à ce moment-ci, à les entendre expliquées de la bouche du Padre Pio, elles prenaient pour moi leurs véritables dimensions.

— Ça c'est grave... c'est grave ! et il se mettait à pleurer et à souffrir.

J'étais très mal à l'aise, d'autant plus que tout ce qu'il disait était vrai. Il m'a même donné des détails exacts que j'avais totalement oubliés moi-même. Parfois, on agit par réflexe, sans même avoir le sentiment d'une culpabilité quelconque. Il me donne l'absolution. Puis il me dit :

— Tu crois à ton Ange gardien ?

— Euh, je ne l'ai jamais vu.

Me fixant de son œil pénétrant, il m'administre une paire de gifles, et laisse tomber ses mots :

— Regarde bien, il est là et il est très beau !

Je me retournai et ne vis rien, bien sûr, mais le père lui, avait dans le regard l'expression de quelqu'un qui voit quelque chose. Il ne regardait pas dans le vague.

— Ton Ange gardien, il est là et il te protège ! Prie-le bien... Prie-le bien !

Ses yeux étaient lumineux : ils reflétaient la lumière de mon Ange. » [1]

Si je ne devais garder qu'une seule histoire sur les Anges, ce serait bien celle-ci. D'abord, Jean Derobert est grand et assez costaud, style rugbyman. Lui « coller » deux gifles ne doit pas être aisé. Seul le Padre Pio a pu le faire, tant il a dû être excédé par la réponse du séminariste agenouillé devant lui, « *euh, je ne l'ai jamais vu* », dans le genre « *il n'a qu'à montrer ses ailes* ». Ensuite, le jeune homme était à

---

1. Le père Derobert m'avait précisé que dans l'église du Padre Pio, le confession-nal se trouvait dans un coin de mur, avec un prie-Dieu de 1,20 m de large faisant face à une chaise, au point que le confesseur et le pénitent se touchaient pratiquement la tête, en raison de l'absence de grille. .

dix mille lieues d'imaginer qu'il allait se « prendre deux baffes » dans un confessionnal... Mais le détail que l'on invente pas, se trouve bien dans la réflexion de l'Ange dans les yeux du Padre... C'est angélique et en même temps terriblement terre à terre.

Inutile de souligner que depuis son adolescence, le Padre connaissait régulièrement des extases mystiques dans la plus grande tradition de Jean de la Croix ou d'Angela de Foligno. Combien de fois n'a t-il pas été surpris, totalement « ailleurs », par ses frères et même des laïcs. On pouvait le pincer, lui passer une flamme de bougie devant les yeux — qu'il gardait ouverts — ou l'interpeller, il ne bougeait pas, ne cillait pas, ne sentait rien. En revanche, si les témoins l'entendaient parler avec quelqu'un, ils ne comprenaient pas les réponses de son ou de ses interlocuteurs. Voici un exemple de ses dialogues avec son Ange gardien noté fébrilement par les frères capucins :

— Ange de Dieu, mon Ange, n'es-tu pas mon gardien ? Tu m'as été donné par Dieu...
— ...
— Es-tu une créature ou es-tu un créateur ?
— ...
— Tu es un créateur ? Non. Donc tu es une créature et il y a une loi et tu dois obéir. Tu dois rester à côté de moi que tu le veuilles ou non.
— ...
— Tu ris !
— ...
— Et qu'est-ce qu'il y a de drôle ?
— ...
— Dis-moi une chose... tu dois me le dire. Qui était-ce ? Qui était là hier matin ?[1]
— ...
— Tu ris.
— ...
— Tu dois me le dire.
— ...
— Soit le professeur, soit le gardien ? Allez, dis-le moi.

1. Padre Pio était énervé parce qu'il pensait qu'un laïc l'avait surpris en pleine extase.

    — ...
    — *Tu ris. Un Ange qui rit...*
    — ...
    — *Je ne te laisserai pas partir tant que tu ne me le diras pas.*
    — ...

(suit un dialogue incompréhensible avec le Christ, à la suite de quoi l'Ange finit par lui dire qu'il s'agissait du père Agostino).

Le prêtre italien semblait bien « voir » en permanence les Anges gardiens. Pour cette raison, il n'oubliait jamais de demander à ses « enfants spirituels » de prier pour leurs Anges, et, en cas de besoin, de les dépêcher à San Giovanni Rotondo. On retrouve d'ailleurs ce souci tout au début de sa carrière, dans une gracieuse lettre datée du 20 avril 1915 adressée à Raffaelina Cerase, extraite de la volumineuse correspondance du Padre Pio rassemblée par Jean Derobert en 1987[1] :

> « *Ô Raffaelina, comme il est consolant de savoir que nous sommes toujours sous la garde d'un esprit céleste qui ne nous abandonne même pas (chose admirable) dans l'action par laquelle nous déplaisons à Dieu... Prenez la belle habitude de toujours penser à lui. Que, à côté de nous, il y a un esprit céleste qui, du berceau à la tombe, ne nous quitte pas un instant, qui nous guide, qui nous protège comme un ami, comme un frère, qui doit aussi nous consoler toujours, spécialement dans les heures qui sont, pour nous, les plus tristes.*
>   *Sachez, ô Raffaelina, que ce bon Ange prie pour vous : il offre à Dieu toutes les bonnes œuvres que vous faites, vos désirs saints et purs. Dans les heures où il vous semble être seule et abandonnée, ne vous plaignez pas de ne pas avoir une âme amie à qui vous puissiez vous ouvrir et à qui vous puissiez confier vos peines ; par charité, n'oubliez pas cet invisible compagnon, toujours présent pour vous écouter, toujours prêt à vous consoler. Ô délicieuse intimité ! Ô heureuse compagnie... »*

Et ce sont ces histoires insensées de synchronicité, d'Anges allant et venant, qui ont entre autres forgé la légende du 'Padre Pio. De son

---

1. Editions Hovine, page 243.

vivant par exemple, l'un de ses enfants spirituels, le gentleman britannique Cecil Humphrey-Smith, eut un grave accident de voiture en Italie (au fait, que faisait son Ange gardien ?) et, voyant son état, l'un de ses proches se rendit au bureau de poste pour envoyer un télégramme au Padre Pio, lui demandant des prières pour sa guérison rapide. Après avoir rempli le formulaire, l'homme le tendit au télégraphiste pour expédition mais en le lisant, le fonctionnaire lui remit aussitôt un télégramme... envoyé par le Padre Pio, et adressé à Cecil Humphrey-Smith, dans lequel il l'assurait de ses prières pour son rétablissement... Giovanni Sienna rapporte que l'un de ses amis Franco Rissone, demanda un jour au Padre Pio s'il entendait vraiment ce qu'il lui envoyait par l'entremise de son Ange gardien. Le prêtre le regarda et dit « *tu crois que je suis sourd ?* ».

Mais si les Anges existent, l'ange qui s'est noyé dans sa beauté existe aussi comme l'ont découvert ABSOLUMENT TOUS les mystiques sans aucune exception. Ainsi, le prêtre italien s'est un jour plaint de son Ange gardien lorsque l'Ange déchu l'avait assailli avec une brutalité inhabituelle. Le Padre Pio ne cessa d'invoquer son Ange « gardien » mais celui-ci ne répondit pas à ses appels. Lorsqu'il se présenta vers le matin, tel un chat qui rentre après une nuit de vadrouille, le Padre Pio, furieux, ne lui adressa pas la parole et lui tourna le dos. Le père n'oublia pas que de « gardien », cette nuit-là, son Ange n'en avait eu que le qualificatif, et il narra sa mésaventure au père Augustino, son directeur spirituel, dans une lettre datée du 5 novembre 1912 :

> « *Je le grondais sévèrement de s'être fait attendre aussi longtemps, alors que je n'avais pas cessé de l'appeler au secours. Pour le punir, je ne voulais pas le regarder en face, je voulais m'en aller, je voulais le fuir, mais lui, le pauvre, me rejoignit presque en pleurs. Il me saisit jusqu'à ce que je lève les yeux, je le regardai en face et le trouvai très fâché. Et voici :* « *... Je suis toujours près de toi, mon cher petit, je t'entoure toujours avec l'affection qu'a fait naître ta reconnaissance envers le bien-aimé de ton cœur. Cette affection que j'ai pour toi ne s'éteindra même pas avec ta vie. Je sais bien que ton cœur généreux bat toujours pour notre bien-aimé commun. Tu traverserais toutes les montagnes, tous les déserts pour le chercher, le revoir, l'embrasser à nouveau dans ces moments extrêmes, et*

lui dire de rompre au plus vite cette chaîne qui te retient uni au corps... Tu dois attendre encore un peu... [1] »

En effet, plus d'une fois lors des messes, les fidèles ont pu clairement distinguer sur le visage du Padre des hématomes, un œil au « beurre noir », etc. Là aussi, on peut se demander légitimement ce que fabriquait son Ange gardien ?

Justement, abordons la messe du Padre Pio : « *On entend le bruit des clefs ! s'écrie une jeune femme avec un bébé dans les bras. Aussitôt, la vague humaine se rue vers l'église. Les battants s'ouvrent avec un fort grincement de gonds. C'est comme une digue qui éclate. Abasourdie, bousculée, piétinée, malmenée, refoulée, je reste loin derrière* » raconte en vrai reporter Maria Winowska, « *tandis que des furies en cheveux hurlent, piaillent, s'invectivent, gémissent, vocifèrent et usent de tous leurs moyens pour passer les premières. C'est un tel charivari que le sacristain, pourtant costaud, a du mal à se faire entendre : « Païens ! Chenapans ! Coquins ! Misérables ! Mascalzoni ! Attendez ! Par pitié ! Etes-vous des chrétiens ou des bêtes ?* » La messe du Padre Pio, en latin, durait parfois deux heures, montre en main. Tous ceux qui ont assisté à ses célébrations furent cloués sur place par le drame qui se déroulait sur l'autel, à côté duquel une représentation de théâtre No faisait figure d'un spectacle de marionnettes : « *Dès le premier instant, violemment, nous voici plongés en plein mystère. Comme des aveugles autour de quelqu'un qui voit.* » [2] Le mystère de l'Eucharistie dans les mains du Padre devenait soudain explicite, le surnaturel envahissait l'église et j'imagine que les Anges devaient, eux aussi, suivre chaque geste du stigmatisé, qui, parfois immobilisé pendant de longues minutes comme momifié, perdait son regard illuminé d'amour dans l'hostie. Même pour les simples curieux, elle devenait bien plus qu'un simple bout de pain azyme.

Par ailleurs, le Padre Pio semble se manifester là où on ne l'attend pas. Je me souviens encore d'un fait qui me marqua lors d'un dîner à

1. In « Padre Pio témoin de Dieu » par Jean Derobert, Jules Hovine 1986, page 76.
2. Page 18 in « Le Vrai visage du Padre Pio », op. c.

New York en mars 1992 avec le philosophe américain Michael Grosso. Nous mangions tranquillement dans un restaurant italien, devisant sur les expériences de vie après la mort découvertes par le Dr Raymond Moody, lorsqu'il me demanda soudain comment je comptais aborder un sujet aussi difficile que les Anges hors contexte théologique. Je lui expliquai que nous avions beaucoup de cas de mystiques dont les stigmates étaient authentiques comme par exemple celles du Padre Pio qui a été examiné par des médecins catholiques, protestants, juifs et même athées et qu'*a priori* ces faits échappaient à la médecine moderne. De plus, ces mystiques, comme le Padre Pio, baignaient en permanence dans le surnaturel et parlaient souvent des Anges. A ce moment-là, Michael Grosso sortit son portefeuille de sa veste posée sur le dossier de sa chaise, l'ouvrit et me montra une photo du prêtre italien. Cela me fit un drôle d'effet parce que je m'y attendais absolument pas, surtout de Grosso qui a pour habitude de couper les cheveux en quatre. Sans me laisser le temps de lui poser une question, il me dit « *vous savez, j'ai vu le Padre Pio lorsque j'étais en Italie. Il était déjà assez vieux et je n'ai pas pu l'approcher. Mais lorsqu'il bénit la foule de son balcon, il se passa quelque chose et cela m'avait profondément marqué. Depuis, je l'ai toujours avec moi* ».

Une aventure semblable arriva au journaliste britannique John Cornwell[1] venu interviewer le romancier Graham Greene. Quelle ne fut pas la surprise du journaliste athée lorsqu'il prit le gentleman anglais en flagrant délit de superstition toute italienne : Graham Greene sortit de son portefeuille deux photos du Padre Pio et expliqua comment, en 1949, il avait entendu parler de ce prêtre et décidé de se rendre à San Giovanni Rotondo pour l'observer de plus près. Faisant une halte à Rome, il rencontra un ecclésiastique du Vatican qui lui dit à propos du Padre Pio : « *Oh, cette sainte fraude ! Vous perdez votre temps. C'est un simulateur.* » Arrivé dans le Gargano, on le mit en garde contre la longue durée de la messe. Mais poussé par la curiosité, Greene se rendit à cinq heures du matin à l'église pour assister à la cérémonie. « *Il avait célébré la messe en latin* », raconta-t-il au journaliste, « *et j'ai pensé que trente-cinq minutes s'étaient écoulées.*

---

1. « The hiding places of god », Warner Books, 1991.

Mais en sortant de l'église, je jetai un coup d'œil à ma montre et vis que c'était deux heures.. Je ne savais pas où était passé le temps perdu. Et c'est là, avec ce mystère, que je retrouvai un peu la foi, parce que cela me semblait une chose extraordinaire. » Le Monsignore ne lui avait-il pas dit qu'il perdrait son temps ? Et depuis ce jour, Graham Greene portait toujours sur lui deux photographies du prêtre italien.

Incroyable Padre Pio, entendant même à des kilomètres ce qui se disait de lui ! On imagine alors sa fatigue après une messe. Mais, bien qu'exténué, il se rendait ensuite au confessionnal où il passait des heures avec les « pécheurs ». Pendant ses rares instants de repos, il méditait dans un endroit calme. Méditait seulement, car à ce sujet nous avons le témoignage du frère Alessio Parente qui l'a accompagné jusqu'à ses derniers instants, au point que le vieux prêtre le surnomma son « Ange gardien terrestre »[1] :

« *Un jour, j'étais assis à ses côtés (du Padre Pio) dans la véranda voisine de sa chambre et il était aux environs de 14h30. Comme tous les frères s'étaient retirés dans leur cellule pour la « siesta », l'endroit était désert. J'ai vu le Padre Pio égrener son rosaire ; il régnait un tel calme et une telle paix autour de lui que je me suis senti encouragé à l'approcher afin de lui poser quelques questions. Pendant toutes ces années, je recevais quantité de lettres de gens qui désiraient obtenir un avis du Padre Pio concernant des problèmes de toute nature. J'ouvris une enveloppe, et, me tournant vers le Padre Pio, dis : « Mon père, Mme B.R. aimerait que vous lui donniez un conseil pour son travail. Elle a une bonne situation mais une autre entreprise lui propose un poste encore plus intéressant avec un meilleur salaire, ce qui veut dire une vie plus facile pour elle. Que doit-elle faire selon vous ? » A ma surprise, en guise de réponse, je reçus une réprimande : « Allez mon Fils, laissez-moi seul, vous ne voyez pas que je suis très occupé ? « Etrange » me suis-je dit : « Il est assis en train d'égrener son rosaire et dit qu'il est occupé. » Pendant que je demeurais totalement silencieux en pensant qu'il n'était pas vraiment occupé, Padre*

---

1. Fra Alessio rédigea et édita un petit livre fort intéressant, exclusivement consacré aux relations entretenues par le Padre Pio avec les Anges. Cet ouvrage est disponible en anglais et en italien sur commande au monastère du Padre Pio ; « Send me your guardian angel » par Fr Alessio Parente ; Notre-Dame de Grâce — Monastère Capucin —, 71013 San Giovanni Rotondo, —FG-, Italy.

Pio se retourna vers moi et dit : « Vous ne voyez pas tous ces Anges gardiens allant et venant de mes enfants spirituels, m'apportant leurs messages ? » Pas vraiment surpris, je lui répondis « Mon père, je n'ai jamais vu un seul Ange gardien mais je vous crois parce que vous ne cessez de dire chaque jour aux gens de vous envoyer les leurs ».

Ce passage est plus que troublant car il soulève une interrogation nouvelle, jamais observée dans l'histoire de l'Eglise et de ses saints : les Anges gardiens se rendent chez le Padre Pio pour lui demander des instructions alors qu'*a priori* un Ange ne prend ses instructions qu'auprès de Dieu. Ce qui nous renvoie directement à l'explication la plus audacieuse du père Derobert qui écrit dans son ouvrage « Padre Pio, transparent de Dieu », page 782 : « *Nous sommes convaincus, quant à nous, qui avons bien connu le Père, que Jésus est venu revivre sa vie et sa Passion en Padre Pio. Il était devenu, pour Jésus, comme une humanité de surcroît, un instrument parfait et docile entre les mains de Dieu. Plusieurs fois, au cours de ces pages, nous avons affirmé que le père était comme l'incarnation mystique de Jésus, le Seigneur ayant pris possession — au plein sens du terme — de toute la personne de cet humble religieux. A travers lui, Jésus était venu rappeler au monde la nécessité de la prière, de la souffrance, du sacrifice, pour expier le péché qui détruit l'Amour de Dieu. A travers Padre Pio, Jésus était venu appeler le monde, à nouveau, à la conversion, au retour à Lui, à la Sainteté. La mission était désormais accomplie... Padre Pio mourut, Jésus retourna, comme en sa Résurrection, dans le sein du Père, et il ne resta plus, ici-bas, que les membres de Francesco Forgione qui n'avaient jamais foulé la Terre... »*

En effet, le jour de sa mort, à la stupéfaction de tous, les stigmates avaient disparu, laissant la place à une peau fine et immaculée... A croire que le Padre Pio avait fait un clin d'œil à Catherine de Sienne : du vivant de l'Italienne, les stigmates étaient invisibles. Mais le jour de sa mort elles apparurent.

THÉRÈSE NEUMANN
1898-1962

(Groupe II a, stigmates, miracles, Anges)

ALLEMAGNE

Strange Angels — singing just for me
Their spare change falls on top of me
Rain falling Falling all over me
All over me
Strange Angels — singing just for me
Old stories — they're haunting me
Big changes ar coming
Here they come
Here they come.

Laurie Anderson – *Strange Angels* –
in « Strange Angels »,
Warner Bros Records

Décédée en 1962, la visionnaire allemande Thérèse Neumann représente un cas contemporain dans le sens où elle a été examinée, elle aussi, comme une bête de cirque par tous les médecins, ecclésiastiques et autorités civiles possibles et imaginables. Elle fut même mise en quarantaine pendant quinze jours dans un hôpital, car, selon les autorités médicales, un homme ne peut vivre plus de onze jours sans boire, ni manger (Thérèse Neumann cessa de s'alimenter le 29 avril 1923 et ce jusqu'à sa mort en 1962...). De son vivant, 700 livres lui furent entièrement consacrés et dix fois plus d'articles de presse, ce qui nous permet d'avoir une excellente documentation sur son sujet.

Comme toutes les mystiques stigmatisées, elle fut attaquée de façon assez immonde, principalement par des théologiens (on n'est jamais mieux trahi que par les siens...) : Michael Waldmann, professeur de théologie à Regensbourg affirma que le sang qui coulait de son corps n'était qu'une supercherie car en réalité il provenait de ses règles. La journaliste allemande Anni Spiegl qui fut l'une des proches de Thérèse Neumann rapporte que malgré tous ces outrages, elle gardait un sens de l'humour bien terre à terre. Elle a ainsi remis à sa place un sceptique qui lui parlait d'autosuggestion :

> — *Vous vous êtes imaginée ces stigmates à un tel point qu'ils se sont produits...*
> — *C'est évident!* répondit Thérèse, *Imaginez à votre tour que vous désireriez avoir des cornes, elles vous pousseront probablement sur la tête*[1].

Rien ne fut épargné à cette jeune femme, qui non seulement revivait la Passion tous les vendredis, mais de plus était régulièrement traînée dans la boue. Cela l'incita à se plier une seule fois à des examens scientifiques civils. Par exemple, un magazine communiste avait affirmé que « *Thérèse Neumann était la maîtresse d'un prestidigitateur auquel elle donna un enfant* », ce qui ne manque pas d'humour involontaire lorsqu'on sait qu'elle avait tendance à apparaître dans divers endroits, sans quitter son lit.

En revanche, les journalistes professionnels qui se rendaient sur place se contentaient de témoigner de ce qu'ils avaient vu, ce qui ne manqua pas non plus de créer des troubles dans certaines rédactions. Par exemple, en 1926, le Dr Fritz Gerlich, rédacteur en chef du « Münchener Neueste Nachrichten », se révolta en lisant un article rédigé sur les stigmates de Thérèse par l'un de ses confrères, le baron Erwein von Aretin. Johanes Steiner dans son livre « The Visions of Thérèse Neumann »[2] raconte que Gerlich ne croyait pas un mot de l'article qui desservait la foi et portait préjudice à la réputation du journal. Pourtant, en bon journaliste, il décida de vérifier lui-même et se rendit dans la petite ville de Konnersreuth où vivait Thérèse Neumann. Il a décrit son état d'esprit à la suite de son enquête :

1. Jean Barbier, « Trois stigmatisés de notre temps », page 10.
2. Alba House, 1975, New York.

« Je me rendis à Konnersreuth à l'âge de 45 ans. Depuis ma jeunesse, j'ai toujours été activement engagé dans la vie intellectuelle de mon pays[1]. (...) Tout ce que j'ai découvert au cours de cette enquête sur Thérèse Neumann ne trouve pas de place dans ma philosophie de vie. La suite est le résultat de mon enquête. Comment cela s'intègre dans ma philosophie importe peu ici, et là n'est pas la question. La question se résume par la vie de Thérèse Neumann. Une investigation scientifique — une enquête objective ou neutre —, à mon avis, doit toujours être effectuée avec un objectif simple et le but, peu importe la philosophie de vie, doit être unique : " Tu ne feras pas de faux témoignages. " »

On s'en doute, ce qu'il a découvert l'a marqué à vie. Mieux, il a témoigné de ce qu'il avait vu alors que bon nombre de prêtres affirmèrent immédiatement (sans la rencontrer) que ces visions ne constituaient que des simples hallucinations et que les stigmates étaient autosuggérés (comment ?). Revenons à la quarantaine : Thérèse a été enfermée dans une chambre d'hôpital du 14 au 28 juillet 1927, entourée de médecins et d'infirmiers, sous surveillance permanente 24h sur 24, avec des relais. A son admission elle pesait 55 kilos. A sa sortie, elle pesait... 55 kilos, sans aucune autre boisson ni nourriture que trois hosties de taille normale pesant chacune 13 grammes, accompagnées de 3 cm³ d'eau qui lui permettaient de les avaler. L'extrait du rapport final établi par les médecins Otto Seidl et Ewald von Erlangen du sanatorium de Waldassen ne laisse planer aucun doute :

« NOURRITURE : La nourriture a fait l'objet de la plus grande et de la plus assidue des surveillances pendant toute la période d'observation. Toutes les instructions, pour le nettoyage, pour rincer sa bouche, etc. ont été strictement respectées. En dépit de cette surveillance assidue, il n'a jamais été noté que Thérèse Neumann, qui n'a jamais été seule une seconde, ait mangé quoi que ce soit ou même qu'elle ait tenté de manger quoi que ce soit. Son lit était sous surveillance permanente et refait chaque jour par l'une des quatre infirmières sous serment. Ni moi, ni l'une des infirmières ne pouvons admettre une faille dans notre surveillance sur la

---

1. Fritz Gerlich a été l'un des rares journalistes à engager sa publication contre la montée en puissance du IIIᵉ Reich. Et le 9 mai 1933, il le paya avec sa vie dans le camp de concentration de Dachau.

nourriture. Pendant la durée de l'observation, voici les éléments suivants qui sont entrés dans le corps de Thérèse :

a) A sa communion quotidienne, on lui donnait un petit bout d'hostie, à peu près un huitième d'une hostie normale. Même si on les additionne, on obtient pour la période du 14 au 28 juillet, trois hosties entières consommées, soit un poids total de 39 grammes.

b) Dans le but de l'aider à avaler ces hosties, nous lui donnions régulièrement un peu d'eau, environ 3 cm³ ; le volume total d'eau qu'elle a eu du 14 juillet au matin au 28 juillet matin est de 15 × cm³, un total d'environ 45cm³, soit le contenu de trois petites cuillères à café.

c) Conformément aux instructions données, lorsque Thérèse voulait se rincer la bouche, l'infirmière lui donnait un volume précis d'eau qu'elle devait recracher dans un récipient pesé à son tour. Le volume de l'eau avant et après n'a varié qu'à deux occasions : le 16 juillet nous avons constaté un déficit de 5 cm³. L'annotation de l'infirmière précisait qu'en recrachant, des gouttes ont atterri sur le sol. Le 17 juillet au soir, il y eut un autre déficit de 5 cm³. Sur les autres jours, aucun déficit n'a été constaté.

POIDS : Afin d'éviter toute possibilité d'erreur, le poids de Thérèse a toujours été pris avec les mêmes vêtements, mais sans chaussures. Le mercredi 13 juillet, elle pesait 55 kg, et le samedi 16 juillet, son poids descendit à 51 kg ; la pesée du 20 juillet donnait 54 kg ; le samedi 23 juillet, elle était à 52,5 kg ; le jeudi 25, 55 kg. Le poids de sortie était le même que le poids d'entrée. C'est l'élément le plus surprenant de toute l'observation. La première perte de 4 kilos et la seconde de 1,5 kg s'expliquent par les activités de la veille (vendredi) : élimination d'urine, de sang, de vomi, l'extraordinaire intensité du métabolisme pendant les états d'extase, et la transpiration considérable qui ont suivi les extases. Le fait, cependant, que Thérèse ait récupéré 3 kg dans le premier cas et 2,5 kg dans le second sans aucun liquide ou nourriture ne peut être expliqué par aucune de nos lois psychologiques ou naturelles. Nous savons cependant que les gens dont le niveau d'albumine baisse n'ont plus soif — des observations sur des cas cliniques m'ont été transmis. Cela aurait demandé une baisse d'albumine considérable, ce qui n'était absolument pas le cas chez Thérèse Neumann. »

Le médecin précise que le personnel a prêté sermon au cardinal qui voulait, lui aussi, s'assurer de l'authenticité de Thérèse Neumann. Pour se rendre compte des effets du manque de nourriture et de boisson, il suffit de lire les articles sur les « boat people » vietnamiens ou cubains qui ont dérivé pendant plusieurs semaines avant d'être (pour les plus chanceux) secourus par un navire. Ensuite, Anni Spiegl a très justement remarqué que « *manger et boire, aller à la selle en cachette, cela pendant trente-six ans, alors que d'autre part on est épié par des milliers de personnes, serait un prodige qui égalerait celui de son abstinence* »[1].

Thérèse Neumann, comme Catherine Emmerich et surtout toutes celles qui l'ont précédée comme Hildegarde Von Bingen Mechtilde von Hackenborn ou Mechtilde von Magdebourg ne souffrait guère de sous-alimentation. Mieux, lorsque ces femmes ne revivaient pas la Passion, elles voyaient la vie du Christ, comme si elles voyageaient dans le temps. Il existe une photo étonnante de Thérèse, où elle reçoit l'hostie d'un prêtre. Mais à la place du prêtre, elle « voit » le Christ et son visage est totalement illuminé, ses yeux resplendissent de béatitude. Son expression de béatitude transperce littéralement la photo noir et blanc. Les photographes qui purent prendre des clichés lorsqu'elle revivait la Passion sortaient de la maison totalement retournés, toutes leurs valeurs s'étant soudainement écroulées.

Parmi les « visions » angéliques de Thérèse Neumann, une nous intéresse tout particulièrement, celle, chargée de sens, de l'Annonciation. Elle a commenté cette vision à l'un de ses biographes, Johanes Steiner qui se trouvait à ses côtés, le 25 mars, à 9h12 :

> « *Thérèse voit une jeune femme, qui semble être encore une jeune fille, dans une petite maison en train de prier. Soudain, un homme lumineux apparaît à ses côtés. Il n'entre pas, il est « là ». « Avec des grandes ailes ? » lui demandais-je, dans le but de l'égarer. Elle répond : « Qu'est-ce que vous croyez ? Cet homme lumineux n'a pas besoin d'ailes. » L'homme s'agenouille devant la jeune fille apeurée et dit « Shelam elich, Miriam, gaseta... » D'autres mots suivent. Je dis : « Attendez un moment, qu'est-ce qu'il y a après gaseta ? » Elle réfléchit un instant puis répond : « Vous n'avez qu'à écrire plus vite, je ne sais plus. »[2] C'est l'annonce de l'Ange Gabriel[3]. Marie, toujours effrayée à en croire son*

1. Jean Barbier, « Trois stigmatisés de notre temps », page 20, op.c.
2. Le Dr Wessley, linguiste, expert orientaliste autrichien, avait confirmé que Thérèse Neumann parlait bien l'araméen pendant certaines de ses visions.
3. Steiner a bien écrit Ange au lieu d'Archange, signifiant qu'il n'était guère familier avec les Anges.

expression, reprend un peu confiance, regarde attentivement la légère lumière ressemblant à un homme mais qui brille d'elle-même. Elle l'interrompt pour poser une question et l'Ange lui répond. Lorsqu'il a fini, la Vierge incline sa tête et dit quelques mots. Au même moment, Thérèse voit une puissante lumière provenant d'en haut entrer dans la Vierge pendant que l'Ange, après s'être incliné une seconde fois, disparaît dans l'air. »

Je suis resté stupéfait par la correspondance tout à fait extraordinaire qui existe entre cette description de l'Annonciation de Thérèse Neumann et le tableau d'une grande originalité de Dante Gabriel Rosetti (1828-1882) de la Tate Gallery de Londres : Marie est repliée sur son lit et un peu effrayée ou peut-être boudeuse. L'Archange Gabriel est là, sans l'ombre d'une aile, tenant une branche de lys à quatre fleurs de sa main droite. Ses pieds ne touchent pas le sol. Marie, prostrée, fixe le lys de l'Archange, comme si elle ne comprenait pas vraiment ce qui se passe. Elle semble toute frêle, toute fragile, boudeuse même, comme une petite fille à qui on fait un sermon. L'Archange, tout en étant simple aussi bien dans son habillement que dans son attitude, laisse deviner par l'absence de contact de ses pieds avec le sol qu'il est apparu en une fraction de seconde et qu'il va disparaître aussi vite. Le temps est figé. A croire que Thérèse a tenu la main de Gabriel Rosetti, tant la concordance est prodigieuse.

MARIE-JULIE JAHENNY
1850-1941

(Groupe II a, stigmates, miracles, Anges)

FRANCE

J'ai vu la guerre
La victoire
Etait au bout de leur fusil
J'ai vu le sang
Sur ma peau
J'ai vu la fureur et les cris
Et j'ai prié
J'ai prié
Pour ceux qui se sont sacrifiés
J'ai vu la Mort
Se marrer
Et ramasser tous ceux qui restaient.

Niagara, – *J'ai vu* –
in « Religion »,
Polydor Records

Qui aurait cru qu'un jour Michael l'Archange, le prince des guerriers, combattant suprême, général cinq étoiles de Dieu et juge suprême des tribunaux des forces armées célestes parlerait parfois en patois ? Eh bien, c'est arrivé ! Et par la même occasion, le Christ nous démontre qu'il ne choisit pas une épouse selon son rang ou son éducation, mais bien selon l'état de son âme. Marie-Julie Jahenny, une paysanne de la campagne nantaise qui avait tout au plus six mois d'école, et ne s'exprimait pas en français mais en patois, en est le meilleur exemple. Sans instruction, elle a pourtant vécu Sa Passion pendant soixante-sept ans. Marie-Julie fut l'un des « *cobayes* » du

289

célèbre docteur Imbert-Gourbeyre, professeur de faculté, qui passa vingt-six ans de sa vie à enquêter et à examiner des stigmatisés. Son livre « La Stigmatisation » publié en 1895 demeure encore aujourd'hui une référence absolue en ce domaine. Des hystériques, le Dr Imbert-Gourbeyre en avait rencontrées plus d'une et, après vingt ans, il était capable de déterminer en l'espace de quelques jours d'observation s'il avait affaire à une fausse stigmatisation. C'est lui également qui avait étudié et authentifié Louise Lateau, la fameuse stigmatisée belge. Marie-Julie était bien authentique car les faux stigmatisés ne se flagellent pas, ne dorment pas sur un lit d'orties, ne portent pas une ceinture de clous dont les pointes pénètrent dans la chair et ne se privent pas de manger. D'une manière tout à fait classique, la jeune fille se consacra au Christ dès son enfance. Elle chérissait la croix et ne ratait pas une messe pour communier. Mais cela ne suffit pas pour recevoir les stigmates. D'ailleurs elle ne connaissait même pas le mot, ne s'exprimant qu'en patois, si bien que l'évêque, lors de ses visites, ne pouvait lui parler que par l'intermédiaire d'un traducteur.

Le 6 janvier 1873, elle tombe gravement malade. Le médecin local diagnostique un cancer de l'estomac et une tumeur scrofuleuse. Rien à faire. C'est fini. Son état de santé empire et au bout d'un mois, la voyant à l'article de la mort, la famille mande le curé pour l'extrême-onction. Elle sombre dans l'inconscience. Mais sept jours après, elle ouvre les yeux, s'assoit et demeure immobile, avant de sombrer à nouveau. Elle venait de voir la Vierge qui lui promit de s'occuper d'elle en lui apportant des souffrances chaque jour entre deux et trois heures de l'après-midi. Mais ce n'est que le 15 mars 1873 qu'Elle lui demanda si elle acceptait les cinq blessures de son Fils. Marie-Julie accepte et la Vierge lui promet les blessures pour le vendredi 21 mars 1873.

Le village entier se donne rendez-vous dans la maison de ferme. Après des souffrances « invisibles » tout au long de la matinée, les stigmates s'annoncent devant la population incrédule : elle perd connaissance, une main se met à saigner, l'autre main, etc. En l'espace d'une demi-heure apparaîtront les cinq blessures. Les spectateurs regardent étonnés, sans savoir que cela s'appelle des stigmates. Nous sommes en 1873, dans la campagne profonde française, à une époque où le maître d'école et le curé du village peuvent destituer le maire. Quelque mois plus tard, elle annonce la date de son mariage avec le Christ au curé qui n'en croit pas un mot mais qui promet d'y assister. Et le 20 février 1874, quatorze témoins éberlués observent son extase et surtout sa main : l'annulaire de sa main droite enfle, rougit, se met à saigner jusqu'à ce qu'un anneau apparaisse.

De tous les stigmatisés, c'est le seul cas que je connaisse d'un mariage du Christ devant des témoins humains et laïcs ! Cette union sera bien entendu accompagnée de nombreux phénomènes surnaturels comme par exemple la lévitation ou la hierognosis[1]. A ce sujet, le biographe de la stigmatisée, Pierre Roberdel rapporte que le 17 juillet 1874, Monseigneur Forunier décide de visiter la « sainte » en compagnie du supérieur des jésuites et de deux autres ecclésiastiques de ses amis. Il attend l'extase pour la tester et, au moment où son corps devient plus rigide, il dépose sur la poitrine de la jeune femme une croix faite avec l'écorce du noisetier des apparitions du Christ de Paray-le-Monial. Marie-Julie murmure alors : « Marguerite-Marie... » Comme Thérèse Neumann, la stigmatisée du lieu-dit La Fraudais identifiait la provenance des objets bénis !

Si Marie-Julie Jahenny ne nous a pas laissé une œuvre comme Anne-Catherine Emmerich, ses amis eurent cependant la présence d'esprit de noter les descriptions de ses extases. L'une d'entre elles nous intéresse puisqu'il s'agit d'un dialogue avec l'Archange Michael. Et cette discussion entre l'Archange et la petite paysanne stigmatisée sur la pesée des âmes ou de ce que l'on trouve au paradis ne manque pas de sel :

> « Michael : *Voici le temps qui approche où les victimes fermeront leurs paupières mortelles pour aller trôner avec le Seigneur, dans la gloire.*
>
> — *Oh saint Michel*, reprend l'extatique, *pour penser à un si haut séjour, qu'avons-nous à offrir ?*
>
> — *Tout le mérite des épreuves, les vertus gagnées dans les souffrances et l'abandon.*
>
> — *C'est guère, saint Archange. J'emprunterai, moi, quelque chose à mes amis que je leur rendrai quand ils viendront dans le ciel.*
>
> — *C'est moi qui en ai la balance.*

1. Habilité à reconnaître à l'aveugle un objet consacré.

— *Oui, j'y songe bien souvent. Quand vous pèserez nos âmes, vous ferez bien attention à mettre juste, le bon et le mauvais.*

— *Tous, je pense, je vous introduirai dans la céleste Jérusalem.* (...)

— *Quand pesez-vous?*

— *A la journée, il n'y a pas de nuit.*

— *Qui pèse à cette heure que vous êtes avec nous?*

— *Je suis là-bas.*

— *Ah, saint Michel, vous ne pouvez pas vous mettre en deux!*

— *La puissance éternelle est grande.*

— *Combien pesez-vous d'âmes par jour?*

— *Quelque fois dix mille, quelque fois moins.* (...)

— *On a-t-il un chapelet dans le paradis?*

— *Oui, et des livres aussi*

— *Et des livres aussi? Ceux qui s'en servent pour lire, ils apprennent? Qui donc fait école dans le ciel?*

— *Le bon Jésus, les Anges, les saints.*

— *C'est-il des lettres d'écriture de plume ou bien moulées?*

— *C'est des lettres glorieuses qui n'ont rien de commun avec celles de la terre.* »[1]

Le Diable aussi la visitait de temps en temps, ce qui lui valut le surnom de « Quequet » ! Elle le chassait presque à coup de rouleau à pâtisserie. Bref, cela ne manquait pas de truculence, malgré ses stigmates. En revanche, toujours pendant ses extases, elle se mettait à parler en latin, langue qu'elle ne connaissait évidemment pas et servait de palais à des personnages saints (aujourd'hui on dirait qu'elle faisait du channeling!!) voire au Saint-Esprit. C'est intéressant parce que la teneur de son discours est bien différente de ce que pouvait dire Marie-Julie dans son état normal de paysanne illettrée. Son corps devenait progressivement rigide et le Saint-Esprit parlait à travers sa bouche, tout en la laissant éveillée. Et cet « esprit » s'exprimait dans un français riche et parfait, assez éloigné du parler local de Marie-Julie et abordait des sujets qu'elle ignorait complètement. Par exemple cette communication sur le « saint noviciat » qui n'aurait pas déplu à saint Augustin, à dix mille lieux des préoccupations de Marie-Julie :

1. Pages 161-162, in « Marie-Julie Jahenny », Ed Resiac.

« *Au septième degré, la voie d'union à Dieu coûte plus au corps que toutes les souffrances, que les douleurs les plus grandes, parce qu'il faut que l'union à Dieu et de l'âme entre dans toutes les parties divisées du corps. Voilà pourquoi le corps se révolte contre l'âme et sa vie nouvelle. C'est parce que le corps est une chair lâche, oisive qui n'aime pas les sacrifices. Le corps se rebelle parce qu'il se voit invité par Dieu à se soumettre à la lumière parfaite de l'âme : c'est un brisement, une souffrance qui n'a de comparaison avec rien, qu'aucun mot ne peut rendre. On peut dire que c'est la mort du corps et que les parties, brisées, anéanties, sont obligées de savourer cette mort.* » [1]

---

1. Page 159, op.c.

HELENE KOWALSKA
1905-1938

(Groupe II a, stigmates, miracles, Anges)

POLOGNE

I get the feeling — I'm not alone
I get the feeling — It's someone I don't know
Do you ever have this strange sensation
when you're standing mighty tall
to jump from 17 floors and crash into freefall?
But then fear takes control
Fear of the unknown.

Siouxsie & the Banshees – *Fear* –
in « Superstition », Geffen Records

A l'âge de 5 ans, Hélène Kowalska expliqua à ses parents qu'elle avait visité le Ciel (!) et à 14 ans elle demanda à sa mère de la laisser entrer dans un couvent. Opposition immédiate de la famille. A 18 ans, son ambition ne l'avait pas abandonnée et elle reformula sa demande. Nouveau refus. D'une part, la famille serait privée d'un revenu (Hélène travaillait comme bonne), et d'autre part l'argent manquait de toute façon à la maison, alors de là à constituer une dot... Hélène se fit une raison. Mais au cours d'un bal, elle eut une vision du Christ qui lui demanda « *jusqu'à quand me feras-tu attendre?* ».

Hélène Kowalska était une âme prédestinée, avec une mission particulière, à la façon Marguerite-Marie Alacoque ou Maria Droste zu Vischering. Comme l'a défini le Christ Lui-même, Hélène devint sa secrétaire. Elle s'enfuit donc de chez elle et entra, sans dot, chez les sœurs de la Miséricorde de Varsovie, ce qui en soi est déjà un petit miracle. Ce ne fut, à partir de là, qu'une suite de faits surnaturels :

voyages hors du corps, Anges, dialogues divins, stigmates et surtout un journal. En effet, sur ordre du Christ, Hélène, devenue sœur Faustine, tint son journal presque jusqu'à sa mort. Et c'est sans doute le témoignage le plus étonnant que nous possédons, une sorte de quotidien de sa vie spirituelle, particulièrement riche. Une « Histoire d'une âme » en polonais. A la lecture de ce pavé de 700 pages, j'ai été frappé par les similitudes qui existent entre la Légion Etrangère et un couvent de stricte observance. En fait, il n'existe aucune différence. Dans les deux organisations, la volonté, l'ego, le « moi » de l'individu est écrasé, détruit, anéanti, effacé par toutes les humiliations possibles et imaginables. Il ne doit pas, il ne peut pas survivre. Et tant que l'âme ne s'est pas soumise, totalement, entièrement, sans conditions, à la volonté supérieure, elle n'est pas prête à porter le képi blanc dans le premier cas, et le voile dans le second. Seule la soumission absolue, c'est-à-dire la disparition de tout amour-propre permet de survivre. Après, ce n'est qu'une suite d'événements à gérer au quotidien. Sœur Faustine se laissait entièrement contrôler par le Christ et ne faisait que ce qu'Il lui disait de faire. « *Tu es Mon épouse à jamais* » Lui a-t-il dit, « *ta pureté doit être plus qu'angélique, car Je n'admets aucun Ange dans une telle intimité. Le moindre acte de mon épouse a une valeur infinie, une âme pure a devant Dieu une force incroyable.* » Mais en échange de ces mortifications, les grâces ne se comptent pas. Voici par exemple une expérience de sœur Faustine qui n'aurait pas déplu au Dr Melvin Morse :

> « *...les traces du tourment passé restèrent sur mon corps : pendant deux jours j'eus la figure mortellement pâle et les yeux injectés de sang. Jésus seul sait ce que j'ai souffert. Ce que j'ai écrit est bien faible en comparaison de la réalité. Je ne sais comment l'exprimer, il me semble que je suis revenue de l'au-delà. Je sens un dégoût pour ce qui est créé* »[1].

Mais la raison pour laquelle la notoriété de cette religieuse polonaise a traversé le rideau de fer se trouve dans cette peinture du Christ qu'Il lui avait demandé d'exécuter, en disant : « *Je promets que l'âme qui vénérera cette image ne périra pas. Je lui promets également la*

---

1. Page 78 in « Journal de sœur Faustine », Ed. Hovine.

victoire sur ses ennemis, particulièrement à l'heure de sa mort. Je la défendrai moi-même comme ma propre gloire. »

Lorsqu'elle fit part de cet ordre à sa supérieure le 22 février 1931, « *le Seigneur désire que cette image soit peinte et vénérée d'abord dans notre chapelle et ensuite dans le monde entier* », celle-ci se persuada d'avoir affaire à une folle, une illuminée.

On ne peut s'empêcher également de noter la similitude avec cette instance du Christ et celle de la Vierge de Catherine Labouré. Les deux femmes seront prises pour folles mais dans les deux cas, la médaille et la peinture finissent par être exécutées dans des circonstances curieuses et ce malgré l'opposition des confesseurs et des mères supérieures. Ici, ce ne sera que le 2 janvier 1934, soit trois ans après la vision, que la jeune femme recevra l'autorisation de sortir de son couvent, accompagnée de sœur Borgia, pour se rendre chez le peintre Eugène Kazimierowski de Wilno. L'artiste écoute la sœur, prend des notes, esquisse des brouillons, lui redemande des détails et commence son travail. La jeune femme le visite une fois par semaine pour le guider sur les formes et sur les couleurs. Mais lorsqu'il lui présente cinq mois plus tard l'œuvre achevée, sœur Faustine éclate en sanglots parce que le peintre n'a pas réussi à Le rendre aussi beau qu'Il était en réalité. Une fois terminé, la toile reste dans un couloir des sœurs pendant plus de deux ans. Le Christ se fâche ! Il demande à ce qu'il soit béni, exposé et publiquement vénéré. On imagine la tête des ecclésiastiques qui se réunissent en commission le 1er avril 1937 pour délibérer de la suite à donner à cette requête on ne peut plus farfelue d'une bonne-sœur de couvent peut-être hystérique. Le tableau reçoit pourtant leur aval. Mais ce n'est que pendant la guerre que cette image va se propager comme une traînée de poudre, exactement comme la médaille miraculeuse de Catherine Labouré.

L'Ange chez sœur Faustine est rare, et lorsqu'il apparaît, c'est dans le rôle de garde du corps. Mais la religieuse qui expérimente l'amour de Dieu et voit le Christ, ne s'intéresse pas vraiment à l'Ange. Il est là et elle le sait. De temps en temps elle l'aperçoit, une « *claire et rayonnante apparence* », mais on ne remarque pas un attachement profond à l'Ange comme nous le verrons chez Gemma Galgani.

Cependant elle les voit, comme par exemple le jour du renouvellement de ses vœux :

> « *Et je vis des Anges prendre à chaque sœur quelque chose qu'ils mettaient dans un vase d'or, qui avait la forme d'un encensoir. Lorsqu'ils eurent fait le tour de toutes les sœurs, ils déposèrent sur le second plateau de la balance le vase dont le poids l'emporta tout de suite sur celui du plateau avec le glaive. Alors une flamme jaillit de l'encensoir et monta jusqu'à la clarté.* »

Prodigieusement mystique, Hélène Kowalska n'est pas sœur à passer sa vie seulement à prier. Elle observe tout et les petits détails de la vie la touchent bien plus qu'un grand sermon. Un soir, elle détaille le ciel étoilé de la fenêtre de sa cellule et s'émerveille comme un enfant devant le spectacle de ce « *firmament semé d'étoiles et de la lune* » :

> « *Soudain un feu d'amour inconcevable jaillit de mon âme vers mon Créateur. Ne sachant supporter la nostalgie qui montait de mon âme vers Lui, je me suis prosternée, m'humiliant dans la poussière. Je Le louais pour toutes Ses créatures. Et lorsque mon cœur n'eut plus la force de supporter ce qui se passait en Lui, j'ai éclaté en sanglots. Alors mon Ange gardien m'a touchée et m'a dit « Le Seigneur te fait dire de te relever ». J'obéis immédiatement, mais je n'étais pas consolée. La nostalgie de Dieu m'envahit plus encore.*
> *Un jour où j'étais en adoration, mon esprit était comme en agonie et je ne pouvais pas retenir mes larmes ; alors j'ai vu un esprit d'une grande beauté qui me dit « Le Seigneur dit : ne pleure pas ». Après un moment, j'ai demandé : « Qui es-tu ? » Il me dit : « Je suis l'un des sept esprits qui se tiennent nuit et jour devant le trône de Dieu et Le louent sans cesse. » Cependant, cet esprit n'a pas apaisé ma nostalgie de Dieu, il n'a fait que l'accroître. La beauté de cet esprit provient de son étroite union avec Dieu. Il ne me quitte pas un seul instant, il m'accompagne partout. Le lendemain, pendant la messe, avant l'Elévation, il commença à chanter ces mots « saint, saint, saint » et sa voix résonnait comme les voix de milliers de personnes, cela m'est impossible à décrire.* »

Cet esprit angélique, nous allons le retrouver à nouveau, mais quelque temps plus tard, précisément le 10 septembre 1937, lorsque la

Pologne commence à ressentir les prémices des futures turbulences. La jeune femme est chargée de la porte d'entrée du couvent :

> « *Lorsque j'ai su combien il est dangereux à notre époque de se trouver près de la porte d'entrée, à cause des troubles révolutionnaires, et combien de mauvaises gens ont de la haine pour les couvents, je me suis entretenue avec le Seigneur et je Lui ai demandé qu'Il s'arrange de façon à ce qu'aucun méchant n'ose s'approcher de la porte. Alors j'entendis ces mots : « Ma fille, dès le moment où tu as été préposée à ce service, J'y ai mis un chérubin afin qu'il la garde. Sois donc sans inquiétude. » Après être revenue de mon entretien avec le Seigneur, je vis un léger nuage blanc et dans ce nuage un chérubin, les mains jointes, dont le regard était semblable à l'éclair. »*

Notons que, si à cette époque la représentation d'un chérubin était systématiquement celle d'un angelot de 6 ou 7 ans aux fesses dodues, point de ce genre de description chez sœur Faustine. Un regard semblable à l'éclair, ce qui laisse deviner une puissance et une violence contenues. Idem lorsqu'elle tombe malade. Dans le sanatorium, elle se meurt et elle ne peut même pas communier. Pas grave. Les Anges, comme nous le verrons plus loin, sont là également pour cela. Un Ange de la hiérarchie des séraphins (sœur Faustine ne nous a pas expliqué comment elle les différenciait) apparaît soudain au pied de son lit :

> « *Une grande clarté entourait ce séraphin, la divinité et l'amour divin se reflétaient en lui. Il portait un vêtement doré, recouvert d'un surplis et d'une étole transparente. Le calice était en cristal couvert d'un voile lui aussi transparent. Dès qu'il m'avait donné le Seigneur, il disparaissait. Une fois, un certain doute s'éveilla en moi, un peu avant la communion et le séraphin, accompagné de Jésus, se tint soudain debout devant moi. J'ai prié Jésus et ne recevant pas de réponse, j'ai dit au séraphin : « Ne pourriez-vous pas me confesser ? » Il me répondit « Aucun esprit au ciel n'a ce pouvoir » Au même moment l'hostie reposa sur mes lèvres. »* [1]

Sœur Faustine réussit à surmonter les diverses crises de suffocations de sa tuberculose dès le début de sa vie religieuse, mais, en 1938, elles

---

1. Page 536 in « Journal de Sœur Faustine », op c.

devinrent de plus en plus graves. Elle mourut à l'âge de... 33 ans, le 5 octobre 1938. On aurait certainement oublié l'âme de cette sœur, après tout elle ne devait pas être la seule religieuse à tenir un journal, mais la diffusion de cette image du Christ qu'elle devait peindre elle-même, atteignit de telles proportions après la guerre, qu'en 1965, un certain Karol Wojtola, archevêque de Cracovie, examina son dossier et décida d'ouvrir sa cause de béatification. Aujourd'hui, cette représentation du Christ, comme la médaille miraculeuse, se retrouve dans beaucoup d'églises, sans qu'il n'y ait une référence ou une indication sur l'origine de ce tableau. Elle a été béatifiée le 18 avril 1993 par Jean-Paul II.

GEMMA GALGANI
1878-1903

(Groupe II a, stigmates, miracles, Anges)

ITALIE

> *Don't let me hear you say life's*
> *Taking you nowhere,*
> *Angel*
> *Look at that sky,*
> *Life's begun*
> *Nights are warm*
> *And days are young.*
>
> David Bowie
> – Golden Years –
> in « Station to Station »,
> RYKO Records

Gemma Galgani est un véritable diamant de la « Fleur des saints », un personnage unique de l'Eglise car, comme Marilyn Monroe, sa beauté a été figée par sa mort. Incontestablement, elle est la sainte la plus jolie de toutes les saintes de calendrier car la « Divine Providence » lui a accordé une beauté fulgurante, presque irréelle, avec des traits d'une noblesse et d'une finesse dignes de ceux de Carole Bouquet du temps où elle jouait dans « Cet obscur objet du désir » de Bunuel. Gemma Galgani, c'est l'aristocratie du luxe discret, la puissance de l'humilité, victime volontaire de la brutalité divine. Gemma Galgani, c'est presque une illustration du roman « L'Ange de Feu »[1], qui raconte comment une jeune femme, Renata, recherchait

1. Ecrit par l'auteur russe Valery Brysov, son contemporain (1873-1924). « L'Ange de feu », servit plus tard de base au compositeur Serge Prokoviev. Son opéra est, hélas, ennuyeux à mourir...

son Ange gardien qu'elle avait eu le privilège de voir en permanence durant son enfance, un peu comme la religieuse brésilienne Cecilia Cony. Mais Renata, contrairement à Cecilia Cony[1], a outragé son Ange, Maniel, lorsque, atteignant la puberté, elle lui demanda en toute innocence de lui faire l'amour. L'Ange la quitta en lui promettant toutefois de revenir sous une forme humaine lorsqu'il serait temps. Dès lors, Renata, devenue femme, n'eut de cesse de le retrouver et tentait de déceler en tout homme la présence de son Ange. Il s'agissait d'un roman reposant sur la relation entre le monde terrestre et le monde céleste et où s'entremêlaient Anges, démons et humains dans un perpétuel combat d'âmes, cadre qui sied parfaitement à Gemma Galgani. Elle passa sa (courte) vie baignant dans le surnaturel comme d'autres dans la musique. Anges et démons livraient bataille quotidienne pour l'âme de cette jeune et magnifique vierge. On le comprend. J'en connais qui n'auraient même pas hésité une seconde à affronter Satan lui-même pour ses beaux yeux.

La vie de Gemma Galgani est un résumé de ce combat permanent, des tribulations de chaque âme. Simplement, chez elle, il fut porté au paroxysme. Ame prédestinée, Gemma accepta très tôt sa mission sans vraiment savoir de quoi il s'agissait. Mais, dès la fin de son adolescence par exemple, elle voulut devenir religieuse passioniste. Et comme d'habitude, à l'âge de 20 ans, une paralysie des jambes — le mal de Pott — l'immobilisa. Comme si cela ne suffisait pas, elle fut ensuite terrassée par une tumeur au cerveau assortie d'une otite purulente.

Les médecins défilèrent à son chevet, l'opérèrent à plusieurs reprises, mais, incapables de la soigner, décidèrent finalement de l'abandonner, décrétant que la science ne pouvait l'arracher à une mort rapide. Gemma cependant ne se résigna pas. Sa vie spirituelle était déjà prodigieuse et, clouée au lit, elle entama une neuvaine au Sacré-Cœur de Jésus et à Marguerite-Marie Alacoque. Au lendemain du neuvième jour, elle se rétablit inexplicablement de tous ses maux. C'était le vendredi 3 mars 1899. A partir de ce jour, bien plus reconnaissante au Christ qu'aux médecins, Gemma observa régulière-

1. Notons son petit livre « Je dois raconter ma vie, Ange gardien mon ami », Editions Téqui, totalement insipide, tant il semble « arrangé ».

ment l'heure sainte[1], habitude qui l'emporta vers une dévotion constante du Christ. Et comme tous les stigmatisés, c'est un vendredi, en mars 1901, en priant devant son crucifix, qu'elle ressentit la flagellation sur sa chair. Sa mère adoptive la retrouva gisant au sol, le dos ensanglanté et strié de coups. Par la suite, Gemma Galgani allait revivre la Passion du Christ tous les jeudis à partir de 20 heures et ce jusqu'au vendredi 15 heures.

Si les théologiens ont toujours tendance à comparer les saints entre eux et discuter de leur mérites et puissances respectifs (un peu comme des voitures de sport), alors on ne peut que noter les similitudes étonnantes entre Gemma Galgani et Thérèse de Lisieux. Toutes les deux, d'une simplicité et d'une candeur à faire pleurer un bourreau, escaladèrent les marches de Saint-Pierre de Rome à une vitesse éclair : Gemma mourut à l'âge de 25 ans et Thérèse à 24 ans (à la mort de Thérèse de Lisieux, Gemma avait 19 ans). Mais si la carmélite ne portait pas la signature du Christ, Gemma, bien que laïque, participa de son plein gré à la Passion, la porte ouverte aux grâces surnaturelles les plus étonnantes. Outre les lévitations et communions à distance, Gemma Galgani put ainsi « voir » son Ange gardien et s'entretenir régulièrement avec lui pendant toute sa vie. (Notes de son journal, année 1895) :

> « Une fois, je m'en souviens fort bien, on m'avait fait cadeau d'une montre en or avec une chaîne ; moi, ambitieuse, comme j'étais, il me tardait de la mettre et de sortir avec (mon imagination travaillait d'avance). Je sortis donc et en rentrant, j'allais me déshabiller, lorsque je vis un Ange (maintenant je sais que c'était mon Ange) qui me dit très gravement : « Souviens-toi que les bijoux précieux qui ornent l'épouse d'un roi crucifié ne peuvent être que les épines et la croix. »
> Ces paroles, je ne les répétai même pas à mon confesseur, je les dis aujourd'hui pour la première fois. Ces paroles me firent peur. L'Ange aussi me fit peur ; mais peu après, en réfléchissant à ces paroles, sans rien y comprendre, je pris la résolution suivante : par Amour pour Jésus et pour Lui plaire, je ne porterai plus et ne parlerai plus de vanités. »[2]

1 Tous les jeudis soirs, de 23 h à minuit.
2. Page 52 in « Ecrits de Gemma Galgani », Ed. Téqui.

Certains considèrent Gemma Galgani comme une mystique mineure, sans doute parce qu'elle ne « voyait rien » comme Hildegarde von Bingen et qu'elle n'était ni tertiaire dominicaine douée, ni carmélite extasiée, ni franciscaine troublée mais tout simplement une laïque stigmatisée. On retrouve pourtant dans ses mémoires des passages qui, immanquablement, font penser aux extases plus que déconcertantes de Marguerite-Marie Alacoque, d'Angela de Foligno ou de Marie-Madeleine de Pazzi. On découvre aussi les lignes, classiques pourrait-on dire, des déclarations christiques faites aux épouses mystiques, condamnées à vivre dans la souffrance, en échange de Son amour :

> « *Je brûle du désir de m'unir à toi* », *me répétait Jésus.* « *Accours tous les matins. Mais sache, me disait-il, que je suis un père, un époux jaloux. Seras-tu pour moi fille et épouse fidèle?* »

De son côté, les conversations entre Gemma et le Christ ne manquaient pas de piquant comme nous allons le voir :

> — *Tu me demandes sans cesse Jésus, si je t'aime. Tu me répètes :* « *Gemma, m'aimes-tu?* » *Je dis Non! Tu m'as fait tant de grâces, et voilà, la plus nécessaire tu ne me l'accordes pas. Je t'ennuie? Eh! Quand je t'aurai assez ennuyé (le mot italien saccato a ici un sens aimablement familier), alors, tu me diras :* « *Oui je te l'accorde!* ».
> *Jésus se met à sourire.*
> *Et elle aussitôt :*
> — *Sta a sentire, Gesu.. Ecoute donc, Jésus. Tu me la fais cette grâce?... Sinon, cela finira mal.* [1]

Si l'Ange gardien de Gemma demeurait en second plan, l'ensemble de leur relations relevait du « grand amour » : l'Ange la surveillait, lui faisait du café, lui expliquait les Mystères, l'embrassait, mais surtout l'aidait de son mieux à souffrir pour le Christ. Quant à Gemma, elle s'adressait à l'être céleste et plus d'une fois ses proches la virent marchant, tout en parlant à un interlocuteur invisible :

1. Page 118, 120 in « Gemma Galgani, Vierge de Lucques » par Thor Salviat, Maison de la Bonne Presse, 1936, Paris.

« *L'Ange me regardait si affectueusement ! Et quand il fut sur le point de partir, alors qu'il s'approchait de moi pour m'embrasser sur le front, je l'ai prié de ne pas me laisser encore. Mais lui me dit :*
— *Il faut que je m'en aille.*
— *Alors va et salue Jésus.*
Il m'a jeté un dernier regard, me disant :
— *Je ne veux plus que tu entretiennes de conversations avec les créatures ; lorsque tu veux parler, parle avec Jésus et avec ton Ange.*
Le jour suivant, à la même heure, le voici de nouveau. Il s'est approché de moi, il m'a caressée et, avec affection, je n'ai pu m'empêcher de lui dire :
— *Mon Ange, comme je t'aime !*[1] »

Bien que laïque, la splendide vierge fut canonisée 37 ans seulement après sa mort. En raison de divers signes surnaturels et guérisons inexplicables, Rome s'est intéressé à son cas en 1917 et elle fut proclamée sainte le 26 mars 1936. Depuis, son visage continue à fasciner les foules, un peu comme celui, énigmatique, de Greta Garbo. Gemma Galgani, c'est le mystère des Mystères, l'Amour d'une vierge pour Celui qui a aimé le monde, et leur colloque de souffrances nous semble appartenir à un monde absurde. En apprenant à souffrir comme Il a souffert, en réussissant à résister aux tentations, et en parvenant à se mortifier au point de tuer en elle tout désir qui aurait pu mettre en danger sa virginité, Gemma s'est hissée à Son niveau et s'est débarrassée de toute tache. Avec une telle pureté, voir son Ange gardien lui était aussi naturel que pour nous de voir le facteur tous les matins. Gemma cependant n'a guère décrit son compagnon car elle voyait l'Ange comme elle voyait sa belle-mère ou son confesseur. Sa présence pour elle n'avait rien d'exceptionnel et dans sa simplicité d'enfant, elle ne se rendait absolument pas compte que cela aurait pu passionner des milliers de gens. Elle évoluait parmi les Anges comme un cygne sur un lac, insensible à la beauté qui l'environne. Seul le Christ comptait à ses yeux. Même son confesseur, le très strict père Germain, marquera sa surprise en entendant Gemma lui expliquer que son Ange lui avait dit ceci ou cela et il lui demandera d'être prudente, puisque n'est-il pas écrit que le diable

1. Page 165 in « La Folie de la croix, tome 2 », J.-F. Villepelée, Ed. Parvis.

peut se déguiser en Ange de Lumière, et par conséquent repousser toute vision. Alors Gemma, toujours dans sa naïveté désarmante, lui écrira quelques jours plus tard que lorsque l'Ange arrive, ils bavardent ensemble et adorent Dieu. Elle lui demandera même « *Est-ce bien ainsi? Dites-moi si je suis dans l'obéissance?* » Même le confesseur ne savait plus quoi lui dire. Pourtant, elle finira par « tester » la présence, obéissant à la lettre aux ordres du père Germain et cela nous permet de dire qu'il s'agit du seul cas dans les annales de l'angéologie moderne où un protégé crache sur son Ange gardien!!

> « *Un jour que l'Ange gardien se présenta, Gemma lui cracha à la figure, cherchant à le renvoyer. Mais l'Ange ne bougea pas, et même, là où cracha Gemma, aux pieds de l'Ange surgit une rose blanche; sur ses pétales était inscrit en lettres d'or " on reçoit tout de l'Amour "* [1] »

Ce détail est important car sincèrement quelle idée de vouloir cracher sur un Ange? C'est grotesque et fort laid, tellement laid d'ailleurs qu'il est clair que ce ne peut être une anecdote inventée. Mais le père Germain craignait sans doute que le Malin ne profite de la naïveté de Gemma. Finalement il décida de vérifier lui-même. On ne sait trop comment il est arrivé à cette conclusion, mais il écrivit qu'ayant assisté « *plusieurs fois personnellement aux prières et aux méditations de Gemma et de son Ange, j'ai pu me convaincre, par mes seules observations extérieures, de la réalité de tous les détails qu'elle me donnait ensuite dans ses comptes de conscience* ». Les observations extérieures dont parlait le prêtre n'ont rien à envier à ce que l'on faisait subir aux enfants qui affirmaient voir la Vierge :

> « *Toutes les fois, a-t-il remarqué (le père Germain), qu'elle levait les yeux sur l'Ange pour l'écouter ou lui parler, même en dehors de la prière, elle perdait l'usage des sens. On pouvait alors la secouer, la piquer, la brûler, sans réveiller sa sensibilité. Mais dès qu'elle avait détourné ses regards de l'Ange ou cessé le colloque, ses relations avec notre monde reprenaient. Ce phénomène se renouvelait infailliblement à chacune de ses communications avec l'Esprit bienheureux, si rapprochées fussent-elles.* » [2]

1. Page 153 in « La Folie de la croix, tome 2 » op. c.
2. Page 231 in « La Bienheureuse Gemma Galgani », Germano et Félix, Revue de la Passion, Librairie Mignard, Paris, 1933.

Selon le prêtre, Gemma lui envoyait aussi des messages que son Ange se chargeait de lui remettre, même lorsqu'il se trouvait en consultation à Rome. Il retrouvait dans sa chambre des lettres de Gemma sans timbre ! Cela l'a tant impressionné, qu'il ne douta plus jamais de la présence de l'Ange gardien de Gemma Galgani.

MARGUERITE-MARIE ALACOQUE
1647-1690
(Groupe II a, stigmates, miracles, Anges)
FRANCE

> *Deep inside these dusty walls*
> *There's a sacred heart*
> *I'd know the garden anywhere*
> *She was warm, she was deep summertime*
> *She was love itself*
> *And she was standing there*
> *Standing close, so close to me*
> *I close my eyes, and I can see.*
>
> Chris Rea – *Giverny* –,
> in « On the beach »,
> Magnet Records

La France a eu elle aussi sa Marie-Madeleine de Pazzi en la personne de Marguerite-Marie Alacoque. Hélas, contrairement à la « grande » Pazzi, Marguerite-Marie n'a jamais été autorisée par son Divin Mari à sortir de son couvent de Paray-le-Monial. C'est bien dommage. Heureusement il nous reste tous les documents de l'époque pour décrire cette autre « épouse » fidèle, née le 22 juillet 1647 à Verosvres en Bourgogne, du notaire Claude Alacoque et de Philiberte Lamyne. Avec un patronyme pareil, les fidèles francophones ne devraient pas avoir du mal à retenir son nom. Pourtant Marguerite-Marie est méconnue. Soulignons aussi que de toutes les « épouses », les extases et ravissements de Marguerite Alacoque sont celles qui influencèrent le plus la communauté catholique puisqu'on lui doit le culte universel du Sacré-Cœur, concept totalement inexistant à son époque. Sans elle, pas d'églises dédiées au Sacré-Cœur, pas de représentations du Christ avec un cœur saignant, pas de religieuses portant ce nom, pas de basilique à Paris[1], bref, pas de culte voué à cet organe du Christ qui vit désormais en toute indépendance. Marguerite fut choisie pour imposer le culte du Sacré-Cœur, comme naguère au XIIIe siècle, le fut sœur Juliette du Mont-Cornillon pour imposer le culte du corps du Christ (*Corpus Christi*).

Mais aucune sainte n'a vécu une existence aussi misérable que Marguerite-Marie. Un véritable martyr de Son Cœur... Pourquoi? Dès son adolescence pourtant, au cours d'une vision, elle s'était vouée au Christ en Lui faisant vœu de chasteté. Il l'accepta et lui tint ce discours :

> « *Je t'ai choisie pour mon épouse. Nous nous sommes promis la fidélité lorsque tu m'as fait vœu de chasteté. C'est moi qui te pressais de le faire, avant que le monde eût part en ton cœur, car je le voulais tout pur et sans être souillé des affections terrestres.* »

A dix-huit ans, lorsque sa mère voulut l'établir, elle hésita, mais pas longtemps parce qu'Il intervint vigoureusement : « *Sans cesse Il lui rappelle son vœu et, un jour, après la communion, Il lui montre qu'Il est le plus beau, le plus riche, le plus puissant, le plus parfait et accompli des amants. Il la menace aussi, si elle choisit quelqu'un d'autre que lui.* »[2] De vraies scènes de jalousie. Mais aucune femme ne Lui a résisté. La simple idée de se marier avec un homme et de L'abandonner lui fit éprouver des remords dramatiques. Pour effacer cette idée à jamais de son esprit et pour s'excuser auprès de Lui, Marguerite ne fit pas dans la dentelle : elle se fouetta à coups de discipline[3], dormit sur une planche, se noua une corde à nœuds autour de la taille, enserra ses bras avec des chaînettes, etc. Finalement, après de rudes combats familiaux, elle finit par entrer comme novice au couvent de la Visitation de Paray-le-Monial à l'âge de vingt-quatre ans. Le 27 décembre 1667, ses visions du Christ devinrent de plus en plus intenses : Il informa la jolie vierge qu'Il l'avait choisie comme

---

1. Ouverte jour et nuit, elle domine entièrement la ville et reste toujours en tête des trois monuments les plus fréquentés par les touristes.
2. In « La Sainte du Paray », Jean Ladame, Ed. Resiac, page 33.
3. J'aimerais trouver un jour un essai ou un roman sur ce sujet, sorte de « Mémoires d'une discipline de couvent à travers les siècles ».

instrument pour instaurer le culte de Son Sacré-Cœur. Puis, en lui désignant une croix couverte de fleurs, Il la mit en garde :

> « *Voilà le lit de mes chastes épouses où je te ferai consommer les délices de mon amour. Peu à peu, ces fleurs tomberont, il ne restera que les épines que ces fleurs cachent à cause de ta faiblesse ; bientôt elles te feront sentir si vivement leurs pointes que tu auras besoin de toute la force de mon amour pour en accepter le martyre.* »

Des paroles terribles, qui nous semblent même épouvantables, mais qui n'ont nullement arrêté l'élan de la jeune épouse. En plus des souffrances provoquées par les stigmates, Marguerite-Marie dut aussi supporter stoïquement les sœurs du couvent qui passèrent leur temps à l'humilier quotidiennement, pendant des années[1]. Jusqu'où va le dévouement mystique ?

> « *J'étais si délicate que la moindre saleté me faisait bondir le cœur. Il (le Christ) me reprit si fortement là-dessus qu'une fois, voulant nettoyer les vomissures d'une malade, je ne pus me défendre de le faire avec ma langue. Il me fit trouver tant de délices dans cette action que j'aurais voulu avoir l'occasion d'en faire tous les jours de pareilles. Pour me récompenser, la nuit suivante, il me tint bien deux ou trois heures la bouche collée sur son Sacré-Cœur (…) Posant la tête de Marguerite-Marie sur son cœur, Il lui disait : " Mon cœur est si passionné d'amour pour tous les hommes et pour toi en particulier que, ne pouvant plus contenir en lui-même les flammes de son ardente charité, il faut qu'il les répande en toi ".* »

Curieusement, les biographies des « Fleurs des saints » oublient régulièrement de préciser que l'individu fut stigmatisé ou incorruptible et donnent toujours une légende dorée dont on doute immédiatement, non parce que la biographie est fausse, mais parce que les faits sont enjolivés, maquillés, faisant fi des détails qui ne correspondent pas à la « morale » chrétienne. La vie hors normes de Marguerite-Marie Alacoque ne manque pourtant pas de détails saisissants.

---

1. Sœur Jeanne-Marie Contois, à 44 années de distance, déposera au procès de 1715 que, voyant Marguerite à son entrée au noviciat, dans une joie et une ferveur extraordinaires, ses maîtresses l'éprouvèrent préférablement aux autres par plusieurs mortifications et humiliations. (Page 56 in « La Sainte du Paray », op.c.).

Comme Catherine de Sienne ou Madeleine de Pazzi, elle vainquit ses retenues, son corps et ses répulsions psychologiques pour mieux L'accueillir. Et les trois femmes décrivent alors comment leurs âmes quittaient leurs corps, emportées vers des ravissements « *qui ne peuvent être exprimés en langue humaine* ».

Histoires d'Amour célestes où les Anges, impassibles, assistaient en témoins silencieux à leurs extases. A propos des Anges, sœur Marguerite-Marie avait adressé une lettre au révérend père Jean Croiset, datée du 10 août 1689, dans laquelle elle insistait sur l'importance qu'Il accordait aux relations entre les hommes et les Anges :

> « *Dieu veut l'union des Anges et des Hommes. Si l'on pouvait faire une association de cette dévotion, où ces associés participeraient au bien spirituel les uns des autres, je pense que cela ferait un grand plaisir à ce divin Cœur ; lequel, il me semble, désirerait encore que l'on eût une particulière union et dévotion aux saints Anges, qui sont particulièrement destinés à l'aimer et honorer et louer dans ce divin sacrement d'amour, afin qu'étant unis et associés avec eux, ils suppléassent pour nous en sa divine présence, tant pour lui rendre nos hommages, que pour l'aimer pour nous et pour tous ceux qui ne l'aiment pas, et pour réparer les irrévérences que nous commettons à sa sainte présence.* »

En effet, le Christ décida un beau jour de lui attribuer un Ange, « *un gardien fidèle, un des sept esprits qui sont les plus proches du trône de Dieu et qui participent le plus aux ardeurs du Sacré-Cœur* » qu'elle ne pouvait voir que lorsque le Christ était fâché (??). En revanche, lorsqu'Il était de bonne humeur, l'Ange devenait invisible. Un jour cependant, l'Ange la remit à sa place : « *Prenez garde qu'aucune grâce de Dieu ne vous fasse oublier ce qu'Il est et ce que vous êtes.* »

Voici une vision de séraphins décrits par sœur Alacoque :

> « *Et une autre fois, comme l'on travaillait à l'ouvrage commun du chanvre, je me retirai dans une petite cour, proche du saint sacrement, où faisant mon ouvrage à genoux, je me sentis d'abord toute recueillie intérieurement et extérieurement, et me fut en même temps représenté l'aimable cœur de mon adorable Jésus plus brillant qu'un soleil. Il était au*

milieu de flammes de son pur amour, environné de séraphins qui chantaient d'un concert admirable :

« L'amour triomphe, l'amour jouit »
« L'amour du saint Cœur réjouit »

Et comme ces esprits bienheureux m'invitèrent de m'unir avec eux dans les louanges de ce divin Cœur, je n'osais pas le faire ; mais ils m'en reprirent (...) Et après deux ou trois heures que cela dura, j'en ai ressenti les effets toute ma vie, tant par le secours que j'en ai reçu, que par les suavités que cela avait produites et produisaient en moi, qui en restai toute abîmée de confusion ; et je ne les nommais plus, en les priant, que mes divins associés. »

Se heurtant à la méfiance et à l'hostilité de la mère supérieure du couvent, la religieuse attendit presque vingt ans pour que la première messe en l'honneur du Sacré-Cœur soit célébrée par son couvent [1].

Marguerite-Marie Le rejoignit définitivement à quarante-trois ans après dix-huit ans de martyre. Le docteur Billet qui la suivait et la soignait tant bien que mal nous a laissé un commentaire d'un comique absolu et bien involontaire compte tenu de la situation (le corps gît encore sur le lit) : « *Puisque cette fille avait vécu par miracle au milieu de tant de maladies mortelles et désespérées, auxquelles elle ne pouvait naturellement résister, je ne suis pas surpris que, par un nouveau miracle, elle fût morte sans aucune apparence de vraie maladie.* » [2] Marguerite fut enterrée dans le caveau du couvent et sa dépouille obéit à la nature. A sa place cependant, on pourrait se sentir vexé qu'après une vie semblable Il n'ait pas daigné la laisser « incorruptible » : le 26 novembre 1705, lorsque son caveau fut ouvert par manque de place pour stocker d'autres « arrivées », soit quinze ans après son décès, les sœurs ne trouvèrent que des os qu'elles se

1. Paray-le-Monial fut la première ville à construire, en 1688, une église en l'honneur du Sacré-Cœur. Cependant, le culte ne deviendra officiel qu'après la signature d'une bulle par le pape Clément XIII en 1765, soit 75 ans après la mort de sœur Marguerite-Marie.
2. Jean Ladame citant Languet, page 334, op C.

distribuèrent généreusement. Ce qui prouve une fois de plus que les corps de ces saints ne font l'objet d'aucun traitement particulier lors de leur décès car personne ne se doute à cet instant qu'ils se dirigent vers une béatification.

ANGELA DE FOLIGNO
1250-1309

(Groupe II a, stigmates, miracles, Anges)

ITALIE

Oh the Air was Shining
Shining like a wedding ring
Barbed like sex
I felt 10.000 volts
My chest was full of eels
Pushing through my usual skin
I opened up new wounds
Pouting, Shouting
Oh, Love-like liquid falling
Falling in cascades.

Siouxsie and The Banshees
– *Cascade* – in « A Kiss
In The Dreamhouse »,
Polydor Records.

La Passion, l'Italienne Angela de Foligno (1250-1309), une tertiaire franciscaine recluse à Foligno (Ombrie) la vécut elle aussi jusqu'au dernier coup de fouet. Angela était pourtant une femme belle, riche, noble, avantageusement mariée et qui partageait sa vie entre ses amants, ses enfants, son mari et les plaisirs offerts par ses richesses. Mais lorsque le Christ jette son dévolu sur une âme, comme n'importe quel amoureux bien terrestre, Il se débarrasse des obstacles. Rien ne résiste à l'amour, surtout à celui du Christ. Ainsi, et comme elle le Lui avait demandé, Angela perdra — les uns après les autres — ses sept enfants, sa mère et bien sûr son mari, neuf personnes au total. Une fois le terrain dégagé, Il put commencer son travail de transformation.

313

Et lorsqu'elle expérimenta vraiment l'amour Divin, elle sut qu'aucun amour terrestre ne pourrait jamais la satisfaire et décida aussitôt, à quarante ans, de distribuer tous ses biens aux nécessiteux et de n'avoir plus qu'un seul amant, le Christ. Mariage étonnant où la souffrance, les extases béates, les jouissances mystiques, les délices des ravissements du ciel et les dialogues avec le Très-Haut fleuriront comme des coquelicots sauvages au bord d'une route abandonnée. Lorsqu'on lit ses « Visions et instructions », on en reste littéralement abasourdi, tant cette jouissance de Lui la transforme, la transporte, la transcende jusqu'aux extrêmes, sortes de preuves, issues du fond de ses entrailles, de l'amour qu'ils se portent.

Elle nous a légué une œuvre tellement forte que sa mémoire a traversé sans aucune interruption sept cents ans d'édition !! Ce qui avait authentifié Angela de Foligno fut d'abord ses stigmates, preuves imparables et visibles de l'Invisible, et ensuite la masse de témoignages de tous ceux qui eurent l'occasion d'assister à ses régulières noces mystiques à l'église, ainsi que les témoignages sur l'honneur qu'elle n'avait rien mangé pendant plus de douze ans à la suite d'une communion avec les Anges.

Dans son amour éperdu pour le Christ, Angela allait bien plus loin que le bon Padre Pio ou Gemma Galgani : elle jouissait physiquement, elle râlait, elle criait, elle L'aimait et Il l'aimait dans un Ciel certainement au-dessus du septième. Elle souffrait terriblement en revivant la Passion mais elle souffrait avec plaisir parce qu'elle savait que cela calmait Ses douleurs. Elle allait même jusqu'à s'offrir totalement nue devant la croix. Merveille de l'amour féminin, indestructible, unique et on comprend à travers elle pourquoi les femmes s'émeuvent plus lorsqu'elles Le découvrent.

Angela n'a jamais été canonisée mais on se laisse imaginer que compte tenu de son Amour, là où elle est, elle s'en moque éperdument. De ses extases, elle nous a laissé ses visions angéliques et ses sensations brûlantes[1] en les dictant au frère Arnaud, moine franciscain, qui les traduisait aussitôt en latin. Il passa une bonne partie de sa vie à gratter avec une plume d'oie ces plaisirs, ces

---

1. Angela de Foligno, « Le Livre des visions et instructions », Paris, Seuil, collection Points Sagesse, 1991 ; traduction d'Ernest Hello.

jouissances paradisiaques qu'il ne ressentait pas mais qu'il voyait, supposait, présumait et surtout entendait. Il fut d'ailleurs tellement marqué qu'il décida de vouer sa vie à Angela. « *Enfants de notre mère sacrée, prenez garde au respect humain ! Apprenez de notre Angela, apprenez de notre Ange, apprenez de l'Ange du grand conseil, la voie de la magnificence et la sagesse de la croix ! Apprenez la pauvreté, les douleurs, les opprobres et l'obéissance de Jésus.* » peut-on lire dans son premier prologue. Dans le second, il avertit : « *Voici la manifestation des dons du Très-Haut faite sur l'esprit de ma mère, Angela de Foligno. Suivant la parole et la promesse qu'il a faite dans son Evangile :* « *Si quelqu'un m'aime, il gardera ma parole, et mon Père l'aimera, et nous viendrons à lui, et nous demeurerons en lui.* » *et* « *Celui qui m'aime, je me manifesterai moi-même à lui.* » (...) *Moi, frère Arnaud, de l'ordre des Mineurs, à force de supplications, je lui (à Angela) arrachai le secret de ses yeux et de son âme.* »

Devenue tertiaire franciscaine recluse, Angela allait se laisser emporter par son Dieu. Son corps, lui, vivait dans une minuscule cellule, régulièrement mis au pas par la « discipline » l'instrument fétiche qui, semble-t-il, aide considérablement à calmer tous les désirs. Bref, comme l'ont constaté les franciscains, Angela n'était plus vraiment de notre monde. Voici deux extraits de ses nombreux ravissements au cours desquels les Anges se manifestèrent :

Extrait n° 1

« (...) *Puis je vis comment Jésus-Christ vint avec une armée d'Anges, et la magnificence de son escorte se laissa savourer par mon âme avec une immense délectation. Je m'étonnai un moment d'avoir pu prendre plaisir à regarder les Anges. Car habituellement, toute ma joie est condensée en Jésus-Christ seul. Mais bientôt j'aperçus dans mon âme deux joies parfaitement distinctes : l'une venant de Dieu, l'autre des Anges, et elles ne se ressemblaient pas. J'admirais la magnificence dont le Seigneur était entouré. Je demandais le nom de ceux que je voyais. « Ce sont des Trônes. », dit la voix. Leur multitude était éblouissante et si parfaitement innombrable, que, si le nombre et la mesure n'étaient pas les lois de la création, j'aurais cru sans nombre et sans mesure la sublime foule que je voyais. Je ne voyais finir cette multitude ni en largeur, ni en longueur ; je voyais des foules supérieures à nos chiffres.* »[1]

1. Chapitre 37, page 114, in « Le livre des visions et instructions », Ed. Seuil.

Extrait n° 2

« (...) D'autre part, je ressentais de si grands délices, une si grande joie de la présence des Anges, leurs discours m'étaient si agréables que jamais leurs paroles ne m'en avaient causé une telle joie. Je n'aurais jamais cru les très saints Anges si aimables et capables de procurer à l'âme des délices pareilles s'ils ne me les avaient procurés. Comme j'avais prié tous les Anges, mais particulièrement les séraphins, les très saints Anges me dirent :

— Voici que tu reçois ce que possèdent les séraphins et que tu y participes[1]. »

1. In « Le Livre de l'expérience des vrais fidèles », Paris, Droz, 1927, cité par V. Klee.

GERTHRUDE D'HELFTA
1256-1301

(Groupe II a, stigmates, miracles, Anges)

ALLEMAGNE

> *Many of us feel we walk alone*
> *without a friend*
> *Never communicating with the One*
> *who lives within*
> *Forgetting all about*
> *the One who never lets you down*
> *And you can talk to him anytime*
> *He's always around.*
>
> Stevie Wonder
> *– Have a talk with God –*
> in « Song of the keys of the life »,
> Tamla Motown Records.

Les latinistes parlent toujours de la « Grande Gerthrude », celle qui sut leur laisser une œuvre impérissable, écrite paraît-il dans un latin délicieux plein de verve et de poésie. Et l'on reste toujours étonné par ce florilège de mystiques femmes issues du même couvent — Helfta, une ville toute proche de Bingen — et du même espace-temps puisque Helfta fut également le berceau de Mechtilde de Magdebourg et de Mechtilde von Hackenborn. C'est le temps des béguines, des moniales et des cisterciennes saxonnes tout juste sorties des années sombres du Moyen Age. Femmes sur lesquelles l'Amour du Très-Haut a fondu, tel un éclair, les laissant exsangues, mortifiées puis détruites par les affections et les souffrances. Et la médecine de l'époque n'en était même pas au savoir des docteurs de Molière... On sait que Gerthrude

317

est née le 6 janvier 1256 et qu'orpheline, elle fut recueillie à l'abbaye d'Helfta où elle mourut le 17 novembre 1301. Entièrement éduquée par les sœurs, Gerthrude y apprit le latin, les lettres, la musique et bien entendu tous les textes religieux. Elle le reconnut elle-même : « *Je me souciais de mon âme comme de mes vieux souliers ; je vivais comme la païenne des païennes.* » Bref elle profitait de sa vie de jeune femme jusqu'au jour où elle traversa une véritable dépression pendant plus d'un mois. Elle n'en serait jamais sortie si un soir, dans le dortoir, un Ange sous les traits « *d'un jeune homme d'une distinction parfaite et de toute beauté* » ne lui était apparu en lui disant : « *Ne te consume pas de chagrin, le salut viendra bientôt.* » Elle avait vingt-cinq ans. L'Ange lui annonçait la prochaine arrivée du Christ. A partir de là, sa vie changea complètement, allant d'extases en ravissements et de souffrances en expiations. Gerthrude, épouse du Christ bénéficiait d'après ce témoignage, d'une protection impressionnante d'Anges :

> « *La fête de l'Archange Michael approchait. Un jour où elle (Gerthrude) devait communier, elle se remémora les bons offices que, grâce à la libéralité divine, elle recevait de tous les esprits bienheureux, malgré sa grande indignité. Avec le désir de les payer en retour, elle offrit au seigneur le sacrement vivifiant de son corps et de son sang en disant : « En l'honneur de ces grands princes (les Anges) qui sont vôtres, ô mon Seigneur très aimé, je vous offre cet admirable sacrement en louange éternelle pour l'accroissement de leur joie, de leur gloire, et de leur béatitude. » Alors le Seigneur fit pénétrer dans sa divinité le sacrement qui lui était offert, pour l'y unir selon un mode merveilleux et inexprimable et répandre ainsi sur les bienheureux esprits angéliques de si ineffables délices que, dans l'hypothèse où ils n'eussent joui auparavant d'aucune béatitude, cette faveur aurait suffi pour les voir, au comble du bonheur, surabonder de tous les délices. Les saints Anges, alors, selon leur hiérarchie, vinrent fléchir les genoux devant elle avec grande révérence, disant :*
>
> *— Tu as bien agi en nous faisant l'honneur d'une telle oblation, car nous veillons sur toi avec une spéciale affection.*
>
> *L'ordre des Anges disait :*
>
> *— Avec une joie ineffable, nous sommes attentifs jour et nuit à te garder avec sollicitude, nous veillons à ce que tu ne perdes rien de ce qui sied à te parer dans l'attente de l'Epoux.* »

Gerthrude d'Helfta fut canonisée par Rome en... 1677, à la suite d'une pression du roi d'Espagne. Presque trois siècles de patience pour cette femme qui, à la suite d'une vison du Christ comme saint François d'Assise, reçut les cinq blessures de la Passion. Elle nous a laissé trois œuvres, « Les Révélations de sainte Gerthrude », le « Liber Specialis Gratie » et les « Exercices Spirituels ».

Chapitre 10

Une extase à nulle autre pareille

Who is it?
Who is it?
Who is it?
Who is it?
Who is it?
Ooh, baby, it's you

Watch out now baby
Because I am in love with you
Watch out now baby
Because I am in love with you
If you don't love me
I don't know what I'm going to do.

Talking Heads, – *Who is it?* –
in « Talking Heads : 77 »,
SIRE Records

Ce groupe de stigmatisés et de leurs Anges nous oblige à réfléchir quelques instants sur ces âmes prédestinées. Qui sont-elles et surtout, pourquoi voient-elles les Anges et les autres personnages du Ciel alors que le commun des mortels, y compris religieux, reste aveugle ? La journaliste française Hélène Renard qui s'était penchée sur cette question mystérieuse des stigmates en a finalement conclu que hormis « *les quelques simulateurs ou les hystériques, on constate que la majorité des cas de stigmatisation ne répondent pas aux explications prétendument « naturelles ». L'explication « surnaturelle » est celle qu'avancent les croyants catholiques : les stigmates sont donnés par le Christ lui-même (avec consentement du mystique) pour qu'il participe aux souffrances de sa Passion avec une idée rédemptrice. Mais, à mon avis, le mot « participation » est mal choisi. Les stigmatisés font beaucoup plus que « participer à ». Ils sont la part souffrante du corps invisible du Christ. Ils actualisent la Passion. Ils la prolongent en la vivant de génération en génération. On dirait, en utilisant un autre vocabulaire, qu'ils « somatisent », c'est-à-dire impriment dans leur corps une réalité désormais invisible mais toujours actuelle »*[1]. En effet, ces âmes prolongent la Passion, tel un témoin d'une course d'athlétisme qui traverse le temps, transmise par une âme à une autre. Pas un siècle ne passe sans ces victimes, choisies par Lui, qu'Il terrasse de maladies et de souffrances expiatoires. Et nous aurions le droit de croire que le Christ est un sadique s'Il ne leur offrait que des douleurs. Cette âme « choisie » ne passe pas sa vie à expier, sous les coups du Père et du Christ, râlant, bavant, trimbalée d'hôpital en hôpital. Pas du tout. Dieu les récompense aussi : Il les gratifie d'extases, de grâces surnaturelles et de visions célestes qui, une fois goûtées, leur passent l'envie de rester sur cette Terre.

Une fois qu'elles ont découvert cette extase divine, elles sont prêtes à souffrir encore plus pour Lui afin qu'Il ne les abandonne pas ; elles ont goûté au paradis et à ses Anges et seraient capables de s'immoler vivantes s'Il le leur demandait. C'est vrai que leur vie nous paraît horrible. Mais finalement qu'en savons-nous vraiment ? Si nous goûtions, ne serait-ce qu'une seule fois à cette extase divine, peut-être quitterions-nous femme, maîtresse et enfants pour vivre avec Lui, un peu comme l'histoire de la comtesse qui quitte château, titre et fortune pour vivre avec le jardinier parce qu'il lui a fait découvrir la jouissance. L'orgasme physique serait-il alors qu'une pâle imitation de l'extase mystique ? Jean-Noël Vuarnet observa tant la statue de Louise Albertoni[2] sculptée par Le Bernin, qu'il en intitula son chapitre « *Ça ne fait pas de doute, elle jouit* »[3]. Emporté par ces lèvres

---

1. In « Des prodiges et des hommes », op.c., page 83.
2. 1474-1533, veuve romaine, tertiaire franciscaine sujette à de nombreuses extases et visions.
3. In « Extases féminines » Page 131, 132 op. c.

entrouvertes sur un plaisir évident et cette main qui compresse une poitrine gonflée, il écrit : « *Mais de quoi souffre-t-elle et de quoi jouit-elle, la bienheureuse Ludovica ? (...) Si le divin est convoqué sur le divan, c'est bien à une femme qu'il rend visite, une femme qui, comme Thérèse, s'en trouve toute retournée « dans les volutes figées de marbre* ». » Et il ajoute cette réflexion de Lacan, lui aussi perturbé par la bienheureuse : « *Et de quoi jouit-elle ? Il est clair que le témoignage essentiel des mystiques, c'est justement de dire qu'ils l'éprouvent, mais n'en savent rien.* »

Le Christ a un jour demandé à Gemma Galgani : « *M'aimes-tu ?* ». A quoi elle a répondu : « *Quelle question...* » Les stigmatisées semblent vivre une extase plus grande encore, prêtes à recevoir peste, choléra et cancer réunis pour goûter et regoûter à l'Amour, un amour qu'IL est le seul à dispenser. Inévitablement, je repense aussi à tous ceux et celles qui ont fusionné avec la Lumière dans une expérience aux frontières de la mort et qui, à leur retour, déclaraient qu'ils étaient prêts à mourir sur le champ pour retrouver ce nectar lumineux. Ne disent-ils pas d'ailleurs qu'ils ne voulaient pas revenir ?

Quelle est donc cet extase à nulle autre pareille ? Le Dr Elisabeth Kübler-Ross, se remémorant son expérience à l'Institut Monroe compara cette extase à un « *orgasme puissance dix mille* ». Gemma Galgani parlait de « *délices célestes* », mais comme elle était vierge, nous ne savons pas trop à quoi elle les comparait. A rien, tout simplement parce que toutes déclarent comme d'une seule voix : « *Ce n'est pas descriptible en mots humains.* » Mais je mets le lecteur au défi de décrire en mots une jouissance sexuelle. Ce n'est pas du tout évident. Et si cela ne peut s'expliquer, alors imaginons un orgasme puissance dix mille.

Pour goûter, de son vivant, à cet Amour, il faut passer par le chemin de croix en quatorze étapes, le revivre dans ses chairs pour avoir droit à cette extase AVANT la résurrection. Ces âmes « victimes » souffrent certainement mais le Christ est loin d'être un Epoux mesquin. Si Ses épouses vivent ce qu'Il a vécu, elles vivent aussi sa divinité au quotidien : bilocations, visions, parfums, hierognosis, clairvoyances, incorruptibilités, guérisons, séraphins, Anges gardiens, lévitation, communions à distance, etc. Une véritable corbeille de cadeaux surnaturels, et il est vrai que les visions d'Anges les plus précises nous proviennent toujours de ces âmes signées et cachetées. Le sang qu'elles perdent chaque vendredi est le sang qu'Il a perdu. Les coups de fouet qu'elles ressentent, sont les coups de fouet qu'Il a reçus. Comment peut-on ignorer ces cas? Comment peut-on les classer dans la catégorie de l'autosuggestion? A-t-on déjà vu un cadavre rester incorruptible parce que son occupant s'était autosuggéré l'incorruptibilité de son enveloppe physique de son vivant? Et même lorsque quelques psychiatres ont réussi à reproduire les blessures du Christ sur une patiente par autosuggestion, on était très très loin des caractéristiques des vrais stigmatisés. Le sang de ces malades dégage une odeur nauséabonde, la plaie s'infecte, et lorsque le patient sort de l'hypnose, les blessures autosuggérées disparaissent progressivement. Le Padre Pio était-il un simulateur, lui qui déshabillait une âme en trois secondes, confondant le pénitent en lui dressant la liste de ses péchés, tel un garagiste à qui on apporte une épave et qui vous présente le devis?

Alors?

Les stigmatisés semblent bien représenter le Christ sur Terre, âmes qui, en acceptant de souffrir, Lui permettent de racheter d'autres âmes (la mienne, la vôtre), bien éloignées de leur Créateur... Et peut-être que ce dialogue du Christ — un jour sans doute où Il n'avait pas la forme — avec Gemma Galgani nous éclairera mieux que tout traité théologique :

> « Ma fille, que d'ingratitude et de malice il y a dans le monde! Les pécheurs continuent à vivre opiniâtrement attachés au mal. Mon Père ne veut plus les supporter. Les âmes lâches et aviliés ne font aucun effort pour réprimer leurs penchants mauvais. Les âmes affligées tombent dans le découragement et le désespoir. Les âmes ferventes s'attiédissent peu à peu. Les ministres de mon sanctuaire... (là Jésus se tut : un instant après, Il reprit) eux que j'ai chargés de continuer la belle œuvre de la rédemption... (Jésus se tut de nouveau). Eux non plus, mon Père ne peut désormais les supporter. Je leur donne continuellement lumière et force. Et eux, en retour !... Eux que j'ai toujours regardés avec prédilection ; eux que j'ai toujours considérés comme la prunelle de mes yeux... (Jésus se taisait et soupirait). Je suis continuellement oublié, méconnu par

d'ingrates créatures. L'indifférence augmente chaque jour; personne ne s'amende. Et moi, du haut du ciel, je ne fais que dispenser à tous grâces et faveurs : je donne lumière et vie à l'Eglise; vertu et puissance à ceux qui la gouvernent; sagesse à qui doit éclairer les âmes enténébrées; force et contenance à quiconque marche auprès de moi; grâces multiples à tous les justes et même aux pécheurs cachés dans leur ténébreux repaires. Là même, je les éclaire; là encore, je leur manifeste ma tendresse et mets tout en œuvre pour les convertir; et eux, en retour!... Oui, avec tout cela, qu'est-ce que j'obtiens? Quelle est la correspondance que je trouve de la part de mes créatures que j'ai tant aimées? A cette vue, je sens mon Cœur se déchirer de nouveau! Personne ne se soucie plus de mon amour; on se conduit envers mon Cœur comme s'il n'eut rien souffert pour personne et dût être oublié de tous; Et ce cœur est continuellement attristé. Je reste presque toujours seul dans les églises; et si beaucoup s'y rassemblent, c'est bien pour d'autres motifs; en sorte que j'ai la douleur de voir mon sanctuaire transformé en lieu de divertissement. J'en vois aussi beaucoup qui, sous d'hypocrites apparences, me trahissent par des communions sacrilèges. » [1]

Et Gemma Galgani, dans une foi qui n'a d'équivalent que celle d'un enfant, a le cœur brisé et veut Le soulager de Ses douleurs; elle veut Le consoler en portant sa croix et mettre du baume sur Ses blessures. Aucune femme n'a résisté à la vue de Ses souffrances éternelles et elles Lui demandaient alors de leur donner Ses souffrances. L'un des exemples qui illustre le mieux cette volonté, cette détermination est celui de cette jeune Française Elisabeth Catez, plus connue aujourd'hui sous le nom d'Elisabeth de la Trinité. Elle aussi sut dès l'âge de 14 ans qu'elle deviendrait religieuse et demanda aussitôt la permission à sa mère de la laisser entrer au Carmel. Refus catégorique. Mais lorsqu'Il appelle une âme prédestinée, personne ne peut entraver le chemin et madame Catez donna finalement son consentement lorsqu'elle vit que sa fille était vraiment résolue. Elisabeth entra au couvent à l'âge de 20 ans pour sacrifier sa vie en prières afin de sauver des âmes en Sa compagnie. Elle comprit également qu'une véritable épouse du Christ se devait d'être immolée comme Lui pour partager Ses souffrances dans l'immense plan de la rédemption, une sorte

---

1. Lettre adressée par Gemma Galgani à son confesseur le 13 octobre 1901.

d'holocauste. Il entendit ses prières et la jeune fille fut presque aussitôt terrassée par un cancer de l'estomac. Cinq ans après son entrée au Carmel, elle mourait dans d'horribles souffrances. Un cancer de l'estomac à 25 ans, c'est, le moins que l'on puisse dire, rarissime. Son dernier vœu fut de « *non seulement mourir pure comme un Ange mais surtout d'être transformée en Jésus crucifié* ». Elisabeth de la Trinité avait achevé sa mission et le rejoignit à l'âge de 25 ans, comme Thérèse de Lisieux et Gemma Galgani. Les trois jeunes femmes furent comme foudroyées et Il a sans doute préféré les avoir bien plus près de Lui là-haut qu'ici-bas.

Cette extase « à nulle autre pareille », nous l'avons également notée dans les propos de Georgette Faniel, répondant à la question « *qu'est-ce qu'une union avec Dieu ?* ». A ce moment-là, son visage changea et s'illumina littéralement, un peu comme lorsque l'on repense à un souvenir particulièrement agréable : « *C'est presque la mort, parce que l'âme se détache complètement du corps pour Le rejoindre. C'est alors l'union parfaite entre deux âmes. Le véritable amour. (...) Cela ne peut pas s'expliquer, je ne peux pas faire le lien avec une joie humaine* ». Et invariablement, nous revenons toujours à ce même point, « *cela ne peut pas s'expliquer en mots humains* ». Je ne me souviens plus qui avait utilisé l'image de la vanille : « *Vous pouvez écrire trois tomes sur la vanille, son goût et son odeur et vous pouvez passer votre vie à lire ces livres, vous ne saurez jamais ce qu'est la vanille, tant que vous ne l'aurez pas goûtée et sentie vous-même.* » J'en avais conclu que cette « *extase à nulle autre pareille* » dont parlent avec des éclairs dans les yeux les mystiques et les rescapés NDE était une sorte de dessert divin à la vanille auquel nous goûterons peut-être un jour.

Cependant, une comparaison, et peut-être un commentaire, sont nécessaires sur ces saints qui ne demandent qu'une seule chose, souffrir, pour le plus grand plaisir du Christ. Il semblerait que ces hommes et femmes soient des véritables « Formule 1 » de la souffrance, pour qui les expériences aux frontières de la mort, les sorties hors du corps, les fusions avec la Lumière et les voyages avec leurs Anges gardiens sont monnaie courante. C'est, pourrait-on dire, la récompense en échange de leur consentement d'âme victime. Le sacrifice volontaire des saints prend alors tout son sens : ils aident ce plan général dont les détails nous échappent. Leur sacrifice représente aux yeux de Dieu une valeur considérable et ils rachètent sans aucun doute bien des âmes égarées. Elisabeth Kübler-Ross nous disait que « *la souffrance, c'est comme le Grand Canyon. Si vous dites, « c'est tellement beau, il faut le protéger du vent et de la tempête » jamais il n'aurait pu être sculpté par le vent et jamais vous n'auriez pu apprécier sa beauté. C'est ma réponse à propos de la souffrance. Si vous ne souffrez pas, vous ne grandissez pas. Il faut passer par la douleur, la perte, les larmes et la colère.* » La souffrance prend bien tout son sens et cela me fait froid dans le dos. Chez Gemma Galgani, à quelques mois de sa mort, on relève la déclaration suivante du Christ, qui elle non plus, ne manque pas de mettre en lumière la (les) raison(s) de la souffrance, confirmant presque mot à mot les déclarations de Kübler-Ross :

> « *Sais-tu pourquoi, ma fille, je suis heureux d'envoyer des croix aux âmes qui me sont chères ? Je désire posséder leur cœur, mais entièrement. Dans ce but, je les entoure de croix. Je les enveloppe de tribulations et les empêche ainsi d'échapper de mes mains. Dans ce but, je sème leur route d'épines afin que, ne s'attachant à personne, ils trouvent en moi seul tout leur contentement. (...) O, ma fille, combien m'auraient déjà abandonné, si je ne les avais crucifiées ! La croix est un don extrêmement précieux, et c'est l'école de bien des vertus.* »[1]

Une déclaration à glacer le sang, identique à celle qu'IL avait faite à Marguerite-Marie Alacoque : « *Voilà le lit de mes chastes épouses où je te ferai consommer les délices de mon amour. Peu à peu, ces fleurs tomberont, il ne restera que les épines que ces fleurs cachent à cause de ta faiblesse ; bientôt elles te feront sentir si vivement leurs pointes que tu auras besoin de toute la force de mon amour pour en accepter le martyre.* »

Où ces femmes vont-elles chercher la force pour surmonter leur chemin vers la crucifixion intérieure sinon en puisant dans le souvenir des extases qu'Il leur avait données à goûter. Avant-goût du Ciel,

---

1. Page 16 in « La Folie de la croix », Vol. 3, Jean-François Villepelée, Ed. Parvis.

échantillon du paradis, appartement témoin des nombreuses demeures de la Maison du Père, exemplaire de démonstration de ce qu'est Son amour. Comme les survivants de NDE cinquième stade (selon le Pr Ring), ce souvenir de la fusion avec Dieu dépasse tout ce que l'on peut imaginer, et sans aucun doute ce que l'on ne peut même pas concevoir à la plus petite des échelles. Les âmes « victimes » sont des exutoires de Dieu, et le biographe de Gemma, Jean-François Villepelée remarque à juste titre que « *nos contemporains, prisonniers d'une civilisation humanitaire, riches de leur science, demeurent perdus face au mystère de l'existence. Souvent leur vie n'a plus aucun sens et deux issues possibles s'offrent à leur attente désabusée : ou bien s'abrutir dans une vaine course au trésor, ou bien accepter un suicide à plus ou moins brève échéance. On oublie un peu trop facilement que Dieu est vivant et source de vie. Lui seul répond à l'homme qu'Il a créé avec sa naissance et sa mort, mais aussi avec les promesses de l'éternité bienheureuse. Les saints, au contraire, savent pourquoi ils sont venus sur cette Terre et pourquoi ils la quittent au jour fixé, car ils tiennent compte de cette unique présence qui les illumine et en qui toute chose trouve sa cohésion* ». Victimes volontaires de la crucifixion, mortes dans l'anonymat, Dieu les venge en leur donnant des pouvoirs surnaturels, disponibles à qui les demande et qui s'appelle l'intercession par les saints.

A ce titre, un ami m'a fait remarquer que cela ne doit pas être de tout repos d'être un saint car, comme on l'a vu, on ne meurt pas, on change simplement de réalité, une réalité plus ou moins proche de Dieu. Donc, comme on est vivant, et saint de surcroît, on doit répondre à des dizaines de milliers de prières chaque jour, à chaque fois qu'un quidam vous invoque sur la Terre en vous demandant telle et telle grâce.

Essayez de vous imaginer un instant à avoir à répondre à autant de prières quotidiennement. C'est là que l'on touche du doigt la divinité dans son essence pure, cette capacité à être, voir et entendre tout, en même temps, partout, et surtout à manipuler les événements (de leur point de vue, le présent et le futur n'existent pas) pour que nous soyons exaucés ! Sur Terre, on appelle leurs réponses des grâces, synchronicités, hasards ou coïncidences. De plus, il semble que cela soit leur jeu favori si l'on en juge par cette déclaration de l'Archange

Raphaël à la mystique stigmatisée allemande Mechtilde Thaller qui lui adressait une prière :

> « Il (Raphaël) me dit en souriant : « Ce que « Deus dedit » t'a recommandé et que tu me pries de réaliser, lui pèsera un peu moins. Cela n'en demeurera pas moins, pour lui, un continuel souci, dont le Seigneur ne le délivrera pas complètement. Il est des besoins et des soucis dont Dieu ne délivre jamais, parce qu'Il veut qu'on Le prie toujours. Cette demande incessante, cette prière pleine d'abandon, voilà ce qu'Il aime par-dessus tout. Et comme Il est infiniment bon et miséricordieux à l'égard des hommes, Il ne laisse rien sans récompense. Bien qu'Il ne semble exaucer que peu ou point, Il donne, à qui Le prie, de telles grâces, que jamais l'être humain ne saurait s'en faire une idée. Connaître les prévenances continuelles de Sa bonté, c'est là l'une des plus grandes joies que Dieu nous réserve dans l'éternité bienheureuse. »[1]

Bref, nul doute que celui ou celle qui devient un saint et qui intercède ne mène pas dans l'Eternité une vie de tout repos. Et, il s'agit d'une constante, il semble que plus le futur saint est mort jeune, plus son pouvoir d'intercession est puissant, comme par exemple Gemma Galgani ou Thérèse de Lisieux, mortes bien avant l'âge de 33 ans qui, comme nous l'avons vu, représente une autre constante, principalement chez les stigmatisées.

1. Page 34-35 in « Les Anges », Friedrich von Lama, Christiana, 1987, Stein am Rhein (Suisse).

Chapitre 11

Incorruptibles et Anges (IIB)

> *Le soleil rayonnait sur cette pourriture*
> *Comme afin de la cuire à point,*
> *Et de rendre au centuple à la grande Nature*
> *Tout ce qu'ensemble elle avait joint...*
> *Et pourtant, vous serez semblable à cette ordure*
> *A cette horrible infection*
> *Etoile de mes yeux, soleil de ma nature,*
> *Vous, mon Ange et ma passion!*
> *... Alors, ô ma beauté! dites à la vermine*
> *Qui vous mangera de baisers*
> *Que j'ai gardé la forme et l'essence divine*
> *De mes amours décomposés!*

Charles Baudelaire – *Une Charogne.*

Cette catégorie nous plonge dans un mystère aussi profond que celui des stigmatisés car même les lois de la nature semblent elles aussi respecter la sainteté de l'âme qui avait habité la dépouille, faisant mentir la Bible : tous ne finissent pas en cendres. On a recensé environ cent cas d'incorruptibilité, et, à l'étude, on découvre que cette grâce n'est nullement réservée aux plus grands ou aux plus petits. Thérèse de Lisieux par exemple, la sainte la plus populaire des cinq continents n'a pas été gratifiée de cet honneur. En revanche, celui du cardinal Shuster (que personne ne connaît vraiment), ancien cardinal archevêque de Milan mort en 1986, de même que celui de la religieuse Monique de Jésus, morte en 1964 demeurèrent intacts[1]. Il n'existe

---

1. Le corps de Shuster n'est pas ce que l'on appelle incorruptible. C'est un cas rarissime de momification.

aucune règle, aucun dénominateur commun pour l'incorruptibilité[1], contrairement aux stigmatisés. Cependant, à la différence des personnages que nous avons vus précédemment, ici point d'extases, point de foules en délire cherchant à toucher le saint vivant, point de bilocations, bref point de surnaturel quotidien, si ce n'est juste pendant une très courte période de leur vie, au cours de laquelle un Ange « *descend du ciel* » pour leur annoncer une nouvelle.

Chez les « *incorruptibles* », les Anges jouent exclusivement le rôle de messagers, mais si leur mission apparaît simple, en revanche les conséquences de leurs visites sur la vie de ces « élus » se mesurent encore aujourd'hui, bien longtemps après leur mort. L'exemple le plus frappant en est celui de Catherine Labouré, la petite sœur de la chapelle de la Médaille Miraculeuse de Paris. Les Anges descendent pour préparer, encourager et surtout purifier celui ou celle qui a été choisie par le Très-Haut pour cette révélation spirituelle publique. Et l'incorruptibilité de leur dépouille semble bien être le sceau divin, l'empreinte *post mortem* qu'Il laisse sur leur corps pour nous prouver que tous les mortels (vous, moi) ne retombent pas en cendres. « *Je suis bien hardi de parler à mon Seigneur, moi qui ne suis que poussière et cendre.* » lit-on dans la Genèse[2]. Ceux qui ont été jugés dignes de Lui parler, ou de transmettre Ses messages échappent donc à cette règle : ils ne retombent pas en cendres, en quoi Dieu respecte sa propre loi. IL les laisse intacts. Du coup, les corps de ces êtres insignifiants (selon nos valeurs modernes), parfois analphabètes, survivent, alors que les dépouilles des ouvriers et des milliardaires sont dévorés par les vers. Paradoxe. Et lorsque l'on aborde le sujet de l'incorruptibilité d'un cadavre, les rationalistes vous répliquent que c'est grâce aux conditions atmosphériques, et que l'on a découvert des cadavres de Vikings parfaitement conservés ; que si le tombeau est bien aéré, le cadavre ne pourrit pas, etc. Pourquoi pas ?

Mais comment la mort biologique agit-elle sur la dépouille ? J'ai voulu m'en rendre compte *de visu*. Après quelques coups de

---

1. Ne pas confondre « masque de mort », fabriqué après la mort du sujet et artistement retravaillé, avec corps incorruptible.
2. 18,27.

téléphone, rendez-vous fut pris dans l'une des morgues les plus actives des Etats-Unis, celle de Los Angeles. Dans un immeuble anonyme près du pavillon des femmes de l'hôpital de l'université de la Californie du Sud, 35 médecins et 24 enquêteurs travaillent 24 heures sur 24 sur les cinquante corps qui arrivent quotidiennement à la morgue. Accidents, suicides, homicides et mort naturelles[1] finissent là, rangés dans des « cryptes » réfrigérées. Au début, on se croit dans les décors d'un film policier. Un peu plus, et vous vous attendez à voir surgir l'inspecteur Columbo avec son imper en train de se gratter la tête. Des draps recouvrent des formes, mais les pieds qui dépassent vous ramènent tout de suite à la réalité. Et même sans aucun cadavre, l'odeur âcre du formol, de la mort et des détergents mettent votre sens olfactif en alerte rouge. La lueur des néons éclairant le carrelage du sol, les murs verts et les tables métalliques achèvent de vous plonger dans l'ambiance. Et vous découvrez qu'un cadavre ne meurt pas : toutes les bactéries, tous les microbes s'en donnent à cœur joie. Logique, le corps ne se défend plus. Et en rentrant dans le « frigo » des homicides où gisent pêle-mêle 150 dépouilles, l'odeur vous prend à la gorge. Toutes les victimes de crimes violents, sans distinction, atterrissent là, exactement dans l'état dans lequel elles ont été trouvées par la police. Au début, l'odeur vous gêne comme si votre nez refusait de remplir sa fonction, mais plus vous avancez parmi les cadavres et plus l'odeur vous monte à la tête. « *Ce que vous voyez, ce sont les homicides récents. On garde leurs vêtements pour les analyses.* » m'explique mon guide, un « coroner » d'origine franco-canadienne, le lieutenant Claude Boucherville. Certaines peaux sont verdâtres par endroits, d'autres blanches comme du papier. Mais cette odeur! La peau libère des gaz comme le méthane ou le sulfure d'hydrogène qui se mélangent et dégagent une odeur épouvantable. Jamais vous n'auriez imaginé que de telles émanations pouvaient exister. Mon guide me désigne le cadavre d'une femme en état de décomposition. Je m'en approche mais l'odeur me déchire l'estomac. « *Vous savez* » me dit-il comme s'il se promenait au rayon bricolage du BHV, « *un cadavre devient d'abord rigide. La première chose que*

---

1. A l'exception des décès dans les hôpitaux et ceux constatés à domicile par le médecin de famille.

nous faisons en arrivant sur le lieu d'un crime, c'est de palper la main. En fonction de sa flexibilité, nous pouvons donner une première estimation de l'heure de la mort. La rigidité survient généralement 12 heures après le décès, parfois plus. Elle est progressive. Cela commence par la mâchoire. Après elle se propage dans le reste du corps, s'attaquant aux bras, à l'estomac, aux cuisses, aux genoux, aux chevilles pour finir avec les pieds. Cette rigidité disparaît de la même façon progressive, entre 24 et 36 heures après le décès. Ce n'est qu'ensuite que vous sentez réellement le travail des bactéries. » En effet, on distingue très nettement sur certaines dépouilles des tâches vertes sur l'estomac, premier signe véritable et irréversible de la putréfaction. Compte tenu de la concentration de bactéries dans les intestins, les chairs ne résistent pas très longtemps ; les bactéries finissent par perforer la peau et lâchent leurs gaz pestilentiels. J'avais hâte de sortir de là. Mais Claude Boucherville voulait me montrer ce qui m'intéressait vraiment, la salle des « décomposés ». Pendant le court chemin, je repensai à la sépulture de Thérèse d'Avila, ouverte parce qu'une odeur de roses s'en dégageait. Et je réalisai alors que l'odeur d'un cadavre est TELLEMENT épouvantable qu'il faut être mentalement fou, ou bien privé du sens olfactif pour exhumer un corps. Le nez se révolte et vous repousse. Un être normalement constitué NE PEUT PAS S'APPROCHER d'un cadavre vieux de plus de trois jours. Comme s'il avait deviné mes pensées, le lieutenant reprend : « *La police avait trouvé un conteneur hermétiquement scellé avec le corps d'un homme assassiné. Il y est resté pendant deux ans. Lorsque il fut ouvert, les gens faillirent tous s'évanouir. L'odeur était atroce, effroyable. Et c'était de la bouillie, les chairs avaient fondu.* » Avec les odeurs que je venais d'expérimenter dans la crypte, pourtant réfrigérée, j'avais du mal à imaginer qu'il puisse en exister de pires.

— *Vous avez déjà trouvé des cadavres incorruptibles ?* lui demandai-je.

— *Incorruptibles, ça ne se peut pas. Lors de la démolition d'une maison, des ouvriers ont retrouvé un cadavre enseveli dans du béton. Meurtre. Il a été daté de quinze ans. Il ne restait que les os, rien d'autre. Au Canada, au printemps on retrouve régulièrement des gens qui se sont perdus dans la neige. Ces cadavres sont préservés par les températures glaciales. Mais dès que le climat redevient ordinaire, la décomposition se déclenche. Et plus il fait chaud, plus la putréfaction est rapide. Même ici, alors que c'est réfrigéré, les corps fondent. Vous savez, nous sommes obligés de garder les corps non identifiés et non réclamés pendant deux ans. Regardez ce que ça donne.*

Je m'en approchai mais l'odeur me figea sur place et je commençai à étouffer, à tousser. Mon estomac se tordait. L'odeur qui s'en dégageait était ignoble, ATROCE. Je repensai soudain aux chaleurs libanaises et à Charbel Makhlouf :

— *Et si vous placez un cadavre dans un tombeau aéré, que se passe-t-il ?* lui dis-je en me retenant de vomir de toutes mes forces.

Le coroner claqua la porte d'un frigo de « décomposés » :

— *Au bout de deux jours, l'odeur n'aurait pas manqué de vous rappeler qu'un cadavre, ça s'enterre.*

J'aurais aimé voir l'expression de son visage s'il avait découvert la dépouille du saint maronite, qui n'eut même pas droit à une caisse en bois. Il fut déposé sur une planche à 25 cm du sol. Dès la moindre pluie, le caveau était inondé et transformé en bourbier. Un an après sa mort, les témoins découvrirent stupéfaits qu'il était frais, souple et dégageait une odeur d'être vivant ! Les moines décidèrent alors de l'enterrer dignement et le placèrent cette fois-ci dans un cercueil en zinc. Des années plus tard, ils constatèrent qu'un liquide s'écoulait régulièrement du cercueil. En 1927, on l'exhuma à nouveau pour essayer de comprendre. Le Pr Armand Jouffroy de la faculté de médecine de Beyrouth examina le corps et rédigea un rapport sur l'état parfait du cadavre qui fut placé à nouveau dans un cercueil neuf et hermétiquement scellé. Le suintement persista. En 1950, les docteurs Chikri-Bellan et Maroun respectivement directeur du service de santé du gouvernement libanais et professeur à la Faculté de médecine, ainsi qu'un député, le Dr Joseph Hitti examinèrent la dépouille au microscope et déclarèrent que la science en l'état actuel se trouvait dans l'impossibilité d'expliquer un cas semblable. Les chaleurs torrides du Liban ne pouvaient rien contre le corps de ce moine. Et Catherine de Sienne ? Au XIVe siècle, le formol-molhyde[1] n'existait pas.

---

1. Produit chimique utilisé par les embaumeurs pour retarder la décomposition et qui entraîne la rigidité de tous les membres.

Alors ? Je quittai la morgue pour chercher le bar le plus proche.

Revenons à ces spécimens rares, échantillons gratuits de l'humour (noir) de Dieu. Ils ont vécu une vie de saints, cela ne fait pas l'ombre d'un doute. Et non seulement leurs corps sont incorruptibles mais en plus ils dégagent des parfums délicieux. Ce n'est plus une, mais deux lois de la Nature qui sont transgressées. En examinant la biographie de ces privilégiés, on découvre les faits suivants :

1) Dans 80 % des cas, le sujet meurt dans l'anonymat. On l'enterre dans un caveau, une tombe, une crypte, un ossuaire sans grande formalité.

2) Dans 70 % des cas, le corps du sujet fut dévoré de son vivant par diverses maladies.

3) Dans la majorité des cas, ces « incorruptibles » vivaient dans des pays chauds !

4) Le corps est découvert incorruptible parfois 50 ans après la mort en raison de :

a) manque de place dans le cimetière ou ossuaire du couvent ou monastère.

b) inondations.

c) crypte fissurée/affaissement de terrain.

d) déménagement de la dépouille.

e) transfert du corps vers son pays natal.

f) miracles divers autour de la tombe (parfums, voix, lumières, écoulements d'huile).

g) procès en béatification, minimum 40 ans après la mort, entraînant une exhumation.

5) Tous les saints ne bénéficient pas de ce « privilège ». Phénomène encore plus curieux, les stigmatisées comme par exemple Marguerite-Marie Alacoque ou Gemma Galgani ne nous laissèrent pas leur corps en souvenir.

Examinons pour la forme l'éventualité de l'embaumement et on se heurte aussitôt au cas de Jacinta Marto. Mais passons outre. Si les corps de Catherine de Sienne ou de Thérèse d'Avila avaient été embaumés, alors personne ne les aurait découpés en tranches. Elles auraient été embaumées de façon officielle et exposées publiquement dans leurs églises ou dans leur couvents. A chaque fois que l'on essaie de trouver une explication rationnelle, on arrive à une impasse. Par ailleurs, les détails pratiques ne manquent pas. La plupart du temps, ces incorruptibles étaient pauvres, ou bien appartenaient à des ordres où la pauvreté constituait une règle. Autre énigme : peu se doutaient que ces âmes deviendraient des saints — et tous les incorruptibles n'ont pas été béatifiés, loin de là — et la mère supérieure n'aurait jamais dépensé 20 ou 30 000 F pour l'éviscérer ou l'embaumer, simplement parce que cela représentait le budget de six mois ou d'un an de fonctionnement du couvent. Et, pour revenir aux conditions météorologiques, l'Italie, l'Espagne, la France ou le Portugal ne sont pas la Suède. Enfin, pourquoi découvre-t-on des corps incorruptibles de religieux *seulement* et pas de laïcs, comme par exemple un président des Etats-Unis, le fondateur d'IBM ou l'inventeur du Coca-Cola ? Oui, vraiment, pourquoi ? J'entends d'ici les rationalistes déclarer : c'est un pur « hasard ». Mais le mot « hasard » vient de l'arabe qui désignait le dé d'un jeu appelé « jeu de Dieu ». Incorruptibilité du corps, incorruptibilité de l'âme...

JACINTA MARTO
1910-1920

(Groupe II b, miracles, Anges, incorruptibilité)

PORTUGAL

I couldn't tell
If the bells are getting louder
Songs or rings I finally recognize
I only know
Hell is getting hotter
The Devil is getting smarter all the time
And it would be nice
To walk upon the water
To talk again to Angels on my side.

Alice Cooper – *Second Coming* –,
in « Love it to Death », Warner Bros
Records.

L'apparition mariale de Fatima ne m'avait jamais passionné avec ses « secrets » terribles, mais largement publiés et commentés dans divers journaux à sensation, parlant de fin du monde, de destruction et de je ne sais quel autre terreur apocalyptique. Expiation par la souffrance, destruction de la Terre si l'on continue à pécher, et, misérables vers de terre que nous sommes, nous serons condamnés à brûler éternellement en enfer, cuisinés pas des démons-sauciers « quatre étoiles » armés de leurs tridents jusqu'à expier *in extenso* tous nos péchés. De plus, je déteste ces révélations qui d'un côté nous disent « *si-tu-n'es-pas-sage, pan-pan cucul* » alors que de l'autre, les mêmes « voyants » affirment que Dieu n'est que tout amour. D'un côté, on nous affirme qu'Il nous aime, et de l'autre, qu'Il est prêt à nous réduire en poussière. Il faudrait se mettre d'accord. Ensuite,

Fatima représente tous ces livres à sensations, genre « Tout sur les secrets de Fatima », ou « Ce qu'on n'a pas osé vous dire sur Fatima », ou « Les secrets de Fatima dévoilés », etc. Cette imagerie populaire, chargée depuis presque quatre-vingts ans d'une série de clichés pompiers et de secrets de polichinelle additionnés les uns aux autres, pèsent par leurs messages et leurs menaces. Qui sommes-nous, nous, vulgaires manants, pour ne pas avoir le droit de connaître ce lourd secret que la petite « voyante » n'autorisa à être lu qu'en 1960 (et qui n'a jamais été dévoilé), alors que nous sommes les premiers concernés ?

Bref, je n'aurais jamais parlé de Fatima dans ce livre, et ce malgré les trois apparitions d'Ange, si je n'avais découvert, photos à l'appui, que le corps de l'un des enfants « voyants », exhumé quinze ans après sa mort, fut découvert... incorruptible. En Finlande, Sibérie ou Norvège, on pourrait dire « ce sont les conditions météo ». Mais comme cela se passe au Portugal, on se tait. C'est le 12 septembre 1935, lors de la translation des restes mortels des deux enfants que l'on découvrit ce mystère. Mystère d'autant plus significatif que si le corps de la petite fille était intact, il n'en était pas de même pour son frère... Et il est impossible de soupçonner une manipulation de qui que ce soit dans cette affaire, car Jacinta, l'une des trois « voyants », est morte à l'âge de dix ans. Elle ne fut ni sainte, ni visionnaire, ni stigmatisée, ni martyre, mais la simple petite fille d'un couple de paysans portugais pauvres. D'ailleurs, après que les visions eussent pris fin, l'intérêt de la foule se détourna aussitôt des trois enfants, les laissant quasiment dans l'oubli. Comme ils ne « voyaient » plus rien, ils n'intéressaient plus personne. Ensuite on imagine mal quelques esprits tordus s'escrimant (comme dans un film d'horreur) à tenter d'embaumer le corps d'une gamine de dix ans, la nuit, dans un cimetière désert d'un coin perdu du Portugal, d'autant que Lucia vivait encore. D'ailleurs, on en avait même oublié jusqu'à leurs noms.

En clair, les visions d'Ange de Jacinta Marto (morte en 1920), exactement comme celles de Catherine Labouré et de Bernadette Soubirous, furent validées par le plus mystérieux des signes divins, l'incorruptibilité. Encore plus étonnant, il s'agit du seul cas d'incorruptibilité du corps d'un enfant et cette singularité m'oblige donc à rendre compte très sérieusement des trois visites de l'Ange sur cette colline portugaise, venu annoncer l'une des plus étonnantes apparitions mariales de notre siècle [1].

Les enfants l'avaient toujours affirmé, la présence de l'Ange se ressentait au plus profond de leur âme et de leur chair, contrairement à celle de la Vierge, qui ne leur faisait, si je puis dire, aucun effet, autre que celui de parler normalement avec elle. N'est-ce pas curieux ? Pour les raisons évoquées précédemment, je n'aborderai pas les pseudo secrets de Fatima, le lecteur intéressé pouvant trouver une littérature plus qu'abondante sur le sujet.

Ce qu'il y a de fascinant dans les apparitions mariales est que Marie choisit toujours des endroits invraisemblables pour se montrer : dans des coins totalement inconnus, au milieu de nulle part, que même l'agent de voyages le plus snob ne pourrait dégotter pour les trekking des PDG trop occupés, cherchant le dépaysement total. Rien que les noms de ces lieux, Medjugorje, La Salette, Akita, Zeitoun, etc. laissent totalement rêveur. Après tout, pourquoi tout simplement ne pas choisir des lieux comme Paris, New York, Moscou ou Berlin ? Imaginons un instant une apparition genre Fatima sur les Champs-Elysées ou sous la Tour Eiffel ou mieux, du temps de Leonid Brejnev, sur la place Rouge à Moscou, un dimanche, juste devant le mausolée de Lénine où les gens attendent des heures en file indienne pour admirer la momie — et non le corps incorruptible — de Lénine.

Avouons que l'effet sur la population et surtout sur le système politique en aurait pris un coup dans l'aile, d'autant qu'à Fatima la Vierge avait demandé la consécration de la Russie à son Cœur. De plus, tous les témoins de Fatima, et ils furent environ 70 000 (dont une trentaine de journalistes envoyés en reportage [2]), racontent en chœur qu'au jour annoncé (le 13 octobre 1917) par Marie lors de sa précédente apparition, le miracle promis eut lieu, vers midi : « *Tout à coup, la pluie s'arrêta et les nuages, opaques depuis le matin se dissipèrent. Le soleil apparut au zénith, semblable à un disque d'argent.*

1. L'autre étant celle de Zeitoun en Egypte en 1968.
2. Ils envoyèrent tous leurs papiers, mais la majorité des « rédacteurs en chef » bien assis dans leurs fauteuils, qui prirent connaissance du contenu, jugèrent que leur journaliste avait déliré. D'autres publièrent les articles *in extenso* mais sans aucun commentaire.

Soudain, il se mit à tourner sur lui-même comme une roue de feu, projetant dans toutes les directions des gerbes de lumière dont la couleur changea plusieurs fois. Des rayons jaunes, rouges, verts, bleus, etc. coloraient les nuages, les arbres, les collines, donnant un aspect étrange au paysage et à toute cette nature, bizarrement transformée par son Créateur. Au bout de quelques minutes, l'astre s'arrêta, brillant d'une lumière qui ne faisait pas mal aux yeux; puis il recommença sa danse stupéfiante. Ce phénomène se reproduisit trois fois et chaque fois avec un mouvement plus rapide, une lumière plus brillante et plus colorée. Et pendant les douze inoubliables minutes que devait durer ce spectacle impressionnant, la foule se tenait suspendue, contemplant bouche bée ce phénomène tragique et captivant, qui devait être vu à quarante kilomètres à la ronde. Tout à coup, les spectateurs eurent l'impression que le soleil se détachait du firmament et se précipitait sur eux. Un cri formidable sortit en même temps de toutes les poitrines. Quelques personnes s'agenouillèrent, d'autres hurlèrent, d'autres prièrent à voix haute... Cependant, il s'arrêta dans sa course, puis retourna lentement à sa place; enfin il reprit son éclat normal. Il n'y eut plus de nuages et le ciel fut d'un azur limpide. La foule entière se leva et entonna le Credo. Les vêtements des gens, complètement trempés par la pluie l'instant d'avant séchèrent aussitôt. L'enthousiasme fut indescriptible[1] ».

Notons que c'est la première fois dans l'histoire que Marie annonce, à l'avance, un miracle, un peu comme au music-hall, avec tout le respect que je lui dois. Le même phénomène sur la place Rouge n'aurait certainement pas manqué de marquer le pays à jamais. Mais il se trouve justement que c'est toujours au milieu de nulle part qu'elle décide d'apparaître et toujours à des petits et des humbles, tellement pauvres et innocents qu'ils sont au-dessus de tout soupçon. Bien que hors contexte, l'explication en a été donnée à Marguerite-Marie Alacoque par le Christ : « *Eh! quoi, ne sais-tu pas que je me sers des sujets les plus faibles pour confondre les forts et que c'est d'ordinaire sur les plus petits et pauvres d'esprit que je fais voir ma puissance avec plus d'éclat, afin qu'ils ne s'attribuent rien à eux-mêmes ?* » Et tous ceux qui ont tenté d'acheter les témoins en leur proposant de l'argent

---

1. In « Stigmatisés et apparitions », op. c. ».

pour qu'ils reviennent sur leurs déclarations en ont été pour leurs frais[1].

Fatima représente bien la visite contemporaine d'Ange la mieux documentée avec celle de Garabandal que nous verrons plus loin. Il se rend visible aux enfants et les entraîne, les purifie afin de les préparer pour le grand événement, un peu comme un entraîneur préparant ses athlètes pour une finale des Jeux olympiques. L'Ange de Fatima est donc apparu trois fois de suite pour affiner la psychologie des trois bergers Jacinta Marto, Francesco Marto et leur cousine, Lucia dos Santos. Avant d'aller plus loin, notons que, dans l'histoire des apparitions mariales, à de rares exceptions près, le fait que l'Ange précède la Vierge signifie que le retentissement de l'apparition sera important. Au vu du nombre de livres publiés sur Fatima, il n'y a aucun doute possible. Ce fut colossal. Le témoignage le plus précieux de Fatima nous a été donné par les mémoires de Lucia dos Santos, puisque peu de temps après la mort de ses deux petits compagnons, Francesco et Jacinta Marto, elle décida d'entrer dans un couvent, suivant le désir formulé par Marie. Et Lucia dos Santos qui a vu l'Archange, « *une lumière plus blanche que la neige, où l'on voyait une silhouette semblable à une statue de cristal traversée par les rayons du soleil* » a raconté ses souvenirs, réunis dans un petit livre, par le père Louis Kondor[2], que j'ai préféré aux autres. En les consultant, j'ai en effet découvert que l'Ange ne disait pas toujours les mêmes choses, sans doute en raison des traductions de traductions. Il est intéressant de noter aussi que selon la déclaration de Lucie à l'époque des apparitions, « *les mots de l'Ange nous pénétraient l'esprit comme une lumière qui nous faisait comprendre combien Dieu nous aimait et combien Il voulait être aimé* ».

---

1. Des producteurs de Hollywood avaient proposé aux parents de Thérèse Neumann un cachet colossal pour tourner un film sur ses stigmates. Monsieur Neumann les traita avec le plus grand mépris.
2. Page 64,65 in « Mémoires de sœur Lucie », Vice-Postulaçao dos Videntes, 1991, Fatima (Portugal).

INCORRUPTIBLES ET ANGES (II B)

Apparition n° 1 de 1915 :

« *Un beau jour, nous nous rendîmes sur un terrain appartenant à mes parents et qui se trouve au pied de la colline dont j'ai déjà parlé et qui est du côté du levant. Ce terrain s'appelle le « Chousa Vhela ». Vers le milieu de la matinée, une pluie fine commença à tomber, un peu plus que de la rosée. Nous sommes montés alors sur le versant de la colline, suivis de nos brebis, à la recherche d'un rocher qui puisse nous servir d'abri. (...) Cela faisait un certain temps que nous étions en train de jouer, et voilà qu'un vent assez fort secoua les arbres et nous fit lever les yeux pour voir ce qui se passait, car la journée était belle. Nous vîmes alors, au-dessus des oliviers et se dirigeant vers nous, la même figure dont j'ai déjà parlé. Jacinthe et François ne l'avaient jamais vue et je ne leur en avais jamais parlé. Au fur et à mesure qu'elle s'approchait, nous distinguions mieux ses traits. Elle avait l'apparence d'un jeune homme de 14 ou 15 ans, plus blanc que la neige, que le soleil rendait transparent comme s'il était en cristal, et d'une grande beauté. En arrivant près de nous, il nous dit :*
— *N'ayez pas peur, je suis l'Ange de la Paix. Priez avec moi.*
Et s'agenouillant, il inclina la tête jusqu'à terre et nous fit répéter trois fois ces mots :
— *Mon Dieu, je crois, j'adore, j'espère et je vous aime ! Je vous demande pardon pour ceux qui ne croient pas, n'adorent pas, qui n'espèrent pas et ne Vous aiment pas.*
Ensuite il se releva et nous dit :
— *Priez ainsi. Les Cœurs de Jésus et de Marie sont attentifs à vos supplications.*
Ses paroles se gravèrent de telle manière dans notre esprit que jamais nous ne les avons oubliées. »

Apparition n° 2 de 1915 :

« *Un jour d'été, alors que nous aurions dû faire la sieste à la maison, nous étions en train de jouer sur le puits que possédaient mes parents, au fond du jardin et que l'on appelait « Arneiro » ». Soudain nous vîmes la même figure, ou l'Ange à ce qu'il me sembla. Il nous dit :*
— *Que faites-vous ? Priez, priez beaucoup ! Les saints Cœurs de Jésus et de Marie ont sur vous des desseins de miséricorde. Offrez constamment au Très-Haut des prières et des sacrifices.*

343

— Comment ferons-nous des sacrifices? demandai-je.
— De tout ce que vous pourrez, offrez à Dieu un sacrifice, en acte de réparation pour les péchés par lesquels Il est offensé, et de supplications pour la conversion des pécheurs. Attirez ainsi la paix sur votre patrie. Je suis son Ange gardien, l'Ange du Portugal. Surtout acceptez et supportez les souffrances que le Seigneur vous enverra. »

On note à nouveau que ces âmes étaient bien prédestinées, âmes victimes, choisies et désignées à l'avance. « On » leur apporte des souffrances. Raison pour laquelle, bien avant leur mort, Jacinta et Francesco Marto avaient expliqué innocemment à leurs parents qu'ils iraient « très bientôt au ciel » ! La Vierge a tenu parole puisque tous deux sont bien morts à l'âge 10 ans...

Apparition n° 3 d'automne 1916 :

« Un jour, nous allâmes faire paître nos troupeaux dans un terrain appartenant à mes parents, qui est situé sur le versant de la colline et qui se trouve un peu plus haut que les « Valinhos ». C'était une oliveraie que nous appelions « Prèguerie ». Après avoir pris notre repas, nous nous mîmes d'accord pour aller prier à la grotte qui est située de l'autre côté de la colline. (...) Dès que nous fûmes arrivés, nous mettant à genoux, le visage contre terre, nous nous sommes mis à répéter la prière de l'Ange. Je ne sais combien de fois nous avons répété cette prière lorsque nous vîmes briller au-dessus de nous une lumière inconnue. Nous nous sommes relevés pour voir ce qui se passait, et nous avons revu l'Ange qui tenait dans sa main gauche un calice au-dessus duquel était suspendue une hostie de laquelle tombaient quelques gouttes de sang qui s'égouttaient dans le calice. L'Ange laissa le calice suspendu en l'air et s'agenouilla près de nous et nous fit répéter trois fois :
— Très sainte Trinité, Père, Fils et Saint-Esprit, je vous adore profondément. Je vous offre les très précieux Corps, Sang, Ame et Divinité de Notre Seigneur Jésus Christ, présent dans tous les tabernacles du monde, en réparation des outrages, sacrilèges et indifférences par lesquels Il est Lui-même offensé. Et par les mérites infinis de Son très Sacré Cœur et du Cœur Immaculé de Marie, je vous demande la conversion des pauvres pécheurs.
Ensuite il se releva et prit dans ses mains le calice et l'hostie. Il me donna

> *la sainte hostie et le sang du calice, il le partagea entre Jacinta et Francesco*
> *en disant :*
> *— Prenez et buvez le Corps et le Sang de Jésus Christ, horriblement*
> *outragé par les hommes ingrats. Réparez leurs crimes et consolez votre*
> *Dieu.*
> *Et, se prosternant de nouveau à terre, il répéta avec nous encore trois*
> *fois la même prière et disparut ».*

Cette communion avec l'Ange, nous la retrouverons quelques années plus tard en Espagne, en 1962. Indépendamment du fait que cela ne soit pas nouveau dans l'histoire, il s'agit là d'une consécration en bonne et due forme de trois enfants comme âmes victimes. Lucia dira peu de temps après les apparitions qu'à ce moment, lorsque l'Ange les communia, « *le sentiment de la présence de Dieu était si intense qu'il nous absorbait tous entièrement et nous annihilait pour ainsi dire complètement. Cette présence semblait nous priver de l'usage de nos sens pendant un grand espace de temps... La paix et la félicité que nous ressentions étaient très grandes, mais elles étaient toutes intérieures et intimes, notre âme entièrement concentrée sur Dieu* ». Seules les deux fillettes « voyaient » l'Ange. Le garçon ne voyait rien, il l'entendait seulement. Tous trois expliquèrent qu'une force invisible les prenait et les forçait à s'agenouiller ou bien à mettre le front contre terre. Cette période passait comme hors du temps. Ils étaient emportés par la présence, tout en restant au sol et ne se rendaient compte de la nuit que lorsqu'ils sortaient de cette léthargie.

Les indices surnaturels qui nous restent nous prouvent une fois de plus que ces visions d'Ange étaient parfaitement authentiques. La photo démontre bien que ce témoin qui observe, incrédule, le visage de la dépouille n'est pas incommodé par l'odeur. Logique, puisqu'il n'y en avait pas.

CATHERINE LABOURÉ
1806-1876

(Groupe II b, miracles, Anges, incorruptibilité)

FRANCE

> *Je ne suis qu'un grain de poussière*
> *Un grain de poussière*
> *Perdu comme un enfant*
> *Dans l'œil du firmament*
> *Prisonnier d'un courant d'un air*
> *Un grain de poussière*
> *Fils du soleil et du vent*
> *Un grain de poussière*
> *Qui erre à la lisère*
> *De l'enfer et du ciel*
> *Un Ange gardien du néant*
> *Un grain de poussière*
> *Infiniment petit ou grand.*

Jacques Higelin – *Un grain de poussière* – in « Alertez les bébés »,
EMI Records

Zoé Labouré est plus connue sous le prénom de Catherine, petit changement dû aux sœurs de la Charité de Saint-Vincent-de-Paul de Châtillon-sur-Seine qu'elle rejoignit à l'âge de vingt-quatre ans. Pratiquement illettrée, fille de fermiers, elle fut envoyée au couvent de la rue du Bac à Paris qui lui doit depuis toute sa notoriété. Pourtant, après avoir appris à lire et à écrire, l'humble Zoé passa quarante-sept ans de sa vie en toute discrétion, affectée aux tâches les plus douteuses, sans qu'elle n'ait même eu la considération de ses petites camarades. Ses supérieures la jugeaient « *froide* », « *apathique* », « *insignifiante* », « *sans intérêt* ».

Elles auraient sans aucun doute modifié leur jugement si elles avaient su ce qui s'était passé dans le couvent peu de temps après son arrivée. Mais son confesseur (ou directeur de conscience) qui ne croyait pas un mot de ce que racontait la jeune fille, lui fit jurer le silence. Les sœurs de la rue du Bac n'apprirent seulement qu'à sa mort, le 31 décembre 1876, qu'un soir, un Ange l'avait réveillée pour lui demander de se rendre dans la chapelle :

> « *A 11 heures et demie du soir, je m'entends appeler par mon nom :*
> *— Ma sœur, ma sœur !*
> *M'éveillant, j'ai regardé du côté où j'entendais la voix qui était du côté du passage. Je tire le rideau. Je vois un enfant habillé de blanc, âgé à peu près de 4 à 5 ans, qui me dit :*
> *— Levez-vous en diligence, la Sainte Vierge vous attend !*
> *Aussitôt la pensée me vient « mais on va m'entendre ». Cet enfant me répond (il répond à ma pensée) :*
> *— Soyez tranquille, il est 11 heures et demie, tout le monde dort bien. Venez, je vous attends.*
> *(...) La porte s'est ouverte à peine l'enfant l'avait touchée du doigt (...) C'est alors que l'enfant me parla, non plus comme un enfant, mais comme un homme, le plus fort, et des paroles les plus fortes. (...) Je me suis relevée de dessus les marches de l'autel, et j'ai aperçu l'enfant où je l'avais laissé. Il me dit :*
> *— Elle est partie.*
> *Nous avons repris le même chemin, toujours tout allumé et cet enfant était toujours sur ma gauche. Je crois que cet enfant était mon Ange gardien, qui s'était rendu visible pour me faire voir la Sainte Vierge, parce que j'avais beaucoup prié pour qu'il m'obtienne cette faveur. Il était habillé de blanc, portant une lumière miraculeuse avec lui, c'est-à-dire qu'il était resplendissant de lumière : âgé à peu près de 4 à 5 ans.* »[1]

Là, Zoé eut droit à l'apparition de Marie qui lui donna ses instructions pour la fabrication d'une médaille à son effigie. On connaît la suite : bien que son confesseur la somma d'arrêter de délirer, la « médaille miraculeuse » finit par être exécutée par

1. In « Vie authentique de Catherine Labouré », René Laurentin, pages 81-84.

Vachette, le joaillier du quai des Orfèvres, et tirée à titre d'essai, à seulement 1 500 exemplaires. La médaille se répandit à travers le globe comme une traînée de poudre — sans aucun autre média que le « bouche à oreille » — à plusieurs milliards d'exemplaires.

On peut refuser de croire à la vision de Zoé-Catherine Labouré et plus encore aux vertus de sa médaille miraculeuse, mais pas à l'incorruptibilité de son corps. Il est là pour prouver l'authenticité de ce qu'elle à vécu et dit avoir vu. Enterrée aussitôt après sa mort, il a fallu attendre le début de son procès en béatification (dû exclusivement aux effets de la médaille) pour que les autorités décident de donner à sa dépouille une place digne des miracles octroyés par la médaille.

Le 31 mars 1933, soit 57 ans après sa mort, une armée de médecins et d'ecclésiastiques assista à l'ouverture de son cercueil, conformément au droit canonique. Lorsque le haillon qui recouvrait son corps fut soulevé, plus d'un fut paralysé de stupeur en découvrant que la dépouille de l' « insignifiante » mais obéissante Zoé était intact. Le Dr Robert Didier, chirurgien, notait fébrilement ses constatations et le lendemain, en présence des plus hautes autorités religieuses, il pratiqua une autopsie et expliqua que le corps était parfait et pouvait facilement servir à une dissection lors d'une leçon d'anatomie à la faculté de médecine. Autrement dit, il était « tout frais ».

Et comme Thérèse d'Avila et Catherine de Sienne, Zoé-Catherine Labouré finit en tranches dans divers couvents de son ordre, comme sainte relique. Fort heureusement, elle est restée présentable et toujours visible rue du Bac, son visage recouvert d'une couche de cire. La visite de l'Ange eut pour autre effet sa canonisation, entraînant un défilé constant de fidèles/pèlerins devant son visage si énigmatique.

Toutefois, on peut se demander pourquoi l'Ange choisit d'apparaître à la sœur sous la forme d'un enfant de cinq ans ? La réponse pourrait bien se trouver dans le fait que pour cette gentille bonne de ferme, un Ange ne pouvait ressembler qu'à un enfant, conformément aux représentations de l'époque. D'autres cependant suggèrent que la vue d'un bel homme musclé de trente ans aurait pu troubler la jeune femme, ce qui n'est pas idiot. Ronda de Sola Chervin qui a étudié la vie d'environ deux cents femmes a remarqué que certaines d'entre elles (Catherine de Sienne, Marguerite de Cortone, Angela de

Foligno, Marie-Madeleine de Pazzi, Marie d'Egypte, Pelagia d'Antioche, etc.) furent la proie de tentations sexuelles extrêmes...

En tout état de cause, les deux détails mineurs rapportés par Catherine qui ne laissent aucun doute et qui confirment que cet Ange n'avait que la forme d'un enfant de cinq ans, est le timbre de sa voix, des plus « viriles » : « *C'est alors que l'enfant me parla, non plus comme un enfant, mais comme un homme, le plus fort, et des paroles les plus fortes.* »[1], ainsi que la réponse à ses interrogations par « pensées », *Aussitôt la pensée me vient « mais on va m'entendre ». Cet enfant me répond : (il répond à ma pensée) — Soyez tranquille, il est 11 heures et demie, tout le monde dort bien. Venez, je vous attends.* » nous confirmant à nouveau qu'il s'agit là de la seule méthode de communication des Anges.

---

1. In « Vie authentique de Catherine Labouré », op.c., page 84.

MARIE D'AGREDA
1602-1665

(Groupe II b, incorruptibilité, miracles, Anges)

ESPAGNE

> « *Hélas, me traite-t-on ainsi horriblement et cruelle-*
> *ment qu'il faille que mon corps préservé et qui ne fut*
> *jamais corrompu, soit aujourd'hui consumé et rendu en*
> *cendres ? »*
>
> Jeanne d'Arc

Marie Coronel, fille d'une famille de « grands » d'Espagne avait douze ans en 1614 et jouait encore à la poupée lorsqu'elle expliqua à ses parents qu'elle voulait devenir religieuse. On l'a vu, certaines âmes sont comme prédestinées et celle de Marie Coronel bien plus que toute autre puisque sa mère Catherine eut une vision qui lui montra que le château familial devait être transformé en couvent. Peut-être l'un des rares cas de l'histoire où le père, la mère et les trois enfants (un garçon, deux filles) revêtirent le voile de divers ordres. Cette vocation familiale extraordinaire devait forcément accoucher d'un cas exceptionnel : Marie. Avec des mortifications que Catherine de Sienne n'aurait pas reniées, il ne fallut que peu de temps à la jeune Espagnole pour connaître les grâces de Dieu qui se traduisaient souvent en lévitations et aussi en bilocations comme Yvonne-Aimée de Malestroit. Il suffisait à Marie de s'agenouiller en adoration devant le saint sacrement pour qu'elle soit emportée par une extase, manifestée par une lévitation qui pouvait durer deux ou trois heures[1].

---

1. A ce sujet, notons un détail, mineur certes, mais intéressant : les hommes qui assistèrent aux lévitations de Catherine de Sienne, de Thérèse d'Avila ou de Catherine de Pazzi notèrent tous que les plis de leurs robes s'ordonnaient de façon naturelle !

Comme nous l'avons remarqué, ce profil de mystique laisse toujours derrière lui une œuvre littéraire immortelle et Marie Coronel, devenue Marie d'Agreda, n'échappa pas à cette règle puisqu'elle nous a laissé le « Ciudad de Dios »[1], une pure merveille du genre.

Avec quatre volumes totalisant presque 3 000 pages, la « Cité mystique » est le livre de la vie du Christ, racontée à la religieuse espagnole par la Vierge Marie elle-même. Inutile de souligner que dans cette œuvre inspirée, les Anges abondent : la maison de la Vierge ressemblait presque à un aéroport international avec des Anges, Archanges, Puissances, Séraphins et autres Dominations, atterrissant et décollant sans cesse. On s'en doute, et son corps incorruptible nous le prouve, sœur Marie était véritablement inspirée.

En 1637, supérieure de son couvent, Marie d'Agreda reçoit l'ordre du Christ d'écrire la vie de sa Mère d'après les visions et locutions qui lui seront données. La religieuse s'en expliqua dans son introduction, un modèle du genre : « *Si dans ces derniers siècles quelqu'un entend dire qu'une simple fille, qui n'est par son sexe qu'ignorance et faiblesse, et par ses péchés que la plus indigne de toutes les créatures, se soit hasardée et déterminée d'écrire des choses divines et surnaturelles, je ne serais pas surprise qu'il me traite de téméraire, de présomptueuse et de légère : singulièrement dans un temps auquel notre mère la sainte Eglise est remplie de docteurs, d'hommes très savants, et éclairés de la doctrine des saints Pères, qui ont développé tout ce qu'il y a de plus caché et de plus obscur dans les mystères de la religion. (...) Mais ce qui peut beaucoup mieux servir de garant à tout ce que je viens de dire, pour excuser mon entreprise, c'est la matière dont je traite dans cette divine histoire, qui, étant au-dessus de l'esprit humain, doit faire conclure qu'une cause supérieure en est le principe, et qu'il n'y a que l'esprit divin qui en ait dicté les conceptions et les vérités sublimes qu'elle renferme.* »[2]. Avec sa plume d'oie, elle écrira ainsi chaque jour pendant plus de quinze ans, rédigeant presque trois mille feuillets qui décrivent dans les détails tous les sentiments, émotions, craintes et bonheurs de Marie de Nazareth. Pourtant, elle a résisté pendant dix

1. Cité de Dieu.
2. Pages 303,304, Vol. 1 in « La Cité mystique », Marie d'Agreda, Ed.Téqui, 1970.

ans et pendant dix ans, des Anges la visiteront régulièrement et lui demanderont de se mettre à l'ouvrage. Par exemple, l'Archange Michael lui rendait souvent visite et l'on pourrait comme d'habitude mettre cette allégation sur le compte d'une hallucination s'il n'y avait son corps incorruptible : « *Les saints Anges destinés à me conduire dans cet ouvrage, me tinrent ces discours. Le principe saint Michel me déclara aussi en plusieurs autres occasions que c'était la volonté et le commandement du Très-Haut. Et j'ai découvert par les illustrations, par les faveurs et par les instructions continuelles de ce grand prince, des mystères magnifiques du Seigneur et de la Reine du Ciel.* »[1]

Ne nous trompons pas sur Marie d'Agreda. Comme Catherine de Sienne, elle était une épouse du Christ qui lui prodiguait d'innombrables faveurs. L'une d'entre elles fut la mise à sa disposition de six Anges pour l'assister et la diriger dans cet ouvrage, nombre qui passa à huit lorsque deux autres Anges d'une « *hiérarchie supérieure, très mystérieux* » chargés de lui révéler de « *profonds secrets* » la rejoignirent. Les Anges la mirent même en garde :

> « *Il faut que tu te dépouilles de tous tes appétits et de toutes tes passions pour arriver à ces hauts mystères qui ne s'accordent pas avec les perverses inclinations de la nature. Déchausse-toi donc comme Moïse qui en reçut le commandement pour voir ce merveilleux buisson (...) On te demanderait une chose très malaisée s'il te fallait l'exécuter par tes seules forces ; mais le Très-Haut veut et demande ces dispositions ; Il est puissant et Il ne te refusera pas son secours si tu lui demandes avec ardeur, et si tu disposes à Le recevoir. (...) Ame, obéis à ce qu'il t'est commandé : dépouille-toi de toi-même, et l'on te découvrira ce qu'on te cache.* »

Marie d'Agreda s'humilia donc et se remit entièrement entre les mains du Christ qui la gratifia d'une vision assez proche d'un témoignage que nous avons vu dans le chapitre « Des tunnels et des Anges » :

> « *Le Seigneur me dit : « Prends garde et vois ». Ce qu'ayant fait, je vis une fort belle échelle à plusieurs échelons, une grande multitude d'Anges*

1. Page 312 in « La Cité mystique », op.c.

autour, et d'autres qui descendaient et qui montaient. Et sa Majesté me dit : « C'est cette mystérieuse échelle de Jacob qui est la maison de Dieu et la porte du Ciel. Si tu te disposes, et que ta vie soit telle, que je n'y trouve rien à y reprendre, tu viendras à moi par elle. »

Cette promesse excitait mon désir, animait ma volonté, suspendait mon esprit, et je me plaignais de me sentir contraire à moi-même. (...) Je continuais de voir l'échelle, mais je n'en comprenais pas encore le mystère. Je promis au Seigneur de m'éloigner toujours plus de toutes les vanités mondaines. (...) Et ayant passé quelques jours dans ces affections et ces dispositions, le Très-Haut me déclara que cette échelle était la vie, les vertus et les mystères de la très sainte Vierge Marie ; et sa Majesté me dit : " Je veux, ma chère épouse, que tu montes par cette échelle de Jacob, et que tu entres par cette porte du ciel pour connaître mes attributs et pour contempler ma divinité. Monte-donc et avance-toi. Ces Anges qui l'accompagnent et qui la servent sont ceux que j'ai destinés pour sa garde et pour la défense de cette sainte cité de Sion ". » [1]

Le roi Philippe IV d'Espagne qui entretenait une correspondance nourrie avec la jeune femme apprit qu'elle rédigeait la vie de la Vierge sous Sa direction et lui demanda une copie lorsqu'elle l'eut terminée. La lecture l'enchanta et il garda précieusement l'ouvrage.

Mais la Divine Providence voulut elle-même authentifier ces mémoires : peu de temps après l'envoi du double du manuscrit à Philippe IV, le directeur spirituel de la nonne fut remplacé et le nouveau lui demanda de brûler les trois mille feuillets en lui expliquant qu'une femme d'Eglise « *n'avait pas à écrire* » ! Particulièrement humble et obéissante, Marie d'Agreda obtempéra et jeta le manuscrit au feu sans ciller. Ses interlocuteurs célestes lui avaient également demandé d'obéir aux ordres. Quelques semaines plus tard cependant, un autre confesseur lui ordonna de tout recommencer.

Sans discuter, le 8 décembre 1655, elle reprit la rédaction de ces mémoires qui lui étaient communiqués par Marie depuis le début. La seconde « édition » fût plus rapide que la première puisqu'elle ne prit « que » cinq ans. Achevée en mai 1660, le manuscrit fut immédiatement comparé au premier, jalousement gardé à la cour espagnole, ce qui fit dire au pape Benoît XIV qu'il s'agissait là d'un véritable

---

1. Page 336, in « La Cité mystique », op. c.

« *miracle car il n'existait aucune différence entre les deux, à cinq ans d'intervalle, puisque Marie de Jésus d'Agreda avait brûlé le premier* ». Ce détail ne m'inspire guère car elle aurait simplement pu garder une copie, mais quatre circonstances plaident en sa faveur : 1) Marie de Jésus n'eut pas à ses côtés un secrétaire chargé de noter ses visions et ses locutions comme Hildegarde von Bingen, Angela de Foligno et surtout Anne-Catherine Emmerich qui avait à sa disposition mieux qu'un greffier, un véritable écrivain en la personne de Clemens Brentano ; 2) à l'époque, la copie carbone et le photocopieur n'existaient pas ; 3) elle était sous surveillance permanente ; 4) une religieuse de cette pointure ne ment pas à son directeur spirituel. Faut-il le souligner, la publication des quatre volumes de la « Cité de Dieu » ne manqua pas de provoquer un scandale parmi les théologiens qui traitèrent Marie d'Agreda de folle mystique, d'usurpatrice et de faussaire. Son œuvre fut même mise à l'Index ! Mais petit à petit, les divers ordres religieux à l'exception des jansénistes, adoptèrent la « Cité » et finirent même par la vénérer comme un livre-culte.

Et comme si Dieu voulut Lui-même glisser son *nihil obstat* sur la page de garde de Sa Cité, deux ans après la mort de la religieuse espagnole (le 24 mai 1665), son corps fut découvert incorruptible, ce qui ne manqua pas d'impressionner la cour espagnole qui eut le sentiment d'avoir raté une nouvelle Thérèse d'Avila. Ce corps incorruptible laisse supposer qu'il s'agit bien d'une œuvre authentique, garantie par le mystère impénétrable de l'incorruptibilité.

Les visions angéliques de Marie d'Agreda sont innombrables et surtout interminables, et il me paraît difficile de les intégrer dans cet ouvrage. Le lecteur intéressé a plutôt intérêt à se procurer les trois ou quatre volumes[1] de la « Cité de Dieu ». Néanmoins, l'une de ses visions présente un intérêt parce qu'il s'agit de l'Annonciation. Pas l'Annonciation à Marie, mais l'autre, bien moins connue, de l'Archange Gabriel :

> « *La bienheureuse Marie arriva à l'âge de 67 ans. (...) Mais comme le terme de la carrière mortelle de notre grande Reine était inévitable, le*

---

1. Le nombre dépend de l'édition. On trouve aussi des versions « abrégées ».

décret de la glorification de la bienheureuse Mère fut (pour employer notre langage) rendu dans le divin consistoire, où fut considéré l'amour qui n'était dû qu'à elle seule. (...) En conséquence, la très sainte Trinité députa le saint Archange Gabriel avec plusieurs courtisans de hiérarchies célestes, afin qu'ils annonçassent à leur Reine quand et comment arriverait le terme de sa vie mortelle, et elle passerait à la vie éternelle. Le saint prince descendit avec les autres Anges (...) En entendant la musique céleste et en s'apercevant de la présence des saints Anges, elle se mit à genoux pour écouter le divin ambassadeur et ses compagnons, qui, revêtus de robes d'une blancheur éclatante. (...) (Gabriel) lui adressa d'abord la salutation de l'Ave Maria, et poursuivant, il lui dit : " Notre auguste Impératrice, le Tout-Puissant et le saint des saints nous envoie de sa cour avec ordre de vous annoncer de sa part la fin très heureuse de votre pèlerinage et de votre exil en la vie mortelle. Bientôt viendra le jour, divine Reine, bientôt viendra l'heure si désirée, où par le moyen de la mort naturelle vous obtiendrez la possession éternelle de la vie immortelle qui vous attend à la droite de votre très saint Fils, notre Dieu. Il ne vous reste plus dès aujourd'hui à vivre sur la terre que trois ans, après lesquels vous serez élevée et reçue en la joie éternelle du Seigneur "... » [1]

1. Pages 542-545, in « La Cité mystique », Vol. 3, op. c...

SAINTE CECILE
?-177

(Groupe II b, incorruptibilité, miracles, Anges)

ITALIE

> *Last night I saw a host of Angels*
> *And they all singing different songs*
> *And it sounded like a lot of lawnmowers*
> *Mowing down my lown*
> *And up above kerjillions of stars*
> *Spangled all over the sky*
> *And they were spirals turning*
> *Turning in the deep blue night*
> *And suddenly for no reason*
> *The way that Angels leave the ground*
> *They left in a kind of Vortex*
> *Travelling at the speed of sound.*

> Laurie Anderson – *Ramon* –
> in « Strange Angels »,
> Warner Bros records.

Autre apparition angélique aux effets franchement tragiques : celle de l'Ange gardien de Cécile, cette patricienne romaine de haut rang, chrétienne, qui voulait rester vierge même après son mariage pour devenir nonne. Certains prétendent que Cécile n'a jamais existé. D'autres s'en tiennent à la légende et aux informations datant du xvie siècle. L'histoire nous rapporte ainsi, que le soir des noces, elle a expliqué à son mari que s'il la touchait, son Ange serait très très fâché, objection que Valérian, le mari, demanda à voir. Cécile aurait accepté à la seule condition qu'il se convertisse. On l'imagine, le baptême fut expédié dans les plus brefs délais et chose promise, chose due, l'Ange gardien lui apparut ainsi qu'à son frère, Tiburtius. Celui-ci se convertit aussitôt après, Valérian fit une croix sur les plaisirs charnels et tous trois passèrent leurs journées à enterrer les corps des martyrs chrétiens, assez nombreux à cette époque (Cécile serait morte en l'an 177). Les deux hommes se retrouvèrent devant le préfet Almachius qui les condamna à mort. Cécile enterra leurs corps et se retrouva à son tour devant le préfet, qui, compte tenu de son rang, voulut une exécution discrète et la condamnât à mourir élégamment, par suffocation chez elle, dans ses bains à vapeur. Après un jour et une nuit, le bourreau se rendit sur les lieux pour le coup de grâce, mais attendri, rata trois fois de suite le coup qui devait trancher la tête de la jeune fille. Elle resta là, la tête à demi détachée du tronc et mourut après trois jours d'agonie. La maison aurait été transformée en église (devenue la basilique Sainte-Cécile) et Cécile enterrée dans la position exacte de sa mort dans les catacombes de Saint-Callistus. En 822, le pape Pascal Ier retrouvait son corps dans la basilique et lui donnait une sépulture décente. Et c'est en 1599, à l'initiative du cardinal Sfondrato qui voulut restaurer le monument, que les ouvriers découvrirent, le 20 octobre, deux sarcophages en marbre, correspondant aux descriptions du pape Pascal Ier. Le pape Clément VIII, atteint par la goutte, ne put se rendre sur les lieux et envoya son cardinal Baronius pour le procès-verbal. Le corps de Cécile semblait ne pas avoir bougé d'un centimètre depuis sa mort et il fut décidé d'un commun accord de le placer à endroit bien visible dans la basilique et de l'exposer jusqu'au 22 novembre, jour de sa fête. La foule vint en si grand nombre que le pape fut obligé d'appeler les gardes suisses pour maintenir la masse, enthousiaste, sans doute prête, elle aussi, à arracher des reliques. Après cette exposition qui dura un mois, en présence du corps diplomatique et de 42 cardinaux, le pape célébra une messe en sa mémoire, après quoi le cercueil fut enterré derrière l'autel. Le sculpteur Stefano Madreno immortalisa de son ciseau la posture mortelle de la sainte d'après le cadavre intact. Légende ? Compte tenu des faits plus que surnaturels des divers saints précédents, on peut accorder le bénéfice du doute à Sainte Cécile, devenue patronne des musiciens parce qu'elle a préféré, pendant son mariage, écouter la voix de l'Ange plutôt que la mélodie nuptiale.

Chapitre 12

Visionnaires et Anges (III)

I must be hallucinating
Watching Angels celebrating
Could this be reactivating
All my senses dislocating?
This must be a strange deception
By celestial intervention
Leavin me the recollection
Of your heavenly connection.

Eurythmics
– *There must be an Angel* –
in « Be yourself tonight »,
RCA Records.

Tous les mystiques ne nous ont pas laissé de témoignages sur les Anges, comme par exemple Julienne de Norwich (1342-1416) dont le théologien Thomas Merton, comme s'il s'agissait d'un saint paquet de lessive, a dit : « *Si, jadis, j'étais fou de Saint-Jean-de-la-Croix, je ne la substituerais pas aujourd'hui à Julienne, même en échange du monde ou des Indes ou de tous les mystiques espagnols en un seul lot.* »[1] A la lecture de Julienne de Norwich, je me suis dit que je l'échangerais sans problèmes contre Catherine de Sienne ou Thérèse Neumann ; mais tout n'est qu'une question de goût. Ou de passion. Que l'on se rassure, les mystiques sans stigmates et « corruptibles » nous ont légué des véritables trésors du domaine des visions angéliques.

1. In « Le Livre des révélations », Ed. Cerf, pages 7-8.

359

Comme d'habitude, les femmes sont en majorité et on ne peut que s'étonner de leur obstination à mettre sur parchemin, par ordre de Dieu, leurs visions. En ces temps obscurs, elles n'avaient pourtant nul droit de s'exprimer et encore moins celui d'écrire. « *Tout se passe* » note Jean-Noël Vuarnet » *comme si l'écriture étant, en ce Moyen Age, interdite aux femmes et réservée aux hommes, il avait fallu toutes ces autorisations humaines et surnaturelles pour qu'elles deviennent écrivains, comme si le geste d'écrire lui-même n'avait pu avoir lieu pour elles que dans une transe ou dans une extase — afin qu'en aucun cas elles ne puissent en être dites responsables ou coupables. Les premières femmes écrivains furent des extatiques. Ruses de l'extase. L'extase comme sortie : sortir du monde, mais aussi sortir, au nom du Père, de la rhétorique des théologiens et des Pères. (...) Pas de Virginia Woolf, pas d'Emily Brontë sans une antécédente d'Elisabeth* »[1].

A ces époques où la femme ne pouvait assister à la messe pendant sa « période d'impureté », on apprécie d'autant mieux l'obstination dont ont fait preuve Hildegarde et ses émules pour publier les visions de leurs extases. Elles brandissaient comme garantie le nom de Dieu, un peu comme Jeanne d'Arc, qui, arrivant de nulle part, mais ayant entendu la voix d'un Ange, réussit à convaincre le Dauphin de lui donner une armée. Ainsi, au Moyen Age, seules les favorites du Très-Haut ont pu laisser leur trace dans notre Histoire. Et même au XVIIe siècle, Marie d'Agreda ne fût-elle pas obligée de faire brûler ses trois mille pages de manuscrit par son confesseur parce qu'une « *femme d'Eglise n'avait pas à écrire* » ?

Aujourd'hui, cette race de mystiques a parfaitement survécu. Elle s'est même modernisée et nous offre des personnages fascinants. Marie Valtorta posait devant les photographes, Yvonne-Aimée Malestroit[2] fut décorée de la médaille de la liberté américaine ; Jean-

---

1. In « Extases féminines », pages 42-43.
2. Religieuse française dont les « exploits » (il n'y a pas d'autre mot) furent tellement incroyables que l'Eglise interdit d'en parler à l'époque. Le général de Gaulle lui remit personnellement la Légion d'honneur qui s'ajouta à la Croix de guerre avec palmes, la King's medal, la médaille de la résistance et la Medal of Freedom américaine. Mère Yvonne-Aimée biloquait et apparaissait dans les camps de concentration pour aider les prisonniers à s'évader ou bien allait chercher des hosties profanées. Elle échappa même de manière surnaturelle à la Gestapo qui

Edouard Lamy faisait du vélo ; sœur Faustina Kowalska prenait le train ; Gemma Galgani lévitait devant son directeur spirituel.

A croire que lorsque une âme plaît à Dieu, Il décide de l'épouser afin de la rendre immortelle. La liste des épouses du Christ est longue. Jean-Noël Vuarnet raconte dans son ouvrage « Extases féminines »[1] que le 8 septembre 1979, alors qu'il se trouvait à Rome, il entendit lui aussi une voix (c'est contagieux !) : « *Voici les noms de celles qui m'ont aimé le plus. Elles sont mortes, mais dans mon cœur, elles vivent, et dans un jardin plus beau que tous les jardins terrestres* », accompagnée d'une vision : « *Je vis ensuite une cathédrale* » raconte-t-il, « *dans laquelle elles étaient toutes réunies. Dans le chœur, sous le manteau bleu de la Vierge, elles chantaient. Elles étaient là les Epouses et les Fiancées, et si blanches, et si fleuries, si attentives qu'elles semblaient plus nombreuses encore. (...) Les robes sombres des carmélites, les robes brunes des franciscaines, les robes blanches des dominicaines. Toutes, elles chantaient. Toutes, elles attendaient Celui qu'on leur avait promis.* »

La vision (incomplète puisqu'il manque la sublime Galgani) de notre universitaire me rappelle le concert du groupe rock australien INXS : les filles, rassemblées comme des abeilles devant la scène, attendant l'arrivée du chanteur blond pour se déchaîner : « *Et j'entendis* », poursuit Vuarnet « *sa voix qui disait : " Voici celles qui m'ont aimé le plus et que j'aimais bien davantage. Elles sont mortes, mais maintenant je viens à l'appel des noces que je leur ai promises... ". Et les saintes, déesses jalouses, se bousculaient au pied de l'autel et criaient comme des oiseaux. Dans les gradins, les nonnes criaient aussi. Elles déchiraient leur robes et tendaient les mains vers lui.* »[2]

Il ne reste qu'à s'incliner humblement devant les mémoires de ces épouses qui, même lorsqu'elles n'étaient pas marquées par le sceau

---

l'avait arrêtée à Paris. On se reportera avec intérêt à l'ouvrage « Bilocations de mère Yvonne-Aimée » (ŒIL 1990, Paris). Yvonne-Aimée de Malestroit et Marie d'Agreda représentent les deux cas les mieux documentés de bilocation dans l'histoire des mystiques.

1. Pages 188-190, op.c.
2. In « Extases féminines », op.c.

divin de l'incorruptibilité ou signées par les stigmates, réussissaient à parvenir jusqu'à nous en traversant des siècles d'édition. Le fait en soi est déjà assez surprenant. Les mémoires des « Maîtres » de l'Académie française, malgré leurs ouvrages « immortels, » ne survivent même pas... En revanche, l'œuvre — 1 500 pages — de sainte Brigitte de Suède (1303-1373), celle — quatre volumes — de sœur Jeanne de la Nativité (1731-1798) ou celle — cinq volumes regroupant 3 500 pages — de Maria Valtorta (1897-1961), à qui personne ne disait « Maître », sont régulièrement rééditées. La sœur de la Nativité a confié un jour à son directeur de conscience, l'abbé Genêt : « *Dieu me fit voir, quoique confusément, que ce petit ouvrage qui est le Sien, doit être un jour reçu chez plus d'une nation et dans plus d'un royaume. Il doit suivre jusqu'à la fin le flambeau de la foi, avec ceux qui marcheront à sa lumière, sans que je puisse voir où il doit s'arrêter. Il sera lu jusqu'au dernier siècle du monde et jusqu'aux derniers temps de l'Eglise de Jésus Christ.* »[1] En clair, si vous voulez écrire une œuvre immortelle, vous avez plutôt intérêt à avoir Dieu Lui-même comme agent. Mais Claudel, Bossuet, Fénelon, Racine, Pascal et bien d'autres ne récitaient-ils pas le chapelet ?

Que penser aussi de ce brave curé de campagne français Jean-Edouard Lamy (1853-1931) qui n'a rien écrit, mais dont la mémoire survit au plus prolifique des académiciens « immortels » de son époque ? Les écrivains et la mémoire de certains hommes de Dieu survivent bien mieux que n'importe quel prix Goncourt ou Pulitzer. Et chez eux, les Anges sont quasiment incontournables.

1. In « Vie et visions de sœur de la Nativité », page 3, Ed. Résiac.

VASSULA RYDEN
1942-/

(Groupe III, visionnaires, Anges)

SUISSE

10.000 Angels are flying overhead
Circling the ceiling reaching down onto my bed
I said, « Come to me I really want you,
Come to me because I need you now,
Come to me I really want you,
Come to me I will go anywhere with you »
I rode my bicycle too fast and I fell down
A lot of people saw me fall onto the ground
I was embarrassed see my face turning red
I heard the Angels laughing way above my head.

Eddie Brickell & New Bohemians,
– 10.000 Angels –
in « Ghost of a dog », Geffen Records.

Le cas de la Suissesse (et orthodoxe) Vassula Ryden nous intéresse au plus haut point. Avec les personnages examinés précédemment, on garde toujours ce sentiment de passé et l'on se dit que ce genre de choses n'arrive plus de nos jours. Vassula Ryden, une « mystique » moderne, résume à elle seule cette puissance invisible qui s'empare à l'improviste d'une âme anonyme pour la transformer. « *Voici une femme qui, pendant près de 30 ans, ne se soucie guère de Dieu* » note Patrick de Laubier dans la préface de « La vraie vie en Dieu »[1] « *et se trouve soudainement interpellée en pleine prospérité mondaine par un Ange qui prépare, trois mois durant, l'intervention directe du Christ à*

1. Ed. ŒIL, 1990, Paris.

363

travers la rédaction de cahiers, accompagnée de visions et de présences surnaturelles presque permanentes. » En effet, épouse d'un fonctionnaire international, Vassula suit la carrière de son mari et se promène de pays en pays pour atterrir finalement en 1987 en Suisse. Vassula n'était pas une bigote, ce serait même le contraire : elle vivait comme une femme de diplomate, la semaine constellée d'invitations mondaines, de cocktails et de dîners dans les « hautes sphères » [1]. En clair, elle vivait comme la majorité d'entre nous, dans l'insouciance la plus complète. La religion ne l'intéressait pas et elle n'allait jamais à la messe, sauf par obligation sociale pour les mariages ou les décès. Rien de bien extraordinaire ou de bien tragique.

Pourtant, un jour de novembre 1985 alors qu'elle vivait encore au Bengladesh, en rédigeant bêtement une liste de commissions, elle sentit dans son corps « *comme une vibration surnaturelle* » et sa main devint indépendante comme celle de cette capucine anonyme de Turin, soudain contrôlée par son Ange gardien. Le père René Laurentin lui posera la question « *comment saviez-vous que c'était votre Ange ?* » Réponse de Vassula : « *Parce qu'il a écrit par ma main en anglais « je suis ton Ange gardien ». Il s'appelle Daniel* [2]. »

L'écriture automatique est un phénomène assez fréquent dans les révélations privées et d'innombrables études extrêmement sérieuses sont disponibles sur le sujet. Précisons simplement que les diverses analyses graphologiques effectuées de l'écriture normale de Vassula et l' « autre » confirment que « *le sujet est imprégné d'une force qui la dépasse* ». Le graphologue ne parlait pas l'anglais et n'avait aucune idée de ce dont il s'agissait. Par ailleurs, même s'il avait pratiqué l'anglais, il n'aurait lu que le contenu d'une lettre d'amour. L'Ange dessinait aussi et l'une de ses « œuvres » fût reprise pour la couverture du livre. Ce dessin est intéressant car il illustre bien la différence qui existe entre un Ange et son protégé : Daniel tient Vassula dans ses mains et, proportionnellement, le rapport entre les tailles est celui

1. Expression de Patrick de Laubier.
2. A ceux qui se demandent « pourquoi pas Maurice, Léon ou Nestor ? », la réponse est toute simple : les noms d'Anges se terminent le plus souvent par — el (prononcer « aile ») comme Michael, Muriel, Gabriel, Uriel ou... Marcel, quoique Gustav Davidson n'ait pas trouvé d'Ange qui s'appelle Marcel.

d'un enfant de cinq ans dans les bras d'un adulte. « *L'Ange me prépara pendant trois mois* » expliqua Vassula. Autant entretenait-elle des rapports familiers avec son Ange gardien, autant était-elle intimidée par le Christ : « *Le jour où Il a pris la place de l'Ange sans que je le sache, Il m'a dit : " Voilà, c'est comme ça que tu dois être, intime avec Moi ".* » Petit à petit, le Christ allait l'éduquer, lui donner des visions, la promener dans son royaume et il curieux de constater que si huit siècles séparent Vassula Ryden de Hildegarde von Bingen, le contenu est toujours similaire.

Le fait que Vassula Ryden ait rencontré son Ange m'avait, on s'en doute, intrigué au plus haut point. Après divers coups de fil en Europe, je finis par obtenir son numéro de téléphone. Aussitôt je le composai et tombai sur une voix au timbre grave. Elle me dit « *je serai aux Etats-Unis dans une semaine, à Tulsa où je suis invitée pour une conférence* ». Rendez-vous fut pris. Je voulais rencontrer l'émule de Anne-Marie Taïgi[1]. Une semaine plus tard à Tulsa, je decouvris une femme avec la tête sur les épaules qui m'expliqua avec beaucoup d'humour qu'elle aussi était naguère prodigieusement agacée par le côté doloriste des « cathos ». Mais, ajouta-t-elle, « *Il m'a progressivement fait comprendre que c'était une nécessité, une obligation si on veut L'aimer* ». J'objectai : « *Vous n'avez pas l'impression que du point de vue marketing, le slogan « VENEZ A MOI, VOUS ALLEZ SOUF-FRIR » n'est pas des meilleurs pour attirer des clients ?* » Elle éclata de rire et répondit simplement « *est-ce que j'ai l'air d'une martyre ?* ».

Non, elle semblait plutôt sereine, resplendissant une certaine « force tranquille » ; le ciel aurait pu lui tomber sur la tête sans lui provoquer un seul battement de cils. Elle affiche cette certitude absolue que peu de prêtres possèdent. Un ami journaliste me fit

---

1. Visionnaire italienne (1769-1837), mariée, mère de sept enfants, épouse du Christ, réputée à l'époque pour son don de vision à distance. Elle voyait l'avenir avec tant que clarté que même les papes Léon XII et Grégoire XVI la consultaient en permanence pour leurs affaires. Si son cas est largement documenté — elle fut béatifiée en 1920 —, je crois que Anne-Marie Taïgi est la seule qui répondit un jour au Christ, épuisée par les extases : « *Seigneur, laissez-moi, je n'en peux plus. Pourquoi n'allez-Vous pas chercher une jeune vierge au lieu de vous acharner sur une femme âgée ? Laissez-moi travailler* » ! ! ! Son corps fut découvert incorruptible lors du procès en béatification.

remarquer pourtant qu'il y avait beaucoup de gens, principalement dans les asiles psychiatriques, qui affirment dialoguer avec Dieu. C'était vrai, et je me demandai comment elle avait pu franchir sans encombre tous les obstacles inévitables, réservés à ceux qui se vantent d'un tel privilège. La réponse est simple : le célèbre René Laurentin l'avait adoubée. Et c'est là que je découvris l'importance de ce prêtre français qui a autant d'humour qu'une porte de confessionnal. C'est malgré tout une sommité internationale, respectée dans le monde entier, car il est aux apparitions mariales ce que Jacques Cousteau est aux profondeurs des océans. D'ailleurs les deux hommes se ressemblent physiquement : même implantation de cheveux, même regard d'acier impersonnel, même forme du visage, même façon de s'habiller en « civil ». Il n'y a pas d'apparition de la Vierge dans le monde sans que René Laurentin ne soit dans les parages en train d'enquêter, tel un Sherlock Holmes, examinant, pesant, comparant, scrutant à la loupe les témoignages. S'il donne un avis positif, l'apparition, même sans avoir encore reçu la bénédiction des autorités religieuses locales, est presque aussitôt validée par son approbation. On pourrait dire qu'il s'agit d'un expert ès apparition de la Vierge Marie auprès du tribunal des phénomènes surnaturels. Et René Laurentin est un allié précieux de Marie : elle a certainement dû le prendre en affection à force de le voir constamment sur ses talons, un peu comme les célébrités qui, voyant le même journaliste partout où elles se rendent, finissent par nouer des liens cordiaux. Bref, René Laurentin, constitue un point de repère, un peu comme un critique de cinéma. C'est lui qui, par sa préface, a « lancé » Vassula Ryden.

Alors j'ai voulu en savoir plus, principalement sur sa rencontre avec son Ange gardien dont elle ne parle pas dans son livre et surtout pourquoi elle a été choisie. Pourquoi elle, qui n'avait pas mis les pieds dans une Eglise en trente ans, au lieu d'une personne qui Le prie tous les jours ? Sa réponse fut désarmante : « *A cause de ma misère, de ma pauvreté. Il m'a dit " tu es misérable ".* »

Je n'étais pas certain de bien comprendre le terme « misérable » :

— *Qu'est-ce qu'Il entend par misérable dans votre cas ?*

— *J'étais une athée presque. Je dis « presque » parce que je croyais en Dieu mais je ne priais jamais, je n'allais jamais à la messe. Et puis soudain Il m'a prise comme cela, dans mon manque complet de spiritualité et m'a totalement transformée. Il m'a déclaré « Je ne viens pas seulement pour des justes mais aussi pour ceux qui sont en dehors ». Il veut montrer sa puissance, prouver qu'Il peut transformer quelqu'un à partir de rien et lui donner en plus une mission. C'est Lui qui m'ouvre les portes, vous savez ? Moi, je ne suis que Son stylo si vous voulez, comme Il me le dit régulièrement : " tu es Ma tablette " ».*

— *Vous écrivez toujours en « automatique » ?*

Vassula me foudroie du regard.

— *D'abord ce n'est pas « automatique ». Ecriture automatique signifie que la personne attend que sa main bouge. Ce n'est pas ça avec moi, c'est même totalement différent : dès que j'entends Sa voix, je note ses paroles. C'est seulement l'écriture qui change. Ensuite, ces messages ont un sens, il y a une suite, un enseignement et une théologie.*

— *Que dites-vous aux gens qui vous demandent des preuves de l'authenticité de votre relation avec le Christ ?*

— *Des preuves ? Il n'y aura jamais de preuve concrète. C'est comme avec la mort de Jésus. Les gens voulaient des preuves de sa résurrection. De toute façon les gens qui me demandent des preuves ne viennent pas à mes conférences parce qu'ils n'y croient pas. Et personne ne m'a jamais demandé de « miracle ». On ne m'a pas demandé de prouver que c'est bien Jésus. Jamais.*

Nous étions en train de manger. Elle goûte avec méfiance les « french fries » de l'Oklahoma. Je me demandai si elle avait des adversaires.

— *Vous avez été attaquée par des prêtres ?*

Elle fait la moue.

— *Oui, oui. J'ai eu quelques attaques menées par des prêtres et aussi des laïcs. Ils m'accusent d'être un faux prophète. Je ne dis rien. Je laisse, parce que Jésus m'a enseigné qu'Il est le maître de tout. C'est Lui qui m'a confié cette mission, je n'ai pas vraiment choisi. C'est Lui qui se charge de me défendre et de me protéger et cela fonctionne très bien ainsi. Je n'y attache aucune importance.*

— *Que pensez-vous des gens qui disent avoir vu et parlé avec le Christ lors d'une expérience aux frontières de la mort ?*

— *Je crois qu'ils disent la vérité et qu'il s'agit d'expériences réelles. Ces gens n'ont aucune raison de mentir, de raconter des histoires. Ils ne* peuvent pas inventer ce genre de choses. Et s'ils reviennent, c'est parce qu'ils ont leur témoignage à transmettre.

— C'est une réalité toute proche ou lointaine ?

— Le monde invisible est bien plus matériel que le nôtre. C'est une réalité plus réelle que la réalité si j'ose dire. On ne s'en aperçoit pas ici parce que nous sommes dans le physique, mais le monde invisible est infiniment plus riche que celui-ci. Il faut donc croire qu'il existe une vie après et que celle-ci n'est qu'un prélude, un pèlerinage sur la terre en préparation de la vie éternelle. Vous savez, on ne perd vraiment rien en s'approchant de Dieu. En revanche, on perd beaucoup en L'ignorant.

Puisqu'elle dialoguait avec le Christ, je m'aventurai sur la souffrance :

— C'est quoi le but de la souffrance dans l'Eglise catholique ?

Elle rit comme s'il s'agissait d'un immense malentendu.

— Moi aussi j'étais contre, je trouvais ça « macho ». Cela me dépassait. Mais après, plus je Le découvrais et plus je comprenais la raison de la souffrance et Sa souffrance. La souffrance est divine. Je dirais même plus, la mortification plaît à Dieu. On ne comprendra jamais ce point et on le combattra même, tant qu'on n'aimera pas Dieu comme il faut L'aimer. Il faut L'aimer prodigieusement pour arriver à comprendre la souffrance, pourquoi Jésus a tellement souffert et pourquoi Il veut des âmes victimes. Pour être très simple : actuellement il y a beaucoup d'athées et surtout des gens qui refusent Dieu et qui ne changeront pas, même au moment de leur mort, et qui tomberont dans ce que l'on appelle enfer. J'ai vu ce qu'était l'enfer en vision. Cela existe. C'est pour cela que Jésus demande des âmes généreuses, et c'est pour cela que je Lui dis maintenant « Fais-moi souffrir si Tu veux, si cela peut « payer » le rachat d'autres âmes qui tomberont ». Alors on s'offre en victime. Mais Il faut s'aimer suffisamment pour s'offrir en rachat d'autres âmes. C'est ça souffrir. Mais il y a aussi la joie et si l'on ne connaît pas la joie dans cette souffrance, alors elle ne vient pas de Dieu. Je peux vous le dire, j'ai mis beaucoup de temps avant de comprendre et on ne peut le comprendre qu'en acceptant l'idée qu'Il a souffert pour nous sur la croix.

Le sujet me mettait toujours mal à l'aise. Je voulus en changer.

— Racontez-moi la rencontre avec votre Ange gardien. Vous croyiez aux Anges à l'époque ?

— *Oh oui, vous savez à l'époque si on m'avait dit que la lune était rose, je l'aurais cru sans trop de problèmes. J'étais ouverte à tout. On disait qu'on avait un Ange gardien alors je croyais que j'avais un Ange mais bon, cela ne me passionnait pas plus, comme tout le monde. Il a fallu ce jour de novembre 1985 pour que je m'y intéresse. J'écrivais une liste de courses à faire lorsque je sentis une vibration dans mon corps. C'était comme si le crayon voulait écrire tout seul. Je me suis laissé faire et il a dessiné une rose sortant d'un cœur. Ensuite il a écrit : « Je suis ton Ange gardien et je m'appelle Daniel. » J'étais étonnée mais en même temps je me disais « pourquoi pas, eh ? ». Puis je compris qu'avant même de lui poser ma question, il répondait. Plus tard j'ai demandé à mon Ange pourquoi j'entendais sa voix et il me dit « mais parce que je parle, donc tu m'entends ». Je ne connaissais pas encore le mot locution. Après, je l'ai vu. Il m'avait demandé « discerne-moi et regarde-moi » et je le vis intérieurement. Nous nous sommes beaucoup amusés dans ces échanges. Un jour, je lui avais demandé de me dessiner quelque chose et tout ce qu'il trouva à crayonner, c'était des églises et des cathédrales,* (elle rit). *Au début de cette histoire, je pensais être la seule au monde à parler avec mon Ange gardien car je ne savais pas qu'il existait ce que l'on appelle des « révélations privées ».*

— *A quoi ressemble-t-il ?*

— *Vous savez, les Anges diffèrent entre eux. Catherine Labouré voyait l'Ange sous les traits d'un enfant de 5 ans. Chacun sa représentation si je puis dire. Je vois mon Ange comme un être humain : il possède la forme d'un être humain et il porte toujours quelque chose comme une dalmatique, une petite cape, comme du brocart argenté. Sa peau est mate. Ses cheveux descendent jusqu'aux épaules. Un Ange est extrêmement sensible. Quelquefois, je vois un autre Ange à côté de lui, immense, deux mètres, bien proportionné, avec une robe blanche lumineuse et des ailes blanches. Très très lumineux.*

— *Et l'Archange Michael ?*

— *C'est une immense lumière brillante. C'est tout.*

— *Quel est le rôle de l'Ange ?*

— *Le Christ m'avait dit, c'est dans le cahier 48, « Je t'ai donné un Ange pour te garder, te consoler et te guider ». Et mon Ange me demanda un jour « sais-tu qui était présent le jour de ta naissance ? ».*

Ma réponse allait de soi : ma mère, le médecin, la sage-femme, pas mon père parce qu'à l'époque on n'autorisait pas les hommes à assister à l'accouchement. L'Ange ajouta : « Moi aussi. » Il est avec moi depuis le début. Alors je lui ai demandé s'il m'avait choisie. « Non, c'est Lui » me répondit-il. Les Anges sont des serviteurs de Dieu avant tout. Ils doivent nous protéger et nous amener aussi près de Dieu que possible. (Vassula s'arrête un instant, puis elle reprend). *Une fois j'ai surpris mon Ange disant : « Oh Dieu », se lamentait-il un peu, « laissez-la vous suivre. » Je lui demandai ce qu'il faisait et sa réponse, boudeuse, fut « je prie ». « Mais pour qui ? », « Pour toi » me dit-il.*

Elle s'arrête à nouveau, pensive et me regarde.

— *Mon Ange m'a offert des fleurs, vous savez ça ?*

J'avouai mon ignorance.

— *Un jour il m'a offert un bouquet de vraies fleurs. J'étais de passage au Pakistan où j'attendais un avion qui devait me ramener en Suisse. Je passais ma journée à l'hôtel en attendant l'avion lorsqu'il me dit « tu sais, c'est bientôt Noël et je vais t'offrir un cadeau, je vais t'offrir des fleurs ». J'étais étonnée : « des vraies fleurs, pas des fleurs spirituelles ? », « Oui, des vraies, tu verras. » Je l'écoutais surprise et je me demandai comment j'allais savoir que cela venait bien de lui. « Je vais les signer, tu verras ma signature » m'affirma-t-il. Quelques heures plus tard, dans la soirée, je descends au restaurant pour dîner. J'étais seule dans la salle. Alors que je terminais mon dîner, un homme en uniforme de l'hôtel s'approcha de moi sans rien dire et je pensai qu'il m'apportait la note à signer. Il me prit la main et y plaça une guirlande de roses rouges pakistanaises. Il fit demi-tour et repartit toujours sans avoir prononcé un mot. J'ai tout de suite pensé aux roses. Instinctivement, j'ai senti le bouquet et au même moment je vis les fils argentés de ce que l'on appelle en anglais « Angel's hair », s'agiter doucement devant mes yeux. C'était sa signature. C'était très beau ; je les ai encore, je les avais séchées.*

— *Comment vivez-vous maintenant ?*

— *Je me laisse porter par la vague. Je ne me bats plus contre le courant, parce que j'ai appris que cela ne servait à rien. Par ailleurs, Jésus m'a dit que je devais toujours le consulter avant de prendre une décision. Alors je prie et je m'en remets à Lui.*

— *Est-ce que vous recevez des lettres de lecteurs qui vous demandent de Lui poser des questions personnelles ?*

— *Oui, mais je ne réponds pas. Je ne demande pas, ce n'est pas ma mission.*

— *Pourquoi ce titre « La vraie vie en Dieu ? »*

— *C'est Lui qui l'a choisi.*

— *Qu'avez-vous appris avec votre expérience angélique ?*

— *Qu'il ne faut pas prier les Anges seulement pour leur demander de trouver des places de parking. Il faut vraiment les mettre au travail et les remercier. Mais surtout, lors d'un entretien difficile, ne pas oublier, jamais, d'envoyer votre Ange à l'Ange gardien de votre interlocuteur. Cela évite bien des problèmes et arrange bien des situations. Et cela fonctionne toujours.*

KATSUKO SASAGAWA
1931-/

(Groupe III, visionnaires, miracles, Anges)

JAPON

> *I'm Seeing My Way;*
> *For the first time in years;*
> *When the Love around*
> *Begins to suffer*
> *And you can't find Love,*
> *In one, in another;*
> *Push away those bitter tears.*
>
> INXS – *Bitter Tears* – in « X »,
> Atlantic Records.

Qui aurait imaginé que le pays des microprocesseurs à haute intégration, de l'électronique et surtout du bouddhisme serait le berceau de l'histoire d'Ange gardien, la plus étonnante de nos jours car quoi de plus difficile que d'authentifier un « miracle » au Japon ? On trouve autant de catholiques sur cette île que de mormons en France ou en Italie. Compte tenu de ce qui va suivre, on ne peut que s'incliner (une courbette) devant le Très-Haut à qui rien n'est impossible, y compris de se faire entendre au pays de l'électronique miniature : pas moins de vingt millions de téléspectateurs japonais ont assisté en direct aux lacrymations de la statue de Marie. Et, au pays des bouddhistes et des shintoïstes, inutile de souligner qu'il s'agit d'un événement dépassant de très loin le miracle « classique » européen.

Mieux, à Akita, nous avons un mélange de Catherine Labouré, de Jacinta Marto et de Gemma Galgani : stigmates, révélations, Anges à ne plus savoir où se mettre, lumière type NDE, apparition de Marie et statue qui pleure à chaudes larmes. Examens, contre-examens, détectives privés, commission d'enquête japonaise, commission de contre-enquête épiscopale, analyses universitaires, contre-analyses, rayons X, spectrographes, députés, médecins et, en finale, les « détectives » du Vatican. Tous furent obligés de se rendre à l'évidence, contre leur gré : ce qui se passait à Akita relevait bien du domaine surnaturel, illustrant parfaitement la déclaration du père Jacques Fournier au magasine « Times » de septembre 1991 : « *Les apparitions de Marie embarrassent les prêtres depuis Vatican II* . » Eh oui ! Tous les prêtres n'aiment pas que leur Dieu vienne se mêler de leurs affaires.

Tout a commencé à 200 km au nord-ouest de Tokyo, dans le Tohoku, dans une banlieue de la ville d'Akita, comme d'habitude au milieu de nulle part, au sommet d'une colline anonyme où s'était installée une communauté religieuse composée d'une vingtaine de sœurs. Ce couvent de Yuzawadai n'avait de religieux que le but puisqu'à cette époque, le Vatican n'en connaissait même pas l'existence. Soulignons-le, ces femmes n'avaient pas la tâche facile : le voisinage n'hésitait pas à colporter les rumeurs les plus douteuses à leur sujet. Une communauté de femmes vivant ensemble, au nom d'une religion de « barbares » ne pouvait qu'attirer la suspicion. Pourtant, et comme toujours, c'est par une femme, Katsuko Sasagawa, que le Japon se retrouva au centre d'une affaire qui allait remuer le pays. Et pourtant Katsuko est dix fois plus timide et effacée que n'importe quelle nonne italienne, puisqu'elle est... japonaise. Elle parle avec tant de douceur qu'un papillon pourrait se poser sur ses lèvres sans être dérangé. Le son de sa voix ressemble au froissement léger d'un papier de soie : mélodieux, duveté, comme hors du temps : chaque mot prononcé est comme une plume se balançant lentement dans l'air, venant s'accrocher à votre oreille. C'est une mystique. Une vraie, dans la pure tradition des contemplatives. Mais avec son passé bouddhiste, la sérénité de Katsuko Sasagawa ferait passer n'importe quelle contemplative française ou italienne pour une danseuse de rock, tant ses gestes reflètent la légèreté d'un oiseau et ses traits la sérénité d'un moine zen. On n'efface pas d'un coup d'eau bénite des générations de soumission féminine nipponne et de contemplation bouddhiste.

Ensuite, elle est belle. Ce n'est pas Gemma Galgani ou Eve Lavalliere, mais elle possède cette beauté qui, lorsqu'on l'observe, vous emplit d'une quiétude et d'une paix surnaturelles. Etonnant. A l'examen de la vie de sœur Sasagawa, on découvre une étrange similitude avec l'enfance (prédestinée) des stigmatisées : malade depuis sa prime jeunesse, trimbalée d'hôpital en hôpital sans que l'on sache très bien de quoi elle souffre, parents inquiets, etc. A l'âge de 19 ans, un médecin l'opère de l'appendicite, mais le chirurgien abîme des nerfs et la voici paralysée. De nouveau, elle passe d'hôpital en hôpital et d'opérations en opérations. Au cours d'une convalescence à Myoko, elle rencontre une infirmière japonaise qui la prend en amitié et lui donne des livres à lire sur le christianisme. Au fond de son lit, la sœur n'a que cela à faire, lire. En 1969, elle est séduite et décide de se convertir. Mieux, elle se sent attirée par ce Dieu barbare qui aime tout le monde. Guérie momentanément, Katsuko informe ses parents qu'elle désire devenir religieuse catholique. Le choc dans la famille, bouddhiste depuis des siècles, est rude. Mais tout s'arrange, ils la laissent partir. D'ailleurs quel mari japonais voudrait d'une épouse constamment malade ? Katsuko Sasagawa se convertit et devient sœur Agnès Sasagawa.

A peine entre-t-elle dans la communauté des sœurs de Junshin de Nagasaki, qu'elle s'effondre. Retour à la case départ, la clinique de Myoko. Quatre jours de coma et ce que le Dr Moody appellerait une expérience aux frontières de la mort. Un prêtre lui donna même l'onction. Mais sœur Agnès se souvient du « rêve » : « *Dans une place qui semblait être un champ, j'ai vu une personne magnifique. D'un mouvement de la main, elle m'invita à m'approcher d'elle. Mais j'en ai été empêchée par des personnes, maigres comme des squelettes, qui m'ont agrippée. Regardant plus loin, je vis d'autres personnes se battre entre elles pour essayer d'atteindre des niveaux d'eau pure, mais, les uns après les autres, elles retombaient dans une rivière d'eau sale. Remplie de compassion pour ces pauvres gens, je me mis à prier le rosaire. Soudain, je remarquai sur le côté droit de mon lit une personne gracieuse que je ne connaissais pas et qui commença à prier le rosaire avec moi. Après la première décade, elle ajouta une modification, une prière que je ne connaissais pas et qu'elle me demanda d'ajouter désormais après chaque décade.*[1] » Elle sort de son coma. Les sœurs de Nagasaki qui vivent d'amour (divin) et d'eau fraîche lui envoient justement de l'eau de Lourdes ! Elle la boit avec beaucoup de difficultés, mais l'effet est immédiat : elle se rétablit peu après. La modification indiquée par cette « *personne gracieuse* », est la décade de Fatima, c'est-à-dire la prière que l'Ange avait enseignée à Jacinta Marto. On peut dire que comme à Fatima, à Garabandal et rue du Bac à Paris, l'Ange venait pour la préparer, bien que l'événement majeur ne se déroula que six ans plus tard.

Agnès Sasagawa quitte les sœurs de Nagasaki et s'installe dans une cellule minuscule du couvent des « Servantes de l'Eucharistie ». Elle se sent bien et pour une fois, elle n'est plus torturée par diverses maladies. En janvier 1973, elle remarque cependant que ses oreilles commencent à lui jouer des tours et que ses tympans ne réagissent plus comme avant. Le vendredi 16 mars 73, le téléphone sonne. Elle décroche le combiné et dit « moshi-moshi ». Mais elle n'entend ni le correspondant, ni le bruit du téléphone qu'elle raccroche. Sœur Agnès s'effondre. Le prêtre la retrouvera prostrée, sous le choc. Il l'emmène à l'hôpital de Niigata. Le Dr Sawada l'examine à plusieurs reprises et l'hospitalise pour 43 jours. Au début il n'en était pas sûr mais maintenant il l'est : état incurable. C'est fini, Agnès n'entendra plus jamais. Après le choc psychologique, elle se reprend et apprend à lire sur lèvres pour garder le contact social. Le Dr Sawada, étonné par la réaction de sa patiente lui dira : « *C'est extrêmement difficile de vivre dans un monde sans son. Vous avez la chance d'avoir la foi. Je pense que cela vous aidera. Ne vous découragez pas.*[2] » Agnès rentre chez elle. Sa famille lui demande d'abandonner sa vocation et de rester, maintenant qu'elle est sourde. En mai 73, elle constate que la vie du couvent lui manque et décide d'y retourner. Dans le genre « vie contemplative », difficile de faire mieux avec un silence permanent. Deux mois plus tard, le 12 juin, les sœurs la laissent seule et la mère supérieure lui demande de prier devant le saint sacrement pendant

1. Page 20 in « Akita, the tears and message of Mary », Teiji Yasuda, 101 Foundation, 1989.
2. Extrait de son journal, cité par Teiji Yasuda in « Akita, the tears and message of Mary », op. c.

leur absence. Sœur Agnès se rend dans la chapelle, ouvre le tabernacle et, à peine l'a-t-elle effleurée qu'une lumière extrêmement brillante s'en échappe et l'aveugle : « *Subjuguée par cette lumière, je me prosternai au sol et n'en bougeai pas. Je restai immobile même après que le rayonnement ait disparu.* » Elle pense être devenue folle. Le lendemain matin, elle y retourne. Cette fois-ci, elle ouvre le tabernacle prudemment, mais il n'y eut aucune lumière. Deux jours plus tard, alors qu'elle se trouvait dans la chapelle avec les autres sœurs, la lumière apparaît à nouveau. Mais personne hormis elle ne l'a constatée. La mère supérieure lui ordonne de garder ses visions. Pourtant, la religieuse va expérimenter cette Lumière une troisième fois et la description qu'elle en fait dans son journal correspond en tous points à la Lumière au bout du tunnel des NDE : « *Cela m'a laissé l'impression la plus forte, mêlée à de la joie et à un bonheur inexprimables en mots humains.* » Cette Lumière changera sa vie. Le 23 juin, ce sera en quelque sorte l'apothéose. Toujours au cours d'une adoration (le saint sacrement est exposé) : « *La Lumière éblouissante apparut soudain et comme précédemment, quelque chose comme un brouillard ou de la fumée émergea autour de l'autel et de la Lumière. En même temps, une multitude d'êtres apparut dans ce brouillard*[1]. *Ce n'était pas des êtres humains, mais on pouvait voir très clairement qu'il s'agissait d'une foule composée d'êtres spirituels, une multitude, dans un espace qui semblait s'ouvrir à l'infini. Absorbée par ce spectacle surprenant, je m'agenouillai en adoration. Et la pensée qu'il y avait le feu dehors me saisit. Je me retournai pour regarder à travers la baie vitrée, mais il n'y avait point de feu. C'était cette Lumière mystérieuse qui enveloppait l'autel. Le rayonnement de l'hostie était tellement brillant que je ne pouvais pas la regarder de face. Alors, fermant les yeux, je me suis prosternée.* » Elle resta là, jusqu'à ce qu'une sœur lui tapote sur l'épaule. Mais en quittant la chapelle, elle découvre que la paume de sa main est douloureuse. La religieuse s'affole en détaillant la paume de sa main gauche : comme si quelqu'un lui avait fait une croix avec une lame de rasoir ; mais la peau n'est pas taillée. C'est à l'intérieur. La douleur est de plus en plus lancinante. Elle panique en

---

1. Lorsqu'elle en fit le récit à l'évêque Ito, sœur Agnès était embarrassée d'utiliser le mot Ange.

se demandant ce qui lui arrive, craignant le pire après sa soudaine surdité. Elle ne dit rien et souffre en silence. Après les visions, c'en est trop. Persuadée d'être la victime d'hallucinations en raison des divers traitements médicaux qu'elle a eu à suivre, sœur Agnès se confie à l'évêque Ito qui ne juge pas et lui demande simplement de ne pas en parler et de l'informer de nouvelles visions.

Une semaine après, le vendredi 29 juin (on remarque là aussi l'importance du vendredi), la sœur suit le déroulement de la messe — c'est la fête du Sacré-Cœur — sur les lèvres de l'évêque. Lorsqu'elle saisit son rosaire pour commencer la récitation, une personne apparaît soudain à sa droite. Sœur Agnès a un choc : « *C'était la même personne que celle que j'avais vue à côté de mon lit à l'hôpital de Myoko.* » L'Ange, c'est une femme, fait de lumière, l'accompagne dans sa prière et sa voix, « *magnifique, pure (...) résonnait dans ma tête comme un véritable écho du paradis* ». L'Ange récite une prière qui consacre sœur Agnès comme âme victime, exactement comme le père Gamache avait consacré Georgette Faniel. Comme d'habitude, personne ne voit rien. Le lendemain, les autres sœurs remarquent qu'Agnès tient toujours sa main fermée. La supérieure, sœur Kotake, l'interroge. Elle est étonnée mais ne comprend pas. « *Sœur Agnès m'a montré sa blessure* » raconte-t-elle. « *Elle pleurait et elle se demandait ce qui lui était arrivé. C'était une croix dans la paume gauche. J'ai couru vers la statue. Elle était bien marquée à la main droite, on voyait une croix noire. J'étais triste et énervée en pensant que nous avions pu blesser notre Mère. J'ai prié toute la journée. La sœur aussi semblait souffrir. La blessure dans la paume était parfaite, les lignes étaient droites. Quelqu'un avait pensé que c'était une farce des enfants, mais c'était impossible de tracer des lignes dans la main sans une règle. Je n'en ai pas parlé. J'attendais silencieusement que Dieu nous donne un signe.* »

Il n'allait pas tarder. Le 5 juillet 1973, dans la chapelle, l'Ange rejoint Agnès pour réciter le rosaire. Selon la sœur, prier avec un Ange à vos côtés est une expérience inoubliable, unique et la prière décuple de puissance. La souffrance de sa paume également. En quittant la chapelle, la blessure se met à saigner. Plus possible de dissimuler le stigmate. D'ailleurs, il ne s'agit pas de stigmates comme on l'entend habituellement. Agnès s'enferme dans sa cellule pour changer les compresses à l'abri des regards. Elle est perdue, elle ne comprend pas. Ce n'est pas Catherine de Sienne ni Anne-Catherine Emmerich : alors elle se lance dans la prière et demande une explication. Vers trois heures du matin, une voix se répercute dans son cerveau. C'est l'Ange. Il lui demande de ne pas se plaindre de sa blessure, celle de Marie étant bien plus profonde et bien plus douloureuse. Sœur Agnès la dévisage et se dit qu'elle ressemble étrangement à sa sœur, morte quelques années auparavant. A peine a-t-elle cette pensée que l'Ange lui répond. « *Elle me sourit gentiment, fit « non » avec la tête et me dit : « Je suis celle qui est avec toi et te garde » »* L'Ange brille. Impossible de le/la décrire vraiment, hormis qu'il (elle) dégage une impression de douceur et qu'il (elle) est revêtu(e) d'une lumière blanche comme la neige. L'Etre céleste lui indique le chemin de la chapelle en ajoutant : « *Une blessure similaire à la tienne se développera dans la main droite de la statue de la Vierge et cette blessure sera infiniment plus douloureuse que la tienne.* » Sœur Agnès se rhabille. On croirait un « remake » japonais de la rue du Bac. Sauf qu'ici, pas de bancs dans la chapelle mais six tatamis[1] aux bordures noires avec des petits coussins. L'Ange a disparu. Agnès est seule devant la statue de Marie et repense à la voix de l'Ange qui lui touchait le cœur. Cette statue qui va devenir le centre du renouveau « catho » au Japon possède une histoire qu'il est important de connaître pour la suite des événements.

En 1965, la supérieure du couvent, sœur Kotake faillit mourir mais se rétablit soudainement et, ne sachant comment remercier la Vierge, décida de commander une statue pour sa chapelle. L'une des religieuses possédait une image exécutée par un peintre allemand d'après les indications d'une visionnaire hollandaise à qui Marie, au cours de l'une de ses fréquentes apparitions en 1946 à Amsterdam, a déclaré : « *Je suis Notre-Dame de tous les peuples.* »[2] L'image lui plaît et elle se rend chez un sculpteur sur bois d'Akita, Saburo Wakasa, un artiste de 45 ans. Il est bouddhiste. Il examine la petite image et

---

1. Un tatami = 1,82 m × 0,91 m.
2. Selon l'expert en apparitions mariales, le père Laurentin, cette apparition a été classée comme sans suite par la Congrégation pour la doctrine de la foi, un « département » parmi tant d'autres du Vatican.

accepte la commande. Il expliquera plus tard : « *Lorsque je commen-çai à travailler, je voulus recréer la paix et la sérénité de son visage. Je ne sais pas comment l'expliquer. Mais vous voyez la douceur et la paix. Je me devais de donner cette impression de paix à la statue.* » Saburo Wakasa finit son ouvrage. Incontestablement, la Vierge avait les traits, imperceptibles certes, d'une Asiatique. Il ne réussit pas à sculpter les traits d'une Européenne. Pas grave, sa statue, justement grâce à cette faiblesse, est une réussite, donnant une Vierge nipponne. Revenons à Agnès. Elle est devant la statue à la droite de l'autel lorsque celle-ci semble prendre vie. La Japonaise observe, incrédule. Plus tard, elle dira que Marie, baignant dans une lumière scintillante, s'adressa à elle en ces mots : « *Ma fille, ma novice, tu m'as obéi en tout abandonnant pour me suivre. Est-ce que ton infirmité te gêne ? Ta surdité sera guérie, sois-en sûre. Persévère, c'est ta dernière épreuve. Prions ensemble.* » L'Ange aussi était là. Puis elles disparurent et la statue reprit son apparence normale. Le lendemain, sœur Agnès retourne dans la chapelle et trouve la maîtresse des novices devant la statue. Elle lui fait signe de s'approcher et lui désigne la main en bois qui saigne. Cette fois-ci, ce ne sont pas des hallucinations. La main droite saigne comme une main humaine.

Jusque-là, tout pourrait s'expliquer sur le papier : la religieuse était somnambule, ou bien elle a halluciné, elle s'est tailladé la paume, ou bien c'est un coup monté par le cloître pour attirer l'attention. En revanche, la statue qui saigne plongea le couvent dans la crainte. Les sœurs qui doutaient de la santé mentale de leur compagne déjà sourde en furent toutes retournées. L'évêque Ito, responsable du diocèse, revint précipitamment sur les lieux. « *C'est l'évêque qui doit enquêter lorsque des événements semblables surviennent. Mais je ne savais pas comment juger parce que c'était la première fois que cela m'arrivait.* » expliqua-t-il dans une interview. « *Je ne savais pas juger convenable-ment. Alors j'ai dit à sœur Sasagawa de ne pas spéculer et de rester silencieuse. La blessure apparaissait tous les jeudis, saignait le ven-dredi, et le samedi il ne restait plus qu'une cicatrice. Elle essaya de soigner la blessure et de la cacher en l'entourant de coton. Je l'ai vue. Mais cela ne changea rien* ». Bien plus tard, des esprits matérialistes expliquèrent que sœur Agnès avait des « *pouvoirs ectoplasmiques* » (?) c'est-à-dire qu'elle pouvait transférer sa blessure et/ou son sang dans le bois de la statue grâce à sa volonté[1] ! Le stigmate s'activa lui-aussi, violemment, plongeant la religieuse dans des souffrances atroces au point que le 27 juillet, un vendredi encore, les sœurs voulurent l'hospitaliser de toute urgence. Mais sœur Agnès se réfugia dans la chapelle et se prostra devant l'autel. Immédiatement, une voix familière, celle de l'Ange, retentit dans sa tête : « *Tes souffrances prennent fin aujourd'hui. Grave au plus profond de ton cœur la pensée du sang de Marie. Le sang répandu par Marie a une profonde signification. Ce précieux sang a été répandu pour demander ta conversion, pour demander la paix, en réparation de l'ingratitude et des outrages envers le Seigneur.* » Et l'Ange disparut avec un sourire. La statue saigna jusqu'au... 29 septembre 1973, fête de l'Archange Michael, patron du Japon. On remarque également que si sœur Agnès avait mystifié, elle aurait bien évidemment parlé d'une apparition de l'Archange, ce qui aurait été on ne peut plus logique le jour de sa fête. Mais non. Elle n'eut aucune vision le 29 septembre.

En revanche l'Ange continua ses manifestations inopinées et le 2 octobre, fête des Anges gardiens[2], la petite sœur eut droit à une vision détaillée : « *C'était pendant la messe de 6 h 30, au moment de la consécration. Une lumière, brillante, m'éblouit, exactement comme celle du 12 juin et qui m'avait tant submergée. (...) Au même moment, apparurent les profils d'Anges priant devant l'hostie rayonnante. Ils étaient agenouillés autour de l'autel, formant un demi-cercle. Ils étaient huit. Il ne s'agissait pas d'êtres humains et lorsque je dis qu'ils étaient agenouillés, cela ne veut pas dire que je voyais leurs jambes ou à quoi ils ressemblaient vraiment. Difficile également de décrire leurs vêtements. Tout ce qu'on peut dire est qu'ils semblaient enveloppés dans une sorte de lumière. Assurément, ils ne ressemblaient pas à des êtres humains, mais n'avaient pas l'air d'enfants, ni d'adultes ; comment dire... comme des êtres à qui on ne donne pas d'âge. Impossible de dire qu'ils étaient l'effet d'une illusion d'optique parce qu'ils se trouvaient bien là. Ils*

---

1. J'ai essayé : en découpant la photo d'une Ferrari, je me suis concentré et me suis dit que j'allais transférer la forme, la couleur, les options, etc. de la Ferrari sur ma voiture. Mais cela n'a pas fonctionné.
2. En France, l'Ange n'est pas célébré officiellement puisque le 2 octobre est la fête de Saint-Léger.

n'avaient pas d'ailes, mais leurs corps étaient enveloppés d'une sorte de luminescence mystérieuse qui les distinguait clairement des êtres humains. Etonnée, n'en croyant pas mes yeux, je les ouvris et les fermai, les frottai, mais rien ne changea. Tous les huit adoraient le saint sacrement dans une attitude de grande dévotion. (...) Au moment de la communion, mon Ange gardien s'approcha de moi et m'invita à avancer vers l'autel et je distinguai clairement les Anges gardiens de chaque membre de la communauté. Comme mon Ange gardien, ils donnaient vraiment l'impression de les guider et de les garder avec gentillesse et affection. Rien que cette scène m'ouvrit les yeux sur la profonde signification de l'Ange gardien, bien mieux que n'importe quelle explication théologique, même la plus détaillée. [1] »

Le 13 octobre, sœur Agnès aura droit à la troisième et dernière apparition de Marie. La date concorde avec celle de Fatima Néanmoins, le père Yasuda, tout juste nommé prêtre de la communauté, a des doutes. « *Une sœur qui parle avec son Ange gardien... J'avais beau être prêtre, jamais je n'avais entendu parler d'apparitions angéliques. J'avais beau savoir que la Bible les mentionnait, je n'arrivais pas cependant à y croire. L'Ange gardien faisait partie de la foi pure.* » dira-t-il [2]. « *Sans les récuser catégoriquement, je priai pour demander un signe qui me permette de croire sœur Agnès car je pensais quand même à une hallucination venant de sa psyché profonde.* » Le signe lui percera littéralement l'esprit quelques jours plus tard lorsque la sœur lui transmettra un message donné à son intention par l'Ange. Les doutes du directeur spirituel s'envolèrent.

Sept mois passent. Le 18 mai, la religieuse se rend à la messe du matin comme chaque jour. Pendant l'adoration, son Ange gardien apparaît et lui annonce en souriant que ses oreilles seront ouvertes en août ou en octobre : « *Tu entendras à nouveau, tu seras guérie. Mais cela ne durera qu'un temps.* » L'expression de l'Ange devient particulièrement sévère et fait frissonner la religieuse : « *Parce que le Seigneur désire encore cette offrande et tu redeviendras encore*

1. Page 75-76, in « Akita, the tears and message of Mary », op.c. »
2. On remarque une réaction similaire à celle de Jean Derobert à qui le Padre Pio demanda s'il priait son Ange gardien.

sourde. » Le 8 mai, sœur Agnès en pleine prière est saisie de violents maux à l'estomac au point qu'on l'hospitalise. Le directeur spirituel commence à douter qu'elle puisse être guérie selon la promesse de l'Ange. Elle reste à l'hôpital jusqu'au 4 septembre. Mais l'être céleste revient le 21 septembre 1974 et demande à sœur Agnès de commencer une neuvaine de son choix, suivie de deux autres « *devant le Seigneur réellement présent dans l'Eucharistie* » et promet que les trois neuvaines terminées, elle sera guérie de sa surdité. L'Ange précise même que le premier son qu'elle entendra sera celui de l'Ave Maria et le second, celui de la clochette signalant la bénédiction. Le 13 octobre, jour anniversaire de l'apparition de Fatima, ce que l'Ange avait prédit se réalisa en tous points. Elle entendait à nouveau. L'évêque l'envoya aussitôt à l'hôpital de la Croix-Rouge et à l'hôpital municipal d'Akita pour obtenir deux diagnostics différents. Ils confirmèrent que le système auditif de Katsuko Agnès Sasagawa fonctionnait normalement. Cinq mois plus tard, elle perdit son audition à nouveau. Et les médecins déclarèrent, à nouveau, le 7 mars 1975 que sa surdité était incurable. Mais désormais, sœur Agnès s'en moque.

Entre-temps, le 4 janvier 1975, pour la première fois, la statue de Marie versa des larmes, donnant le coup d'envoi au premier miracle constaté par des centaines de Japonais, toutes confessions confondues. Le miracle persista jusqu'au 15 septembre 1981, jour de la dernière et 101e lacrymation. Mitsuo Fukushima, journaliste de l'agence de presse « Fuji News Service » se souvient que deux chaînes de télévision avaient placé des caméras devant la statue 24 h sur 24 pour saisir le miracle. Après deux jours d'attente, ils réussirent à filmer une lacrymation et diffusèrent le reportage : des dizaines de millions de Japonais assistèrent au miracle. L'évêque faillit en pleurer d'émotion : « *Je me suis rendu au couvent et j'ai vu. J'étais stupéfait, même en sachant que les miracles étaient fréquents dans la Bible. Mais c'était dans la Bible. Le fait d'en voir un moi-même, me troubla à un point... C'était inexprimable. Puis en même temps, cela me sembla trop. Alors nous avons mis sœur Sasagawa sous surveillance et nous avons fouillé tout son passé*[1]. » Rien. « *Elle était stable, équilibrée et*

---

1. Démarche révoltante pour un Européen mais parfaitement fréquente au Japon. Les entreprises japonaises espionnent régulièrement leurs employés et, avant de les

honnête, connue pour son excellente mémoire. Rien de ce côté-là. »
dira l'évêque. Le père Yasuda envoya divers échantillons des larmes
en laboratoire pour analyse. La première analyse du Pr Sagisaka, un
pathologiste de la Faculté de médecine légale, permit d'identifier le
groupe du sang qui s'écoula de la statue : AB. Le groupe sanguin des
larmes en revanche était un B. Une seconde analyse des larmes
tombées le 22 août 1981 les classera dans le groupe O ! Impossible que
sœur Agnès ait pu manipuler autant de groupes sanguins différents.
Peu importe, les témoins, bouddhistes ou shintoïstes la plupart du
temps, constatent les lacrymations. Kasai Monkudo, député au
parlement japonais et conseiller municipal de la ville d'Akita décida
de visiter le lieu du miracle en compagnie du maire de la ville : « *Une
larme coula sur la joue et s'arrêta sur le menton. Nous avons regardé le
phénomène sans comprendre. C'était étonnant.* » Un autre témoin,
Gijido Fujimoto assista à une lacrymation et, poussé par son
incrédulité, en goûta une. Verdict : « *c'était très salé* ». Un professeur
d'université, Saimon Miyata, fut bouleversé lorsqu'il vit les larmes se
former au coin de l'œil de la statue. Des témoignages, ce n'est pas ce
qui manque, furent certifiés sur l'honneur. Et au Japon le sens de
l'honneur a une signification profonde puisque chaque année des
débiteurs se suicident parce qu'ils ne peuvent rembourser leurs dettes
et des étudiants, parfois même des écoliers, se donnent la mort, ayant
raté leurs examens. Voici deux ans de cela, un sportif se suicida parce
qu'il n'avait pas réussi l'escalade d'une montagne, ridiculisant ses
sponsors. Le Japon n'est pas l'Italie, raison pour laquelle les
événements d'Akita sont aussi importants que les apparitions de
Fatima.

Le 15 septembre 1981, les lacrymations prennent fin. Au total, les
sœurs ont compté 101 manifestations surnaturelles de la statue de
Marie sculptée par Saburo Wakasa. Sœur Agnès voit toujours son
Ange qui lui confirme qu'il n'y aura plus d'autres miracles. Deux

---

embaucher, chargent des détectives d'examiner leur « passé » dans les moindres
détails : enfance, parents, voisinage, amis, université, opinion des gens, etc. Cette
manie est devenue tellement fréquente que les cadres prennent les devants et
embauchent des détectives eux-mêmes pour qu'ils enquêtent sur leur propre passé
afin de connaître le contenu du rapport qui sera donné à leurs employeurs ! !

semaines plus tard, alors qu'elle se trouve en adoration devant le saint sacrement, la voix de l'Ange se fait entendre. Cependant, la religieuse est surprise parce qu'elle ne le voit pas. Elle est encore plus surprise lorsqu'une Bible apparaît devant ses yeux, flottant dans l'air et entourée d'une lumière « céleste », ouverte sur une page de la Genèse au chapitre 3, verset 15. L'Ange lui donne en quelque sorte une explication de texte : « *Le nombre 101 possède un sens. Il signifie que le péché vint au monde par une femme et que le salut viendra par une femme. Le 0 placé entre les deux 1 symbolise le Dieu Eternel pour l'éternité des éternités. Le premier 1 représente Eve et le second symbolise la Vierge Marie.* »[1]

Le 25 mars 1982, l'Ange gardien lui annoncera une bonne nouvelle. Normal, c'est l'Annonciation : « *Ta surdité te fait souffrir n'est-ce pas ? Le moment de ton rétablissement final approche. Par l'intercession de la sainte et immaculée Vierge, exactement comme la dernière fois, devant Lui qui est réellement présent dans l'Eucharistie, tes oreilles seront définitivement guéries de façon à ce que la volonté du Très-Haut*

---

1. A la fin des « Dialogues avec l'Ange » on trouve un index des thèmes abordés par les Anges dans leurs dialogues. Un jour je me suis demandé s'ils avaient abordé la Vierge Marie. J'ai donc regardé mais sans trouver de référence ni à « Marie » (Main, Maison, Mal, Maladie, Malédiction, Manque, Matière, etc.), ni à « Vierge », ni à « Mère de Dieu ». Cela m'avait franchement frappé que les auteurs de l'index aient pu ignorer Marie car les Anges parlent bien d'Elle, une seule fois, mais ce qu'ils disent recoupe mot à mot ce que dit l'Ange gardien de sœur Agnès Sasagawa, et cela se passait en 1944 ! Page 378 des « Dialogues Avec l'Ange », extrait du dialogue 87, 17 novembre 1944 :

> *Mais la matière vierge, sans tache, MARIE, demeure*
> *Sur sa tête, la couronne d'étoiles,*
> *sous ses pieds, la lune.*
> *Sa robe, les rayons du soleil.*
> *Sourire de la création.*
> *Miracle qui plane au-dessus des eaux.*
> *Virginité dans la matière*
> *et dans la Lumière : matière*
> *La MATIERE-LUMIERE, qui resplendit, habite en vous*
> *Le Fils de Lumière, le Septième, naît d'Elle,*
> *dont le Nom est Soif, dont le Nom est Amour éternel*
> *Le Nouveau Nom de Marie est Co-Naissance,*
> *Arbre qui donne toujours des fruits là-haut et ici-bas*
> *Arbre qui porte la pomme de Lumière*
> *à la place de la pomme empoisonnée.*

soit accomplie. Tu auras cependant bien des obstacles et des souffrances à franchir. Tu n'as rien à craindre. En les supportant et en les offrant, tu seras protégée. Offre-les et prie bien. »[1] Le dimanche 30 mai, sœur Agnès sera effectivement guérie et les médecins ne comprendront plus rien.

Cet Ange que nous avons suivi au Japon est apparu une dernière fois à sœur Sasagawa qui, après avoir été attaquée, lui demanda s'il (elle) était le fruit de son imagination. L'Ange répondit : « *Pas du tout. Je me suis dévoilé à ton regard jusqu'à ce jour pour te guider, mais désormais je ne t'apparaîtrai plus.* » En prononçant ces mots, l'Ange disparut pour de bon dans une lumière céleste. La tâche de la petite Japonaise était terminée. Le pays du Soleil Levant eut droit à un miracle authentique, une statue en bois qui pleure, en plein essor économique et technologique des années 1970 et 1980. Des millions de Japonais ont constaté la lacrymation. Par extension, nous pouvons en conclure que les visions angéliques de sœur Agnès sont tout aussi authentiques que celles de Catherine Labouré, dont le corps, plus de cinquante ans après sa mort, a été retrouvé incorruptible.

Mais laissons la conclusion au père Teiji Yasuda, directeur spirituel de la religieuse : « *Depuis neuf ans que je connais sœur Agnès, cette personne (l'Ange) est apparue de nombreuses fois pour la guider, la conseiller et parfois la réprimander. Et elle m'avait toujours dit et redit que cette personne n'était pas une image, mais un Etre parfaitement réel, très beau qui apparaissait à ses côtés, particulièrement pendant la prière. Et il était clair que les enseignements de cette personne ne traduisaient pas les désirs ou souhaits subjectifs de la sœur. Passant au tamis ma longue expérience de prêtre, je crois sincèrement que ces interventions et les conseils reçus ne pouvaient provenir que d'un Ange.* »

Parions, puisque c'est une autre constante, qu'Agnès Sasagawa deviendra également une « incorruptible », rejoignant Marie d'Agreda, Catherine Labouré, Bernadette Soubirous et Jacinta Marto.

1. Page 178, in « Akita, the tears and Message of Mary », op. c.

JOHN HEIN
1924-/

(Groupe III, visionnaires, Anges)

ETATS-UNIS

> *God money, I'll do anything for you*
> *God money, just tell me*
> *What you want me to*
> *God money, nail me up against the wall*
> *God money don't want everything*
> *He wants it all (...)*
> *God money's not looking for the cure*
> *God money's not concerned*
> *About the sick among the pure*
> *God money, let's go dancing*
> *On the backs of the bruised*
> *God money's not one to choose.*

> Nine Inch Nails – *Head like a hole* –
> in « Pretty Hate Machine »,
> TvT Records.

On trouve des Anges partout, y compris dans le Texas ! Voici le témoignage de John Hein, un Américain né en 1924, ressemblant à s'y méprendre au businessman des années 50 des publicités pour lunettes d'écaille. J'ai retenu son histoire d'Ange parce que d'une part, il donne son nom, et d'autre part ce qui lui arriva apporte un poids considérable à son témoignage. Il est par exemple relativement facile d'avoir un témoignage de quelqu'un qui vous explique qu'un Ange est venu le sauver dans telle ou telle circonstance. Dans 99 % des cas, il n'y a pas de témoins. John Hein, lui, possède un dossier imparable, indiscutable. Comme tous les Américains mâles, il consacre sa vie à

386

son entreprise où il travaille presque 18 heures par jour. Pour le reste, il se rend à l'église le dimanche avec sa femme et c'est tout. Le train-train d'une vie banale de Yankee moyen du Kansas. Pourtant, en 1980, tout va changer en une seule journée. A la suite d'un malfonctionnement de l'une des machines-outil, un gaz poison (zarconium-dioxyde) à 7000 degrés F gicle au moment où John Hein examine les cadrans. Le gaz brûlant détruit instantanément ses poumons et intoxique d'autres ouvriers qui travaillaient dans l'atelier. Il est hospitalisé d'urgence avec de violentes crampes. Il ne respire quasiment plus. Les médecins l'examinent et lui signifient qu'il ne pourra plus jamais se servir de ses poumons. Par ailleurs, la moitié de son cerveau a été gravement endommagée lorsqu'il a inhalé le gaz. En 1988, il est au bout du rouleau. Après un coma, il est hospitalisé à nouveau. « *Je me souviens avoir entendu les médecins parler à côté de mon lit* » raconte-t-il « *et ils disaient — celui-là, il ne lui reste aucun espoir. Il est en train de mourir. Environ un ou deux mois à vivre, pas plus. On va essayer de stabiliser son état pour qu'il se sente bien et on va le renvoyer chez lui. Que pourrait-t-on faire de mieux? —. Ils m'avaient d'ailleurs dit qu'ils ne pouvaient pas faire grand-chose, hormis m'aider à supporter la douleur. On me donna une bouteille d'oxygène. Je ne pouvais plus faire un pas sans cette boîte. Je devais l'avoir avec moi 24 h sur 24 pour survivre, et avaler quotidiennement un médicament qui dégageait ma voie nasale, la trachée artère, bref qui maintenait mes poumons ouverts. Mais peu de temps après, de nouveaux malaises s'ajoutèrent aux anciens. On découvrit que ce médicament augmentait considérablement le taux de sucre dans mon sang. Et lorsqu'ils me donnèrent un autre traitement, le taux tomba trop bas. Je faisais aussi bien de l'hypoglycémie que de l'hyperglycémie. J'ai commencé ensuite à tomber régulièrement dans le coma, je perdais la mémoire, du poids, etc. Alors les médecins m'ont dit de prendre plus d'oxygène. Cela m'obligeait à me réveiller plusieurs fois dans la nuit pour en respirer. Mais les malaises continuaient, tous les jours. Mon état empirait* ».

S'il survit, c'est grâce à son entourage. Mais l'ancien homme d'affaires, avec sa bouteille d'oxygène, ressemble à un cosmonaute qui aurait perdu sa navette spatiale. Et il se sent mourir, aspiré vers l'inconnu. Alors, comme bien des gens, c'est au moment où il voit la mort se rapprocher qu'il se met à fréquenter l'église assidûment. Le prêtre de la petite paroisse de Fedony, Kansas, se souvient très bien de ce fidèle : « *Il venait toujours à la messe. On ne pouvait pas ne pas le remarquer avec sa bouteille d'oxygène qu'il tenait toujours derrière lui. Il dépendait entièrement de cette bouteille. Il ne pouvait pas marcher droit, avait besoin de soutien et ne pouvait se tenir debout très longtemps. Je crois que c'était en juillet 1988.* » Aller à l'église, c'est d'ailleurs tout ce qui lui restait à faire car il se voyait consumer à petits feux. « *Vous savez, avant, j'allais à la messe comme tout le monde le dimanche* » m'expliqua John Hein, « *Dieu n'avait pas une importance capitale. C'était l'argent qui était capital et j'avais toujours placé l'argent avant Dieu. Ma vie n'a été qu'une course permanente après l'argent. C'est vrai, je suis devenu très riche avec mes deux compagnies. Je les ai fondées en 1950. J'adorais l'argent, je courais après l'argent, j'étais occupé par l'argent. Mais ce n'est pas lui qui m'a rendu mes poumons. Tout ce que j'avais mis de côté, un demi-million de dollars, je l'ai perdu dans les soins*[1]. *A un moment donné, j'étais même persuadé que nous allions perdre notre maison. Bref, un jour à l'église, pendant une messe, j'ai eu ce sentiment que c'était la dernière. Je sentais que je ne pourrais plus aller plus loin. En sortant de l'église après la messe, me voyant avec ma bouteille d'oxygène, une femme me dit « et pourquoi vous n'iriez pas à Lubbock au Texas ? ». Je n'en avais jamais entendu parler. S'y produisaient soi-disant des apparitions de la Vierge. J'ai répondu « oui, pourquoi pas ? », car je n'avais plus rien à perdre au point où j'en étais. Mais en même temps je me disais « et que se passerait-il si j'avais un malaise en cours de route ? ». Un ami canadien me lança « t'inquiète pas, si tu veux, je t'emmène ». Alors on a dû minuter le trajet parce que je dépendais de ces bouteilles. On a finalement eu l'idée d'installer un réservoir d'oxygène liquide dans la voiture. Curieusement, durant les 11 heures de voyage du Kansas vers le Texas, je n'ai eu aucun malaise alors que d'habitude j'en avais trois ou quatre par jour. Je trouvais ça vraiment étonnant. Mais une fois*

---

1. Il n'existe pas de Sécurité sociale aux Etats-Unis comme en France. John Hein a perdu son assurance maladie lorsqu'il a vendu ses entreprises et cela l'obligea à payer ses soins lui-même.

arrivé à Lubbock, mon corps m'a lâché. A force de perdre du poids, je ne pouvais plus monter un escalier. Nous avons assisté le soir à la messe, puis nous sommes rentrés au motel. Soudain j'ai eu faim. Terriblement faim. Une faim comme je n'en ai jamais eue. J'ai mangé jour et nuit, et cela toutes les deux heures[1]. C'était un besoin absolu et vital. Je devais manger, manger et manger. Le lendemain nous sommes restés toute la journée dans l'église à prier le rosaire. Je n'avais toujours pas de malaise. C'était de plus en plus miraculeux. Dans la chapelle, vers 17 h 30, j'étais arrivé au dernier rosaire et cette fois, je priais Marie pour qu'elle intercède en ma faveur auprès de Jésus parce que je voulais encore vivre et que j'avais quatre enfants. Au moment où j'abordais la crucifixion, une femme revêtue de blanc apparut à côté de moi. Elle était magnifique. Je me souviens que je ne voyais pas ses pieds. Soudain, je sentis une main sur mon épaule. Je me retournai, mais il n'y avait personne d'autre que ma femme et moi dans la chapelle. Mais la main était toujours là. Je me suis dit, « comme j'ai perdu la moitié de la capacité de mon cerveau, cette fois je suis bien en train de devenir fou » et j'ai dit à ma femme « écoute, emmène-moi, je crois que je ne vais pas bien ». En fait, j'étais persuadé que j'étais devenu fou et que c'était comme ça qu'on devenait fou, en s'en rendant compte au début. Au moment où je franchis le seuil de la chapelle, je m'évanouis. Une personne a juste eu le temps de m'attraper et de me déposer dans un fauteuil, dehors, dans le jardin. Plus tard, lorsque je repris conscience, cet homme m'expliqua que, comme il était persuadé que j'allais mourir là, il s'était précipité à la fontaine pour prendre de l'eau bénite afin de m'en asperger de la tête aux pieds. Je me levai sans réfléchir, pris mon réservoir d'oxygène et marchai vers l'église, et à ce moment-là, je me rendis compte que je pouvais marcher seul. Mais sur le coup je n'y fis pas vraiment attention. Ce n'est que plus tard que je me rendis réellement compte que quelque chose s'était passé : je marchais seul alors que d'habitude une fatigue me submergeait rapidement au bout de quelques pas, et je pouvais monter des escaliers sans problèmes. Petit à

1. Cette volonté de manger à tout prix, tout de suite et tout ce qui se présente est le dénominateur commun avec Betty Malz dont nous vu le cas précédemment. Son ventre était pourri. Mais à peine sortie de l'hôpital après sa NDE lumineuse, elle fit l'amour aussitôt et tomba enceinte. Plus une seule trace de cancer.

petit, quelque chose me disait que je n'avais plus besoin de l'oxygène et j'ai retiré le tube. Un prêtre m'a vu et s'est précipité vers moi. Il m'a obligé à le remettre en me disant que je devais faire exactement comme d'habitude. J'ai bien replacé le tube mais éteint l'arrivé de l'oxygène. Je savais que je n'en avais plus besoin car d'habitude, au premier manque d'oxygène, j'étais pris d'un malaise. En réalité, j'ai été complètement guéri le 9 octobre 1988, aussi bien des poumons que du cerveau. A mon retour chez moi dans le Kansas, le médecin m'a fait passer un test de respiration et l'aiguille oscillait entre 575 et 600 alors qu'avant je ne dépassais pas les 350. Un mois plus tard, j'arrivais à 675. Le médecin m'a déclaré : « C'est impossible. » Pourtant je respirais parfaitement et il voyait le cadran. Il ne comprenait pas. Il a même appelé l'infirmière qui me connaissait. Personne n'en revenait, personne ne comprenait, personne ne voulait me croire et pourtant ils voyaient bien que j'étais guéri, comme s'ils refusaient d'en croire leurs yeux. Même mes cheveux s'étaient assombris à nouveau. Plus d'insuffisance de sucre. Mon cerveau a été entièrement restauré ainsi que ma stabilité et capacité pulmonaire. Lorsque le médecin a regardé les radios, il a eu un choc : aucune trace de taches, de problèmes, rien. C'était comme neuf. Il n'arrivait pas à croire qu'il s'agissait du même patient. ».

La guérison dépasse tout entendement médical. Son dossier est ouvert pour enquête. J'étais un peu déçu. Cependant je lui posai la question :

— *Et vous n'avez jamais vu d'Anges ?* » qui me donna l'impression de lui demander « *vous n'avez jamais vu un éléphant rose ?* ».

Mais sa réponse me surprit :

— *Oui, une fois, lors de la fête de l'Assomption en 1989 lorsque je suis retourné à Lubbock. Ils se tenaient tout autour de la fontaine, vers 3 heures du matin.*

Je marquai ma surprise :

— *A trois heures du matin ?*

John Hein répondit comme si j'avais posé la plus idiote des questions.

— *Oui, c'était une nuit de prière. Les Anges entouraient Marie autour de la fontaine. Ils étaient blancs. En fait je n'ai pas fait spécialement attention à eux à ce moment-là, parce que quand vous avez Marie devant vous, vous ne remarquez quasiment rien d'autre. Toute votre attention est concentrée sur elle. Les Anges se tenaient derrière elle, ils flottaient. C'était comme des gardes du corps. Elle est très petite vous savez.*

Non je ne savais pas grand-chose à son propos hormis qu'elle était la Reine des Anges. John Hein me regarda avec son expression d'homme qui revient de très loin et me dit :

— *Ecoutez : c'est la seule fois que j'ai vu des Anges. Je ne vois pas le Christ, je ne vois pas Dieu, ni le Diable, je n'ai vu que la Vierge et lorsque je La vois, c'est toujours une apparition soudaine. Moi aussi la première fois, j'ai vraiment cru que j'étais devenu fou. Mais aujourd'hui, je sais que c'est une réalité, mes poumons en sont la preuve.*

— *Vous a-t-elle demandé quelque chose ?*

— *Oui, elle m'a demandé de m'adresser aux gens et de leur dire qu'ils doivent prier le rosaire.*

— *Pourquoi veut-elle que les gens récitent le rosaire ?*

— *Parce qu'elle l'adore et j'imagine que le Christ l'aime aussi. C'est l'arme la plus puissante dont nous disposons. La plupart du temps, les apparitions de Marie, en privé ou en public, ont toujours lieu lors de la récitation du rosaire.*

Le mystère du rosaire m'échappait quelque peu et je voulais vraiment en savoir plus[1].

1. J'ai à peu près compris le « *fonctionnement* » d'un rosaire : le pénitent doit méditer sur la vie du Christ qui est divisée en trois parties. La première regroupe cinq étapes de sa vie publique, la seconde les étapes de son agonie et la dernière les étapes de sa résurrection. Un rosaire se récite en égrenant un chapelet et en intercalant des « Notre Père » et des « Ave Maria ». D'après l'historien Jean-Mathieu Rosay, le chapelet est arrivé en Europe avec les croisades, et : « *Ce sont les dominicains qui en firent une forme de dévotion à la Vierge dès le XIIe siècle.* » AJOUT : L'historien précédemment cité semble ignorer ou vouloir ignorer comment réellement le rosaire s'est répandu dans la communauté chrétienne. En effet je n'étais guère satisfait de cette explication qui sous-entend que les catholiques ont copié cette forme de dévotion sur celle des musulmans ou des hindous et j'ai voulu savoir comment le rosaire s'était imposé. Ce que j'ai trouvé est franchement étonnant : Rosay dit « *ce sont les dominicains qui en firent une forme de dévotion* ». C'est exact. C'est même précisément saint Dominique qui l'instaura et voici comment. Ce moine s'était tellement identifié aux souffrances du Christ qu'il n'hésitait pas à se mortifier à coups de discipline pour participer à Sa flagellation. Rien de bien nouveau à l'horizon comme nous l'avons vu, hormis un détail, un détail très important et qui plaira considérablement au Dr Maurice Rawlings. Un jour où Dominique compatissait bien

— *Pourquoi est-ce si puissant ?*

John Hein réfléchit un instant.

— *Je n'en sais rien. Sans doute parce qu'elle a été donnée à la mère de Dieu par un Ange. Je ne sais pas pourquoi cette prière est efficace mais elle est infaillible.*

— *Vous le récitez chaque jour ?*

— *Depuis ma guérison oui, et surtout parce qu'Elle m'a demandé de le réciter trois fois par jour. Le premier, je le récite à trois heures du matin et je vais me recoucher. Et si je ne me réveille pas, quelqu'un me réveille, je ne sais pas comment. Une fois, c'est un coup de fil qui m'a sorti du sommeil. Et si je dors, quelqu'un le récite pour moi. Je fais ce qu'Elle m'a demandé de faire. Le demi-million de dollars dépensé dans les hôpitaux ne m'a pas rendu mes poumons. Le rosaire si. Alors maintenant, l'argent je m'en moque parce que ma santé est plus importante. Je ne conduis plus de belles voitures neuves mais des petites d'occasion. Cela m'est désormais égal. Je vis et j'ai bien moins de soucis. Je prie. Ne vous inquiétez jamais. Priez, priez, parce que Dieu existe vraiment.*

---

plus que d'habitude, il usa tant de la discipline qu'il en lacéra son corps et tomba dans le coma. Tiens donc ! Aurait-il fait un petit aller retour au bout du tunnel avec la Lumière au bout ? Il semblerait, car toujours selon la déclaration de Dominique, au cours de ce coma, il eut une vision. Nous y sommes. Et que nous dit Dominique à propos de cette vision ? Qu'il vit trois Anges accompagnant la Vierge Marie qui lui demanda : « *Mon cher Dominique, sais-tu quelle arme la Trinité désire que tu utilises pour réformer le monde ?* » On imagine la tête de Dominique. Elle lui expliqua alors que la salutation angélique était cette arme et qu'elle voulait désormais qu'il prêche le rosaire en expliquant en 15 points de quelles grâces bénéficiera toute personne qui le récite. Dominique passa alors sa vie à prêcher le rosaire et à expliquer comment cela fonctionnait. Par la suite, dans toutes les apparitions privées ou publiques, la Vierge a toujours encouragé et demandé la récitation du rosaire. Mais c'est à Pompéi (Italie) qu'elle a donné des explications un peu plus précises. Pendant 13 mois, Fortuna, fille du commandant Agrelli, souffrait de crampes extrêmement douloureuses, de vomissements et autres tortures physiques. La famille fit venir tous les médecins possibles et imaginables qui tous déclarèrent forfait. Le 16 février 1884, la jeune malade entama alors des neuvaines de rosaires et la Vierge lui apparut le 3 mars, entourée d'Anges et de saint Dominique et.. sainte Catherine de Sienne. Alors Elle a expliqué que si on l'invoque sous le vocable de Notre-Dame du Rosaire en faisant trois neuvaines, on obtiendra tout ce que l'on désire, suivies de trois neuvaines en remerciement. La jeune fille fut instantanément guérie et cela impressionna profondément le pape Léon XIII qui poussa alors officiellement cette forme de prière.

JACINTA GONZALES
1949-/

(Groupe III, visionnaires, miracles, Anges)

ESPAGNE

> *I made it trough the wilderness*
> *Somehow I made it trough*
> *Didn't know how lost I was*
> *Until I found you*
> *I was beat, incomplete*
> *I'd been had, I was sad and blue*
> *But you made me feel*
> *Yeah, you made me feel*
> *Shiny and new*
> *Like a Virgin*
> *Touched for a very first time*
> *Like a Virgin*
> *With your heartbeat next to mine.*
>
> Madonna — *Like a Virgin* — in
> « Like a Virgin », Sire Records

Abordons maintenant l'une des histoires d'Archanges les plus étonnantes de cette fin de siècle. Je dis bien étonnantes car ce qui s'est passé à Garabandal, en Espagne, a été filmé à plusieurs reprises et les scènes des enfants tombant soudain en extase sont franchement terrifiantes. On en a froid dans le dos. Situons d'abord Garabandal : comme d'habitude, au milieu de nulle part comme la Vierge nous y a habitués, c'est-à-dire dans un village de 70 maisons, niché sur une colline à 500 mètres d'altitude. Même pas assez élevé pour faire du ski. Les habitants sont des agriculteurs ou des éleveurs. La pauvreté

393

règne dans ce coin perdu de l'Espagne à quatre heures de route de Bilbao et je me dis que ce n'est sans doute pas demain que nous verrons une apparition de la Vierge rue du Faubourg Saint-Honoré à Paris, sur Rodeo Drive à Los Angeles ou bien sur la Croisette à Cannes. Presque toujours des endroits désolés, fouettés par le vent ou par la pluie, ou par les deux, ou bien asséchés par le soleil. Et si nous étudions ses interlocuteurs de prédilection, on remarque qu'elle n'apparaît jamais à des enfants de banquiers, d'industriels ou de médecins/avocats, mais à des enfants de pauvres, tellement misérables et défavorisés qu'ils ne possèdent qu'une seule richesse, celle de la foi, indestructible. C'est tout un paradoxe. Et c'est à eux qu'Elle apparaît et à personne d'autre[1]. En clair, à Garabandal nous retrouvons tous les ingrédients d'une apparition mariale avec cependant un détail qui laisse penser que Garabandal est bien plus important qu'on veuille le croire. On connaît en effet des centaines d'apparitions mariales, mais rares sont celles qui sont précédées, ou plus exactement préparées, par un Ange, la plus connue et la plus importante étant celle de Fatima avec les trois petits bergers. Et même si cet événement n'a pas été reconnu par le Vatican, ce que j'ai vu sur les divers films de l'époque m'a franchement retourné. C'est proprement hallucinant et personnellement je n'ai désormais plus l'ombre d'un doute sur ce qui s'est passé sur cette colline. Trop de témoins, trop de journalistes, trop de photographes, trop de films et surtout trop de preuves que nous allons examiner pour valider cette apparition tout à fait exceptionnelle de l'Archange Michael.

Une fois de plus, on constate l'importance des femmes : Jacinta Gonzales, Conchita Gonzales, Mari-Loli Mazon, toutes âgées de 12 ans et Mari-Cruz Gonzales 11 ans s'ennuient ferme en ce dimanche

---

1. Nous ne connaissons qu'une seule exception, celle du banquier juif Ratisbonne qui se convertit immédiatement, créant l'un des plus beaux scandales parisiens du XIXe siècle. Il se retrouva avec une médaille miraculeuse autour du cou et dans un curieux concours de circonstances, fut amené à entrer dans une église pour la première fois de sa vie pour rendre un dernier hommage à l'une de ses connaissances. Et c'est en visitant l'église comme un musée qu'il la vit dans une chapelle. La nouvelle de sa conversion accrédita définitivement la puissance de cette petite médaille que nous devons à la visite angélique de sœur Catherine Labouré.

18 juin 1961 et décident d'aller jouer au bord d'un sentier caillouteux. Je ne sais plus qui a osé écrire [1] que, compte tenu de l'isolation de leur village, leur développement mental était bien en-dessous de celui des enfants de même âge (*sic*) vivant dans des cités... Bref, elles discutent entre elles et décident d'aller chiper discrètement quelques pommes (des granny-smith ?) dans le jardin fruitier appartenant à un voisin. Quel grave péché n'ont-elle pas commis là. Inutile de souligner que tous les prêtres y ont vu la répétition du fruit interdit du jardin d'Eden, ruminant sur cet objet maudit qu'est la femme, même petite fille. Les gamines ont donné par la suite diverses explications sur ce qui s'est passé, toutes bien sûr plus pieuses les unes que les autres, mais oublions-les car elle ne présentent guère d'intérêt comparé à ce qui se passa après. Sur ce sujet, elles affirmèrent toutes les quatre la même chose « *on entendit un bruit, comme un tonnerre tout autour de nous* ». Les gamines regardent le ciel et n'y trouvent aucun signe de tempête. Alors elles prennent peur et se sauvent. Quelques instants plus tard, elles s'arrêtent et, rassurées, se remettent à jouer lorsque Conchita tombe soudain à genoux. Les trois fillettes la regardent, essayent de la bouger, et, n'y arrivant pas, décident d'aller chercher sa mère pensant qu'elle fait une « *crise de nerfs* ». Mais elles aussi tombent à genoux en découvrant ce que Conchita fut la première à voir, l'Ange.

Avant d'aller plus loin, je dois remarquer que, comme dans la série télévisée « Mission Impossible », l'Archange Michael possède une armoire complète d'apparences plus ou moins variées. Au moins de juin, et sans doute pour ne pas effrayer les enfants, il se matérialisa aussi en « enfant », un peu comme l'Ange de Catherine Labouré. Les quatre fillettes racontèrent toutes excitées que l'Ange « *était habillé d'une robe bleue, longue, libre, sans ceinture... Les ailes, roses (!), claires, assez grandes, très belles. Son visage ni long ni rond, le nez très beau, les yeux noirs, la figure brune (mate ?). Les mains très fines, les ongles coupés, les pieds invisibles. Il paraît avoir 8 ou 9 ans. Si jeune,*

---

1. Après recherches, c'est un prêtre français, le père Robert François dans « Tout le peuple l'écoutait », « O children listen to me », titre anglais.

mais il donne l'impression d'une force invincible ». L'Ange disparaît[1] sans rien dire. Revenues à elles, elles se regardent sans comprendre et se ruent au village pour se cacher. D'abord elles veulent se dissimuler dans l'église mais elles n'osent pas y entrer et trouvent un refuge derrière la chapelle. Elles pleurent. D'autres enfants leur demandent pourquoi, et petit à petit le village entier est au courant. Bien sûr, l'histoire est amplifiée pour se terminer avec un Ange grand comme un avion. Peu de gens prêtent foi à leur histoire. Pourtant, l'Ange revient trois jours plus tard, le 21 juin. Cette fois-ci, les quatre petites écolières sont suivies par quelques curieux dont le curé en charge de la chapelle du village[2]. L'Ange se manifeste soudain et aussitôt les badauds sont plongés eux aussi dans le surnaturel : ils remarquent par exemple que les visages des gamines sont devenus blancs, presque brillants et que leurs têtes se sont renversées violemment, à 45 degrés, comme si quelqu'un leur avait brusquement tiré les cheveux en arrière. Alors, elles commencent à marcher, sans ciller, sans voir les spectateurs, sans regarder où elles posent les pieds, ce qui du point de vue pratique est déjà une prouesse. Autre phénomène curieux : elles sont parfaitement synchronisées, presque comme dans ces compétitions de natation synchronisée. L'Ange, toujours aussi peu loquace, s'évanouit. Mais il revient le lendemain. La foule autour des fillettes grossit et tout de suite les sceptiques se font un plaisir de prouver aux autres qu'il ne s'agit que d'une vaste mascarade. Dès l'arrivée de l'Ange, elles « *disparaissent* », elles sont ailleurs, en extase. Alors, les médecins présents les pincent, passent des briquets allumés devant leurs yeux, essayent de les pousser, etc. sans qu'une seule des quatre ne marque une réaction. Anesthésie générale, dirait un chirurgien. Sur l'un des documents filmés, trois médecins essayent de soulever Jacinta, haute comme trois pommes et qui ne devait guère peser plus de trente kilos. Mais trois hommes tentèrent de la soulever. Rien à faire. C'est comme si on lui avait coulé du béton armé dans les membres et cette manifestation nous rappelle celle de Marie-

---

1. Si les filles avaient raconté des histoires, elles auraient dit en toute logique qu'il s'était envolé, puisqu'il possédait des ailes... roses ! Je ne connais qu'une seule représentation d'Ange à ailes « roses », celle de la chapelle *Altare Privilegatum*, de l'église Saint-Thomas d'Aquin de Paris, œuvre du peintre Luc-Olivier Mersou, 1887.
2. San Sebastian de Garabandal ne disposait pas d'un curé à demeure.

Madeleine de Pazzi : « *Un jour que ses sœurs voulaient la faire sortir de la chapelle* » nous dit Hélène Renard, « *n'y parvenant pas, elles arrachèrent les lattes du parquet pour la transporter et témoignèrent qu'elle était* « *légère comme une plume* ». *A l'inverse, Marguerite Parigot, sujette à de nombreuses lévitations, devenait d'une extrême pesanteur.* »[1] Et, exactement comme Marie d'Agreda, lorsque la Vierge les quittait, elles se soulevaient l'une l'autre pour pouvoir l'embrasser comme si elles soulevaient un stylo ![2]

Bien évidemment, maintenant le village entier s'est donné rendez-vous avec les fillettes et environ deux cents personnes virent cette « luminosité ». L'Archange resta environ deux heures, mais lorsqu'elles sortaient de leur extase, les gamines pensaient que cela n'avait pas duré plus de deux minutes. Comme nous l'avons vu, une extase se situe toujours « hors temps ». L'Ange ne disait toujours rien, se contentant de sourire gentiment. Finalement, c'est le 1er juillet qu'il desserrera les dents pour dire : « *Savez-vous pourquoi je viens ?* » Les gamines le regardent, ébahies. « *Pour vous annoncer que demain dimanche la Sainte Vierge vous apparaîtra comme Notre-Dame du Carmel.* » On remarque qu'il ne leur demande pas, comme à Fatima, des prières et des sacrifices. Le jour J, le village comptait bien plus de curieux que d'habitants et c'est vers 18 heures que la Vierge se manifesta[3], encadrée de deux Anges. Si le premier était Michael[4], le second n'a jamais été identifié : « *L'autre nous ne savons pas ; il était vêtu comme saint Michel et lui ressemblait comme un frère jumeau.* »

1. Page 117, in « Des prodiges et des hommes », op.c.
2. Des photos sont disponibles.
3. Le frère Paul-Marie remarque dans son ouvrage « Les Apparitions de Garabandal » (Ed. Hovine) qu'on « *ne saurait parler de suggestion : les fillettes n'avaient jamais entendu parler des apparitions de Fatima, d'une part, et les représentations modernes de la Vierge du Carmel, fort nombreuses en Espagne, ne rappellent en rien la vision des enfants. N-D du Carmel est représentée le plus souvent vêtue de brun, avec un voile blanc ou noir — comme les carmélites — ou bien de rouge avec un voile blanc et bleu. A ce titre, la vision des fillettes est à la fois parfaitement originale et conforme aux plus anciennes représentations de N-D du Carmel dans l'iconographie tradition-nelle, iconographie qu'elles ne pouvaient pas connaître* ». Rappelons aussi qu'en 1961, le village était coupé de tout et ne disposait pas d'électricité ou téléphone.
4. Cela fut confirmé puisque l'une des requêtes de la Vierge fut la construction d'un sanctuaire en l'honneur de l'Archange qui « pèse les âmes ».

Peu importe. Pendant près de trois ans se succéderont apparitions sur apparitions et la Vierge offrira aux enfants le don de hierognosis, c'est-à-dire de reconnaître à distance un objet consacré, ceci fonctionnant à double tranchant, comme nous allons le voir. Dès le début des apparitions, les autorités ecclésiastiques locales s'étaient montrées extrêmement méfiantes et avaient même fermé l'Eglise afin d'empêcher que les enfants, en extase, y pénètrent. Alors les prêtres s'habillaient en civil et se mêlaient à la foule. Mais, pas de chance pour eux, dès que l'un d'eux s'approchait des fillettes, l'une d'elles se levait et disait « *vous êtes prêtre* ». Le religieux, tellement frappé, aurait voulu creuser un trou pour s'y enterrer. Idem pour les objets. Marie avait ordonné aux enfants de demander aux pèlerins de lui donner des objets à embrasser. Cela allait des bagues de mariage ou de fiançailles, aux chapelets en passant par les images et bien sûr les médailles de toute nature. Quelques petits malins dans la foule revenaient le lendemain et redonnaient aux gamines, qui une bague, qui une médaille à embrasser. Deux précautions valent mieux qu'une. Mais lorsqu'elles les tendaient à la Vierge, elle disait « *Non, cela a déjà été fait* »! Et ce qui me fascina le plus, ce fut de voir Jacinta et Mari-Loli, ayant chacune une quarantaine de chapelets dans les mains, revenir ensuite vers la foule, considérable, et rendre l'objet à son propriétaire! Rien que ce détail mérite d'être médité. C'est un peu comme au restaurant avec le garçon. Si vous êtes dans un groupe, disons de dix personnes, il prend la commande et lorsqu'il revient, il demande toujours « *le saumon fumé, pour qui?* », « *l'entrecôte à la moelle saignante?*, « *oui, la bleue?* », etc. Même à Paris où se trouvent les meilleurs garçons de café, des « pros », aucun d'eux ne se souvient qui a commandé quoi. Alors imaginez une gamine de 12 ans avec quarante chapelets. Quoi de plus ressemblant à un chapelet qu'un autre chapelet, surtout la nuit, où, c'est bien connu, tous les chapelets sont gris. Mais pas pour elles. Idem pour les bagues, médailles, etc. Convenons que cela ne relève pas de notre réalité. Conchita expliquera en 1970 qu'elle avait perdu ce don quelque temps après la fin des apparitions. Autre détail intéressant qui nous rappelle la section 2 du chapitre « Interventions surnaturelles », la façon dont les quatre enfants se retrouvaient ensemble aux apparitions. Bien avant vous cher lecteur, nombre de personnes ont pensé qu'elles se donnaient le mot. Mais à plusieurs reprises, elles furent en quelque sorte « kidnappées » avec interdiction de sortir, sous observation stricte. Nonobstant ces situations, Jacinta, Mari-Loli, Conchita et Marie-Cruz entraient en transes à la même heure et à la même minute. Elles disaient que lorsque une apparition était programmée, elles entendaient une voix intérieure dans la journée qui les mettaient sur leurs gardes. Lors de la seconde « voix », elle se préparaient parce que la troisième était imminente et à la troisième, elle se ruaient sur le lieu de l'apparition.

A partir du mois d'août 1961, les phénomènes surnaturels deviennent de plus en plus insensés et ce que j'ai vu sur les documents filmés de l'époque m'a parfois donné la chair de poule : on voit les quatre gamines bras dessus bras dessous marcher rapidement, la tête en arrière regardant le ciel, à reculons ! C'est franchement stupéfiant de voir ces filles marcher de cette façon, nuque renversée, sans que jamais leurs pieds ne heurtent une pierre, alors que le sentier n'est constitué que de cela ! D'autres fois, les gens les virent courir en arrière ! On les voit aussi soudain tomber violemment à genoux, sur ces pierres, sans une seule égratignure. Les témoins affirmaient que les enfants, en extase, lisaient dans leurs âmes. Mieux, à l'étude des films, si on regarde image par image, on découvre que sur l'une, Conchita est debout et que sur la suivante elle est agenouillée. Des nombreux livres écrits sur Garabandal, un seul se détache, sans doute parce qu'il est digne d'un reportage de journaliste. C'est celui de cet avocat et professeur d'histoire Sanchez-Ventura y Pascal qui s'était rendu par curiosité dans le village pour observer cette bouffonnerie bien entendu organisée par l'église. Or, maître Sanchez-Ventura y Pascal n'a toujours pas très bien compris comment, mais il a été converti sur le champ, devenant l'un des plus fervents et brillants défenseurs de Garabandal. Il raconte qu'au cours de la vision du 4 août, quelqu'un dans la foule était venu avec un magnétophone, l'un des tous premiers, avec les dérouleurs (la cassette n'existait pas encore) pour enregistrer les murmures des quatre fillettes. En leur faisant des signes, le spectateur leur montra le microphone et l'appareil. Jacinta, Mari-Loli, Conchita et Mari-Cruz voulurent voir et le propriétaire leur expliqua comment cela fonctionnait, lorsque soudain Mari-Loli et Jacinta entrèrent en « extase » en tenant le micro. Tout le monde put l'entendre demander à la Vierge de parler dans le microphone. Dans l'histoire de la presse, c'est sans doute bien la première fois qu'un journaliste, même amateur, réussit à obtenir quelques mots de la Vierge ! Bref, à peine entrée en extase, Mari-Loli en sortit et les spectateurs firent un immense cercle autour du magnétophone et de son opérateur. Lorsqu'il rembobina la bande et appuya sur « play », la foule entendit très nettement la fillette demander à la Vierge de parler et une « *douce voix féminine* » lui répondre : « *Je ne parlerai pas* ! ». Ce fut l'apothéose dans la foule et la bande fut écoutée et réécoutée jusqu'à ce que soudain plus personne n'entendît quoi que ce soit. Le passage s'était mystérieusement effacé.

Incontestablement, la Vierge possède le sens de l'humour.

Comme nous l'avons vu, les événements de Garabandal présentent suffisamment de signes surnaturels pour valider l'apparition de l'Ange du mois de juin. Même le spécialiste René Laurentin note : « *On reste perplexe devant le foisonnement de faits extraordinaires qui se déroulèrent à Garabandal.* »[1] Le Vatican n'a jamais autorisé le culte de Notre-Dame de Garabandal en raison de la rétractation soutirée aux enfants et surtout parce que les signes annoncés ne se sont jamais réalisés. Pourtant, au moment des faits, le Padre Pio a assuré à tous ceux qui lui posèrent la question qu'il s'agissait bien d'une apparition tout à fait authentique. Et comme nous l'avons vu, le Padre Pio possède assez de poids, surtout depuis sa mort, pour que nous puissions le croire sur parole de son vivant ! Les médecins qui examinèrent les fillettes eurent beau les piquer avec des aiguilles, les brûler avec des allumettes ou essayer de leur tordre le cou, rien, strictement rien, ne pouvait les sortir de leur extase. Il se serait agi de quelques fakirs, on le comprendrait, mais d'enfants de 12 ans, pour ma part je n'ai pas l'ombre d'un doute.

Abordons maintenant l'un des documents les plus étonnants dont nous disposons, la communion faite par l'Archange Michael. Avouons qu'il s'agit d'un véritable privilège que d'être servi par le chef des

---

1. Page 148 in « Multiplication des apparitions de la Vierge aujourd'hui », Fayard, 1991, 3ᵉ éd.

Archanges. Ces communions eurent lieu en raison de l'absence de prêtre et lorsque les quatre fillettes commencèrent à recevoir l'hostie des mains de l'Archange, cela déclencha le doute, principalement parce que seul un prêtre « humain » pouvait donner la communion selon le dogme. La Vierge, dans l'une de ses 2 000 apparitions, expliqua que l'Ange prenait les hosties dans les tabernacles de la terre. Sur les films de l'époque on remarque que les fillettes tombent soudain à genoux, sortent la langue et déglutissent. Des « gros plans » ont été faits mais bien entendu nulle trace d'hostie. On pourrait dire qu'elles faisaient semblant et on a raison. C'est ce que tout le monde s'est dit en fait à Garabandal au point que les « voyantes » demandèrent à l'Archange de « *faire un miracle pour que tout le monde puisse les croire* ». L'Archange accepta et dit à Conchita : « *Par mon intercession et la tienne Dieu le fera. Le 18 juillet (1962), Notre Seigneur rendra l'hostie visible afin que les gens voient et croient.* » Ce jour-là, ce fut un triomphe : des milliers de personnes se rendirent dans le village et attendirent le miracle annoncé. Mais ce n'est que vers minuit, après les trois appels intérieurs, que Conchita sortit de chez elle et se rendit vers le sentier, suivie par une foule immense. Elle tomba en extase et vit l'Ange. La foule fit un cercle autour d'elle. Conchita observait l'Archange : elle ouvrit la bouche et un silence de mort se fit soudain autour d'elle. Sa langue sortit, attendit pendant trois secondes et soudain l'hostie, une hostie d'une blancheur de neige immaculée se matérialisa. Pas de truc, pas de magie, l'Archange Michael avait tenu sa promesse.

J'avais parlé un peu avec Conchita mais elle fuit les journalistes et je n'avais aucune envie de la pourchasser à New York, ville que je déteste. Mais elle eut la gentillesse de me donner le numéro de téléphone de Jacinta qui habite à une demi-heure de mon appartement, ce qui m'excita au plus haut point. Interviewer l'une des quatre fillettes qui avait reçu la communion des mains de l'Archange Michael me paraissait une bonne idée. Je pris la voiture et descendis le Pacific Coast Highway jusqu'à Oxnard, une sorte de banlieue déshéritée de la base de tests de missiles de Point Mugu, au bord du Pacifique. De jour, la ville, si toutefois on peut parler de ville, est assez sinistre. On comprend tout de suite qu'il ne faut pas s'y aventurer la nuit. Chaque maison est grillagée. Bref, ce n'est pas, hélas, un coin résidentiel. Et je me demandais ce que Jacinta faisait là, dans ce coin perdu. Je trouvais son trajet Garabandal-Oxnard plus qu'étrange. Je me garai devant une petite maison grise, un peu isolée des autres constructions. Presque une maison fantôme. Je me demandais même si je ne m'étais pas trompé en notant le numéro de la rue. Son mari, un homme d'une quarantaine d'années aux cheveux gris, avec un visage rondouillard et des yeux enfoncés, m'ouvrit la porte. Puis Jacinta arriva. Je fus agréablement surpris : c'était l'Espagnole typique, cheveux noirs tirés en arrière, yeux noirs, joues roses, habillée d'un chemisier bleu et d'une jupe noire. On lui donne 37 ans alors qu'elle en a 47. Pas de maquillage, hormis le rouge à lèvres, belle silhouette au sourire accueillant et au corps fait pour l'amour. Son mari me fit asseoir dans un grand canapé et il prit place à côté de moi. Jacinta s'était assise timidement dans un fauteuil à l'autre bout de la pièce. Je venais interviewer Jacinta et c'est le mari qui prenait d'office sa place. Alors je lui demandai si son épouse pouvait se rapprocher de nous parce qu'elle était vraiment trop loin. En fait, j'en étais gêné pour elle. L'entretien commençait d'autant plus mal que Jacinta ne s'était pas habituée à l'anglais et comme l'espagnol ne faisait pas partie de mon répertoire, je dépendais du mari pour la traduction.

Je voulus entendre la description de cet Ange aux ailes roses de la bouche de Jacinta

— *Comme était l'Ange ?* lui demandai-je.

— *Vous savez, c'était il y fort longtemps et je ne vous cache pas que les souvenirs s'estompent au fur et à mesure que les années passent. Nous avions donné les descriptions à l'époque et je ne peux rien vous dire de plus. Une lumière, un enfant avec des ailes roses... Il ne voulait pas effrayer quatre petites filles de 12 ans.*

— *Mais lorsque l'Ange vous donnait la communion, avait-il la même apparence ?*

— *Oui c'était le même, il nous avait donné son nom, saint Michel l'Archange, il était comme un enfant, comme au début.*

Puis une question me traversa l'esprit : cette hostie avait peut-être un goût venu d'ailleurs.

— *Est-ce que l'hostie avait un goût différent ?*

— *Je ne me souviens pas qu'elle ait eu une saveur différente. De toute façon, elle venait des tabernacles de la terre. Mais maintenant que l'on en parle, je me rappelle que la Vierge nous a demandé « si vous rencontrez un prêtre parlant avec un Ange, qui saluez-vous en premier ? ». Nous avons toutes répondu « l'Ange bien sûr ! » et elle nous a repris en souriant, « non, pas l'Ange en premier, mais le prêtre parce qu'il est plus élevé que l'Ange et parce qu'il peut consacrer à la messe, ce que l'Ange ne peut pas faire ».*

La voix mélodieuse de Jacinta m'avait séduit.

— *Et la photo de l'hostie visible ?*

— *C'était un spectateur de Barcelone, Damien, qui se trouvait là et qui prit plusieurs photos dont celle-ci. Ce qui s'est passé là a été vu par de nombreuses personnes.*

Je repensai soudain au magnétophone et à la voix de la Vierge.

— *Est-ce que vous vous souvenez du magnétophone ?*

Jacinta sourit

— *J'étais avec Mari-Cruz. On a tendu le micro à la Vierge et on lui a demandé de parler dedans. Et Elle a dit, « je ne parlerai pas ». Puis la bande a été entendue plusieurs fois avant que sa voix s'efface mystérieusement.*

— *Est-ce que la Vierge avait le sens de l'humour ?*

Le visage de Jacinta s'illumine.

— *Oh oui, c'était comme parler avec une mère. Parfois on jouait même à cache-cache avec Elle. Elle nous trouvait toujours ! Ou alors Elle nous emmenait pour trouver l'endroit où l'une de nous quatre s'était cachée. C'était vraiment une mère, tout en imposant un immense respect. Elle riait souvent. Une fois, au début des apparitions, on nous avait demandé de jeter de l'eau bénite sur l'apparition pour être certains que ce n'était pas le diable. Elle nous a demandé « qu'est-ce que vous faites ? » et on lui a répondu « on vous jette de l'eau bénite pour vérifier que vous n'êtes pas le diable ». Elle a éclaté de rire et nous a dit « allez-y, jetez-moi de l'eau bénite »...*

— *Alors depuis ces extases, est-ce qu'il vous arrive d'avoir des locutions, d'entendre une « voix » intérieure...*

— *Non, mais en revanche il m'arrive très souvent d'avoir des rêves prémonitoires d'une précision insensée. Je me souviens par exemple un matin m'être réveillée et avoir dit à mon mari « ton père va mourir ». Il n'avait aucune raison de mourir et ne présentait aucun signe de maladie ou quoi que ce soit. Mais il est bien mort deux jours plus tard d'une crise cardiaque. J'ai plein de rêves comme cela. C'est étonnant car je vois le futur avec parfois beaucoup de précision.*

— Est-ce que depuis lors vous parlez avec votre Ange gardien?

— Non, je le prie simplement chaque soir, depuis longtemps et je récite toujours le rosaire, chaque jour.

GABRIELLE BOSSIS
1874-1950

(Groupe III, visionnaires, Anges)

FRANCE

Hey lady-you got the love I need
Oh Maybe-more than enough
Oh Darling Darling
Walk a while with me
— Oh you've got so much
— Oh you've got so much.

Led Zeppelin —
Over the hills and Far away —
in « Houses of the Holy »,
Atlantic Records.

Gabrielle Bossis nous fournit une preuve indiscutable de la prédestination de certaines âmes à une vie cloîtrée. Actrice, auteur de pièces de théâtre, elle parcourut le monde interprétant ses propres rôles sans jamais s'enfermer dans un couvent. Logique, Il ne le voulait pas. Et si aujourd'hui ses pièces sont tombées dans l'oubli le plus complet, en revanche ses sept volumes de « dialogues » avec le Christ ont parfaitement survécu puisque nous en sommes à la 58e réimpression ! ! Quel auteur de roman, même après un passage chez Bernard Pivot peut-il se prévaloir d'un tel succès *post mortem* ? Et tout en vivant une carrière d'actrice, un peu comme Eve Lavalliere, Gabrielle Bossis traversait deux guerres mondiales en Sa compagnie. Pas d'amants, pas d'autre mari autre que Lui, Lui qui s'adressait à la jeune femme via « paroles intérieures » interposées qu'elle notait régulièrement dans des petits carnets noirs. Pourtant ce n'est pas qu'elle n'ait pas hésité à entrer dans un couvent, mais après quatre années de prières, elle finit pas discerner « *que là n'était pas son destin ni sa voie* ». Et si elle n'était pas faite pour un ordre religieux, en revanche, à la façon des grandes mystiques, le Christ lui parla dès son enfance.

Gabrielle Bossis et le Christ, c'est un peu « Un homme et une femme » de Claude Lelouch. Il la suit, Il lui parle, Il l'Aime, Il l'enseigne et la mène progressivement vers des niveaux de spiritualité de plus en plus élevés. Ce n'est pas la passion si j'ose dire comme avec Gemma Galgani ou Marie-Madeleine de Pazzi. Cependant Il l'enveloppe de sa protection divine et la mène à pas souples vers des réalités qui ne sont pas de notre monde. C'est un mariage d'amour paisible, tranquille. J'imagine le Christ allongé dans un transat dans le jardin de Gabrielle Bossis, sirotant un pastis et prenant un peu de repos après une chasse aux âmes. Ne lui demande-t-Il pas « *emporte-Moi sur la terrasse. Environne-Moi de tes fleurs. Pense-Moi avec tes délicatesses. Lorsque tu Me verras, tu diras : je Te reconnais, Toi que je n'avais jamais vu* » ?

On l'a deviné, Gabrielle Bossis n'eut aucune manifestation surnaturelle à la façon d'une Marie-Madeleine de Pazzi ou d'une Yvonne-Aimée de Malestroit, aucune vision comme Hildegarde von Bingen ou Vassula Ryden et pas de messages à la façon d'une sœur Josefa Menendez ou de la splendide sœur Marie-Angélique Millet. Elle L'entendait, et c'est tout. Mais comme nous allons le voir, le style de ses dialogues s'identifie assez facilement, puisque Son style est inimitable.

Très peu d'Anges dans les sept volumes de Gabrielle Bossis. S'intéresse-t-on aux employés lorsqu'on fréquente le PDG ? En revanche, elle savait qu'elle possédait un Ange gardien : « *Ma chère amie* », écrivait-elle à une connaissance, « *je vous sais souffrante et affaiblie. J'en profite pour vous aimer encore davantage, pour prier pour vous de tout mon cœur. Et pour demander à mon Ange gardien d'être à votre chevet puisque je ne puis le faire...* »[1]. Voici ses quelques rares références aux Anges :

« *223. — A la campagne.*
— Honore, salue les Anges de la terrasse. Ils sont là puisque tu les as

[1] Page 99 in « Lui et moi », Vol. VI op. c.

invités. Honore les Anges de ta maison. Ah ! si vous croyiez, vous vivriez davantage avec les invisibles qu'avec les visibles.

Et je me suis souvenue qu'avant de partir j'avais dit aux Anges : " Venez vous asseoir sur ces bancs et louez Dieu pour tant de merveilleux horizons " [1]. *»*

« 228. — Confiance envers les saints et les Anges. Quand on est petit enfant, on se trouve dans les bras de tout le monde. On se laisse chérir et c'est tout naturel. » [2]

« 178. — 7 juillet. — Retour après guerre à la campagne.

— Invite les Anges et les saints à t'accompagner dans ta reconnaissance : vois-tu, ils sont là pour être avec toi dans toutes tes actions. Ce sont tes frères aînés. » [3]

« 271. — 17 août. Heure sainte. Eglise de Fresne. Je disais : « Bonjour mon plus bel Amour. »

— Oui, Ma petite fille, rien n'est plus beau que Moi et toi : Dieu dans une âme, Dieu épousant une âme. L'œil humain n'a jamais rien vu de semblable. C'est un spectacle pour les Anges. Demande à ton Ange de bien jouer ton rôle dans cette fête. C'est une fête qui peut durer toute la vie si l'âme s'y prête par sa pauvre bonne volonté. Bien souvent, Je ne vous demande pas autre chose : la bonne volonté. C'est déjà un geste d'amour appelant avec confiance Mon secours. » [4]

Ce style inégalable que l'on découvre au fil des pages des huit volumes de Gabrielle Bossis, on le retrouve également en divers ouvrages, toujours des véritables mystères de l'édition, comme par exemple dans ce manuscrit publié par les Editions du Parvis « Si tu m'ouvres la porte » [5] et qui présente suffisamment de correspondances avec les divers mystiques féminins que nous avons vus

1. Page 62 in « Lui et moi », Vol. 1, Beauchesne, Paris.
2. Page 63 in « Lui et moi » op. c.
3. Page 58 in « Lui et moi », Vol. II, op. c.
4. Page 169 in « Lui et moi », Vol. III, op. c.
5. Hauteville, Suisse.

précédemment pour attester de son authenticité. Ces messages, nous explique Don Renzo Del Fante dans la présentation, ont été confiés à « *une clarisse capucine qui vécut probablement aux côtés de sœur Consola Betrone* ». Le contenu des dialogues, soigneusement noté par la sœur, fut remis à son directeur de conscience qui attendit les derniers instants de sa vie pour les confier à un éditeur pour une éventuelle publication. On ne sait rien de plus sur cette femme, ni quand cela s'est passé, pendant combien de temps, comment, etc. Ce petit livre présente en outre un nombre important de similitudes avec le « God Calling » américain, un ouvrage de dialogues également christiques recueillis par deux femmes restées anonymes et vendu à des millions d'exemplaires, sans aucune publicité de son éditeur A.J. Russel. Le ton, le contenu, la poésie et surtout le style se recoupent, tout en étant cependant originaux. Celui de la capucine italienne mérite que l'on s'y attarde car les références du Christ aux Anges sont au nombre de quatre :

> « (...) *Tout l'amour des séraphins et des saints ne pourra jamais égaler un seul battement de mon Cœur.* »

> « (...) *Mon Cœur enflammé d'amour pour vous désirerait une réponse de votre part. Alors qu'il pourrait être tranquille au ciel avec les Anges et les saints, il a choisi d'être inquiet pour l'honneur et l'amour des mortels.* »

> « (...) *Si je demandais à mes Anges, comme à vous, d'intensifier leur amour pour moi, je ne pourrais pas les retenir.* »

> « *Courage ! Ton Ange gardien recueille tout et l'engrange pour le paradis. Pas la moindre souffrance ni la plus petite fatigue ne passent inaperçues ; tout est enregistré par la toute-puissance et la sagesse de ton Dieu.* »[1]

---

1. Page 73, op. c.

JEAN-EDOUARD LAMY
1853-1931

(Groupe III, visionnaires, miracles, Anges)

FRANCE

> *Je monte à grand-peine*
> *Par les chemins,*
> *Que prennent les reines,*
> *Et les assassins*
> *Dans cet univers de cendres*
> *Où aimer n'existe pas*
> *Parfois je prie mon Ange,*
> *Eh ne m'oublie pas.*

> Jean-Louis Murat –
> *L'Ange Déchu* –
> in « Cheyenne Automn »,
> Virgin Records.

De ce prêtre bien campagnard né en 1853 nous reste un grand nombre de documents car sa réputation avait réussi à dépasser la commune communiste de la Courneuve[1]... Son cas est exemplaire pour tous ceux qui doutent de ces « dons du ciel » distribués pourtant au compte-gouttes : pourquoi à lui et pas à un autre prêtre ? Mieux, s'il ne s'agissait que de légendes, pourquoi alors ne pas fabriquer d'autres légendes, encore plus surnaturelles, encore plus extraordinaires, de façon à ce que chaque région, et pourquoi pas, chaque église, puisse disposer d'un saint afin d'exciter, exalter, encourager la ferveur populaire. Si l'on réfléchit un peu, on se rend à l'évidence : il n'en est rien et les églises aujourd'hui continuent à se vider. Les

---

1. Banlieue de Paris.

prêtres eux-mêmes d'ailleurs y sont pour beaucoup, manquant totalement de foi. Alors comment expliquer que la mémoire du père Lamy, curé ordinaire de campagne même pas stigmatisé, a mieux survécu que celle de n'importe quel académicien « immortel », et cela sans même avoir publié un livre. Quant à son biographe le comte Paul Biver, il pouvait difficilement être soupçonné de fantaisie. Lorsque le docteur ès lettres, spécialiste de l'histoire de l'art et aristocrate fit la connaissance du prêtre en 1923, il fut aussitôt séduit par le personnage et ne cessa par la suite de l'assister et de l'aider aussi bien financièrement que dans ses démarches administratives. L'un des événements qui marqua à jamais l'esprit du comte fût cette nuit où, après avoir accompagné le père Lamy dans sa chambre à coucher alors qu'il avait de plus en plus de difficultés à se déplacer, il l'entendit un peu plus tard parler avec quelqu'un. Un aristocrate qui écoute aux portes ne fait guère preuve d'une éducation digne de son rang, mais le cas était tellement curieux, que nous aurions certainement fait la même chose :

> « *A dix heures moins quart, je suis au lit et j'éteins ma lumière. Il se passe peut-être deux ou trois minutes, et, à travers les deux portes, qui sont légères, j'entends une conversation animée dans la chambre du vieux prêtre. Trois voix d'hommes y prennent part, nettes et distinctes au possible dans le silence absolu de la nuit. Ce phénomène m'intrigue immédiatement au plus haut point et j'en saisis toute la portée. (...) Personne d'autre part n'a monté l'escalier depuis que j'y suis passé. Ses marches de sapin sont si légères et la maison si sonore que, de ma chambre, j'y distinguerais le bruit d'une souris. D'autre part, vingt minutes auparavant, en quittant le vieillard sur le seuil de sa chambre, j'ai vu celle-ci libre de tout occupant. Le père Lamy parle de moment en moment, répondant à un interlocuteur dont la voix est nette, chaude, d'un timbre très viril et très agréable, qui s'exprime sans trace d'accent et sur un ton affirmatif*[1]. »

On l'a deviné, le père Lamy s'entretenait avec ses Anges et voyait ces êtres célestes avec une régularité de métronome, comme s'il s'agissait d'une seconde nature :

1. Pages 179-180 in « Père Lamy, apôtre et mystique », Paul Biver, Editions du Serviteur.

VISIONNAIRES ET ANGES (III)

« Lorsque vous avez une cinquantaine d'Anges ensemble, vous en restez ébahis : alors vous ne pensez plus à prier Dieu. Ces miroirs dorés qui n'arrêtent pas de remuer sont semblables à de nombreux soleils ! Quel merveilleux spectacle ce doit être au ciel, en face de millions d'Anges en vol ! (...) Les Anges sont bien mieux comme apparence que la Sainte Vierge. Avec ces beaux reflets, qui changent incessamment de place sur le vêtement blanc, ils ont l'air de brillants officiers autour d'elle, si simples. Je parle de la très sainte Vierge, indépendamment de Sa lumière. Quant Elle se montre dans ce que je pourrais appeler sa grande gloire, Elle est un peu effrayante, car le soleil n'est qu'une lumière. Ce que je disais, c'est quand Elle conserve sa petite gloire. (...) Avec quelle simplicité et quelle affection les Anges L entourent ! Dieu Lui en a donné des milliers et des milliers. Elle les connaît tous par leur nom. Eux ne La connaissent que sous un nom : « Reine ». Chacun d'eux à sa physionomie particulière, mais tous sont aussi beaux. Les Anges L'appellent « Reine » d'un ton très respectueux, et quand elle s'adresse à l'Archange, Elle lui dit tout simplement : « Gabriel », d'un ton très maternel. Elle considère les Anges avec un regard doux et direct. » [1]

Si la Vierge Marie est appelée *Reine des Anges,* peu sont les mystiques qui nous l'ont décrite dans l'exercice de ses fonctions. Privilégié parmi les privilégiés, le père Lamy ne cessa de La voir entourée de sa « cour céleste ». Ce privilège est rare, et même le Padre Pio ne bénéficiait pas d'une vue « panoramique » semblable. Pourtant, le père Lamy, curé des « *voyous* » et « *prolos* » n'était pas stigmatisé, qualité presque obligatoire pour disposer de cet autre œil qui distingue les mystères du Très-Haut. C'était un simple, un campagnard, un pauvre, encore plus pauvre que ses paroissiens et qui disait au comte Biver « *je n'ai vécu que parmi les ouvriers ; je dis les choses telles qu'elles sont et je ne sais pas les envelopper comme vous* ». Incontestablement, le père Lamy était un saint, un prêtre comme on n'en fait plus, un prêtre qui se déplaçait en vélo et qui, tout en bénissant un rosaire, se demandait ce qu'il allait manger le soir. C'était un O.S. de la prêtrise, gagnant deux fois moins que le SMIC, mais qui s'était entrouvert par son humilité les portes du surnaturel, et que même les ouvriers communistes avaient du mal à rejeter. Quant

1. Page 171 in « Père Lamy, apôtre et mystique », op. c.

411

aux Anges, ils virevoltaient véritablement autour de ce vieillard presque aveugle et ce n'est dû qu'à l'admirable ténacité de ce fin aristocrate que nous en possédons le souvenir. Merci au comte Paul Biver de nous avoir laissé la biographie de ce prêtre hors normes car sans lui, l'un des témoignages les plus étonnants sur la Vierge Marie et les Anges ne nous serait jamais parvenu. En effet, c'est grâce aux descriptions du père Lamy que nous avons pu établir un portrait de la Vierge, une esquisse plus exactement, qui ne la présente pas seulement comme la femme versant des larmes éternelles mais aussi comme un véritable personnage d'état qui ne manque ni d'humour et encore moins de pertinence.

Bref, le père Lamy se déplaçait dans le surnaturel en vélo, avec une baguette de pain sous le bras. Vers la fin de sa vie, sa réputation devint telle que d'innombrables personnes venaient le visiter, lui demander conseils, guérisons, faveurs et prières. Ce n'était pas la cohue qui attendait dès trois heures du matin la messe du Padre Pio, mais nul doute que si ce bon prêtre avait vécu un peu plus longtemps, on y serait arrivés. Comme bien d'autres mystiques, le père Lamy lisait dans les âmes et répondait souvent aux questions avant même que ses visiteurs aient eu le temps de les prononcer. Rien que ces deux détails impressionnèrent bon nombre de fidèles au point que les histoires les plus folles commencèrent à circuler à son sujet. Le père Lamy ne devint célèbre qu'au moment où il avait renoncé à tout, y compris à lui-même, et s'apprêtait à mourir tranquillement. L'une de ses visions majeures date du 9 septembre 1909, soit vingt ans avant sa mort, en la chapelle de Grey ; lorsque le comte Biver prenait ses notes, le curé lui disait souvent « *attention, rien de tout cela ne doit paraître avant ma mort* »[1]. Ses descriptions d'Anges concordent à merveille avec celles que nous avons découvertes dans le chapitre « Des Anges et des tunnels ».

« *Nos Anges gardiens, nous ne les prions pas suffisamment. Que fait-on pour eux ? Un petit bout de prière le matin, un petit bout de prière le soir : voilà tout ! Leur miséricorde est bien grande à notre égard, et,*

---

1. Le biographe a respecté sa promesse et son livre ne sortit en librairie qu'en 1933, soit deux ans après la disparition du prêtre.

souvent, nous ne les utilisons pas assez. Ils nous regardent comme des petits frères indigents ; leur bonne volonté à notre égard est extrême. Rien n'est fidèle comme un Ange. (...) Les Anges, comme les saints, n'ont pas un corps semblable aux corps réels de la Vierge et de Notre Seigneur ; ils ont des corps qui ne sont pas de chez nous. Chaque Ange a sa physionomie spéciale. (...) Leurs vêtements sont blancs, mais d'un blanc qui n'a rien de terrestre. Je ne sais comment le décrire, car il n'est nullement comparable à notre couleur blanche, d'un blanc beaucoup plus doux à l'œil. Mais ces saints personnages sont enveloppés d'une couleur si différente de la nôtre que tout, ensuite, paraît sombre. Quand vous voyez une cinquantaine d'Anges, vous êtes émerveillé : vous ne pensez plus à prier Dieu. Ces plaques d'or, qui remuent perpétuellement, on dirait autant de soleils ! Ce doit être, au ciel, un merveilleux spectacle que le vol de millions d'Anges ! Je ne leur ai jamais vu d'ailes, toujours l'aspect de jeunes gens. (...) Tous ces personnages, comme le diable, sont avec nous, autour de nous. Si nous ne les voyons pas, il s'en faut de si peu ! C'est comme une pellicule qui nous sépare d'eux. » [1]

Le père Lamy est l'un des principaux mystiques dont les visions corroborent parfaitement les témoignages des rescapés NDE et nous ne saurions trop recommander au lecteur de lire la biographie du comte Biver. Sa prudence, son respect du style inimitable de ce curé de « pauvres » et surtout les témoignages qu'il réussit à lui arracher de son vivant surprennent terriblement par leur actualité, raison pour laquelle les « Serviteurs de Jésus et Marie » ont noté un intérêt croissant pour la vie de ce religieux truculent qui nous rappelle en nombre de points ce personnage interprété par l'acteur Fernandel, Don Camillo, avec une différence majeure, c'est que le père Lamy a bien existé.

1. Pages 182-184 in « Père Lamy, apôtre et mystique », op c.

MARIE LATASTE
1822-1847

(Groupe III, visionnaires, Anges)

FRANCE

> *C'est c'est encore*
> *C'est encore plus fort*
> *Quand je sens le feu de mon corps*
> *Qui me tient là jusqu'à l'aurore*
> *Doucement dis-moi les mots que j'adore*
> *Parle-moi, parle-moi d'amour*
> *Je veux des baisers de velours*
> *Et ta peau tout contre ma peau*
> *Tu me rends folle c'est vraiment vraiment trop.*

> Niagara – *Je dois m'en aller* –
> in « Encore un dernier baiser »,
> Polydor Records.

Morte en « odeur de sainteté » à l'âge de 25 ans, cette religieuse française serait quasiment inconnue si les éditions Téqui n'avaient pas jugé utile de rééditer son journal, sa correspondance et ses mémoires qu'elle écrivit sur ordre de son directeur spirituel. Les cahiers de cette jeune fille prédestinée furent mis en librairie en 1862 et connurent quatre éditions avant de sombrer dans l'oubli en pleine guerre. Mais des « cahiers » comme ceux de Marie Lataste ou de Marie-Angélique Millet ne peuvent tomber définitivement dans l'oubli puisque, semble-t-il, la Divine Providence se charge de les remettre au goût du jour. Et à nouveau, j'étais fasciné par la survie de tels livres. Et cette humble religieuse nous réservait un véritable trésor, un trésor digne des « Dialogues » de Catherine de Sienne puisque c'est dans ses locutions que nous avons trouvé une explication détaillée de l'Ange gardien

414

donnée par le Christ. Par conséquent, c'est aussi chez Marie Lataste, dont le corps repose aujourd'hui à Londres, que se trouvent les éclaircissements les plus précis, tous issus de diverses visions, locutions internes ou extases, ou, comme on dit aujourd'hui, « sorties hors du corps ».

Pourtant cette jeune femme candide fut auscultée, jugée, pesée et surtout humiliée par divers prêtres et directeurs spirituels qui voulurent ainsi s'assurer de l'authenticité de la jeune religieuse. Mais Marie Lataste, comme Marie d'Agreda, n'émit jamais une seule plainte ou une protestation : elle accueillait toute humiliation comme un cadeau de Dieu, qu'elle pouvait ainsi partager avec le Christ[1].

Bien avant de revêtir le voile, Marie Lataste se souvint qu'elle n'avait qu'un seul plaisir, se rendre à l'église de son village et L'observer à côté de l'autel. Elle était comme sœur Agnès Sasagawa ou le Padre Pio, elle Le voyait, environné parfois de ses Anges. Mais le Christ la mettait en garde, parfois très sévèrement, afin qu'elle ne s'égare pas dans l'orgueil puisqu'Il lui apparaissait : « *Garde-toi de t'enorgueillir, garde-toi de t'élever pour cela au-dessus d'autrui. Ma parole ne te sauvera pas seule, il faut ta coopération. (…) Sache que tu dois t'humilier devant Moi, car tu n'es que cendre et poussière, péché et corruption, et je suis le Dieu tout puissant (…). Je fais les rois. Je fais trembler les monarques et les potentats sur leurs trônes. Je sonde les cœurs et les reins; rien de ce qui se fait parmi les hommes ne m'échappe; je connais leurs plus secrètes pensées* »[2]. Finalement, comme Hélène Kowalska, Il l'emmène dans un couvent, chez les sœurs du Sacré-Cœur, dans lequel la jeune femme s'abandonnera entièrement à Lui. Les Anges chez Marie Lataste sont innombrables mais ce qui nous intéresse le plus se trouve dans le « livre quatrième », titré « Les Anges et les hommes »[3]. Le Christ insiste et développe le minuscule point commun qui existe entre l'Ange et l'homme, l'âme :

1. Cette démarche est extrêmement fréquente chez les (futurs) saints, le meilleur exemple étant celui de Anne-Catherine Emmerich et de la religieuse Ulrique Nisch von Hegne, dont la biographie a été publiée par les Editions du Parvis.
2. Page 15 in « Vie et œuvres de sœur Marie Lataste », Pascal Darbins, Ed. Téqui, 1974, Paris.
3. Pages 211 à 222 in « Vie et œuvres de sœur Marie Lataste », op. c.

« *Par son âme, il (l'homme) se rattache aux Anges ; par la sensation, aux animaux ; par l'existence, aux divers éléments de la nature.* », et Il précise que :

1) cette union de l'homme avec toute la création est une réalité qui lui permet de participer aux deux créations, terrestres et célestes ;

2) les Anges gardiens existaient bien avant Sa venue sur terre et sont attribués au moment de la naissance de l'homme.

(chapitre I)

« *L'union la plus intime de l'homme est avec les Anges, parce que cette union doit durer toujours et jusque dans l'éternité. L'union avec la créature matérielle est d'un degré beaucoup inférieur parce que cette union n'est que transitoire et ne dure que dans le temps pour finir à l'entrée de l'Eternité. De plus, ma fille, l'union de l'âme avec l'Ange est la plus forte, parce que cette union n'est pas une union passive, mais une union opérante et pleine d'activité. Il y a une communication entre l'homme et les Anges ; il y a entente, et cette communication, cette entente deviennent telles que l'homme finit par ressembler à l'Ange et prendre position avec lui.* »

(chapitre II)

« *Vous vous rappelez ce que je vous ai dit des communications entre les Anges et les hommes. Ecoutez bien ceci, c'est fort important. Je veux vous parler de deux choses que produisent les Anges sur les hommes. La première, c'est l'illumination de l'intelligence, la seconde le mouvement de la volonté (...) Les Anges, ma fille, éclairent les hommes de trois manières : en leur annonçant les divins mystères, en les instruisant, en les exhortant ; ils les éclairent en se manifestant à eux visiblement ou invisiblement. (...) Invisiblement, lorsqu'ils ne se servent d'aucun objet sensible pour se manifester à l'homme, quand ils agissent directement avec l'âme sur l'âme, quand ils lui parlent comme un esprit à un esprit, comme un Ange à un Ange ; et cela, soit que celui à qui ils s'adressent soit éveillé, soit qu'il soit endormi, comme ils s'adressent à tous ceux à qui ils portent un intérêt et qui leur sont confiés en leur inspirant de bonnes pensées. (...) Ce mouvement ne ressemble pourtant pas à un mouvement, comme celui par exemple que vous communiqueriez à un objet quelconque ; non, ma fille, car la volonté demeure toujours libre, et comme libre, ni les Anges, ni Dieu ne peuvent lui donner mouvement vers le bien si elle ne veut pas.* »

Ce mouvement est une disposition vers le bien, une aptitude, une facilité à faire le bien. A cet effet, les Anges enlèvent, font disparaître ou diminuent les obstacles qui empêcheraient la volonté et qui l'arrêteraient, et en ce sens, ils lui donnent encore le mouvement. »

(chapitre III)
« Ma fille, Dieu gouverne, dirige et mène tout immédiatement par sa providence. Rien ne Lui échappe, comme Il a tout créé, ainsi Il conserve tout, ainsi Il veille sur tout et porte ses yeux sur toutes choses. Néanmoins Il lui a plu de confier l'exécution des actes de sa providence à des ministres qu'Il s'est donnés. Ces ministres sont les Anges. (...) Il a fait le monde et l'a confié à ses Anges, Il a fait l'homme et Il le leur a confié aussi. Ils sont toujours à son côté, ils sont toujours avec lui, ils veillent sur lui, ils le gardent, et c'est pour cela qu'ils sont appelés Anges gardiens. Tous les hommes ont un Ange gardien (...) car telle est la volonté de mon Père du Ciel, faisant tout pour le bien et le salut de l'homme. Les Anges gardiens n'ont point été seulement donnés aux hommes depuis ma venue en ce monde, mais depuis le commencement, tous les hommes ont reçu de Dieu un Ange pour veiller sur eux. »

(chapitre IV)

« Voici ce que fait pour vous l'Ange gardien et ce vous devez faire pour lui. L'Ange gardien éloigne de vous les maux du corps et de l'âme ; il lutte contre vos ennemis, il vous excite à faire le bien ; il porte à Dieu vos prières et inscrit sur le livre de vie vos bonnes œuvres ; il prie pour vous, il vous suit jusqu'à la mort, et vous portera dans le sein de Dieu, si vous vivez dans la justice pendant que vous serez sur terre. (...) Un rien peut affliger votre corps pour jamais, un accident peut pour jamais aussi vous ravir la vie de votre âme. Vous n'êtes point assez avisée pour écarter et éloigner tous les dangers ; et quand vous le seriez assez, souvent vous ne le pourriez par vous-même. Ce que vous ne voyez pas, votre Ange gardien le peut pour vous, et il protège votre corps et votre âme en éloignant tout ce qui pourrait lui être préjudiciable ; il le fait sans que vous vous en aperceviez. Si quelques fois vous y réfléchissiez, et que vous vous demandassiez comment vous avez échappé à tel accident, à tel malheur, vous toucheriez du doigt l'action de votre bon Ange. (...) Enfin, ma fille, votre Ange gardien vous suivra partout ; il vous suivra tous les jours de votre vie, et quand Dieu vous retirera de ce monde, il vous présentera a Lui. »

On l'imagine, Marie Lataste n'a pas attendu d'être « au ciel » pour voir son Ange. Celui-ci se manifestait régulièrement, mais son rôle est assez effacé puisque, comme Hélène Kowalska, elle voyait avant tout le Christ. Par conséquent, son Ange demeura en retrait. Ce qui reste fascinant dans son œuvre est cet esprit qui l'animait. En effet, Marie Lataste ne reçut guère une éducation lettrée, manière élégante de dire ce qu'elle-même n'hésita jamais à affirmer : « *Je suis une humble et pauvre fille de la campagne*[1], *ne sachant autre chose que ce que ma mère m'a enseigné; or, toute ma science, dans l'ordre de la nature, consiste à savoir lire, écrire, manier l'aiguille et tourner le fuseau.* » En conséquence, elle prévint également son directeur spirituel que dès le commencement des locutions et visions, elle n'a jamais pu exprimer tout ce qu'Il lui avait dit et montré. Quant aux ecclésiastiques, ils s'étonnaient littéralement de la profondeur des textes écrits par cette « *bonne fille de ferme* » et ils avaient beau examiner ses écrits sous tous les angles possibles, jamais une seule erreur dogmatique ne s'était glissée dans le contenu. Comme l'a remarqué l'abbé Pascal Darbins, « *cet examen sérieux des manuscrits ne permettra plus d'élever aucun doute sur l'authenticité des œuvres de Marie Lataste* ». En cela, cette jeune religieuse ressemble presque trait pour trait à Marie d'Agreda ou à Catherine de Sienne. Et si son corps n'est pas demeuré incorruptible pour « garantir » son œuvre, notons tout de même que sa mort ne passa pas inaperçue, malgré sa modestie et sa volonté de cacher aux autres sœurs les grâces dont elle était l'objet : « *Les personnes qui lui rendirent les derniers devoirs ont même assuré que ses membres conservèrent leur flexibilité. Nous avons entendu l'une d'elles nous l'attester : voyant que le corps de Marie se ployait avec la plus grande souplesse, elle en témoigna son étonnement à la Mère assistante, ajoutant qu'elle toujours cru que les morts étaient roides : « Cela est vrai ordinairement* », lui répondit celle-ci, « *mais les saints ne sont pas comme les autres* ». »

Ajoutons simplement que Marie Lataste n'a jamais été canonisée.

---

1. Des Landes.

HILDEGARDE VON BINGEN
1098-1179

(Groupe III, visionnaires, miracles, Anges)

ALLEMAGNE

Such a mess, such a funny feeling
I must confess, I never felt like this before
Runnin'hot, runnin'my emotions
Your lovin'shock, goes trough me like an open door
Ooh my heart's in animation
You got me beating in double time
State of attraction
Somehow you make my body come alive
My arms wanna hold ya
My lips wanna kiss
Ya make me want to want you.

Paula Abdul, – *State of Attraction* –
in « Forever your girl », Virgin Records.

L'Allemagne nous a laissé, Dieu seul sait pourquoi, quatre nonnes visionnaires gothiques qui ont prodigieusement marqué leur temps et dont les mémoires ou visions continuent à être imprimés encore aujourd'hui, soit depuis huit siècles... La plus célèbre d'entre elles, Hildegarde Von Bingen (1098-1179), occupe une place curieuse dans l'histoire de l'Eglise car on la retrouve dans les Fleurs des saints (elle doit être fêtée le 17 septembre) alors qu'elle n'a jamais été canonisée, ni béatifiée. D'après les documents de l'époque, des foules, venant aussi bien de France que d'Allemagne, se rendaient en pèlerinage au couvent fondé par Hildegarde dont le don de prophétie ainsi que les visions et surtout les extases avaient fait le tour de l'Europe.

Hildegarde Von Bingen, une musicienne qui composa de nombreux cantiques, était assaillie par une sorte de voix intérieure et ressentait le besoin pressant de mettre sur parchemin le contenu de ces messages. Elle-même douta d'abord et, après s'être confessée à son directeur de conscience le moine Godefroy, elle reçut par la suite l'accord des autorités ecclésiastiques de l'époque qui lui attribuèrent une sorte de secrétaire/espion chargé de vérifier s'il ne s'agissait pas avant tout d'une possession diabolique. Ce secrétaire, du nom de Volmar, enregistra donc ce qui allait devenir mondialement connu sous le nom de « scivias ». Volmar passa dix ans à ses côtés et écrivit sous sa dictée 26 visions intéressant les relations entre l'homme et Dieu, l'Apocalypse et les Anges :

> « Alors le Dieu tout puissant constitua différents ordres dans sa milice céleste, comme il convenait, afin que ces ordres remplissent chacun leur fonction, et de telle sorte que chaque ordre soit le miroir et les sceau de son voisin. Chacun de ces miroirs abrite ainsi les mystères divins que ces mêmes ordres cependant ne peuvent voir, savoir, goûter et définir absolument. Aussi, leur admiration s'élève-t-elle de louange en louange, de gloire en gloire, et leur mouvement est éternel, puisque jamais ils ne peuvent parvenir au but. Ces Anges sont esprits et vie de Dieu. Ils ne renoncent jamais aux louanges divines, ils ne cessent de contempler la clarté ignée de Dieu, et cette clarté de la divinité leur donne l'éclat de la flamme. Que les fidèles perçoivent dans la dévotion passionnelle de leur cœur, ces paroles, parce qu'elles proviennent de celui qui est le premier et le dernier, pour le plus grand profit de ceux qui croient ! »

Une contemporaine de Hildegarde. Elisabeth de Schönau (1129-1165) également bénédictine, lui rendait souvent visite. Elle aussi vivait en quelque sorte comme un fantôme et était terrassée en permanence par des maladies effrayantes à la suite de sa demande au Christ de partager ses souffrances auxquelles elle ajoutait des séances quotidiennes de discipline. Le moins qu'on puisse dire à son sujet est qu'elle fut particulièrement précoce puisqu'elle entra au couvent à l'âge de douze ans. Et c'est cette Allemande, première épouse du Christ qui annoncera la future lignée des grandes épouses mystiques comme Catherine de Sienne ou Angèle de Foligno. Jean-Noël Vuarnet rapporte « qu'un Ange qui avait coutume de lui rendre visite et *de l'emporter dans l'Empyrée lui enjoignit un jour d'écrire et de faire connaître au monde ce qu'elle voyait pendant l'extase. Cet Ange, comme nous, voyait en Elisabeth la fille de sainte Hildegarde »* [1] :

> « *Il m'avait montré un grand nombre de livres, me disant : « Voyez-vous tous ces livres? Ils doivent être écrits avant le jour du Jugement. » Et, prenant l'un de ces livres, il m'avait dit : « C'est le livre des voies de Dieu que vous devez écrire quand vous aurez visité la sœur Hildegarde et que vous l'aurez entendue. » »*

On s'en doute, les deux femmes eurent d'innombrables histoires à se raconter. Dans la même catégorie que Hildegarde von Bingen et Elisabeth de Schönau, il est difficile de ne pas citer les deux Mechtilde, von Magdebourg et von Hackenborn. Née au début du XIIIe siècle en Saxe d'une famille noble riche et éduquée, Mechtilde von Magdebourg ressentit à l'âge de douze ans la présence physique du Saint-Esprit (!) ce qui, par la suite, ne cessa de la pousser vers une vie de religieuse. A vingt ans, elle quitta son château et s'enferma d'abord chez les béguines composées de veuves avant de changer d'obédience et d'atterrir chez les cisterciennes de Helfta, lieu qui verra la naissance de trois mystiques les unes après les autres. Peu d'informations nous sont parvenues sur la vie de Mechtilde, hormis ses écrits régulièrement édités tout au long des siècles. L'éminent angéologue Vincent Klee donne une référence concernant ses œuvres publiées en France — « Révélations de la sœur Mechtilde. La lumière de la divinité », Poitiers, Paris, H. Oudin Frères, 1878 » —.

C'est le confesseur de la jeune femme qui l'avait forcée à mettre sur parchemin ses ravissements qu'elle qualifie de joie indicible. Elle fut l'une des premières à dénoncer la débauche de l'Eglise, des prêtres et des moines de son époque, ce qui la força à quitter son couvent de béguines. Comme les autres mystiques, elle reçut toutes les maladies possibles et devint même, vers la fin de sa vie, aveugle. Elle mourut entre 1282 et 1294 à Helfta en Saxe. Dans ce couvent de cisterciennes, elle n'était pas la seule à connaître l'intimité de Dieu puisque l'autre Mechtilde, — dite de Hackenborn — née en 1241, partageait aussi ce

---

1. In « Extases féminines », page 42, op. c.

divin privilège, ainsi que sœur Gerthrude — dite d'Helfta —. Mechtilde « bis » mourut peu de temps après la première, dans le même couvent, le 19 novembre 1299, laissant elle aussi sa « Révélation (de sainte Mechtilde) » que Gerthrude d'Helfta, que nous avons vue un peu avant dans cet ouvrage, a rédigé pour elle. On s'y perd un peu avec toutes ses extasiées dans un même cloître, mais dans leurs ravissements, les Anges leur apparaissaient régulièrement et engageaient le dialogue. Et c'est Mechtilde von Magdebourg qui nous explique pourquoi elle ne s'intéressa jamais aux Anges, rejoignant ainsi la célèbre déclaration de saint Paul :

> « La moindre âme est fille du père, sœur du fils, l'amie du Saint-Esprit et la véritable épouse de la sainte Trinité. Mais si nous allons plus haut, nous verrons qui l'emportera dans la balance. Le plus grand des Anges, Jésus Christ, qui est élevé au-dessus des séraphins, qui est avec son père un seul dieu indivisible, je le prends, moi, âme infime, dans mes bras, je le mange, je le bois, et j'en fais ce que je veux ; voilà ce qui n'arrivera jamais à l'Ange, si haut qu'il réside au-dessus de moi. La divinité de Jésus Christ ne sera jamais pour moi si élevée que je ne puisse lui unir à jamais tous mes membres. Impossible à moi d'oser davantage ; pourquoi alors m'embarrasser de ce qui peut advenir aux Anges ? »

De son côté, Mechtilde von Hackenborn se gardait bien d'ignorer ces Etres spirituels et elle demanda même au Christ, quelques jours avant le 29 septembre, fête des Archanges, comment elle devait leur rendre hommage. Elle reçut la réponse — divine — suivante :

> « — Récite neuf fois en leur honneur le Pater Noster, selon le nombre des chœurs angéliques.
> Elle les récita, et voulut les offrir à son Ange, le jour-même de la fête, afin qu'il les présentât lui-même aux autres esprits ; mais le Seigneur Jésus lui dit avec un certain mécontentement :
> — C'est à moi que tu dois laisser cette charge, car j'aurais pour très agréable de la remplir ; sache que toute offrande à moi confiée arrive aux cieux ennoblie par mon intermédiaire et transformée avec grand profit, de même qu'un denier jeté dans l'or en fusion se mêlerait au précieux métal en cessant d'être ce qu'il était, et paraîtrait ce qu'il est devenu, c'est-à-dire de l'or. »

Chapitre 13

Conclusion :
Les Anges préfèrent les femmes
(mais les hommes préfèrent
les hôtesses de l'air)

If you say run, I'll run with you
If you say hide, we'll hide
Because my love for you
Would break my heart in two
If you should fall
Into my arms
And tremble like a flower...

David Bowie – *Let's Dance* –
in « Let's Dance »,
EMI Records.

Si toutes les rencontres angéliques ne sont pas aussi dramatiques que celle de sainte Cécile, on remarque cependant qu'elles sont assez fréquentes et celle des « Dialogues » de Budapest en constitue un excellent exemple. Dans les « Dialogues », les Anges préparent leurs interlocuteurs à l'holocauste, à la mort dans les camps nazis. Chez les saints, soit ils les préparent à une vie de souffrance, soit ils les aiguisent en vue d'une apparition de la Vierge Marie ou du Christ. Les deux petits bergers de Fatima sont morts peu de temps après l'apparition de l'Ange et de Marie. Dans la vie courante, les Anges s'annoncent parfois aux enfants : le Dr Elisabeth Kübler-Ross a constaté tout au long de sa carrière que les bambins expliquaient aux parents qu'ils allaient disparaître, avec une phrase du genre « *tu sais maman, c'est aujourd'hui que je vais partir, un Ange me l'a dit* ». Sur le coup, personne n'y prête attention mais après l'accident, la prédiction laisse une empreinte indélébile sur les parents. La représentation symbolique de l'Ange de la Mort n'est ainsi pas dénuée de tout bon sens, loin de là. Et d'après notre hypothèse, il s'agit bien des mêmes Anges car bon nombre de personnes, à quelques minutes de rendre leur dernier souffle, « voient » soit le « *compagnon de jeu* » de leur plus tendre enfance, soit un Ange « *merveilleux* » qui les attend, comme nous l'avons vu dans le chapitre « *Des Anges dans les tunnels* ».

Chez les mystiques, ils se laissent observer, discutent, parlent et rient même, comme on l'a vu avec le Padre Pio. Mais curieusement, peu sont les mystiques mâles à avoir vu des Anges ou leur Ange gardien pendant leur vie, comme le Padre Pio ou le père Lamy. En revanche, chez les mystiques femmes, il s'agit d'un phénomène extrêmement fréquent, comme si, par une grâce très mystérieuse, elles étaient plus favorisées par le Très-Haut, ou, peut-être, jugées plus dignes de les voir. Ainsi, dans le tome II des « Plus beaux textes sur les saints Anges » de Vincent Klee[1], on remarque que sur les 81 auteurs retenus par ce prêtre, 54 étaient des hommes et 27 des femmes, soit une proportion de 67 % contre 33 %.

Du côté masculin, les écrits sont strictement et exclusivement *spéculatifs*[2]. En revanche du côté des auteurs femmes, 70 % d'entre elles ont vu leur Ange gardien en particulier ou des Anges en général pendant leurs extases. Dans notre étude, ce n'en est que plus flagrant : dans le groupe I (incorruptibles-stigmates-Anges), on trouve 4 femmes sur 4 ; dans le groupe IIA (stigmates-Anges), la proportion monte à 9 femmes pour 1 homme, le Padre Pio, quelque peu égaré entre tous ces voiles ; dans le groupe IIB (incorruptibles-Anges), on ne trouve aucun homme et dans le groupe III (vision-naires-Anges), on arrive à 10 femmes pour seulement 2 hommes.

Pourquoi les Anges apparaissent-ils si peu aux hommes et si souvent aux femmes ? Seraient-elles plus contemplatives, plus ouvertes, plus sensibles au caractère spirituel et immatériel d'un Ange ? Comme

1. Nouvelles Editions Latines, Paris.
2. Le Padre Pio et le père Lamy n'ont pas laissé d'écrits.

toute réalité se traduit par des chiffres, la réponse semble se trouver chez les stigmatisés, signe divin le plus pathétique et le plus mystérieux. Dans son livre « Stigmata » paru en 1989[1] le journaliste britannique Ian Wilson a recensé de façon fort incomplète 88 personnes authentiquement marquées par les blessures du Christ, examinées par des chirurgiens, psychiatres, ecclésiastiques et observées par d'innombrables témoins[2]. Mais comme dans notre étude, dans le livre de Wilson, consacré à un tout autre sujet, la proportion de femmes arrive au chiffre incroyable de 89 % ! Et bien avant lui, en 1824, après plus de 300 études de cas de stigmatisation, le Dr Imbert-Goubert trouvait le même ratio : 280 femmes, soit 86 %, contre seulement 41 hommes, soit 14 %.

On savait les femmes plus intuitives, plus réceptives, bref plus sensibles que les hommes, mais les mystiques nous en donnent une preuve supplémentaire écrasante et indiscutable. Est-ce aussi parce que les hommes sont moins à l'aise dans leur relation avec Dieu ? « *Les mystiques hommes* » remarque très justement Jean-Noël Vuarnet, « *ne peuvent que devenir femmes (thème de l'âme épouse), ou devenir enfants. Quant aux femmes, unies à Dieu sans être frustrées de leur sexe, elles évoluent dans la mystique avec plus de bonheur, en tant que filles, épouses ou mères : filles du Père, épouses du Père, mères du Père...* » Les Anges donc, exactement comme Dieu, se manifestent bien plus souvent aux femmes qu'aux hommes. Je n'ai donc qu'une chance infime de « voir » mon Ange. N'oublions pas que jamais pendant toute la durée des « Dialogues » de Budapest, Gitta, Lili, Hanna ou Joseph ne virent ne serait-ce que le bout d'une aile. Et il n'est pas si important que cela finalement de voir son Ange, puisque le

1. Enquête sur les mystérieuses apparitions des blessures du Christ sur des centaines de personnes du Moyen Age jusqu'à l'Amérique moderne, Harper & Row, 1989, New York.
2. Etude incomplète car la Française Marthe Robin par exemple y est totalement ignorée, sans doute parce qu'aucun ouvrage sur elle n'a été traduit en anglais. Le père François Brune et Joachim Boufflet ont recensé d'autres stigmatisés, comme Anna-Maria Goebel († 1941), Berthe Petit († 1943), Lucia Mangano († 1946), Yvonne-Aimée de Malestroit († 1951), Edwige Carboni († 1952), Alexandrina Maria de Costa († 1955), Barbara Brütsch († 1966), Adrienne von Speyr († 1967), Augustin Hieber († 1968), Maria Bordini († 1978), Marthe Robin († 1981) et Symphorose Chopin († 1983).

plus important consiste avant tout à croire en lui. Comme le dit « **La Nouvelle Alliance** », « *heureux celui qui croit sans voir* », et ce conseil me pousse à examiner un personnage de l'Eglise qui n'a cessé de m'intriguer tout au long de la rédaction de cette étude sur les Anges.

En effet, après tous ces corps incorruptibles, ces miracles, ces stigmates et ces visions, bref, après ce très court voyage en territoire divin avec des guides signés de Sa Main, je ne peux m'empêcher, très cher lecteur ou lectrice, de revenir sur un cas qui me trouble encore plus que le plus blessé de tous les stigmatisés et le plus incorruptible de tous les cadavres en bonne santé : celui de Thérèse de l'Enfant Jésus, ou sainte Thérèse de Lisieux, « Petite Fleur » pour les intimes.

Voilà une jeune carmélite qui ne reçut aucune grâce divine apparente, contrairement à toutes celles et ceux que nous venons de voir. Pas de stigmates comme Thérèse Neumann, pas de visions comme Anne-Catherine Emmerich, pas de prophéties comme Hildegarde Von Bingen, pas de bilocations comme Yvonne-Aimée de Malestroit, pas de traces de parfum comme Rencurel du Laus, pas de lévitations comme Thérèse d'Avila, pas de visions d'Anges comme Gemma Galgani ni un corps incorruptible comme Catherine de Sienne...

Alors, comment expliquer l'omniprésence de Thérèse de l'Enfant Jésus dans la vie du Padre Pio, de Thérèse Neumann, de Marthe Robin, d'Hélène Kowalska et de tant d'autres « marqués » modernes qui, tous, la vénéraient littéralement ?

Mieux, comment expliquer qu'elle soit aussi la sainte favorite, la sainte la plus adorée et priée de la communauté catholique à l'échelle mondiale ? Mystère total, alors qu'elle venait de nulle part et que son manuscrit « L'Histoire d'une âme » ne fut même pas confié à un éditeur. Prenons deux exemples, le premier dûment constaté par les médecins : Thérèse Neumann devint paralysée et perdit en même temps la vue. Elle ne perdit cependant pas espoir et ne cessa jamais de prier Thérèse de Lisieux, son modèle, pour qu'elle intercède en sa faveur pendant plusieurs années. Et le jour de la béatification de la « Petite Fleur », la stigmatisée de Konnersreuth retrouva la vue : « *La première chose qu'elle vit, une jeune fille qui venait d'entrer dans sa chambre et que de prime abord elle ne reconnût* » *pas; c'était sa sœur Odile qu'elle n'avait pas vue depuis quatre ans... »*[1] Plus étonnant encore, le jour de la canonisation de sainte Thérèse de Lisieux. Thérèse Neumann fut totalement guérie de sa... paralysie.

De son côté, le Padre Pio l'aimait comme s'il s'agissait de sa fille et plusieurs témoins, des ecclésiastiques, dont le futur béatifié Luis Orione[2], rapportèrent l'avoir vu en chair et en os à la messe de béatification de la « Petite Fleur » à la basilique Saint-Pierre de Rome, alors qu'au même moment, il se trouvait enfermé à San Giovanni de Rotondo, avec interdiction d'en bouger. Une bilocation de plus pour le Padre Pio qui n'en était pas à sa première.

Et voici le second exemple, qui nous rappelle un peu les tests consommateurs de « Que choisir ». Hélène Kowalska, encore novice, se lance éperdument dans une prière particulièrement difficile, la « neuvaine », qui consiste à réciter le rosaire neuf jours de suite à l'intention d'un saint pour lui demander de répondre à une requête « difficile ». Elle récitera ainsi plusieurs neuvaines à différents saints sans résultats, jusqu'à ce qu'elle ait l'idée d'adresser ses supplications à la jeune carmélite :

> *« Je voudrais mentionner un rêve que j'ai eu. J'étais encore novice et j'avais certaines difficultés que je ne pouvais pas surmonter. Ces difficultés étaient intérieures et des difficultés extérieures s'y mêlaient. Je faisais des neuvaines à divers saints. Mais l'épreuve devenait de plus en plus lourde. Mes souffrances étaient si grandes que je ne savais plus comment vivre et soudain l'idée me vint de prier sainte Thérèse de l'Enfant Jésus. J'ai commencé une neuvaine à cette sainte. Avant mon entrée au couvent, j'avais une grande dévotion pour elle. Je l'avais un peu négligée depuis. Mais dans la nécessité où je me trouvais, j'ai recommencé à la prier avec une grande ferveur. Le cinquième jour de la neuvaine, sainte Thérèse m'apparut en rêve, mais elle semblait être encore sur terre. Elle me consolait, disant que je ne devais pas tellement m'attrister de cette affaire, mais être plus confiante en Dieu. (...) Elle ajouta : « Sachez, ma sœur, que dans trois jours cette affaire arrivera à bonne fin. » (...) C'était comme dans un rêve et, comme dit le proverbe, « Dieu est foi, songe est*

1. Page 13 in « Trois stigmatisés de notre temps » op.c.
2. Son corps sera découvert incorruptible par la suite.

mensonge ». Cependant, le troisième jour, je réglai cette difficulté très facilement. Tout s'accomplit exactement comme elle me l'avait dit »[1].

Hélène ne nous a pas laissé dans son journal les noms des ces saints qui n'ont pas daigné répondre à ses appels. En revanche, elle fut prodigieusement frappée par le fait que la jeune sainte lui soit apparue en rêve et que ce qu'elle lui avait affirmé se soit réalisé à la lettre. Par la suite, elle ne cessa de la prier.

Et, rendons-nous à l'évidence, la « petite fleur » de Lisieux n'a pas eu besoin de stigmates, ni de corps incorruptible pour écrire le plus beau poème dédié à l'Ange gardien. Il en est poignant de tendresse, de passion et d'attachement, quoique bien doloriste.

En un mot, le jour où l'on découvre qu'un être aussi immatériel que vivant nous est attaché, ses rimes se transforment en autant d'épines qui nous rappellent toutes les années que nous avons vécues sans jamais lui avoir adressé une seule pensée :

---

1. Pages 98,99 in « Petit Journal de sœur Faustine », Hélène Kowalska, Editions Jules Hovine, 1985..

A mon Ange gardien

Glorieux gardien de mon âme,
Toi qui brilles dans le beau ciel
Comme une douce et pure flamme
Près du trône de l'Eternel
Tu descends pour moi sur la terre
Et m'éclairant de ta splendeur
Bel Ange, tu deviens mon frère !...

Connaissant ma grande faiblesse
Tu me diriges par la main
Et je te vois avec tendresse
Oter la pierre du chemin
Toujours ta douce voix m'invite
A ne regarder que les cieux
Plus tu me vois humble et petite
Et plus ton front est radieux.

Ô toi ! qui traverses l'espace
Plus promptement que les éclairs
Je t'en supplie, vole à ma place
Auprès de ceux qui me sont chers
De ton aile sèche les larmes
Chante combien Jésus est bon
Chante que souffrir a des charmes
Et tout bas, murmure mon nom... [1]

— FIN —

1. In « Poésies » (extrait), pages 213-214, Le Cerf.

Chapitre 14

Postface, bibliographie,
sources et discographie

With one breath, with one flow
You will know
Synchronicity
A sleep trance, a dream dance
A shared romance
Synchronicity
A connecting principle
Linked to the invisible
Almost imperceptible
Something inexpressible (...)
A star fall, a phone call
It joins all
Synchronicity.

The Police – *Synchronicity I* –
in « Synchronicity »,
A&M Records.

On s'est bien moqué au cours de l'histoire de France du roi Saint Louis qui, en toute innocence, avait acheté fort cher des plumes prétendument tombées des ailes de l'Archange Michael. Ce brave monarque, bien « crédule » à nos yeux, s'est fait, comme on dit, « avoir ». Pourtant, après cinq ans de lecture et neuf mois de rédaction, j'ai acquis la certitude absolue que la foi est aux yeux du Créateur, du Père, et bien sûr de l'Ange, ce que l'homme peut posséder de plus précieux dans sa vie. « *JE ressemble au soleil que l'on peut d'autant moins voir qu'il brille davantage.* » déclarait-IL à Marie-Madeleine de Pazzi, au cours de l'une de ses extases, « *Et de même*

431

qu'on ne peut voir le soleil avec une autre lumière qu'avec la sienne, de même JE ne peux, MOI non plus, être connu que par la lumière que JE répands. (...) L'âme croit comme si elle voyait, mais celui qui voit n'a plus la foi, puisque la foi, c'est croire ce qu'on ne voit pas. » Autrement dit, à chacun donc de construire sa foi et surtout de la maintenir vivante et sans s'attendre à une manifestation visible de l'Ange gardien. Pour cela, il faudrait passer par une NDE, et tous les accidents comme on le sait, ne génèrent pas une telle expérience personnelle.

Croire que vous êtes né « sous une bonne étoile » ou que vous êtes « protégé » est une graine de foi, mais elle ne suffit pas. Si cette présomption fort justifiée pouvait se transformer en un dialogue avec votre Ange, alors votre vie connaîtrait des changements considérables. C'est un peu comme la position d'un canon : si vous vous trompez ne serait-ce que d'un centimètre lors du tir, à l'arrivée de l'obus, ce centimètre se transforme en plusieurs kilomètres. Le point de chute se trouve ailleurs, bien éloigné de l'objectif initial. C'est de cette façon que l'on peut illustrer l'arrivée d'un Ange dans une vie quotidienne. Ce n'est seulement qu'un an plus tard, lorsque vous regardez en arrière que vous découvrez les modifications profondes. Et si vous lui demandiez tous les matins de vous guider et de vous conseiller au cours de votre journée, alors seulement cette connexion pourrait s'épanouir. N'oubliez jamais que l'Ange aime par-dessus tout dialoguer avec son protégé et qu'il possède un phénoménal sens de l'humour car l'Ange habite dans le sourire :

> *Le sourire est le symbole : Maîtrise sur la matière*
> *Si tu lis un livre, tu l'approches de toi*
> *pour bien voir*
> *Si tu veux me lire, il faut que tu t'approches.*
> *J'HABITE DANS LE SOURIRE*
> *Je ne peux pas pleurer* [1]

Ce livre avait pour ambition de convaincre, mais hélas je ne sais guère si j'ai atteint mon but et je me garderai bien de vous conseiller,

1. Page 212 in « Dialogue avec l'Ange », op. c.

comme San Antonio, que « *si vous ne croyez pas à l'efficacité de l'Ange gardien après ça, vous n'avez qu'à reporter ce bouquin à votre librairie, afin de l'échanger contre un livre de cuisine* »[1]. Si vous avez lu ce livre sans parti pris, vous penserez peut-être plus souvent à celui qui est près de vous, à votre Ange gardien et si vous vous décidez à lui parler régulièrement, *condition sine qua non,* l'essentiel sera atteint et il commencera alors à vous répondre par des signes, des clins d'œil et des synchronicités fantastiques. Alors vous constaterez que vous avez un ami « *très haut placé* ».

14 septembre, Los Angeles, Californie.

A LIRE EN PRIORITE

NDE :

Dr Melvin MORSE : « Des enfants dans la lumière », Ed. Robert Laffont.
Pr Kenneth RING : « Sur la frontière de la vie », Ed. Robert Laffont.
Père François BRUNE : « Les Morts nous parlent », Ed. Le Felin.
Dr Georges RITCHIE : « Retour de l'au-delà », Ed. Robert Laffont.

Et surtout :

THE VISIONS OF TONDAL, un ouvrage en anglais, très beau et en couleurs, édité par le Paul Getty Museum. Il traite la NDE du chevalier irlandais Tondal qui raconte, dans un manuscrit du XVe siècle, son voyage de « l'autre côté » en compagnie de son Ange gardien. Ce sublime manuscrit de 45 feuilles est, de toutes les versions disponibles dans le monde, le seul à être entièrement enluminé. Ecrit en moyen « françois » par le scribe David Aubert et merveilleusement enluminé par le maître Simon Marmion de Valenciennes, le « Visions de Tondal » fut commandé en 1474 par la duchesse Marguerite de York. Il s'agit d'un véritable trésor (qui a échappé à

---

1. In « Des Clientes pour la morgue ».

433

la Bibliothèque Nationale) et dont la valeur est inestimable, au même titre qu'une toile de Léonard de Vinci. Au musée Getty, il ne peut être consulté que sur écran via CD-ROM. Faut-il le souligner, l'écran n'arrive absolument pas à restituer la finesse des miniatures, ni la délicatesse quasi céleste des couleurs inventées par Simon Marmion. Au cours d'une visite privée, le conservateur Thomas Kren m'a permis d'examiner le manuscrit de la première à la dernière page. Le récit de Tondal (daté de 1149) correspond parfaitement aux expériences aux frontières de la mort modernes, je pense principalement à celle de Georges Ritchie et aux récits de Robert Monroe. Nous ne saurions trop vous recommander l'acquisition de cet ouvrage (70 pages). De plus, peu de spécialistes NDE, théologiens, angéologues et bibliophiles connaissent l'existence de ce livre remarquable, publié en 1990, sur ce manuscrit. Les miniatures couleurs sont reproduites à la même échelle que celles du manuscrit original (36,3 × 26,2 cm).

Il est possible de l'acheter par correspondance en envoyant un chèque de 20 dollars (frais d'expédition compris) au Paul Getty Museum. Ecrire (même en français) à :

Curator Thomas Kren
Paul Getty Museum
17985 Pacific Coast Highway
Malibu, 90265, California
USA

MARQUES PHYSIQUES DU MYSTICISME :
Joachim BOUFFLET : « Encyclopédie des phénomènes extraordinaires dans la vie mystique. Tome I : phénomènes objectifs », Tome II : phénomènes subjectifs. A paraître.

ANGES :
Gitta MALLASZ : « Dialogues avec l'Ange », Ed. Aubier.
Vincent KLEE : « Les plus beaux textes sur les Saints Anges, tomes I et II », Ed. Nouvelles Editions Latines.

VIE DES SAINTS :
Maria WINOWSKA « Le Vrai visage de Padre Pio », Ed. Fayard
Bernard RUFFIN : « Padre Pio, the true story, Expanded Ed. », Ed. OSV. Huntington, Indiana, USA

LES ANGES DANS L'ART :
Etienne CHOPPY : L'Annonciation, Ed. AGEP, Marseille.

BIBLIOGRAPHIE & SOURCES

(TITRE / AUTEUR / EDITEUR, Année, Lieu, (genre))

A Book of Angels / Sophy Burnham / Ballatine Books, 1990, New York (ANGES)

A Glipse for Eternity / Betty Malz / Chosen Books, 1977 (NDE)

A Guide to the Saints / Kristine White / Ivy Books, 1992, New York (HAGIO)

A Handbook of Angels / H.C. Moolenburgh / C-W Daniel Co Ltd 1984 (ANGES)

A Life after death / Ralph Harlow / Mc Fadden Bartell book, 1968, New York (NDE)

A Window to heaven / Diane Komp / Zondervan, 1992, Grand Rapids (Michigan) (NDE)

Adventures in Immortality / George Gallup Jr & William Proctor / Mc Grow Hill, 1982, New York (NDE)

After Death Experience (The) / Ian Wilson / Quill, 1987, New York (NDE)

Akita, the tears and message of Mary / Teiji Yasuda / 101 Foundation, 1989, Asbury (New Jersey) (APPARI)

All about Angels / Paul O'Sullivan / Rockford (Illinois) / Tan Books, 1990 (ANGES)

Alone of all her sex / Marina Warner / First Vintage Books 1983 (HAGIO)

Ange, Astres et Cieux / Bernard Teyssèdre / Albin Michel, 1986, Paris (ANGES)

Angel Fire / Andrew Greeley / TOR books (ROMAN)

Angels & Mortals / Ouvrage Américain Collectif / Quest Books 1990 (ANGES)

Angels Letters / Sophy Burnham / Ballatine Books 1991 New York (ANGES)

Angels on assignement / Charles Hunter / Hunter Books, 1979, Kingwood (Texas) (ANGES)

Angels watchnig over me / Betty Malz / Chosen Books 1986 (ANGES)

435

Angels, an endagered species / Malcolm Godwin / Simon & Schuster 1990, New York (ANGES et ART)

Angels : god's secret agents / Billy Graham / Word Publishing, 1986, Dallas (Texas) (ANGES)

Anges / R.P. Regamey / Pierre Tisné, Paris, 1946 (ANGES et ART)

At hour of Death / Osis & Haraldson / Avon Books, 1977, New York (NDE)

Az Angyal Vàlaszol/ Gitta Mallasz / Daimon Verlag, 1976, Zurich (Suisse) (ANGES)

Beyond and Back / Ralph Wilkerson / Melodyland, 1977, Anaheim (California) (NDE)

Beyond Death / Stansilav Grof / Thamson & hudson, 1980, New York (NDE)

Beyond Death's Door/ Maurice Rawlings / Bantam Books, 1979, New York (NDE)

Bible et les Saints (la) / Duchet-Sucheaux/Pastoureau / Flammarion 1990 Paris (HAGIO)

Bienheureuse Gemma Galgani (la) / Germano et Félix, Revue de la Passion, Librairie Mignard, Paris, 1933 (HAGIO)

Bilocations de Mère Yvonne-Aimée / Laurentin & Mahéo / ŒIL, 1990, Paris (HAGIO)

Bleeding Mind (the) / Ian Wilson / Weidenfeld & Nicolson, 1988, London (STIGMATES)

Butler's Lives of Saints / Michael Walsh / Harper Collins 1991 (HAGIO)

Catapult, a biography on R. Monroe / Bayard Stockton / Donning, 1989, Norfolk (Virginia) (BIO)

Catherine of Siena / Alice Curtayne / TAN 1980 Rockford (Illinois) (HAGIO)

Catherine of Siena / Anne Balwin / OSV 1987 Huntington (HAGIO)

Ce qu'ils ont vu au seuil de la mort / Osis & Haraldsson / Ed. du Rocher 1982 Paris (NDE)

Center of the Cyclone (the) / John Lilly / Julian Press 1972 (VECU)

Charbel, un saint du Liban / Jean-Pierre Haddad / Maison-Neuve, 1978, Paris (HAGIO)

Cité Mystique Vol 1 / Marie d'Agreda / Téqui, 1970, Paris (REVEL)

Cité Mystique Vol 2 / Marie d'Agreda / Téqui, 1970, Paris (REVEL)

Cité Mystique Vol 3 / Marie d'Agreda / Téqui, 1970, Paris (REVEL)

Closer to the Light / Melvin Morse & Paul Perry / Ivy books 1990 (NDE)

Coming back to life / Phyllis Atwater / Ballantine books 1989 New York (NDE)

Death Bed Visions / William Barret / Aquarian Press, 1986 (NDE)

Des Enfants dans la Lumière / Melvin Morse & Paul Perry / Robert Laffont, 1992, Paris (NDE)

Des Prodiges et des Hommes / Hélène Renard / Philippe Lebaud, 1989, Paris (STIGMATES INCORRUP)

Dialogue avec l'Ange, Intégrale / Gitta Mallasz / Aubier 1990 Paris (ANGES)

Dictionary of Angels / Gustav Davidson / The Free Press 1967 New York (ANGES)

Dictionary of Saints / John Delaney / Image Book Doubleday 1983 New York (HAGIO)

Dictionnaire des Symboles / Chevalier & Gheerbrant / Bouquins 1982 Paris (SYMBOL)

Dictionnaire du Christianisme / Jean-Mathieu Rosey / Marabout 1990 Alleur (Belgique) (THEOL)

Dieu seul le sait; enquête sur les miracles / Dominique Rouch / Hachette Carrere 1990 Paris (MIRACLES)

Dis.. Ecris.. / Marie-Angélique Millet / Carmel de Gravigny — Eure, Ed. Résiac, 1981, Montsurs (France) (REVEL)

Do you have a Guardian Angel / John Ronner / Mamre Press 1985 (ANGES)

Dolorous passion of our Lord Jesus Christ (the) / Anne Catherine Emmerich / Tan Books, Rockford (Illinois) 1983 (REVEL)

Ecrits / Gemma Galgani / Téqui 1988 Paris (HAGIO)

Encyclopédie des Phénomènes extraordinaires dans la vie mystique, volume 1 / Joachim Boufflet / FX de Guibert — ŒIL / Paris, 1992 (trois autres volumes en prépration au moment de cette impression)

En route vers Omega / Kenneth Ring / Robert Laffont, 1991, Paris (NDE)

Enfances / Françoise Dolto / Seuil, 1986, Paris (VECU)

Eucharistics Miracles / Joan Carroll Cruz / Tan Books, 1987, Rockford (Illinois) (MIRACLES)

Extases Féminines / Jean-Noël Vuarnet / Hatier, 1991, Paris (ESSAI)

Fantastiques expériences de voyage astral / Robert Monroe / Robert Laffont 1990 Paris (HORS DU CORPS)

Figures Mystiques féminines / Louis Bouyer / Cerf 1989 Paris (THEOL)

Final Gifts / Callanan & Kelley / Poseidon Press, New York, 1992 (NDE)

Fleur des saints (La) / Omer Englebert / Albin Michel, 1990, Paris (HAGIO)

Folie de la croix, Gemma Galgani, Vol 1 (la) / J.F. Villepelée / Parvis 1977, Hauteville (Suisse) (HAGIO)

Folie de la croix, Gemma Galgani, Vol 2 (la) / J.F. Villepelée / Parvis 1977, Hauteville (Suisse) (HAGIO)

Folie de la croix, Gemma Galgani, Vol 3 (la) / J.F. Villepelée / Parvis 1977, Hauteville (Suisse) (HAGIO)

Full Circle / Barbara Harris / Pocket Books, 1990, New York (NDE)

Garabandal, the village speaks / Ramon Perez / Lindenhurst (New York), 1985 (APPARI)

Gateway Experience (The) / Monroe Institute / Monroe Institute, 1989, Faber (Virginia) (HORS DU CORPS)

Gemma Galgani, Vierge de Lucques / Thor Salviat / Maison de la Bonne Presse, 1936, Paris (HAGIO)

Ghosts of the air / Martin Caidin / Bantam Books 1991 New York (VECU)

Glimpes of Eternity : NDE / Arvin Gibson / Horizon Publishers, 1992, Bountiful (Utah) (NDE)

God Calling / (anonyme) / A.J. Russel : Jove Books, 1978, New York (REVEL)

God speaks at Garabandal / Joseph A. Pelletier / Worcester (Massachussetts), 1970 (APPARI)

Harpers encylcopedia of Mystical & Paranormal / Rosemary Guiley / Harper, 1991, San Francisco (DIVERS)

I speak and heal for the angels / Elisabeth Rose / Light technology, 1990, Sedona (Arizona) (ANGES)

Incorruptibles (the) / Joan Carroll Cruz / Tan Books, 1977, Rockford (Illinois) (INCORRUP)

Je dois raconter ma vie, l'Ange gardien mon ami / Cecilia Cony / Téqui, 1988, Paris (HAGIO)

John Lilly, so far / Francis Jeffrey / Jeremy Tarcher, 1990, Los Angeles (Ca) (VECU)

Joseph Smith, the prophet / Truman Madsen / Bookcraft, 1989, Salt Lake City (Utah) (HAGIO)

Journey Beyond Life (The) / Willmore & Sorensen / Sounds of Zion, 1988, Midvale (Utah) (NDE)

Jubilation dans la lumière divine de Françoise Romaine / Marie-Pascal Dickson / ŒIL 1989 Paris (HAGIO)

L'Anacrisie, pour avoir la communication avec son Ange gardien / Pélagius / Cariscript, 1988, Paris (ANGES)

L'Ange de la présence : essai sur le maitre intérieur / Antoine Kerlys / Terre blanche, 1989 (ANGES)

L'Ange et L'Homme / Ouvrage collectif / Albin Michel 1978 Paris (ANGES)

L'Annonciation / Etienne Choppy / AGEP, 1991, Marseille (France) (ANGES et ART)

L'Homme et les Anges / Hans-Verner Schrœder / IONA 1986 Paris (ANGES)

La Mort est un nouveau soleil / Elisabeth Kübler-Ross / Press-Pocket, 1990, Paris (NDE)

La Mort, porte de la vie / Elisabeth Kübler-Ross / Ed. du Rocher, 1990, Paris (NDE)

La mort transfigurée / Evelyne Sarah Mercier / L'Age du Verseau, Paris, 1992 (NDE)

Le Message de Padre Pio / Katharina Tangari / Publications du Courrier de Rome, 1990, Versailles (HAGIO)

Le Nouveau Testament / Traduction d'Osty & Trinquet / Seuil, 1978, Paris

Les « Morts » ont donné signe de vie / Jean Prieur / Lanore, Sorlot, 1984, Paris (AU-DELA)

Les Ames du purgatoire m'ont dit / Maria Simma / Christiana 1969, Stein am Rhein (Suisse) (REVEL)

Les Anges / Friedrich von Lama / Christiana, 1987, Stein am Rhein (Suisse) (HAGIO)

Les Anges / Philippe Faure / Cerf, 1988, Paris (ANGES)

Les Anges chez saint Thomas d'Aquin / Jean-Marie Vernier / Nlles Editions Latines, 1986, Paris (THEOL)

Les Anges et leur mission / Jean Daniélou / Desclée 1990 Paris (ANGES)

Les Morts nous parlent / François Brune / Le Félin 1988 Paris (NDE)

Les Plus beaux textes sur les Saints Anges I / Vincent Klee / Nlles. Editions Latines 1984 Paris (THEOL)

Les Plus beaux textes sur les Saints Anges II / Vincent Klee / Nlles. Editions Latines 1984 Paris (THEOL)

Les Stigmates d'Yvonne-Aimée de Malestroit / R. Laurentin, P. Mahéo / OEIL, 1988, Paris (HAGIO)

Life at Death / Kenneth Ring / Quill 1982 New York (NDE)

Life of Anne-Catherine Emmerich Vol I / Carl Schmöger / Tan Books, 1976, Rockford (Illinois) (HAGIO)

Life of Anne-Catherine Emmerich Vol II / Carl Schmöger / Tan Books, 1976, Rockford (Illinois) (HAGIO)

Life of Mary as seen by the mystics (the) / Tan Books, Rockford (Illinois) 1991 (REVEL)

Life of the Blessed Virgin Mary (the) / Anne Catherine Emmerich / Rockford (Illinois) / Tan Books, 1970 (REVEL)

Livre des Dialogues (le) / Catherine de Sienne / Seuil 1953 Paris (REVEL)

Livre des Œuvres Divines (le) / Hildegarde Von Bingen / Albin Michel 1982 Paris (REVEL)

Livre des Révélations (le) / Julienne de Norwitch / Cerf 1992 Paris (REVEL)

Livre des Visions et instructions (le) / Angela de Foligno / Seuil 1991 Paris (REVEL)

Lui et Moi Vol I / Gabrielle Bossis / Beauchesne, 1985, Paris (REVEL)

Lui et Moi Vol II / Gabrielle Bossis / Beauchesne, 1950, Paris (REVEL)

Lui et Moi Vol III / Gabrielle Bossis / Beauchesne, 1952, Paris (REVEL)

Lui et Moi Vol IV / Gabrielle Bossis / Beauchesne, 1953, Paris (REVEL)

Lui et Moi Vol V / Gabrielle Bossis / Beauchesne, 1953, Paris (REVEL)

Lui et Moi Vol VI / Gabrielle Bossis / Beauchesne, 1957, Paris (REVEL)

Lui et Moi Vol VII / Gabrielle Bossis / Beauchesne, 1979, Paris (REVEL)

Lumière de l'au delà (la) / Raymond Moody et Paul Perry / Robert Laffont, 1988, Paris (NDE)

Lumières nouvelles sur « la vie après la vie » / Raymond Moody et Paul Perry / Robert Laffont, 1980, Paris (NDE)

Making Saints / Kenneth Woodward / Touchstone Book, 1990, New York (THEOL)

Many faces of angels (The) / Harvey Humann / Devorss publications, 1986, Marina del Rey (California) (ANGES)

Marie-Juile Jahenny / Pierre Roberdel / Résiac, 1987, Montsurs (France) (HAGIO)

Married Saints / Selden Delany / Longmans, Green and Co, 1935, New York (HAGIO)

Marthe Robin : le voyage immobile / Jean-Jacques Antier / Perrin, 1991, Paris (HAGIO)

Mary, queen of peace, stay with us / Guy & Armand Girard / Ed. Paulines, Montréal, 1988 (HAGIO)

Meaning of Akita (the) / John M. Haffert / 101 Foundation, Asbury (New Jersey), 1989 (MIRACLES)

Médecins du ciel, Médecins de la Terre / Maguy Lebrun / Robert Laffont 1987 Paris (VECU)

Méditations sur les 22 arcanes majeurs / (anonyme) / Aubier, 1980, Paris (THEOL)

Mémoires de Sœur Lucie / Louis Kondor / Vice-Postulaçao dos Videntes, 1991, Fatima (Portugal) (VECU)

Mes relations avec les âmes du purgatoire / Marie-Anne Lindmayr / Christiana, Stein am Rhein (Suisse) 1986 (REVEL)

Messages de l'après vie / Bernard Raquin / L'age du verseau 1990 Paris (VECU)

Messengers of Light / Terry Lynn Talor / HJ Kramer, 1990, Triburon (ANGES)

Metanoia / Aimé Michel / Albin Michel, 1986 Paris (STIGMATES)

Miracles / Scott Rogo / Aquarian press, 1991, London (MIRACLES)

Modern Saints Book 1 / Ann Ball / Tan Boks, 1983, Rockford (Illinois) (HAGIO)

Modern Saints Book 2 / Ann Ball / Tan Boks, 1990, Rockford (Illinois) (HAGIO)

Mon Ange marchera devant toi / Georges Huber / saint Paul 1986 Paris (ANGES)

Multiplication des apparitions de la Vierge aujourd'hui / René Laurentin / Fayard, 1991, Paris (APPARI)

My Life After Dying / Goerge G. Ritchie / Hampton Roads 1991, Norfolk (Virginia) (NDE)

Mysterious Shroud / Vernon Miller / Image Book, 1988, New York (SSUAIRE)

O children, listen to me / Robert François / Lindenhurst (New York), 1980 (APPARI)

Omega project (The) / Kenneth Ring / William Morrow, 1992, New York (NDE)

On children and death / Elisabeth Kübler-Ross / Collier books, 1985, New York (NDE)

On death and dying / Elisabeth Kübler-Ross / Collier books, 1969, New York (NDE)

One Family Experience / Pat Devlin / (à compte d'auteur), 1989, Lubbock (Texas) (APPARI)

Otherworld Journeys / Carol Zaleski / Oxford Univeristy Press, 1987, New York (NDE)

Our Lady de Fatima / William Thomas Walsh / Image Doubleday 1954 New York (APPARI)

Oxford dictionary of saints (The) / David Hugh Farmer / Oxford university press, 1987 (2nd ed.), Oxford (HAGIO)

Padre Pio : « l'heure des anges » / Giovanni Siena / Editions Arcangelo, 1977, San Giovanni Rotondo (Italie) (ANGES)

Padre Pio témoin de Dieu / Jean Derobert / Jules Hovine 1986 Marquain (Belgique) (HAGIO)

Padre Pio, the true story, Expanded Ed. / Bernard Ruffin / O.S.V. 1991 Huntington (Indiana) (HAGIO)

Paroles de Jeanne d'Arc / Odet Perrin / Mermod, 1961, Lausanne (Suisse) (HAGIO)

Passionate women : two medieval mystics / Elisabeth Dreyer / Paulist press, 1989, New York (HAGIO)

Passons sur l'autre rive : anges et démons / Jean Derobert / J. Hovine, 1983, Marquain (Belgique) (ANGES)

Penguin dictionary of saints (The) / Donald Attwater / Penguin books, 1983 (2nd ed.), London, New York (HAGIO)

Père Lamy (Le) / Paul Biver / Ed. du serviteur, 1988 (nouv. éd.), Chiry-Ourscamp (Oise) (HAGIO)

Petit Journal de Sœur Faustine / Hélène Kowalska / Editions Jules Hovine / 1985, Marquain, Belgique (VECU)

Petite vie de Jeanne d'Arc / Régine Pernoud / Desclée de Brouwer, 1990, Paris (HAGIO)

Petite vie de Marthe Robin / Raymond Peyret / Desclée de Brouwer, 1988, Paris (HAGIO)

Poésies / Thérèse de l'Enfant Jésus / Le Cerf 1979 Paris (DIVERS)

Pseudo-Dionysius : the complete work / Pseudo-Dionysius / Paulist press, 1987, New York (THEOL)

Questions and answers on death and dying / Elisabeth Kübler-Ross / Collier books, 1974, New York (NDE)

Qui sont les anges / Maria-Pia Guidici / Nouvelle cité, 1985, Paris (ANGES)

Recollections of Death / Michael Sabom / Harper & Row 1982 (NDE)

Relics / Joan Carroll Cruz / O.S.V. 1984 (THEOL)

Remember the secret / Elisabeth Kübler-Ross & Heather Preston / Celestial Arts, 1982, Berkeley (California) (NDE)

Return from death / Margot Grey / Arkana, Penguin book, 1985, London, New York (NDE)

Return from Tomorrow / Gœrge G. Ritchie / Chosen Books 1978 (NDE)

Riddle of Konnersreuth, Theresa Neumann / Paul Siwek / Bruce, 1953, Milwaukee (HAGIO)

Rita, la sainte des impossibles / Jo Lemoine / Médiaspaul 1990 Paris (HAGIO)

Saint Michael & the Angels / (anonyme) / Tan Books, 1977, Rockford (Illinois) (THEOL)

Sainte du Paray Marguerite-Marie (la) / Jean Ladame / Résiac 1986 Monsurs (France) (HAGIO)

Santa Gemma e il suo sanctuario / Monastero Passioniste, Lucca, Italia (HAGIO)

Science à l'épreuve du linceul (La) / Arnaud-Aaron Upinsky / ŒIL, 1990, Paris (SSUAIRE)

Scientist (the) / John Lilly / Ronin Publishnig, 1988, Berkeley (California) (VECU)

Send me your Guardian Angel / Allessio Parente / San Giovanni Rotondo 1984 (Italy) (ANGES)

Shroud of Turin (The) / Ian Wilson / Doubleday 1979, New York (SSUAIRE)

Si tu m'ouvres la porte / (anonyme) / Parvis 1977, Hauteville (Suisse) (REVEL)

Sign and symbols in christian art / George Ferguson / Oxford university press, 1989, New York (SYMBOL)

Source Noire (La) / Patice van Eersel / Librairie générale française, 1991, Paris (NDE)

Star on the mountain / M. Laffineur, M.T. le Pelletier / Lindenhurst (New York) 1969 (APPARI)

Sterben ist doch ganz anders / Johann Hampe / Kreuz Verlag, 1977, Stuttgart (Allemagne) (NDE)

Stigmata / Ian Wilson / Harper & Row, 1989, New York (STIGMATES)

Stigmatisés et apparitions / Pascal Sanchez-Ventura / Nlles Editions Latines 1967 Paris (APPARI STIGMATES)

Super-moi / Ian Wilson / Presses pocket, 1991, Paris (NEW AGE)

Sur la frontière de la Vie / Kenneth Ring / Robert Laffont 1982 Paris (NDE)

Synchronicity / C.G. Jung / Princeton university press, 1973, Princeton (New Jersey) (PSY)

Synchronicity, the Bridge between Matter and Mind / David Peat / Bantam Book, 1987, New York (SCIENCES)

Talking with Angels / Gitta Mallasz / Daimon Verlag, 1988 (ANGES)

Teresa Musco / Fausto Rossi / Parvis, 1991, Hauteville (Suisse) (HAGIO)

Therese Neumann la crucifiée / Ennemond Boniface / P. Lethielleux, 1989, Paris (HAGIO)

They Bore the Wounds of Christ / Michael Freeze / O.S.V., 1989, Hutington (Indiana) (STIGMATES)

Touching the unseen world / Betty Malz / Chosen Book, 1991, New York (NDE)

Treasury of Women Saints / Ronda De Sola Chervin/ Servant publications, 1991, Ann Arbor (Michigan) (HAGIO)

Trois Stigmatisés de notre temps / Jean Barbier / Téqui 1987 Paris (STIG-MATES)

Vie après la Vie (la) / Raymond Moody et Paul Perry / Robert Laffont, 1975, Paris (NDE)

Vie authentique de Catherine Labouré / Desclée de Brouwer, 1982 Paris / René Laurentin (HAGIO)

Vie et Œuvres de Sœur Marie Lataste / Pascal Darbins / Téqui, 1974, Paris (HAGIO)

Vie de Catherine Labouré / Renè Laurentin / Desclée de Brouwer, 1981, Paris (HAGIO)

Vie de Saint Michel Archange / François Ducaud-Bourget / Forts dans la foi, 1976, Bléré (76) (France) (AVENTURES)

Vie de Sainte Thérèse d'Avila (la) / Marcelle Auclair / Seuil 1960 Paris (HAGIO)

Vie et Visions de Sœur de la Nativité / Pierre Roberdel / Resiac, 1985, France (HAGIO)

Visions of Thérèse Neuman (the) / Johanes Steiner / Alba House, 1975, (HAGIO)

Visions of Tondal (the) / Thomas Kren & Roger Wieck / Paul Getty Museum, 1990, Malibu (California) (NDE) /

Voyage hors du corps (le) / Robert Monroe / Garancière 1986, Paris (HORS DU CORPS)

Vrai visage de Padre Pio (le) / Maria Winowska / Fayard 1955, Paris (HAGIO)

Vraie vie en Dieu (la) / Vassula Ryden / ŒIL, 1990, Paris (REVEL)

Way of Divine Love (The) / Sœur Josefa Menendez / Tan Books, 1972, Rockford, Illinois (REVEL)

When Angel Appear / Hope Mc Donald / Day Break Book, 1982, Grand Rapids (Michigan) (ANGES)

When bad things happend to good people / Harold Kushner / Avon Books 1981 (? ? ? ?)

Whole in one / David Lorimer / Arkana, 1990, Londres (NDE)

With the tongue of men and Angels / Arthur Hastings / Holt, Rinehart & Winston, 1991, Fort Worth (Texas) (NEW AGE)

World and work of the holy angels (the) / Robert Fox / Fatima Family, 1991, Alexandria (South Dakota) (ANGES « sectaires »)

DISCOGRAPHIE

Alice Cooper — Second Coming — in « Love it to Death », Warner Bros Records

B'52's (the) — Cosmic Thing — in « Cosmic Thing », :r Records.

Chris Rea — Giverny —, in « On the beach », Magnet Records

Communards (the) — Heavens Above — in « Communards », MCA Records

Dark Angels — The New Prieshood — in « Time Does Not Heal », Combat Records

Dany Brillant — Suzette — in « C'est ça qui est bon », WEA Records

David Bowie — Golden Years — in « Station to Station », RYKO Records

David Bowie — Let's Dance — in « Let's Dance », EMI Records

David Bowie -Word on a Wing — in « Station to Station », RYKO Records

Eddie Brickell & New Bohemians — 10.000 Angels — in « Ghost of a dog », Geffen Records

Eurythmics — There must be an Angel — in « Be yourself tonight », RCA Records

Genesis — Vision of Angels — in « Trespass », Charisma Records

Guns n' Roses — Coma — in « Use Your Illusion », Geffen Records

INXS — Bitter Tears — in « X », Atlantic Records

Jacques Higelin — Un grain de poussière — in « Alertez les Bébés », EMI Records

Jean-Louis Murat — L'Ange Déchu — in « Cheyenn Automn », Virgin Records

Julien Clerc — Souffrir par toi n'est pas souffrir — in « N° 7 », EMI Pathe Records

Laurie Anderson — Ramon — in « Strange Angels », Warner Bros Records

Laurie Anderson — Strange Angels — in « Strange Angels », Warner Bros Records

Led Zeppelin — Over the hills and Far away — in « Houses of the Holy », Atlantic Records

Madonna — Like a Virgin — in « Like a Virgin », Sire Records

Magma — Mekanink Destruktiv Kommandoh —, Seventh Records

Martha Davis & The Motels — Trust Me — in « Little Robers », Capitol Records

Niagara — Je dois m'en aller — in « Encore un dernier baiser », Polydor Records

Niagara — J'ai vu — in « Religion », Polydor Records

Nine Inch Nails — Head like a hole — in « Pretty Hate Machine », TvT Records.

Paula Abdul — State of Attraction — in « Forever your girl », Virgin Records

Peter Gabriel — That voice again — in « So », Geffen Records

Police (the) — Synchronicity I — in « Synchronicity », A&M Records

Prince — I would die 4 U — in « Purple rain », Warner Bros Records

Siouxsie & The Banshees — Cascade — in « A Kiss In The Dreamhouse », Polydor Records

Siouxsie & The Banshees — Fear — in « Supersition », Geffen Records

Siouxsie & The Banshees — The Last Beat of my Heart — in « Peep Show », Geffen Records

Stevie Wonder — Have a talk with God — in « Song of the keys of the life », Tamla Motown Records

Sting — The Secret Marriage — in « Nothing like the Sun », A&M Records

Talking Heads — Thank you for sending me an Angel — in « More songs about buildings and food », Sire Records

Talking Heads — Who is it ? — in « Talking Heads : 77 », Sire Records

Toni Childs — Walk and Talk like Angels — in « Union », A&M records

INDEX

TABLE DES MATIÈRES

Illustration de couverture :
William Bouguereau « Le ravissement de Psyché », 1895.
Collection particulière (X, D.R.).

Cet ouvrage
a été composé
par l'Imprimerie BUSSIÈRE
et imprimé
sur presse CAMERON
dans les ateliers de la S.E.P.C.
à Saint-Amand-Montrond (Cher)
en novembre 1993

N° d'éditeur : 1293. N° d'impression : 2740.
Dépôt légal : novembre 1993.

Imprimé en France

ISBN : 2 85018 245 1